siedem prób

VIKAS SWARUP

Siedem prób
Slumdog. Milioner z ulicy

VIKAS SWARUP
siedem prób

Przekład
IRENA KOŁODZIEJ

AMBER

Redaktor prowadzący
Małgorzata Cebo-Foniok

Korekta
Bogusława Jędrasik
Joanna Egert-Romanowska

Projekt graficzny okładki
Małgorzata Cebo-Foniok

Zdjęcia na okładce
kobieta: © Roberto Pastrovicchio/Arcangel Images
tło: © Chandan Dubey/Moment Mobile/Getty Images

Tytuł oryginału
The Accidental Apprentice

Druk
MOMAG S.A.

ISBN 978-83-241-5189-9

Warszawa 2014. Wydanie I

Wydawnictwo AMBER Sp. z o.o.
02-952 Warszawa, ul. Wiertnicza 63
tel. 620 40 13, 620 81 62

www.wydawnictwoamber.pl

Adityi i Varunowi,
którzy słuchali moich pierwszych opowieści

Prolog

W **życiu nigdy nie dostajesz tego, na co zasługujesz:** dostajesz to, co sobie wynegocjujesz.

Taka była pierwsza lekcja, którą od niego otrzymałam.

Od trzech dni wprowadzam tę wskazówkę w życie, gorączkowo negocjując z moimi oskarżycielami i prześladowcami w rozpaczliwym dążeniu, by uniknąć kary śmierci, na którą ich zdaniem zasługuję.

Przed aresztem niczym wilki krążą dziennikarze. Kanały wiadomości nie mogą się mną nasycić; moja historia to dla nich opowieść z morałem o tym, jak to zderzenie chciwości z łatwowiernością pozostawia po sobie zbryzgany krwią wrak pociągu o nazwie: morderstwo z premedytacją. W kółko pokazują tamto policyjne zdjęcie, zrobione tuż po moim aresztowaniu. Telewizja Sunlight wygrzebała nawet jakieś stare, niewyraźną klasową fotkę z czasów, kiedy chodziłam do szkoły w Nainital: siedzę, sztywno wyprostowana, w pierwszym rzędzie obok pani Saunders, naszej wychowawczyni z ósmej klasy. Ale Nainital wydaje się teraz odległe o całe światy… Nieistniejąca kraina zielonych wzgórz i srebrzystych jezior, gdzie dawno, dawno temu młodzieńczy optymizm kazał mi nieopatrznie uwierzyć, że przyszłość nie ma granic, a ludzki duch jest niezwyciężony.

Chcę mieć nadzieję, wiarę, chcę marzyć, ale wciąż mnie przytłacza bezduszny ciężar rzeczywistości. Mam wrażenie, że to jakiś senny koszmar, że tkwię w głębokiej, ciemnej studni bezkresnej rozpaczy, z której nie ma wyjścia.

Siedzę w dusznej, pozbawionej okien celi, a moje myśli wciąż wracają do tamtego pamiętnego dnia, kiedy się to wszystko zaczęło. Choć miało to miejsce ponad pół roku temu, wciąż pamiętam z niezwykłą ostrością każdy szczegół, tak jakby wydarzyło się wczoraj. Oczyma wyobraźni widzę, jak w tamto zimne, szare popołudnie idę w stronę świątyni Hanumana w Connaught Place...

Jest piątek, dziesiątego grudnia, i ruch uliczny na Baba Kharak Sing Marg stanowi jak zwykle chaotyczną mieszaninę podniecenia i zgiełku. Jezdnię szczelnie wypełniają pełznące ociężale autobusy, trąbiące samochody, wyjące skutery i parskające motorowe riksze. Niebo jest bezchmurne, ale słońca nie widać zza trujących oparów smogu, który dusi miasto każdej zimy.

Mam na sobie szary kardigan i skromny błękitny *salvar kameez**, który rozważnie włożyłam zamiast roboczego mundurka. To zwyczaj, którego przestrzegam w każdy piątek: podczas przerwy na lunch wymykam się z salonu wystawowego i idę pieszo przez plac targowy do prastarej świątyni poświęconej bogu małp, Hanumanowi.

Większość ludzi chodzi do świątyni, żeby się modlić; ja idę, żeby pokutować. Dotąd nie wybaczyłam sobie śmierci Alki. Jakaś cząstka mnie nadal uważa, że to, co się z nią stało, to moja wina. Od tamtej upiornej tragedii moją jedyną ucieczką jest Bóg. A specjalna więź łączy mnie z boginią Durgą, która też ma swoje sanktuarium w świątyni Hanumana.

---

* Tunika i spodnie, szerokie u góry i wąskie w kostce, tradycyjny strój kobiecy w Indiach i Pakistanie (wszystkie przypisy pochodzą od autora).

Lauren Lockwood, moją amerykańską przyjaciółkę, nieustannie zdumiewa fakt, że mamy trzysta trzydzieści milionów bogów.

– Dżizas... Wy, Hindusi, lubicie się asekurować na wszystkie strony – mawia. To raczej przesada, niemniej w każdej szanującej się świątyni istotnie są sanktuaria dla co najmniej pół tuzina bóstw.

Durga to Niezwyciężona. Potrafi wybawić nawet z najcięższego strapienia. Po śmierci Alki, kiedy moje życie zmieniło się w ciemny tunel smutku i żalu, to Ona dała mi siłę. Zawsze jest przy mnie, ilekroć jej potrzebuję.

Jak na piątek po południu w świątyni panuje nietypowy tłok. Utykam w zwartym tłumie wiernych, przepychających się do swego *sanctum santorum*. Czuję pod stopami chłodną marmurową posadzkę, a w powietrzu – ciężką, odurzającą mieszankę woni: potu, drewna sandałowego, kwiatów i kadzidła.

Trafiam do kolejki kobiet, która jest znacznie krótsza, i po niespełna dziesięciu minutach mogę już obcować z Matką Durgą.

Zakończywszy mój *darśan**, mam właśnie zejść schodami, gdy czuję na ramieniu czyjąś dłoń. Odwracam się gwałtownie: wpatruje się we mnie intensywnie jakiś mężczyzna.

Jeśli w Delhi nieznajomy, dorosły osobnik zaczepia młodą kobietę, instynktownie sięga się po buteleczkę pieprzowego sprayu, którą człowiek ma zawsze pod ręką. Ale wpatrujący się we mnie nieznajomy to nie uliczny włóczęga. To starszy człowiek, ubrany w nieskazitelnie białą jedwabną *kurta pyjama***, z zarzuconym niedbale na ramiona białym szalem z paszminy. Wysoki, dobrze zbudowany, ma orli

---

* Doświadczenie kontaktu z bóstwem.
** *Kurta pyjama* – tradycyjny męski strój w Indiach: długa do kolan koszula bez kołnierzyka i spodnie.

nos, twardą, zdecydowaną linię ust, a głowę wieńczy korona bujnych, odczesanych do tyłu śnieżnobiałych włosów. Czoło zdobi cynobrowa *tika**. Palce obciążają połyskujące diamentami i szmaragdami pierścienie. Ale co budzi mój niepokój, to przenikliwe spojrzenie jego brązowych oczu. Mam uczucie, że mnie otwarcie penetrują, i trochę mnie to onieśmiela. To mężczyzna, który lubi mieć wszystko pod kontrolą.

– Czy mogę z panią porozmawiać? – pyta głosem, w którym słychać doskonałą dykcję człowieka wykształconego.

– O co chodzi? – pytam krótko, z szacunku dla jego wieku mniej ostrym tonem, niż odezwałabym się normalnie.

– Nazywam się Vinay Mohan Acharya – mówi spokojnie. – Jestem właścicielem Konsorcjum Biznesowego Acharya. Słyszała pani o Grupie Przedsiębiorstw ABC.

Unoszę brwi. Tak, znam tę nazwę. Acharya Business Consortium to jeden z największych hinduskich konglomeratów przemysłowych, wytwarzający wszystko: od pasty do zębów po turbiny.

– Mam dla pani propozycję – ciągnie. – Coś, co zmieni raz na zawsze pani życie. Da mi pani dziesięć minut, żebym wytłumaczył, o co chodzi?

Słyszałam już te słowa z ust wielu ludzi – od natrętnych ubezpieczycieli-domokrążców po wędrownych sprzedawców proszku do prania. I zawsze budzą moją nieufność.

– Nie mam dziesięciu minut. Muszę wracać do pracy.

– Proszę mnie tylko wysłuchać – nalega.

– O co chodzi? Proszę mówić.

– Chcę dać pani szansę, żeby została pani dyrektorką naczelną Grupy ABC. Proponuję pani możliwość zarządzania firmą o wartości dziesięciu miliardów dolarów.

---

* *Tika* – czerwona kropka na czole, noszona przez wyznawców hinduizmu.

Teraz wiem, że nie wolno mu ufać. Mówi dokładnie jak oszust, jeden z tych natrętnych handlarzy z Janpath, usiłujących wcisnąć człowiekowi tandetny pasek z dermy czy paczuszkę tanich chusteczek do nosa. Czekam na pół-uśmiech, który powie mi, że on żartuje, ale twarz mężczyzny pozostaje niewzruszona.

– Nie jestem zainteresowana – odpowiadam stanowczo i zaczynam schodzić po schodach. Idzie za mną.

– Chce pani powiedzieć, że odrzuca pani propozycję stulecia, pieniądze większe, niż ma pani szansę zobaczyć nawet w siedmiu kolejnych żywotach? – Jego ton jest ostry, słowa tną powietrze niczym bat.

– Panie Acharya, czy kim pan tam jest… Nie wiem, w co pan gra, ale nie mam ochoty brać w tej grze udziału. Proszę więc przestać mi się naprzykrzać. – Biorę moje klapki Baty z rąk staruszki, która za niewielki napiwek pilnuje butów przy wejściu.

– Wiem, na pewno pani myśli, że to wszystko żart – mówi, wkładając brązowe sandały.

– A nie jest?

– Nigdy w życiu nie byłem równie poważny.

– W takim razie musi pan być z jakiegoś telewizyjnego programu. Pewnie jak tylko powiem „tak", pojawi się ukryta kamera, chodząca w ślad za panem.

– Myśli pani, że człowiek o mojej pozycji zajmowałby się jakimiś głupimi telewizyjnymi programami?

– No a czy to nie głupie, że proponuje pan swoje prze-mysłowe imperium przypadkowej osobie? Wątpię nawet, czy w ogóle jest pan tym, za kogo się podaje.

– Słuszna uwaga. – Kiwa głową. – Odrobina sceptycyzmu nigdy nie zawadzi. – Sięga do kieszeni swojej *kurta* i wyjmuje czarny skórzany portfel. Bierze z niego wizytówkę i podaje mi. – Może to panią przekona.

Rzucam na nią pobieżnie okiem. Owszem, robi wrażenie – z czegoś w rodzaju półprzezroczystego plastiku z wytłoczonym logo Grupy ABC, pod którym czarna, śmiała czcionka głosi: VINAY MOHAN ACHARYA, PREZES.

– Każdy może za parę setek rupii zrobić sobie coś takiego – odpowiadam, zwracając mu kartę.

Wyjmuje z portfela inny kawałek plastiku i podnosi w dwóch palcach.

– A to?

Jest to czarna karta kredytowa American Express Centurion, z wytłoczonym na dole napisem VINAY MOHAN ACHARYA. Jak dotąd spotkałam się z tym rzadkim okazem tylko raz, kiedy jakiś szpanerski budowlaniec z Noida użył go do zapłacenia za 60-calowy telewizor Sony LX-900, który kosztował prawie czterysta tysięcy rupii.

– To też niczego nie zmienia. – Wzruszam ramionami. – Skąd mam wiedzieć, czy nie jest sfałszowana?

Przeszliśmy już dziedziniec świątyni i zbliżamy się do ulicy.

– To mój samochód – wskazuje zaparkowany wzdłuż krawężnika lśniący pojazd. Na miejscu kierowcy siedzi szofer w czapce z daszkiem i sztywnym od krochmalu białym uniformie. Z przedniego siedzenia podnosi się ubrany na wojskowo uzbrojony ochroniarz i zastyga w pozycji na baczność. Acharya robi „pstryk" palcami i ochroniarz rzuca się, by otworzyć tylne drzwiczki. Jego gorliwa usłużność nie wydaje się fałszywa; wygląda na to, że wytrenowały ją lata niekwestionowanej podległości. Samochód, odnotowuję z podziwem, to srebrzysty mercedes-benz CLS-500, wart ponad dziewięć milionów rupii.

– Sekundę – mówi Acharya i zagląda do środka. Bierze z tylnego siedzenia jakiś magazyn i mi podaje. – Trzymałem to jako ostatnią deskę ratunku. Jeśli to pani nie przekona, to już chyba nic.

Jest to egzemplarz „Business Times" z grudnia 2008 roku. Na okładce z bijącym po oczach nagłówkiem: BIZNESMEN

ROKU widnieje portret jakiegoś mężczyzny. Spoglądam na twarz na okładce, a potem na stojącego przede mną człowieka. Są identyczni. Ta sama charakterystyczna, odczesana do tyłu srebrzysta grzywa, ten sam mocny orli nos i przenikliwe brązowe oczy. Naprawdę rozmawiam z właścicielem przemysłowego imperium Vinayem Mohanem Acharyą.

– W porządku – poddaję się. – A więc to pan Acharya. Czego pan ode mnie chce?

– Już mówiłem. Chcę, żeby została pani dyrektorką naczelną mojej firmy.

– Sądzi pan, że uwierzę?

– W takim razie proszę mi dać dziesięć minut, a sprawię, że mi pani uwierzy. Możemy gdzieś usiąść i porozmawiać?

Spoglądam na zegarek. Do końca przerwy na lunch zostało mi jeszcze dwadzieścia minut.

– Możemy pójść do Coffee House – mówię, wskazując podniszczony budynek na drugiej stronie ulicy, pełniący rolę towarzyskiego centrum dla wykształconej klasy średniej.

– Wolałbym Lobby Lounge w hotelu Shangri La – odpowiada z miną człowieka, który niechętnie akceptuje mało korzystny wybór. – Nie będzie pani przeszkadzało, jeśli dołączy do nas mój kolega?

W chwili gdy to mówi, spomiędzy tłumu przechodniów wyłania się niczym duch i staje obok niego jakiś człowiek. Jest o wiele młodszy, na oko trzydziestoparoletni, ubrany na luzie w granatowy dres Reeboka. Ma z metr osiemdziesiąt i umięśnioną sylwetkę sportowca. Patrzę na jego przystrzyżone na jeża włosy, oczy jak u fretki i cienkie, okrutne usta. Nos ma lekko skrzywiony, tak jakby kiedyś był złamany, i jest to jedyny wyrazisty akcent w tej skądinąd nijakiej twarzy. Jestem przekonana, że od początku musiał chodzić za Acharyą krok w krok. Nawet teraz jego świdrujące oczka, niczym u zawodowego ochroniarza, biegają nieustannie to w tę, to w tę stronę, badając otoczenie, by wreszcie zatrzymać się na mnie.

– To Rana, moja prawa ręka – przedstawia mi go Acharya. Kiwam uprzejmie głową, kurcząc się pod lodowatym spojrzeniem Rany.

– Idziemy? – pyta. Ma zniszczony, chropawy głos, który przypomina szeleszczące pod stopami suche liście. Nie czekając na moją odpowiedź, rusza w stronę przejścia podziemnego.

Przechodzimy przez wahadłowe drzwi jadłodajni i momentalnie atakuje moje zmysły ciężka woń smażących się placków i palonej kawy.

Z wyglądu wnętrze do złudzenia przypomina szpitalną stołówkę. Widzę, jak Acharya marszczy nos, już żałując decyzji, by przyjść właśnie tutaj. Jest pora lunchu, wewnątrz panuje tłok.

– Minimum dwadzieścia minut czekania – informuje nas menedżer.

Rana wsuwa mu zwinięty banknot sturupiowy i natychmiast zwalnia się dla nas stolik w kącie. Acharya i jego totumfacki siadają z jednej strony, ja zajmuję samotne miejsce naprzeciwko nich. Rana szorstko zamawia trzy kawy z ekspresu, po czym prowadzenie przejmuje Acharya. Patrzy mi długo i głęboko w oczy.

– Proszę pozwolić, że będę z panią szczery. To dla mnie ślepy zakład. A zatem, zanim wytłumaczę pani moją propozycję, czy mogłaby pani opowiedzieć mi coś nieco o sobie?

– No cóż, nie ma za wiele do opowiadania.

– Może pani zacząć od imienia.

– Nazywam się Sapna. Sapna Sinha.

– Sapna. – Smakuje to imię, po czym kiwa głową z wyraźną satysfakcją. – Dobre imię. Ile ma pani lat, Sapno, jeśli wolno spytać?

– Dwadzieścia trzy.

– A co pani robi? Jest pani studentką?

– Skończyłam Uniwersytet Kumaun w Nainital. Teraz pracuję jako sprzedawczyni w Gulati & Sons. Mają w Connaught Place salon wystawowy z elektroniką i sprzętem gospodarstwa domowego.

– Byłem tam. To niedaleko stąd, prawda?

– Tak. W bloku B.

– Od jak dawna pani tam pracuje?

– Właśnie minął rok.

– A pani rodzina?

– Mieszkam z matką i Nehą, młodszą siostrą. Kończy studia w college'u Kamali Nehru.

– A co z ojcem?

– Nie żyje. Umarł półtora roku temu.

– O, przykro mi to słyszeć. A więc to pani jest żywicielką rodziny?

Kiwam głową.

– Jeśli to nie tajemnica, ile pani zarabia miesięcznie?

– Wraz z prowizją około osiemnastu tysięcy rupii.

– I to wszystko? Czy nie powinna więc pani rzucić się na szansę poprowadzenia firmy wartej miliony dolarów i zdobycia fortuny?

– Panie Acharya... Pańska propozycja nadal jest dla mnie niejasna. Przede wszystkim, dlaczego potrzebuje pan dyrektora naczelnego?

– Dlaczego? Bo mam sześćdziesiąt osiem lat i nie robię się coraz młodszy. Bóg stworzył ludzkie ciało jak maszynę z wbudowanym okresem działania. Niedługo upłynie mój termin ważności. Zanim jednak odejdę, chcę zapewnić organizacji, którą wyhołubiłem przez czterdzieści lat, właściwą transformację. Chcę się upewnić, że na moje miejsce przyjdzie ktoś, kto wyznaje te same wartości.

– Ale dlaczego ja? A nie pański syn lub córka?

– Cóż, po pierwsze nie mam już rodziny. Moja żona i córka zginęły osiemnaście lat temu w katastrofie samolotu.

– Ojej… W takim razie czemu nie ktoś z pańskiej firmy?

– Szukałem szeroko i daleko. I nie znalazłem nikogo, kto odpowiadałby mi choć z grubsza. Moja kadra kierownicza to dobrzy wdrożeniowcy, znakomici podwładni, ale w żadnym z nich nie dostrzegam cech wielkiego lidera.

– A co pan widzi we mnie? Nie mam pojęcia o prowadzeniu biznesu. Nie mam nawet studiów menedżerskich.

– Dyplom to świstek papieru. Studia nie nauczą pani, jak być dla ludzi przywódcą, a wyłącznie jak zarządzać personelem. Właśnie dlatego nie poszedłem do instytutu zarządzania, żeby wybrać kandydata na dyrektora. Przyszedłem do świątyni.

– Nadal nie odpowiedział pan na moje pytanie. Dlaczego ja?

– Ma pani coś w oczach. Błysk, którego nigdy dotąd nie widziałem. – Dla potwierdzenia szuka moich oczu, po czym spogląda w bok. – Zawsze byłem obserwatorem ludzi – ciągnie, błądząc spojrzeniem po sali, po siedzących przy innych stolikach pracownikach biur i zakupowiczach z klasy średniej. – I ze wszystkich osób, jakie obserwowałem w świątyni, pani wydawała się najbardziej skupiona. Może to pani nazwać intuicją, siódmym zmysłem, jak pani chce, ale coś mi powiedziało, że to może być pani. Tylko pani ma w sobie tę fascynującą mieszaninę determinacji i desperacji, której szukałem.

– Sądziłabym, że stan desperacji to raczej cecha negatywna.

Kręci głową.

– Człowiek szczęśliwy nie będzie dobrym dyrektorem. Zadowolenie rodzi lenistwo. To aspiracje są napędem dla osiągnięć. Potrzebuję człowieka, który ma w sobie głód.

Głód zrodzony na pustyni braku satysfakcji. Pani zdaje się mieć w sobie tę potrzebę, ten głód.

Zaczynają mnie pociągać jego śmiałe sądy i rozległe założenia. Wciąż jednak nie chwytam logiki, która stoi za tą retoryką.

– Czy pańskie decyzje zawsze bazują na kaprysie?

– Proszę nie lekceważyć mocy intuicji. Jedenaście lat temu kupiłem w Rumunii upadającą stalownię Iancu Steel. Każdego dnia przynosiła kolejne straty. Wszyscy moi eksperci odradzali mi ten zakup. Mówili, że wyrzucam pieniądze w błoto. Ale ja nie ustąpiłem. Fabryka pociągała mnie wyłącznie ze względu na swoją nazwę. Iancu oznacza: Bóg jest łaskaw. Dziś pięćdziesiąt trzy procent naszych zysków ze sprzedaży stali pochodzi z tej właśnie rumuńskiej fabryki. Bóg naprawdę jest łaskaw.

– A zatem wierzy pan w Boga?

– Czy to nie jest wystarczającym dowodem? – wskazuje czerwoną kropkę na czole. – Głównym powodem, dla którego poszedłem do świątyni, żeby wyszukać mojego następcę, jest to, że chciałem, aby był wierzący jak ja. Żyjemy w Kalyung*, wieku ciemności, pełnym grzechu i przekupstwa. Religia nie jest już w modzie. Młodych, którzy u mnie pracują, pochłania konsumpcja. Pewnie od lat nie byli w świątyni, żeby się pomodlić. Nie twierdzę, że wszyscy są ateistami, ale ich bogiem w większości wypadków są przede wszystkim pieniądze. Ale pani… – z aprobatą kiwa głową. – Wszystko wskazuje na to, że jest pani tą wierzącą, pełną bojaźni bożej osobą, jakiej szukałem.

– W porządku, rozumiem. Bazuje pan na własnym widzimisię, a obecne widzimisię podpowiada panu, że to mam być ja. A teraz proszę mi powiedzieć, na czym polega haczyk?

---

* Ostatnie z czterech stadiów, przez które przechodzi świat w ramach cyklu opisanego w świętych księgach hinduizmu. Hindusi wierzą, że w wieku Kalyung ludzka cywilizacja degeneruje się w sensie duchowym. Dosł.: wiek występku.

– Nie ma żadnego haczyka. Są jednak pewne warunki. Musi pani przejść kilka testów.

– Testów?

– Proszę się nie obawiać. Nie zabiorę pani z powrotem do szkoły. Szkoła testuje jedynie pani pamięć. Życie testuje jednak pani charakter. Moje siedem testów to rytuały przejścia, które mają określić pani siłę ducha i potencjał jako przyszłej dyrektorki.

– Dlaczego siedem?

– W ciągu czterdziestu lat prowadzenia biznesu nauczyłem się jednej rzeczy: firma jest tak dobra, jak osoba, która ją prowadzi. I sprowadziłem cechy skutecznego dyrektora do siedmiu podstawowych atrybutów. Tak więc każdy z testów będzie dotyczył jednej z tych siedmiu cech.

– A co konkretnie miałabym robić, żeby zdać te testy?

– Nic, czego nie robi pani w codziennym życiu. Nie będę żądał, żeby pani kradła, zabijała czy robiła cokolwiek sprzecznego z prawem. Tak naprawdę nie będzie pani sobie nawet zdawała z tych testów sprawy.

– Jak pan to rozumie?

– Moje testy pochodzą z księgi życia. Czyż życie nie sprawdza nas każdego dnia? Czy nie musimy codziennie dokonywać wyborów? Będę po prostu oceniał pani wybory, pani reakcje na codzienne życiowe wyzwania. To pokaże, z jakiego materiału jest pani zrobiona.

– A jeśli któregoś nie zdam?

– Cóż, wtedy będę musiał poszukać kogoś innego. Ale mój wewnętrzny instynkt mówi mi, że pani zda. Wygląda to niemal na przeznaczenie. Wygra pani największy los na loterii, jaki kiedykolwiek istniał.

– Wobec tego moja decyzja jest absolutnie jasna. Nie jestem zainteresowana.

Wygląda na zdumionego.

– Ale dlaczego?

– Nie wierzę w wygrane na loterii.

– Ale wierzy pani w Boga. A Bóg daje nam czasem więcej, niż prosimy.

– Nie jestem aż tak chciwa – mówię i wstaję od stołu. – Dziękuję, panie Acharya. Miło mi było pana poznać, ale naprawdę muszę już wracać do pracy.

– Siadać! – komenderuje. W jego głosie jest stal. Przełykam z wysiłkiem ślinę i niczym posłuszna uczennica siadam.

– Proszę posłuchać, Sapno – głos mu mięknie. – Na świecie istnieją tylko dwa typy ludzi: zwycięzcy i zwyciężeni. Daję pani szansę, żeby należała pani do zwycięzców. Jedyne, o co proszę w zamian, to żeby podpisała pani ten formularz. – Robi gest w stronę Rany, który wyjmuje z wewnętrznej kieszeni dresu zadrukowany arkusz papieru i kładzie przede mną.

Od śmierci Alki wytworzył się we mnie szósty zmysł co do pewnych rzeczy, ostrzegawczy dzwoneczek, który się odzywa, ilekroć sytuacja nie jest całkiem w porządku. Dzwoni, gdy biorę do ręki formularz. Tekst jest krótki, zaledwie kilka zdań:

1. Niżej podpisany/a zgadza się, by traktowano ją/jego jako kandydata/tkę na stanowisko dyrektora naczelnego Grupy Przedsiębiorstw ABC.

2. Niżej podpisany/a wyraża zgodę, by Grupa ABC przeprowadziła niezbędne sprawdziany i procedury, by ocenić jego/jej przydatność na to stanowisko.

3. Podpisanie niniejszej umowy oznacza, iż kandydatowi/tce nie wolno jej zerwać przed terminem, w trakcie prowadzenia niezbędnych sprawdzianów i procedur.

4. Podpisujący/a zgadza się na zachowanie sprawy w całkowitej tajemnicy i niedyskutowanie o niniejszej umowie z jakąkolwiek osobą trzecią.

5. Biorąc pod uwagę powyższe, podpisujący/a otrzymał/a bezzwrotną zaliczkę w wysokości 100 (stu) tysięcy rupii.

– Mowa tu tylko o stu tysiącach – zauważam. – O ile pamiętam, wcześniej wspominał pan o dziesięciu miliardach dolarów, prawda?

– Sto tysięcy *lakh* to honorarium wyłącznie za udział w testach. Jeśli pani nie zda, zatrzyma pani te pieniądze. A jeśli pani zda, dostanie pani posadę. Zapewniam, że pensja dyrektora będzie liczyło o wiele więcej zer.

Dzwonek ostrzegawczy dźwięczy już niczym alarm straży ogniowej. Wiem, że to jakiś szwindel i że ten Acharya próbował już tej sztuczki z innymi.

– Proszę mi powiedzieć, ile osób podpisało dotąd ten formularz?

– Jest pani kandydatką numer siedem. – Acharya oddycha głęboko. – Ale w głębi serca wiem, że będzie pani ostatnią. Moje poszukiwania zostały zakończone.

– Mój czas także. – Wstaję zdecydowanie. – Nie zamierzam podpisywać tego formularza ani uczestniczyć w żadnych sprawdzianach.

W odpowiedzi Rana kładzie przede mną stosik tysiącrupiowych banknotów. Wyglądają na sztywne, nowe, prosto z banku. Łapówka... Nie odczuwam jednak śladu pokusy.

– Myśli pan, że może mnie pan kupić za swoje pieniądze?

– Cóż, to, jak by nie było, negocjacje – nie rezygnuje Acharya. – Proszę pamiętać: w biznesie, podobnie jak w życiu, człowiek nigdy nie dostaje tego, na co zasługuje. Dostaje to, co sobie wynegocjuje.

– Nie negocjuję z ludźmi, których prawie nie znam. A jeśli to jakaś pułapka?

– Jedyną pułapką są zbyt niskie oczekiwania. Rozumiem pani rezerwę, Sapno – mówi uspokajająco Acharya, nachylając się ku mnie nad stołem. – Powinna pani jednak spojrzeć na ludzką naturę mniej ponuro. Naprawdę i szczerze chcę uczynić panią moim dyrektorem naczelnym.

– Czy zdaje pan sobie sprawę, jak śmiesznie brzmi ta rozmowa? Takie rzeczy zdarzają się w kinie i w książkach, a nie w realnym życiu.

– No cóż, ja jestem realny i pani jest realna, i moja propozycja jest realna. Mężczyzna taki jak ja nie traci czasu na wygłupy.

– Jestem pewna, że znajdzie pan innych kandydatów, którzy z radością przyjmą pańską propozycję. Mnie to nie interesuje.

– Robi pani wielki błąd – Acharya znacząco potrząsa palcem wskazującym. – Niewykluczone, że największy błąd swego życia. Ale nie będę naciskał. Proszę wziąć moją kartę wizytową i jeśli w ciągu najbliższych czterdziestu ośmiu godzin zmieni pani decyzję, proszę zadzwonić. Propozycja będzie nadal aktualna. – Popycha ku mnie wizytówkę, a Rana obserwuje mnie niczym jastrząb.

Biorę kartonik, uśmiecham się do nich powściągliwie i nie oglądając się, ruszam do drzwi.

Kiedy spieszę w stronę bloku B, umysł wiruje mi szybciej niż płyta CD. Czuję przede wszystkim przemożną ulgę, tak jakbym uniknęła o włos wielkiego niebezpieczeństwa. Co jakiś czas się oglądam, aby upewnić się, że tamtych dwóch za mną nie idzie. Im dłużej o tym myślę, tym bardziej jestem przekonana, że Acharya to albo przebiegły krętacz, albo kompletny szaleniec. A ja nie chcę mieć do czynienia z żadną z tych kategorii.

Oddycham z ulgą, dopiero gdy znajduję się z powrotem w salonie wystawowym, w klimatyzowanym świecie telewizorów plazmowych, samorozmrażających się lodówek i pralek działających według zasad rozmytej logiki. Wyrzucam z głowy Acharyę i jego odjechaną ofertę, przebieram się na powrót w roboczy uniform i rozpoczynam zwykłe polowanie na potencjalnych klientów. Popołudnia z reguły są leniwe i niewielu jest klientów, którymi trzeba się zająć. Próbuję zainteresować jakiegoś wyraźnie oszołomionego mężczyznę z brzuchem jak balon najnowszym modelem kamery 1080p Samsunga, on jednak zdaje się interesować raczej moimi nogami, widocznymi spod krótkiej czerwonej spódniczki. Komuś, kto zaprojektował ten ryzykowny kostium (a palec podejrzenia wymierzony jest w Radżę Gulatiego, marnotrawnego syna właściciela), chodziło najwyraźniej o to, żebyśmy my, sprzedawczynie, wyglądały jak hostessy zabawiające klientów w nocnych klubach. Tyle że, jak mówi moja koleżanka Prachi, dostajemy propozycje, ale nie zapłatę.

Prawdę mówiąc, nie muszę sobie radzić z tyloma nieprzyzwoitymi awansami, co trzy pozostałe sprzedawczynie. Ze swoimi starannymi fryzurami, nienagannym makijażem i pełną blasku cerą wyglądają jak stewardesy. Ja, z moim wstydliwym uśmiechem i karnacją, którą w ogłoszeniach matrymonialnych określa się jako „pszeniczną" – co jest uprzejmym zamiennikiem określenia „niezbyt jasna" – przypominam raczej reklamę kremu Fair and Lovely*. Zawsze byłam w rodzinie brzydkim kaczątkiem. Dwie moje młodsze siostry, Alka i Neha, odziedziczyły jasną karnację po Ma; ja swoją, ciemną, mam po ojcu. A w tej części świata kolor skóry wyznacza los człowieka.

Dopiero gdy rozpoczęłam pracę w salonie, odkryłam, że ciemna cera i mało atrakcyjny wygląd także mają dobre strony. Zamożne klientki nie lubią konkurencji i unikają sytuacji, gdy muszą stać twarzą w twarz z inną piękną ko-

---

* Wiodąca w Indiach marka kremu rozjaśniającego cerę. W 2007 producenta zmuszono do wycofania telewizyjnej reklamy produktu, w której występowała smutna kobieta o ciemnej karnacji, ignorowana przez pracodawców i mężczyzn; po zastosowaniu kremu i rozjaśnieniu cery natychmiast znalazła chłopaka i zrobiła błyskotliwą karierę.

bietą. Ze mną czują się swobodniej. A ponieważ większość decyzji w sprawie zakupu sprzętu domowego podejmują kobiety, wymagany miesięczny poziom sprzedaży osiągam nieodmiennie najszybciej ze wszystkich.

Kolejną rzeczą, której się nauczyłam, jest to, że nie należy oceniać klientów po wyglądzie. Pojawiają się we wszelkich możliwych postaciach, rozmiarach i strojach. Jak ten mężczyzna w średnim wieku, który wchodzi do salonu tuż po trzeciej, ubrany bez sensu w turban i *dhoti**. Ze swoim potężnym tułowiem i umięśnionymi barkami wygląda jak kulturysta, a wąsy, rozłożyste niczym kierownica roweru, ma wypielęgnowane i ufryzowane w istne dzieło sztuki. Błąka się po salonie niczym zagubione dziecko, przytłoczony i olśniony tymi wszystkimi gadżetami. Zauważywszy, że inne ekspedientki podśmiewają się z jego chłopskiego stroju i manier, zagina parol na mnie. Nie mija dziesięć minut, a znam całą historię jego życia. Nazywa się Kuldip Singh i jest patriarchą dobrze prosperującej rolniczej rodziny, mieszkającej we wsi Chandangarh w powiecie Karnal, stan Haryana, około stu czterdziestu kilometrów od Delhi. Jego osiemnastoletnia córka Babli wychodzi za tydzień za mąż, a on przyjechał do stolicy, żeby kupić jej różne rzeczy na posag.

Inna rzecz, że jego wiedza na temat maszyn ogranicza się do traktorów i pomp. Nigdy w życiu nie widział mikrofalówki, a pralkę LG o pojemności 15 kilogramów, załadowywaną od góry, bierze za jakieś wyrafinowane urządzenie do przygotowywania *lassi***! Chce się także ze mną targować co do cen. Próbuję mu wytłumaczyć, że wszystko w salonie ma ustaloną cenę, ale nie przyjmuje tego do wiadomości.

---

* Tradycyjny hinduski strój męski: prostokątny kawałek materiału okręcony wokół bioder, czasami dodatkowo przeciągnięty pomiędzy nogami i zamocowany z tyłu, co przypomina szerokie szarawary.
** Orzeźwiający napój na bazie jogurtu, wody, owoców i przypraw; może być słodki lub pikantny.

– *Dekh chhori.* Słuchaj, dziewczyno – mówi swoją siermiężną gwarą. – U nas w Haryana mamy takie przysłowie: choćby kozioł był nie wiem jak uparty, musi w końcu dać mleko.

Jest tak nieustępliwy, że koniec końców udaje mi się wymusić na menedżerze pięć procent upustu i mężczyzna kupuje całą ciężarówkę rozmaitych dóbr, w tym 42-calowy telewizor plazmowy, trzydrzwiową lodówkę, pralkę, odtwarzacz DVD i sprzęt grający. Inne ekspedientki patrzą z nabożnym podziwem, jak wyciąga gruby plik tysiącrupiowych banknotów, żeby zapłacić za to zakupowe szaleństwo. Ich rzekomy wsiowy burak okazał się baronem zakupoholizmu. A ja odnotowałam kolejny rekord sprzedaży.

Reszta dnia pracy mija jak we mgle. Wychodzę z salonu jak zwykle o 20.15 i wsiadam do metra na tej samej co zawsze stacji Rajiv Chowk.

Po czterdziestu pięciu minutach jazdy jestem w Rohini, rozpełzłym w przestrzeni suburbium w północno-wschodniej części miasta, zamieszkanym przez klasę średnią. Cieszące się opinią drugiego pod względem wielkości osiedla mieszkaniowego w Azji, stanowi brzydką, tanią mackę stolicy, zapchaną ponurymi, nieciekawymi betonowymi blokami i pełnymi chaosu placami targowymi.

Wysiadam na Rihala, ostatnim przystanku Czerwonej Linii. Stąd mam dwadzieścia minut pieszo na kolonię LIG, gdzie mieszkam. Ze wszystkich spółdzielczych osiedli w Rohini moje jest najbardziej melancholijne. Sama nazwa – skrót od Lower Income Group, Grupa Niżej Uposażonych – jest jak policzek. Zbudowane przez Urząd Rozwoju Delhi w latach osiemdziesiątych cztery wieżowce z czerwonej cegły wyglądają jak kępa kominów cegielnianych, a ich nijaka forma zewnętrzna i nieciekawe wnętrza to wymowne oznaki tandetnego budownictwa rządowego. Mimo to cieszę się, że tu mieszkamy. Po śmierci taty nie zdołały sobie pozwolić nawet na jedno z tych okropnych mieszkań typu pokój z kuchnią, za które czynsz wynosi ponad dwanaście tysięcy miesięcznie. Na szczęście za nasze mieszkanie na drugim piętrze nie musimy płacić w ogóle, ponieważ należy do Dinesha Sinhy, dobrze ustawionego młodszego brata tatusia. Stryj Deenu zlitował się nad nami i pozwolił nam tu mieszkać za darmo. No, niezupełnie… Raz na jakiś czas mam obowiązek zabrać jego debilnych synów, Rolu i Golu, na wystrzałowy obiad. Nie pojmuję, dlaczego muszą jeść na mój koszt w mieście, skoro ich ojciec jest właścicielem trzech restauracji.

Pierwsza rzecz, jaką widzi się po wejściu do naszego mieszkania, to oprawione czarno-białe zdjęcie taty w małym przedpokoju, gdzie trzymamy lodówkę. Przybrane girlandą róż, ukazuje go jako młodego człowieka, nieobarczonego jeszcze obowiązkami nauczyciela i ojca trzech dorastających córek. Fotograf był uprzejmy i wygładził przedwczesne bruzdy, jakie wyżłobiły na czole taty zmartwienia. Pozostawił jednak bez retuszu twardy wyraz ust.

Nasz skromny pokój, będący zarazem jadalnią i salonem, zdominowany jest przez kolorowe powiększenie twarzy Alki na centralnej ścianie. W ekstrawaganckim czerwonym kapeluszu, pozuje niczym damy na wyścigach konnych Royal Ascot. Głowę ma lekko odchyloną do tyłu, ciemne oczy szeroko otwarte, a wargi wydęte w głupkowatym uśmiechu. Tak właśnie będę ją na zawsze pamiętać: młodą, piękną i beztroską. Ilekroć patrzę na to zdjęcie, czuję niemal, jak pokój wibruje od jej zaraźliwego śmiechu. „*Didi**! *Didi! Kamaal ho gaya!* Nie uwierzysz, co się dzisiaj stało!" – brzmi mi w uszach jej podekscytowany głos, gdy wracała ze szkoły, nie mogąc się wprost doczekać, żeby mi opowiedzieć o kolejnej psocie, jaką wymyśliła.

---

* *Didi* (hind.) – starsza siostra.

Pod zdjęciem stoi wyblakła zielona sofa, dla ochrony przed kurzem przykryta haftowaną białą narzutą, i parę bambusowych krzeseł o prostych oparciach i wytartej tapicerce. Na szafce, w której trzymamy naczynia i sztućce, przycupnął stary telewizor Videocon. Na lewo znajduje się stół z drewna tekowego z recyklingu, wyszperany przeze mnie i nabyty bezwstydnie tanio na wyprzedaży w ambasadzie wraz z kompletem czterech takich samych krzeseł.

Kurtyna z paciorków dzieli ten pokój od pierwszej sypialni, należącej do Ma. Stoi tam łóżko, otoczone przez dwie drewniane *almirah*, szafy na ubrania, i metalową szafkę, która obecnie służy głównie do przechowywania maminych lekarstw. Ma zawsze miała delikatne zdrowie, a teraz, po nagłej śmierci najmłodszej córki i męża, kompletnie się załamała. Schowała się w skorupie, stała się daleka, cicha, nie pamięta o jedzeniu i przestała dbać o wygląd. Im bardziej wycofuje się ze świata, tym więcej chorób atakuje jej ciało. W tej chwili cierpi na chroniczną cukrzycę, nadciśnienie, artretyzm i astmę, co wiąże się z regularnymi pobytami w państwowym szpitalu. Kiedy się patrzy na jej wymizerowane ciało i srebrne włosy, trudno uwierzyć, że ma dopiero czterdzieści siedem lat.

Drugą sypialnię zajmuję ja do spółki z Nehą. Moja młodsza siostra ma w życiu tylko jeden cel: być sławna. Okleiła ściany naszego niewielkiego pokoju plakatami piosenkarek, modelek i gwiazd filmowych. Liczy, że któregoś dnia będzie równie znana i bogata jak one. Obdarzona ładną twarzą, figurką jak z porcelany i nieskazitelną cerą, Neha doskonale zdaje sobie sprawę z ekonomicznego potencjału wygrania puli genetycznej i gotowa jest wykorzystać swoją urodę, by uzyskać to, czego pragnie. Sprzyja jej fakt, że uczy się śpiewu i z natury ma wspaniały głos o zabarwieniu typowym dla muzyki hinduskiej.

Wszyscy chłopcy z sąsiedztwa mają do niej słabość, ona jednak nie zamierza tracić na nich czasu. Swoją przyszłość zawarła już w trzech literach: B-I-G. Nie ma w niej miejsca dla nikogo, kto należy do L-I-G. W dzień spędza czas z nadzianymi kolegami i koleżankami z college'u, a nocą pisze zgłoszenia do udziału w rozmaitych reality show, konkursach młodych talentów i konkursach piękności. Neha Sinha to sztandarowy przykład niepohamowanej ambicji.

Ma także zamiłowanie do bezrozumnego konsumeryzmu i ślepo małpuje chwilową modę. Pół mojej pensji idzie co miesiąc na zaspokajanie jej stale rosnących potrzeb: skórzane dżinsy, szminki z połyskiem, dizajnerskie torby, komórki--świecidełka… Lista nie ma końca.

Od dwóch miesięcy molestuje mnie o laptop. W tym wypadku jednak powiedziałam: stop. Pasek za osiemset rupii to całkiem co innego niż gadżet za trzydzieści tysięcy.

– Cześć, *didi* – wita mnie Neha, zaledwie przestępuję próg. Udaje jej się nawet przywołać uśmiech w miejsce nadąsania, które obnosi w charakterze sprzeciwu, ilekroć jej czegoś odmówię.

– Pamiętasz tego Acera, o którym marzę? – Spogląda na mnie tak dobrze mi znanym wzrokiem biednego szczeniątka, który zwykle poprzedza nowe żądanie.

– Tak – odpowiadam ostrożnie.

– No więc właśnie potaniał. Teraz kosztuje tylko dwadzieścia dwa tysiące. Za tę cenę na pewno możesz go kupić…

– Nie mogę – odpowiadam twardo. – Nadal jest za drogi.

– Proszę, *didi*… Na całym roku tylko ja nie mam laptopa! Obiecuję, że już o nic więcej nie będę cię prosić.

– Przykro mi, Neha, ale po prostu nie możemy sobie na niego pozwolić. I tak ledwie wiążemy koniec z końcem z mojej pensji.

– Nie możesz wziąć w firmie pożyczki?

– Nie, nie mogę.

– Jesteś okrutna!

– Jestem realistką, Neha. Musisz się przyzwyczaić do tego, że jesteśmy biedne. I że życie jest ciężkie.

– Wolę umrzeć, niż żyć w taki sposób! Mam dwadzieścia lat i co ja mam z tego życia? Nawet samolotu od środka jeszcze nie widziałam…

– Cóż, ja też.

– No to powinnaś! Wszyscy moi znajomi jeżdżą na wakacje w takie miejsca jak Szwajcaria czy Singapur. A my nie możemy sobie pozwolić nawet na jakiś górski kurort w kraju!

– Był czas, że mieszkaliśmy w górskim kurorcie. Tak czy owak, laptopy i wakacje nie są ważne. Sprawą numer jeden powinny być dla ciebie dobre stopnie.

– A co mi dadzą dobre stopnie? Spójrz, gdzie wylądowałaś po tym, jak byłaś jedną z najlepszych na uniwerku!

Neha ma osobliwą umiejętność: zawsze potrafi mi dopiec, zarówno za pomocą milczenia, jak i słów. Nawet jeśli z czasem przywykłam do jej złośliwości, ta jedna wciąż mnie rani swoją brutalną prawdą. Zatyka mnie… I właśnie w tej chwili odzywa się moja komórka. Odbieram.

– Słucham?

Dzwoni stryj Deenu. Głos ma inny niż zwykle.

– Sapna, *beti**, muszę ci powiedzieć coś ważnego. Obawiam się, że to nie będzie dobra wiadomość.

W duchu przygotowuję się na kolejną śmierć w rodzinie. Może jakaś schorowana ciotka albo cioteczna babka… Ale to, co słyszę, jest dla mnie totalnym zaskoczeniem.

– W ciągu dwóch tygodni musicie się wyprowadzić.

---

* *Beti* (hind.) – córka (przyp. tłum.).

– Co???

– Tak. Bardzo mi przykro, ale mam związane ręce. Dopiero co zainwestowałem w nową restaurację i na gwałt potrzebuję gotówki. Dlatego postanowiłem wynająć mieszkanie w Rohini. Dziś zadzwonił do mnie agent z bardzo dobrą ofertą. W tej sytuacji nie mam innego wyjścia, niż poprosić cię, żebyście poszukały sobie innego mieszkania.

– Ale stryju, jak my zdołamy coś znaleźć tak szybko?

– Pomogę wam. Chodzi tylko o to, że odtąd będziecie musiały płacić za wynajem.

– Jeśli mamy płacić, to równie dobrze możemy zostać tutaj.

Stryj Deenu zastanawia się przez chwilę.

– Myślę, że to ma sens – zgadza się niechętnie. – Ale nie będzie was stać na moje mieszkanie.

– A ile ma ci płacić ten nowy najemca?

– Zgodziliśmy się na czternaście tysięcy miesięcznie. To o dwa tysiące więcej niż obowiązująca stawka. I zapłaci mi za rok z góry. Jeśli akceptujesz te warunki, nie mam nic przeciw temu, żebyście mieszkały nadal.

– Masz na myśli, że mamy ci zapłacić z góry sto sześćdziesiąt osiem tysięcy?

– Dokładnie. Zawsze byłaś dobra z matematyki.

– Nie damy rady zebrać tyle pieniędzy, *chacha-ji**. To wykluczone.

– W takim razie szukajcie innego mieszkania. – Jego ton twardnieje. – Muszę myśleć również o własnej rodzinie. Nie prowadzę zakładu dobroczynnego. Jak by nie było, od szesnastu miesięcy mieszkacie u mnie za darmo.

---

* *Chacha* (hind.) – wuj, stryj; ji – cząstka oznaczająca szacunek, dodawana do imienia lub nazwiska.

– A czy tata nie pomagał ci w swoim czasie tak samo? Nie obchodzi cię rodzina zmarłego brata? Chcesz, żebyśmy poszły na ulicę? Co z ciebie za stryj, *chacha-ji*? – próbuję przemówić mu do sumienia.

Strategia zwraca się przeciwko mnie.

– A wy to co? Niebieskie ptaki, i to bez krzty wdzięczności. Wiesz co, skończmy już z tą miłą rodzinną gadką. Od tej chwili łączy nas stosunek właściciela i najemcy i nic poza tym. Albo zapłacicie mi najpóźniej za tydzień całą sumę, albo proszę opuścić mieszkanie.

– Daj nam przynajmniej trochę więcej czasu na zgromadzenie funduszy – błagam rozpaczliwie.

– Tydzień i ani dnia więcej. Płacicie albo się wyprowadzacie – mówi i kończy rozmowę.

Ręce trzęsą mi się z urazy. Przez chwilę życzę stryjowi Deenu najrozmaitszych sposobów długiego i bolesnego umierania, po czym relacjonuję rozmowę dwóm pozostałym najemczyniom mieszkania. Ma kiwa głową, bardziej ze smutkiem niż z gniewem. Niegodziwość tego świata to dla niej coś absolutnie oczywistego.

– Nigdy nie ufałam temu człowiekowi. Bóg wszystko widzi… Kiedyś Deenu zapłaci za swoje grzechy.

Neha okazuje zaskakująco dobry nastrój.

– Skoro ta gnida nas wyrzuca, to zabierajmy się z tej nory. Duszę się tutaj.

– A dokąd mamy iść? – kontruję. – Myślisz, że to tak hop-siup znaleźć nowe mieszkanie?

Zanim rozpęta się między nami nowa kłótnia, mama w powrotem kieruje naszą uwagę na bardziej praktyczne sprawy.

– Skąd my weźmiemy tyle pieniędzy? – Pytanie wisi nad nami niczym złowieszcza chmura gradowa.

Tata nie zostawił nam zbyt wiele. Dawno temu ograbił swój fundusz emerytalny, żeby sfinansować pierwsze próby stryja Deenu w biznesie gastronomicznym. A jego skromne oszczędności z nauczycielstwa poszły na koszty przeprowadzki do nowego miasta. W chwili śmierci miał na koncie bankowym raptem dziesięć tysięcy rupii.

Ma wymyśliła już odpowiedź na własne pytanie. Otwiera kluczem swoją szafkę i wyjmuje dwie pary złotych bransolet.

– Trzymałam je na wesela was obu. Ale skoro trzeba je sprzedać, żeby zatrzymać mieszkanie, to niech i tak będzie. – Wzdycha ze smutkiem i podaje mi bransoletki.

Serce mi się ku niej wyrywa. Od śmierci taty to już trzecia sztuka rodowej biżuterii, której zmuszona jest się pozbyć: pierwsza poszła na edukację Nehy, druga na jej własne medyczne wydatki, a teraz – na uratowanie mieszkania. Ciężkie milczenie wisi nad naszym domem, kiedy siadamy do kolacji. Dręczy mnie ostre poczucie porażki, tak jakbym zawiodła rodzinę w chwili, kiedy mnie najbardziej potrzebuje. Nigdy nie czułam braku pieniędzy bardziej dotkliwie… Przez ulotną chwilę błyska mi w głowie obraz tych wszystkich sztywnych, szeleszczących banknotów na stole w Coffee House, ale zaraz odsuwam go jako głupi żart. Jak można brać na serio takiego szaleńca jak Acharya? A jednak krąży mi w głowie niczym uprzykrzona mucha.

Żeby zaspokoić ciekawość, siadam po kolacji do komputera. Jest to zdezelowany Dell, który uratowałam z firmy tuż przedtem, gdy mieli go oddać handlarzowi używanym sprzętem. Ten dinozaur, z systemem operacyjnym Windows 2000, pozwala mi jednak pobuszować po Internecie, sprawdzić pocztę i sporządzić pod koniec każdego miesiąca tabelę domowych wydatków.

Loguję się do Internetu i wpisuję w wyszukiwarkę frazę „Vinay Mohan Acharya". System natychmiast rejestruje 1,9 miliona trafień.

Acharya jest wszędzie w sieci. Są raporty na temat jego interesów, spekulacje co do jego wartości netto, galerie zdjęć ukazujących jego najróżniejsze nastroje i filmiki na YouTube z jego przemówieniami na spotkaniach udziałowców i międzynarodowych konferencjach. Przez najbliższe pół godziny poznaję nowe fakty na jego temat, jak namiętność do krykieta, okazjonalne (ale nieskuteczne) wypady w świat polityki, ostrą rywalizację z bratem bliźniakiem, Ajayem Krishną Acharyą, właścicielem Premier Industries, a także jego aktywną filantropię. Wygląda na to, że przekazuje góry pieniędzy na wszelkiego rodzaju instytucje dobroczynne, a dwukrotnie został odznaczony przez prezydenta medalem za najlepszy program w dziedzinie społecznej odpowiedzialności biznesu. Dowiaduję się też, że istotnie 31 stycznia 1992 roku stracił żonę i córkę w katastrofie samolotu Thai Airways lecącego z Bangkoku do Katmandu; zginęło wtedy wszystkich stu trzynastu pasażerów.

W miarę jak brodzę w tym grzęzawisku informacji na jego temat, Acharya wyłania się jako osobowość złożona i pełna sprzeczności. Ma wielbicieli, którzy wychwalają go jako najetyczniejszego biznesmena w Indiach, i krytyków potępiających go za idiosynkrazje, narcyzm i megalomanię. Nikt nie kwestionuje jednak tego, że okazał się geniuszem, przekształcając grupę ABC z początkującej firmy w jedno z największych hinduskich konsorcjów, grupujące holdingi produkujące stal, cement, tekstylia, energię, sztuczny jedwab, aluminium, dobra konsumpcyjne, chemikalia, komputery, zajmujące się konsultingiem, a nawet produkcją filmów.

Jedna rzecz staje się jednak jasna na podstawie tych poszukiwań: właściciel grupy ABC nie jest ani kompletnym szaleńcem, ani drapieżnym krętaczem. Czy odrzucając od ręki jego propozycję, nie przegapiłam niepowtarzalnej okazji? Czuję pierwsze ukłucia zwątpienia. Natychmiast jednak ganię się za naiwną nadzieję, która przez chwilę wzięła górę nad zdrowym rozsądkiem. Nic nie ma na tym świecie za darmo, przypominam samej sobie. Jeśli propozycja wydaje się zbyt dobra, żeby była prawdziwa, to zwykle taka właśnie jest.

Mimo to kładę się spać z przykrym uczuciem, że życie przechodzi obok mnie. Utknęłam w byle jakiej pracy, nie ma przede mną żadnej przyszłości. Były czasy, nie tak dawno temu, kiedy okręt mojego życia miał i kierunek, i rozpęd. Teraz wygląda to na bezcelowe, pozbawione steru dryfowanie, kiedy jeden tydzień prowadzi do kolejnego, każdy dzień jest taki sam i nigdy nic się nie zmienia.

Przynajmniej sny mam tej nocy inne. Poprzez mieszaninę poszatkowanych obrazów przebija jeden wyrazisty: siedzę w luksusowym prywatnym samolocie i lecę nad pokrytymi śniegiem wierzchołkami gór Szwajcarii. Jest tylko jeden niewielki szkopuł: tak się składa, że pilot tego samolotu to przemysłowiec Vinay Mohan Acharya.

Nazajutrz rano rozpoczynam długą, zdradliwą podróż do pracy z pozytywnym nastawieniem i jasnym umysłem. W weekendy metro jest mniej zatłoczone, ale i tak pilnuję torebki jeszcze bardziej niż zwykle i trzymam na niej rozpostartą dłoń. Ta wyplatana beżowa torba ze sztucznej wężowej skóry, prezent od mojej przyjaciółki Lauren, wygląda naprawdę szykownie. Dziś zawiera także cztery złote bransoletki, od których zależy zbiorowa przyszłość mojej rodziny.

Na przystanku Inder Lok do przedziału wchodzi znajomo wyglądający mężczyzna o farbowanych włosach i długich bokobrodach, ubrany w *khadi**, jakie noszą politycy. Ciągnie za nim sznur zwolenników i grupa uzbrojonych komandosów, którzy zaczynają wyrzucać współpasażerów, żeby zrobić miejsce dla VIP-a i jego otoczenia. Mężczyzna, jak dowiaduję się od jednego z lokajów, to nasz lokalny

---

* Męski strój typu *kurta*, sporządzony z jedwabnego lub bawełnianego samodziału, ręcznie przędzonego i tkanego na domowym warsztacie; chętnie noszony przez Gandhiego.

poseł, Anwar Noorani, który odbywa swoją cotygodniową przejażdżkę metrem, aby zintegrować się ze zwykłymi ludźmi. Czytałam o tym panu w prasie, że prowadzi sieć prywatnych szpitali, opłacanych jakoby z dochodów z nielegalnego *hawala racket**. „Jeśli chcielibyście państwo skierować moją uwagę na jakieś lokalne sprawy, zapraszam do mojego biura poselskiego, które mieści się za Delhijskim Instytutem Technologicznym" – ogłasza parlamentarzysta. Jego głęboko osadzone oczy niezmordowanie przesuwają się po podróżnych i w końcu spoczywają na mnie.

– Jak się masz, siostro? – błyska ku mnie plastikowym uśmiechem. Odwracam wzrok i udaję, że wyglądam przez okno. Na szczęście na następnej stacji wysiada.

Delhi to dziwne miasto, snuję refleksję. Pozycja człowieka bazuje tu nie na tym, czy ubiera się u Armaniego, jeździ mercedesem i cytuje Sartre'a na przyjęciach. Twój status zależy od tego, ile zasad potrafisz złamać i ilu ludzi sterroryzować. Już samo to może cię umieścić w kategorii VIP-ów.

Salon wystawienniczy od samego rana jest miejscem gorączkowej aktywności. Sobota to dla nas dzień największego ruchu. W dodatku zbliża się Puchar Świata w krykiecie i nasza kampania promocyjna jest w apogeum rozkwitu. Spodziewamy się, że w ciągu najbliższych dwóch miesięcy płaskoekranowe telewizory osiągną szczyt sprzedaży.

Podchodzi do mnie świeżo poślubiona para z prośbą o poradę w sprawie telewizora. Nie wiedzą, czy wybrać LCD, czy plazmowy. Niewiele czasu mi trzeba, by przekonać ich do zakupu najnowszego Sony LED, któremu w ramach promocji „dwa w jednym" towarzyszy zachęta w postaci darmowego elektronicznego tostera. Nie wysilam się jednak specjalnie. Jestem rozkojarzona i niecierpliwie czekam na przerwę na

---

* Nielegalny system bankowy, bazujący na zaufaniu; pieniadze są dostępne w różnych krajach bez przelewu czy pozostawiania śladu w systemie.

lunch. Zaledwie zegar wybija pierwszą, wymykam się tylnymi drzwiami – by natychmiast wpaść na Radżę Gulatiego, najbardziej odpychającego playboya w Delhi. Nie wiadomo dlaczego, wystaje przed drzwiami Beckett's, irlandzkiego pubu położonego o parę numerów od naszego salonu. W markowej skórzanej kurtce, przelicza plik banknotów, wsparty o swój skuter Yamaha. Gdy mnie spostrzega, szybko chowa pieniądze i uśmiecha się promiennie. Jest niski, przy kości, twarz ma pokrytą szczeciną zarostu, obfite wąsy i długą czuprynę. Jego jedyny tytuł do chwały to fakt, że ma ojca milionera, który jest właścicielem salonu wystawienniczego, a jego jedyne zajęcie to picie alkoholu i podrywanie dziewczyn. Jeśli wierzyć plotkom w biurze, udało mu się już odnieść sukces z jedną ze sprzedawczyń. Ostatnio próbuje się przystawiać do Prachi i do mnie, ale prędzej zjem żywego karalucha, niż dam jakąkolwiek szansę temu łajdakowi.

– Czeeeść… i kogóż to widzimy? Lodowa Dziewica we własnej osobie! – Szczerzy zęby w wilczym uśmiechu i poklepuje siodełko swojej yamahy. – Może się ze mną przejedziesz?

– Nie, dzięki – odpowiadam chłodno.

– Masz świetne nogi. – Przesuwa wzrokiem po mojej sylwetce. – O której tu otwierają?

Czuję, że twarz zalewa mi rumieniec gniewu, ale to ani czas, ani miejsce na sceny.

– Spytaj się matki – odcinam się, mijam go i idę w swoją stronę. Wzdycha i rusza do pubu, pewnie żeby utopić rozczarowanie w kieliszku.

Nie tracąc czasu, kieruję się w stronę Jhaveri Jewellers w bloku N. Prashant Jhaveri, młody właściciel, był kiedyś uczniem taty i zawsze oferuje mi przyzwoitą cenę. Spodziewam się, że za cztery złote bransoletki, które mam w torbie, dostanę sporo ponad dwieście tysięcy rupii.

Na przejściu na Radial Road 6 tamuje ruch jakaś religijna procesja. Setki mężczyzn, kobiet i dzieci w szafranowej barwy szatach śpiewają i tańczą w rytm trąbki i bębenka *dhol*.

Zirytowani kierowcy trąbią, przechodnie narzekają, ale tłum, niebaczny na to, że zakłóca porządek publiczny, kontynuuje swój radosny przemarsz. To zjawisko codzienne. Delhi stało się miastem rajdów i blokad drogowych.

Wciąż jeszcze czekam na przejście procesji, gdy ktoś trąca mnie w bok. Mały ulicznik w podartym swetrze. Ma nie więcej niż osiem lat, brudną twarz i potargane włosy. Nic nie mówi, trzyma tylko wyciągniętą dłoń w uniwersalnym geście prośby o wsparcie. Nic nie przygnębia mnie bardziej niż widok takich małych żebraków. W tym wieku powinni być w szkole, tymczasem są na ulicy i próbują zarobić na życie, wykorzystując jedyną umiejętność, jaką dysponują: wzbudzanie litości... Prawie nigdy nie daję im jałmużny; to tylko umacnia zwyczaj żebrania. Co gorsza, często prowadzi to ich do bardziej niebezpiecznych przyzwyczajeń, takich jak klej, alkohol, a nawet narkotyki. To, czego potrzebują naprawdę, to szczęśliwego trafu, wsparcia otoczenia i porządnej dawki szacunku dla siebie samego. Czegoś, co daje im Lauren i jej fundacja RMT *Asha*.

Ten konkretny żebrak nie daje się łatwo spławić.

– Od dwóch dni nic nie jadłem. Może mi pani dać trochę pieniędzy? – mamrocze, przyciskając chudą rękę do brzucha. Patrzę w jego wielkie, błagalne oczy i po prostu nie potrafię powiedzieć „nie".

– Nie dam ci pieniędzy – mówię. – Ale kupię ci coś do jedzenia.

Jego twarz się rozjaśnia. Niedaleko stoi uliczny sprzedawca, który oferuje *chhole kulcha*** po dziesięć rupii za talerz.

---

* Gęsta zupa na bazie grochu lub ciecierki z pomidorami i licznymi przyprawami, podawana z płaskim hinduskim chlebkiem.

– Chcesz? – pytam chłopaka.

– Uwielbiam *kulcha* – mówi i oblizuje popękane wargi.

Zdejmuję torbę z ramienia i otwieram zamek, żeby wyjąć portmonetkę. I w tej chwili ktoś uderza mnie głową w plecy i wyrywa mi torbę z rąk. Dzieje się to tak szybko, że nawet nie dostrzegam twarzy złodzieja. Słyszę tylko świst szafranowej tkaniny – i złodziej ginie w tłumie wiernych. Odwracam się: żebrzący chłopiec też zniknął. Padłam ofiarą najstarszej sztuczki świata.

Przez chwilę stoję jak skamieniała. Ręce mam zimne, prawie nie oddycham.

– Nieeee! – wyrywa mi się udręczony krzyk. Rzucam się głową naprzód w szafranowe morze. Ludzie mnie potrącają, gniotą, ale nie przestaję ryć w tłumie w ślepej pogoni za złodziejem.

Nie znajduję go, ale kiedy procesja wreszcie przechodzi, znajduję moją torbę, porzuconą na skraju jezdni. Podbiegam i ją podnoszę. Komórka jest, klucze od domu też. Dowód osobisty, szminka, okulary słoneczne, nawet pieprzowy spray, wszystko nietknięte. Wszystko – z wyjątkiem złotych bransolet.

Siadam ociężale na krawężniku. Kręci mi się w głowie, mdli mnie. Ręce mam ciężkie, bezwładne, przed oczami mgłę... Kiedy osłabienie mija, widzę przykuciętego obok mnie policjanta.

– Źle się pani czuje?

– Nie, już dobrze – odpowiadam. – Ktoś mi ukradł torebkę.

– A to co? – postukuje pałką w Ninę West na moich kolanach.

– Ukradziono mi... złote bransolety mojej matki. Torbę złodziej wyrzucił.

– Widziała pani twarz złodzieja? Może pani dla nas sporządzić jego rysopis?

– Nie. Ale czy policja nie wie, jakie gangi działają na tym terenie? Na pewno możecie go złapać. – Ściskam go za ramię, jakby to była lina ratunkowa. – Proszę... Musi pan coś zrobić! Jeśli nie dostanę z powrotem tych bransolet, to będzie nasz koniec. Mogę nawet złożyć doniesienie o przestępstwie...

– To nic nie da. Takie rzeczy zdarzają się codziennie. Jeśli nie mamy rysopisu, nic nie jesteśmy w stanie zrobić. Proszę posłuchać mojej rady: niech pani nie marnuje czasu własnego i naszego i nie składa doniesienia. Po prostu proszę bardziej uważać następnym razem. – Pomaga mi wstać, rzuca mi współczujące spojrzenie i postukując pałką w otwartą dłoń, odchodzi.

Desperacko przeszukuję torbę jeszcze raz w złudnej nadziei, że znajdę w jakimś zakamarku te bransoletki. Cuda zdarzają się jednak tylko w baśniach i na filmach... Ściska mnie w gardle i łzy zaczynają mi spływać po policzkach, gdy uświadamiam sobie rozmiary tej straty. Ludzie wokół mnie śmieją się, jedzą, robią zakupy, cieszą się słońcem. Nikt z nich nie rozumie mojej udręki. Jako dziecko zgubiłam kiedyś ukochaną lalkę i płakałam za nią dwa dni. Teraz straciłam najcenniejszą biżuterię matki. Złodziej ukradł nam coś więcej niż złoto: odebrał nam przyszłość.

Siedzę na chodniku i płaczę, gdy wtem mój wzrok pada na gigantyczny billboard, na którym jest wyświetlana temperatura i czas. Z przerażeniem uświadamiam sobie, że już po drugiej! Madan, mój okropny szef, nie lubi, kiedy pracownicy nie wracają w porę z przerwy na lunch. Straciwszy bransolety, mogę na dodatek stracić i pracę.

Rzucam się biegiem. Na dziesięciocentymetrowych obcasach to trudne, potykam się, ale w końcu dopadam bez tchu drzwi salonu – tylko po to, by się przekonać, że wygląda on zupełnie inaczej niż poprzednio. Słychać podniesione głosy, krzyki, oszołomionych klientów wyprasza się z uniżonymi przeprosinami na zewnątrz, pośpiesznie opuszcza się żaluzje do połowy wysokości, co jest równoznaczne z opuszczeniem flagi do połowy masztu – jednoznaczny sygnał, że coś się stało.

Schylam się, przechodzę pod opuszczoną żaluzją i zastaję w środku jeszcze większy rozgardiasz. Krzyki, przekleństwa... Oskarżenia szybują w powietrzu niczym papierowe samolociki. Wygląda, jakby wszyscy zebrali się wokół kantorku kasjera, włącznie z panem O.P. Gulatim, naszym szanownym właścicielem we własnej osobie. Słychać jakiś okrzyk bólu i rozpaczy. Przepycham się przez tłum gońców, pracowników administracji, kierowców samochodów dostawczych i sprzedawców. Okazuje się, że to krzyczy pan Choubey, nasz łysy, pięćdziesięciopięcioletni kasjer. Wije się po podłodze, bity bez litości przez Madana, naszego menedżera i najbardziej znienawidzonego człowieka w sklepie.

– *Namak-haram!* Ty zdrajco, ty łajdaku! – wrzeszczy Madan, okładając Choubeya pięściami i kopiąc w brzuch. Szorstki, nieprzyjemny Madan ma w życiu tylko dwie namiętności: podlizywanie się panu Gulatiemu i czerpanie sadystycznej przyjemności z karcenia sklepowego personelu.

– Nie wiem, jak to się stało... Wyszedłem raptem na dwadzieścia minut na lunch – lamentuje kasjer, mimo to nie udaje mu się uniknąć kolejnego kopniaka. Krzywię się... Bardzo mu współczuję. Ja straciłam raptem parę złotych bransolet; Choubey stracił swoją dumę, swoją godność.

– O co chodzi? – trącam Prachi. Opowiada, co się wydarzyło podczas mojej nieobecności: podobno pan Gulati zrobił nieoczekiwaną kontrolę i wykrył, że w kasie od porannej zmiany brakuje prawie dwieście tysięcy rupii. Ponieważ kasa znajduje się pod bezpośrednim nadzorem kasjera, Choubeya oskarża się obecnie o defraudację.

– Przysięgam na głowy moich trojga dzieci, że tego nie zrobiłem! – lamentuje Choubey.

– Powiedz, gdzie są pieniądze, to może ci mimo wszystko daruję. – Zmarszczone krzaczaste brwi pana Gulatiego przypominają dwie gąsienice, które usiłują dosięgnąć jedna drugiej.

– Madan już mnie przeszukał. Nie mam żadnych pieniędzy!

– Łajdak musiał je już przekazać wspólnikowi – snuje przypuszczenia Madan. – Uważam, że powinniśmy go oddać w ręce policji. Piorunem wyciągną z niego prawdę. Od jakiegoś czas mam kontakt z Goswamim, inspektorem z posterunku Connaught Place. Pora go wykorzystać.

– Proszę, niech pan tego nie robi, *sahibie* – Choubey łapie pana Gulatiego za kostkę. – Pracuję w tym sklepie od trzydziestu lat! Moja żona i dzieci zginą beze mnie…

– To niech giną – odpowiada z pogardą pan Gulati i szarpnięciem uwalnia nogę z uścisku. – Madan, dzwoń do tego swojego inspektora – rozkazuje.

Nie znam Choubeya zbyt dobrze. Jest spokojnym, mało kontaktowym człowiekiem. Nasze relacje ograniczały się do wymiany grzeczności, ale w moich oczach zawsze był sumienny, pracowity i uprzejmy. Nie potrafię sobie wyobrazić, że miałby okraść firmę… I nawet bezwzględny kryminalista nie przysięgałby fałszywie na własne dzieci! W tym momencie błyska mi w głowie obraz: Radża Gulati na swoim skuterze przelicza plik banknotów. Wiem, że senior Gulati nie aprobuje ekstrawaganckiego stylu życia syna. A marnotrawny synalek, potrzebujący pieniędzy na dziewczyny i picie, spokojnie zdolny jest do tego, żeby po cichu wynieść pieniądze ze sklepowej kasy.

– Chwileczkę! – zwracam się do Madana. – Skąd pan wie, że to pan Choubey jest sprawcą?

Wszyscy przenoszą wzrok na mnie. Madan rzuca mi mordercze spojrzenie, ale raczy odpowiedzieć:

– Tylko on ma klucze do sejfu.

– A czy nie jest tak, że i rodzina Gulatich ma klucze?

– Co pani sugeruje? – przerywa mi pan O.P. Gulati. – Że obrabowałem swój własny sklep?

– Nie twierdzę, że to pan, sir. A Radża?

Słychać zbiorowe „yyyhhh!" Nawet ja sama jestem zdumiona własną brawurą.

– Zwariowała pani? – Madan jest bliski ataku apopleksji. – Radża-*babu** nawet nie wchodził dziś do sklepu!

– Ale godzinę temu widziałam go przed sklepem, jak przeliczał plik banknotów.

Widzę, że pan Gulati jest wzburzony tą wiadomością. Zaciera nerwowo ręce, przygryza dolną wargę, tak jakby rozważał możliwości. W końcu ojcowskie uczucia biorą górę nad wątpliwościami.

– Jak pani może rzucać takie podłe oskarżenia na mojego syna? Jeszcze słowo, a z miejsca panią zwalniam!

Milknę. Wiem, że żadne argumenty nie są w stanie wygrać ze ślepą miłością ojca.

Pół godziny później podjeżdża policyjny jeep, a w nim inspektor Goswami, wysoki, muskularny mężczyzna, który za każdy zakup sprzętu elektronicznego dostaje u nas trzydzieści pięć procent rabatu. Chwyta kasjera za kark niczym rzeźnik kurczaka. Choubey wychodzi bez protestu, bez robienia scen, tak jakby pogodził się z losem. Patrzę na tę parodię sprawiedliwości dziejącą się na moich oczach i narasta we mnie bezsilny gniew. Choubeya napiętnowano jako złodzieja tylko dlatego, że był słaby i bezsilny. A Radża Gulati, który jest sprawcą tej defraudacji, pozostał nietknięty,

---

* *Babu* (hind.) – słówko oznaczające respekt, używane w stosunku do mężczyzn; odpowiednik „pan".

bo jest bogaty i z dobrej rodziny... Rzygać mi się chce. Drżę z nienawiści do Radży i jego ojca. Wiem, że to, co przytrafiło się dziś Choubeyowi, spokojnie może przytrafić się jutro mnie. I tak jak Choubey, nic nie będę mogła z tym zrobić. Są tylko dwa wyjścia, dostępne dla maluczkich tego świata: pogodzić się z tym, że są wykorzystywani, albo odejść – tylko po to, żeby wykorzystywał ich inny możny.

Acharya miał rację. Świat naprawdę dzieli się na zwycięzców i zwyciężonych. Ludzie tacy jak rodzina Gulatich to zwycięzcy, a tacy jak Choubey i ja – pokonani.

Bieg życia zasadza się na paru kluczowych momentach. To jedna z takich chwil. Powoli, lecz niewzruszenie zaciska mi się w żołądku węzeł zdecydowania. Otwieram torebkę i macam w poszukiwaniu wizytówki, którą dał mi Acharya. Znowu odzywa mi się w głowie dzwoneczek ostrzegawczy, ale już się nim nie przejmuję. Przegrany nie ma nic do stracenia. Biorę głęboki oddech i wybieram na komórce widniejący na karcie numer.

Słyszę starannie wymodulowany damski głos:

– Tu Grupa ABC. W czym mogę pomóc?

– Chciałabym rozmawiać z panem Vinayem Mohanem Acharyą.

– Czy mogę wiedzieć, kto dzwoni?

– Sapna Sinha.

Spodziewałam się, że spyta: „Sapna... przepraszam, jak nazwisko?" i będę kolejno odsyłana do piętnastu wydziałów, tymczasem mówi: „Proszę chwileczkę zaczekać" i niemal natychmiast łączy mnie z Acharyą, tak jakby czekał na mój telefon.

– Cieszę się, że pani zadzwoniła – mówi.

– Zdecydowałam się przyjąć pańską ofertę.

– To dobrze – mówi po prostu. Nie ma w tym triumfu ani chełpliwości w stylu: „A nie mówiłem?" – Spotkajmy się punkt szósta w moim biurze. Adres ma pani na wizytówce.

– Ale ja kończę pracę dopiero o… – zaczynam, ale Acharya mi przerywa.

– O szóstej – powtarza i jest to koniec rozmowy.

Spoglądam na adres na wizytówce. Centrala Grupy ABC ma siedzibę w Kyoko Chambers przy Barakhama Road, niedaleko od Connaught Place. Sprawdzam godzinę: jest piętnaście po trzeciej. Mam niecałe trzy godziny na przygotowanie się do spotkania, które może odmienić moje życie.

Madan, nasz szef-tyran, słynie z tego, że nie pozwala pracownikom wychodzić wcześniej z pracy. A że dzisiaj sobota, otrzymanie pozwolenia jest wykluczone – chyba że wymyślę jakiś wiarygodny pretekst.

O pół do szóstej podchodzę z przygnębioną miną do Madana.

– Sir, właśnie dzwoniła moja siostra. Matka ma kolejny atak astmy. Muszę ją zawieźć do szpitala. Czy mogę wyjść z pracy?

Marszczy się, jakby zaleciało jakimś smrodem.

– Już i tak brakuje nam kasjera. Nie może zabraknąć i sprzedawczyń!

– Ale jeśli coś się stanie Ma… – Pozwalam, by wniosek zawisł w powietrzu. W hinduskim panteonie Matka to najwyższy ideał, poprzedzany jedynie przez Boga. Nawet Madan nie ośmiela się ryzykować, że zostanie potępiony za doprowadzenie do tego, iż pracownica została sierotą.

– Idź – mówi z rezygnacją, dając się złapać na mój emocjonalny szantaż.

Dziesięć minut później siedzę w motorowej rikszy i jadę na Barakhamba Road. Wciąż mam na sobie mój biurowy uniform, białą bluzkę i czerwoną spódniczkę; zrezygnowałam z wygodnego, ale zbyt swobodnego *salvar kameez*. Bądź co bądź, jadę na spotkanie biznesowe, a nie na rodzinną imprezę.

Kyoko Chambers to, jak się okazuje, potężny piętnastopiętrowy budynek o fasadzie ze szkła. Ochrona jest tu niczym w budynkach rządowych. Wejście patrolują prywatni ochroniarze, a torbę muszę włożyć do wykrywacza metali. Gigantyczny kryształowy kandelabr, pod którym stoi wielki brązowy posąg byka Nandi*, korporacyjny symbol Grupy ABC, sprawia, że foyer przypomina wnętrze eleganckiego hotelu. Przy recepcji czeka na mnie wysoki mężczyzna w ciemnym garniturze i czerwonym krawacie. Dopiero po chwili rozpoznaję w nim Ranę, prawą rękę Acharyi.

– Po co aż taka ochrona? – pytam.

– To konieczne. Nasi rywale chętnie podkradliby nam nasze sekrety – odpowiada krótko i prowadzi mnie do windy, która bezszelestnie zawozi nas na piętnaste piętro.

Wysiadamy w rozległym atrium z rzymskimi kolumnami, siedmiometrowej wysokości fontanną i stropem przykrytym szklaną kopułą, w której załamuje się blask wieczornego nieba. Przez dwuskrzydłowe mahoniowe drzwi Rana wprowadza mnie do jasno oświetlonego pomieszczenia; wygląda na to, że to korporacyjna recepcja. Wnętrze jest całe w marmurze i mozaice. Żyłkowane złoto ścian i bogaty wystrój – murale, grube puszyste dywany, rzeźby z brązu – przywodzą na myśl najlepszy paryski salon. Wejścia do prywatnego apartamentu Acharyi strzeże kolejna statua byka Nandi, tym razem pozłacana.

Z zaskoczeniem stwierdzam, że przy biurku siedzi biała kobieta, blondynka.

– To Jennifer, prywatna sekretarka pana Acharyi – mówi Rana tytułem prezentacji.

– A pani to zapewne Sapna. – Kobieta wstaje i podaje mi rękę. Akcent ma taki jak Lauren, więc z pewnością jest Amerykanką. Na oko ma pod trzydziestkę. Pierwsze, co

---

* Byk Nandi służył do przemieszczania się Panu Śiwie, hinduskiemu bogu destrukcji: można go znaleźć we wszystkich poświęconych Śiwie sanktuariach.

w niej zauważam, to wzrost: musi mierzyć co najmniej metr osiemdziesiąt, góruje nade mną niczym słup telefoniczny. Zdumiewająco niebieskie oczy w oprawie jasnych, prostokątnych okularów i puszyste włosy do ramion przypominają okładki magazynów. W modnym błękitnym blezerze, kremowej koszulowej bluzce i szarych spodniach wygląda jak coś pośredniego pomiędzy elegancką prezenterką CNN a luksusową prostytutką z wyższych sfer.

Obcina mnie wzrokiem niczym kochanka na widok żony. Jej chłodne spojrzenie jest na pół ciekawskie, na pół protekcjonalne. Natychmiast czuję do niej instynktowną niechęć.

Ścienny zegar wskazuje piątą pięćdziesiąt osiem. Czekam przez kolejne dwie minuty, wreszcie na biurku Jennifer odzywa się brzęczyk.

– Pan Acharya zaprasza. – Uśmiecha się do mnie powściągliwie i wprowadza do prywatnego pomieszczenia szefa.

Gabinet Acharyi, najświętsze ze świętych miejsce w firmie, jest jeszcze bardziej przytłaczający ze swym ogromnym konferencyjnym stołem, półkami pełnymi książek i wmontowanym w ścianę wielkoekranowym telewizorem, prezentującym notowania giełdowe. Solidne, ciężkie meble, kosztowne na oko dywany.

Mój wzrok przyciąga ogromne złocone popiersie kobiety na konferencyjnym stole. Po dużych, wytrzeszczonych oczach rozpoznaję, że to Ravinder Reddy*, którą widziałam w National Gallery. Oryginalne olejne obrazy na wyłożonych mahoniową boazerią ścianach także wydają się znajome. Są tam konie Husaina, krowy Manjit Bawy i kubistyczny

---

* Ravinder (albo Ravindra) Reddy – Hinduska zamieszkała w Niemczech, w swoim czasie członkini parlamentu krajowego Brandenburgii oraz burmistrz miasta Atlandsberg, w r. 2004 wizytowała z pomocą dobroczynną rządu i pozarządowych organizacji niemieckich obszary dotknięte tsunami (przyp. tłum.).

akt kobiecy, który może być dziełem samego Picassa. Jeśli Acharya, wzywając mnie do swego gabinetu, zamierzał mnie olśnić, w pełni mu się to udało.

On sam we własnej osobie siedzi na przypominającym tron krześle przy antycznym biurku w kształcie podkowy, stojącym na wprost wielkiego wykuszowego okna. W garniturze w prążki, z różową jedwabną chusteczką wystającą z górnej kieszonki, wygląda dokładnie na to, kim jest: korporacyjnego magnata. Jeśli byłyby jeszcze na to potrzebne jakieś dowody, dostarcza ich ściana za jego plecami, pokryta oprawionymi, profesjonalnymi zdjęciami Acharyi w towarzystwie wszelkich luminarzy tego świata, od papieża Jana Pawła II i Dalajlamy po Billa Clintona i Nelsona Mandelę. Nie mogę się oprzeć wrażeniu, że znajduję się w przytulnej prywatnej izbie pamięci, jaką stworzył Acharya na cześć siebie samego.

– No i jak się pani podoba mój gabinet? – pyta, wskazując gestem, żebym usiadła.

– Bardzo ładny – mówię i zapadam w głęboki skórzany fotel. Dopiero teraz dostrzegam na biurku drewnianą tabliczkę z napisem: JASNA WIZJA, DETERMINACJA, DYSCYPLINA I CIĘŻKA PRACA.

– To kluczowe wartości, którym zawdzięczamy nasze osiągnięcia w Grupie ABC. Oczekuję, że i pani będzie się ich trzymać, kiedy stanie pani na czele firmy.

– Ma pan na myśli: jeśli stanę na czele firmy.

– To zależy wyłącznie od pani. Moim zadaniem jako prezesa jest wyłącznie wybór właściwej osoby i wytyczenie właściwego kierunku. Jestem przekonany, że jest pani najlepsza. Ale i pani musi odczuwać to w ten sposób. Proszę zapamiętać: pierwszym krokiem do sukcesu jest naprawdę go pragnąć. – Przymyka oczy, jak gdyby coś sobie przypominając, i cytuje w nienagannym sanskrycie jakiś wers: *Kaama maya evayam purusha iti. Sa Yatha kaamo bhavati*

*tat kratur bhavati. Yat kratur bhavati tat karma kurute. Yat
karma kurte tad abhisam padyate.*

Znam ten wers. To z upaniszady *Brihadaranjaka*. „Jesteś
tym, czym jest twoje głębokie pragnienie. Jakie twoje pragnienie, taka twoja wola. Jaka twoja wola, takie twoje czyny.
Jakie twoje czyny, takie twoje przeznaczenie".

– Nigdy nie wierzyłam w przeznaczenie – mówię.

– Ale może przeznaczenie wierzy w panią – odbija
piłeczkę.

– W takim razie załatwmy to. Przypuszczam, że chce
pan, żebym podpisała tamto zobowiązanie.

– Tak jest. Proszę pozwolić, że wezwę Ranę. – Przyciska brzęczyk i do pokoju wchodzi Rana, niosąc skórzany
skoroszyt. Siada obok mnie i podaje mi arkusz papieru. Jest
to ten sam formularz, który widziałam ostatnio.

– Zanim pani podpisze, muszę się upewnić, czy nie rozmawiała pani z kimkolwiek o mojej propozycji – mówi Acharya.

– Nie, z nikim.

– Nawet z matką czy siostrą?

– Nie. Ale po co ta cała tajemnica?

– Cóż, jak pani widzi, moje metody są troszkę... no,
niekonwencjonalne. Nie chcę, żeby moi udziałowcy bez
potrzeby się denerwowali. Całkowita poufność jest nie-
zbędna, kiedy chodzi o tego typu sprawy. Nie wolno pani
powiedzieć nikomu na temat naszej umowy choćby słowa.

– Dobrze – kiwam głową. – A co z tym warunkiem, że
nie wolno mi zerwać umowy w trakcie?

– Oznacza to po prostu, że umowa pozostaje w mocy,
dopóki nie zostaną przeprowadzone wszystkie próby. Nie
może pani odejść w trakcie.

– A jeśli nie zdam któregoś z tych sprawdzianów?

– Wtedy ja zrywam umowę, nie pani.

– Proszę podpisać na dole – mówi Rana i wręcza mi
długopis.

– Zanim podpiszę, ja także czegoś zażądam.

Acharya marszczy brwi.

– O co chodzi?

– Dwa razy tyle.

– Co pani ma na myśli?

– Zgodnie z tą umową ma mi pan zapłacić za uczestnic-two w testach sto tysięcy rupii. Żądam dwustu.

– Na jakiej podstawie pani sądzi, że się na to zgodzę?

– W życiu nigdy nie dostajemy tego, na co zasługujemy; dostajemy to, co sobie wynegocjujemy. Czy to nie pańskie słowa? No więc postępuję zgodnie z pańską radą. Negocjuję z panem.

– Trafione! – Acharya klaszcze w dłonie, aczkolwiek z oporem. – Szybko się pani uczy. Ale żeby negocjować, trzeba mieć jakąś moc przetargową. Czy ma pani wybór?

– Mogę panu zadać to samo pytanie. Czy ma pan wybór? Lepszego kandydata?

– Podoba mi się pani odwaga. – Acharya kiwa z uznaniem głową. – Ale dlaczego potrzebuje pani aż tyle pieniędzy?

– Mam pewne pilne zobowiązania rodzinne.

Acharya wygląda przez wykuszowe okno, rozważając moje żądanie. Ze swego punktu obserwacyjnego, niczym orzeł na szczycie góry, może oglądać rozciągającą się poniżej dzielnicę Lutyens's Delhi. W tej możliwości oglądania miasta z lotu ptaka, z dala od sadzy i pyłu betonowej dżungli, od gorączki i zgiełku ulic, jest coś magicznego i mistycznego. Wyciągam szyję, żeby złowić choć kawałek tego widoku, ale jedyne, co widzę, to połyskliwa wstążeczka blasku wzdłuż horyzontu, zacierająca granicę pomiędzy ziemią a nie-bem.

Po paru wypełnionych napięciem chwilach Acharya podnosi w końcu wzrok i kiwa głową, tak jakby podjął w końcu decyzję.

– Rana, daj jej dwieście tysięcy.

Rana rzuca mi wrogie spojrzenie i wychodzi.

– Czy mogę o coś spytać? – zwracam się do Acharyi.

– Naturalnie.

– Dlaczego nie brał pan pod uwagę Rany jako kandydata na stanowisko, które proponuje pan mnie? Bądź co bądź, to pański zaufany człowiek.

– Z tego samego powodu, dla którego nie zwracam się o rady co do sposobu inwestowania do mojego golibrody. – Odchyla się na oparcie krzesła i bawi kryształowym przyciskiem do papieru w kształcie bóstwa Ganeshy z głową słonia. – Żeby odwołać się do terminologii krykieta, Rana jest dobry zarówno w odbijaniu, jak i rzucaniu, ale nie byłby dobry jako kapitan. Nie jest typem przywódcy. Nigdy nie będzie tu zasiadał – klepie własne krzesło. – Ale pani może, pod warunkiem że przejdzie pani pomyślnie moje siedem prób.

– Obawiam się tych pańskich prób.

– Niepotrzebnie. W moich testach chodzi nie tyle o zdanie czy oblanie, ile o odkrycie siebie samego. Dzięki każdemu z siedmiu testów zyska pani praktyczną wiedzę o prowadzeniu firmy w realnym świecie.

– Przypomina mi to baśnie o tym, jak to król wyznacza synom zadania, żeby ustalić, który z nich powinien odziedziczyć koronę.

– Moje inspiracje są nowocześniejsze. Nienawidzę feudalnej kultury dziedziczności. Kultury, w której rozpieszczone bogate dzieciaki dzięki sukcesji mają wszystko podane na tacy. Ja doszedłem do wszystkiego sam, a w Grupie ABC stworzyłem kulturę osiągnięć. Musimy walczyć o swoje marzenia, zapracować na swoje miejsce w firmie.

Już, już mam mu powiedzieć, że prowadzenie firmy nigdy nie było moim marzeniem, gdy wraca Rana. Kładzie przede mną beżową kopertę.

– W środku jest dwieście tysięcy rupii. Proszę przeliczyć.

Otwieram kopertę. Wypchana jest tysiącrupiowymi banknotami. Wydaje mi się, że liczenie ich byłoby niegrzeczne.

– Mam zaufanie do pana Acharyi – mówię i kładę pod formularzem swój podpis, zakończony ozdobnym zakrętasem.

Rana bierze dokument i wkłada z powrotem pomiędzy skórzane okładki.

– Kiedy rozpoczną się próby? – pytam, wpychając kopertę do torebki.

– Już się zaczęły – mówi Acharya zagadkowo.

Chciałabym drążyć dalej, ale na biurku Acharyi odzywa się interkom. Wpatruje się w niego przez chwilę, po czym naciska czerwony guzik.

– Sir, delegacja z Hongkongu już jedzie na górę – oznajmia energiczny głos Jennifer.

Acharya kiwa głową i patrzy na mnie.

– Wszystkiego dobrego – mówi, dając sygnał, że spotkanie zakończone.

Pięć minut później jestem znowu na ulicy. Jakie to wszystko dziwne... W torebce mam więcej pieniędzy, niż kiedykolwiek było w moim posiadaniu, i napełnia mnie to szczególną mieszaniną euforii i strachu. Niemal czuję na ramieniu rękę Losu, przestrzegającą mnie, że podpisałam faustowski pakt z diabłem i muszę być odtąd przygotowana na konsekwencje.

Pierwszą rzeczą, jaką robię po opuszczeniu biura Acharyi, jest wizyta w świątyni Hanumana, żeby podziękować bogini Durdze. Tylko ona może mi pomóc w żeglowaniu pośród zdradzieckich prądów czekającego mnie odtąd życia.

Po wyjściu zbaczam na chwilę do sklepu w bloku G, po czym łapię metro. Dziś nie jadę do Rithala. Wysiadam w Pitnapura i jadę autorikszą do rezydencji stryja Deenu. Choć jest bogatym restauratorem, wciąż mieszka w zniszczonym dwupiętrowym budynku nad cuchnącym, zapchanym śmieciami kanałem.

Drzwi otwiera ciotka Manju, leniwa, tęga kobieta z dziwnym upodobaniem do bluzek bez rękawów.

– Dobry wieczór, Sapno – wita mnie ospale. Stryj Deenu wyleguje się w salonie, dzięki elektrycznemu grzejnikowi włączonemu na pełny regulator ubrany jedynie w kamizelkę i spodnie od piżamy. Ma pucołowatą twarz, szerokie ramiona i pozbawioną szyi głowę, co nadaje mu wygląd znużonego zapaśnika. Obrzucam spojrzeniem pokój: jaskrawoczerwone fotele o wystrzępionej, pełnej zapadlisk tapicerce, bezładna kolekcja rodzinnych fotografii na kominku, pajęczyny po kątach… Czuć tu kurzem i zaniedbaniem. Zawsze patrzyłam na stryja Deenu przez różowe okulary członka rodziny i nie zdawałam sobie sprawy, jaka z niego sknera i bezguście.

– Jeśli przyszłaś mnie prosić, żebym was zostawił w mieszkaniu, to szkoda twojego czasu – zaczyna, ledwie usiadłam. – O ile nie wystaracie się o pieniądze, za dwa tygodnie wyprowadzka.

Przy wszystkich swoich wadach ojciec zawsze był człowiekiem niezłomnych zasad. Jego młodszy brat nie ma żadnych. Deenu to wygadany, pozbawiony wszelkich skrupułów oportunista i krętacz. Rutynowo oszukuje urząd podatkowy, a prawdopodobnie i swoją tęgą żonę.

– Przyniosłam całą sumę – informuję go i odliczam sto sześćdziesiąt osiem tysięcy.

Wygląda, jakby było to dla niego raczej zaskoczenie niż satysfakcja.

– Jak wam się udało zebrać tak szybko tyle pieniędzy? – pyta i uśmiecha się chytrze. – Obrabowałaś bank?

– Nie pański interes, gospodarzu – odpowiadam szorstko. – A skoro jesteśmy odtąd zwykłymi, płacącymi czynsz najemcami, oczekujemy, że podpisze pan z nami normalną umowę najmu, naprawi przeciek w łazience, uszczelni kuchenny zlew i pomaluje mieszkanie.

Gapi się na mnie niczym zaskoczona małpa. Nigdy nie mówiłam do niego w ten sposób... No, ale to nie ja mówię. To moc tych wszystkich pieniędzy, jakie mam w rękach, nadaje mi głos, nadaje mi kręgosłup. Z zadowolonym uśmieszkiem triumfu wychodzę od Deenu i wzywam kolejną autorikszę.

Gdy docieram do domu, jest pół do ósmej. Matka szykuje w kuchni kolację, a Neha wpółleży na sofie i ogląda jakiś konkurs młodych talentów.

– Ile ci dał jubiler? – z miejsca chce wiedzieć Ma. – Wystarczyło?

– Wystarczyło, żeby zapłacić naszemu bezwstydnemu stryjowi – odpowiadam. – Możemy tu spokojnie mieszkać przez najbliższy rok.

– A co będzie za rok?

– Pomyślimy, jak przyjdzie czas. – Rzucam torebkę na stół i padam na sofę obok Nehy.

Tak jest pogrążona w tym, co widać na ekranie, że prawie nie zauważa ani mnie, ani torby z zakupami u moich stóp. Na ekranie wiotka zawodniczka drze się na całe gardło, wykonując popularną piosenkę z filmu *Dabangg*.

– Śpiewam o wiele lepiej niż ty – drwi z niej Neha. – I z pewnością o wiele lepiej wyglądam...

– Przestań gadać do telewizora – pouczam ją. – Lepiej zobacz, co ci przyniosłam.

Neha odwraca się i szeroko otwiera oczy na widok tego, co wyjmuję z torby. Jest to nowiutki laptop Acer.

– *Didi*! – piszczy zachwycona i ściska mnie z całej siły. – Jesteś najwspanialszą siostrą na świecie!

Chwyta laptop i zaczyna się nim bawić jak dziecko, które dostało nową zabawkę. Policzki płoną jej z podniecenia. Matka ściska mnie lekko za ramię.

– Ojciec byłby z ciebie bardzo dumny – mówi, ocierając delikatnie oczy. – Nigdy nie widziałam, żeby Neha była taka szczęśliwa...

A kto uszczęśliwi mnie? – mam ochotę zapytać, ale poddaję się radosnemu nastrojowi chwili. Na krótko spowija mnie ciepła poświata rodzinnej miłości i wszystko wydaje się różowe i pełne obietnic. Rzadko zdarzają się ostatnio takie momenty i zbyt szybko przemijają. Niedługo Ma znowu stanie się daleka, a siostrze powróci jej zwykłe jędzowate ja. A mnie znowu będą prześladować rozpacz i ból serca, moi codzienni towarzysze.

Ale przynajmniej dziś mogę być od nich wolna. W głowie wciąż kręci mi się od możliwości, spuszczonych ze smyczy przez ofertę Acharyi. Dom jest za mały, żeby o nich pomyśleć, wychodzę więc do ogrodu, znajdującego się tuż za bramą osiedla. Nie jest to tak naprawdę ogród, raczej ogrodzony niskim ceglanym murkiem kawałeczek ziemi z paroma krzakami i drzewami owocowymi oraz wydeptaną pomiędzy nimi ścieżką. W ciągu dnia sąsiedzkie dzieci grywają tu w krykieta, podnosząc niesłychaną wrzawę, ale teraz, wieczorem, miejsce jest wyludnione i ciche. Siadam na jednej z ławek. Otacza mnie rześkie powietrze nocy, pod stopami czuję chłodną ziemię. Ciaśniej otulam się szalem.

Siedzę tak może minutę, gdy rozlega się głos Kishore Kumara*, śpiewającego piosenkę z filmu *Amar Akbar Anthony*:

Nazywam się Anthony Gonzalves.
Jestem na świecie całkiem sam.
Puste moje serce, pusty i mój dom,
Gdzie zamieszka kiedyś wielka szczęściara.
Kiedy o mnie pomyśli, niech tu przyjdzie,

---

* Kishore Kumar (1929–87) – najpopularniejszy hinduski piosenkarz z playbacku, aktor filmowy, kompozytor, producent, reżyser i scenarzysta.

Pałac Piękna, Aleja Miłości,
numer domu 420!

Czuję ciepło na policzkach, tak jakby zabarwił je lekki rumieniec. Wiem, że to nie legendarny wokalista, co powrócił z zaświatów. I bynajmniej nie mieszka on pod numerem czterysta dwadzieścia. Melodyjny głos należy do Karana Kanta, lokatora mieszkania B-35.

Karan wprowadził się na osiedle LIG miesiąc po nas. W ciągu tych ponad piętnastu miesięcy stał się dla mnie czymś o wiele więcej niż sąsiadem. Jest sierotą, nie ma rodziny, pracuje w telefonicznym centrum obsługi sieci Indus Mobile, trzeciego z kolei największego operatora sieci komórkowych. Choć ma dwadzieścia pięć lat, chłopięca uroda sprawia, że wygląda o wiele młodziej. Wzrostu więcej niż przeciętnego, o idealnie wyrzeźbionym ciele, ciosanych rysach, z gładko wygoloną twarzą i kędzierzawą czupryną, jest chyba najprzystojniejszym mężczyzną w Rohini, o ile nie w całym Delhi. Do tego szczery, ukazujący wszystkie zęby uśmiech, marzące oczy… Dość, żeby uczennicom na jego widok uginały się nogi. I nie tylko uczennicom – durzą się w nim i panie domu w wieku menopauzalnym. Pod takim czy innym pretekstem wychodzą wieczorem na balkon, żeby choć przez chwilkę rzucić okiem na wracającego z pracy Karana. On jednak zdaje się dostrzegać tylko mnie. Nie wiem, co on we mnie widzi… Może pokrewną duszę? Oboje osiągnęliśmy znacznie mniej, niż mogliśmy, biorąc pod uwagę wysoki potencjał, oboje oberwaliśmy od życia. Ze wszystkich ludzi na osiedlu wybrał sobie na przyjaciółkę mnie. Jesteśmy dla siebie powiernikami, bezwzględnymi sojusznikami i najuczciwszymi krytykami.

Za wcześnie jeszcze, żeby nadać imię naszej relacji. Dość powiedzieć, że jest moją bratnią duszą, źródłem mocy, opoką. Czasem patrzę na niego jak na brata, kiedy indziej – jak na zaufanego przyjaciela, a od czasu do czasu – czy ośmielę się to powiedzieć? – jak na chłopaka. W jego zachowaniu zawsze pobrzmiewa delikatna nuta zalotów, choć stara się skrywać uczucia za maską nonszalancji i błazenady. Jest niezwykle utalentowanym artystą imitatorem, potrafi naśladować niemal każdy głos, od aktora Shahrukha Khana do czempiona krykieta Sachina Tendulkara.

Przy całym jego żartobliwym sposobie bycia ma w oczach ukrytą nutę smutku. Nieraz przyłapałam go, jak patrzy na mnie z wyrazem cierpienia i udręki. W takich sytuacjach niemal namacalnie czuję samotność jego serca i gorąco mu współczuję. To prawdziwy klaun, co rozśmiesza innych, a w duchu płacze bez łez.

– Skąd ta powaga, madam-ji? – pyta, siadając obok mnie.

– Miałam naprawdę zwariowany dzień – mówię ściszonym głosem.

– Czy: a) wygrałaś na loterii, b) zostałaś okradziona, c) dostałaś ofertę pracy, d) poznałaś kogoś sławnego? – pyta, naśladując głos Amitabha Bachchana z *Milionerów*.

– Wybieram wszystkie odpowiedzi.

Karan mruży oczy.

– To może chcesz zadzwonić do przyjaciela?

Wygląda na to, że czyta mi w myślach. Tyle się wydarzyło w ciągu ostatnich dwudziestu czterech godzin, że nie potrafię dłużej utrzymać tego w sobie. Potrzebuję to z kimś przegadać, wyrzucić z siebie. A nie potrafię wymyślić nikogo, kto nadawałby się do tego lepiej niż Karan. Pamiętam o surowej przestrodze Acharyi, że ma to być bezwzględna tajemnica, ale jeśli mogę komukolwiek zaufać, że zachowa ją dla siebie, to jest nim siedzący obok mnie mężczyzna. Patrzę w jego rozumiejące oczy i czuję, że wirujący świat zwalnia tempo i zatrzymuje się.

– Nie uwierzysz, jak ci opowiem...

Opowiadam mu wszystko, począwszy od przypadkowego spotkania z Acharyą w świątyni, poprzez telefon od stryja Deenu, kradzież bransolet, scenę z Choubeyem w salonie, aż do końcowego spotkania z Acharyą w jego biurze, w rezultacie którego spadło mi z nieba dwieście tysięcy rupii w twardej gotówce.

Karan słucha z uwagą, po czym wydaje długi, przeciągły gwizd.

– Człowieku... Toż to historia, którą będę opowiadał swoim wnukom!

– To myślisz, że Acharya na serio chce, żebym została jego dyrektorką generalną?

Karan się śmieje.

– Zwariowałaś? Prędzej mi włosy na dłoni wyrosną. Nikt nie podaje na tacy kompletnie obcemu człowiekowi firmy wartej dziesięć miliardów dolarów!

– Ale ja sprawdzałam Acharyę w sieci. Wygląda na to, że jest uczciwy.

– Każdy oszust wygląda, zanim go złapią. Zanim Big Bull Harshad Mehta doprowadził do załamania rynku akcji, uważano go za finansowego cudotwórcę.

– Ale czego może się po mnie spodziewać Acharya? Nie mam żadnej kasy, którą mogłabym zainwestować w jego firmę.

– Może ma słabość do ślicznotek o ciemnej cerze?

– Nie wygląda na uwodziciela. A ja nie jestem Bipasha Basu*.

– Czy istnieje możliwość, że jesteś jego świeżo odnalezioną córką z nieprawego łoża?

– Nie wygłupiaj się! To nie bollywoodzki film.

– Kiedy już sobie wyobrażam tę scenę. – Karan, niczym reżyser, podnosi uformowane w okienko dłonie. – Późnym wieczorem wzywa cię do swojego domu. Nie możesz go

---

* Hinduska aktorka filmowa, słynna z urody przy smagłej cerze.

znaleźć, ale natrafiasz na jego żonę, leżącą w kałuży krwi. Została zastrzelona. Na broni, z której padł strzał, zostają odkryte twoje odciski palców. Wtedy uświadamiasz sobie, że padłaś ofiarą chytrego planu: pozbyć się żony i rzucić podejrzenie na ciebie…

Zanim jego nadaktywna wyobraźnia stworzy kolejny ponury scenariusz, przerywam mu.

– Acharya nie ma żony. Skończ z tymi intrygami.

– No to musi za tym stać jakiś inny chytry plan. Ogólnie wiadomo, że Acharya nienawidzi swojego brata bliźniaka, Ajaya Krishny. Premier Industries to najważniejszy rywal Grupy ABC. Może jesteś dla Acharyi pionkiem, dzięki któremu będzie mógł dotrzeć do brata?

– Acharya nawet się nie zająknął o bracie. I co ja jestem, jakaś idiotka, żeby pozwolić się wykorzystać w charakterze czyjegoś pionka?

– Nie mówię złego słowa o twoim intelekcie. Ale to podstawowa zasada ludzkiej natury, że obietnica nieoczekiwanego bogactwa doprowadza do zwarcia i przepala zarówno inteligencję, jak zdrowy rozsądek. To właśnie dlatego mamy te wszystkie plany Ponziego, przekręty z funduszami oszczędnościowymi, oszustwa z plantacjami drewna… Widzę to codziennie w moim centrum obsługi – łatwowierni klienci wciągani są w podejrzane umowy przez telemarketerów-kombinatorów, którzy zawsze zdążą uciec, zanim pokaże się policja.

– Jest jeszcze coś takiego jak ryzyko. Tylko ten, kto zaryzykuje, że pójdzie za daleko, ma szansę się dowiedzieć, jak daleko może zajść.

– To Acharya tak powiedział?

– Nie, Thomas Eliot. I to nawet nie ja podejmuję w tym wypadku ryzyko, tylko Acharya. To on na mnie stawia. Miałabym zlekceważyć taką okazję, z pewnością jedyną w życiu? Pierwszy raz świta mi promyk nadziei na przyszłość.

– Ha! – reaguje lekceważąco. – Nadzieja to narkotyk. Daje ci sztuczny haj, bazujący na dawce nierealistycznych oczekiwań. To, czego ci potrzeba, to zejście na ziemię.

– A to, czego tobie potrzeba, to dawka optymizmu. Czemu ty zawsze musisz widzieć wszystko od złej strony?

– Bo mi na tobie zależy, Sapna, a mam w tej sprawie złe przeczucia. Nie powinnaś była brać od Acharyi pieniędzy.

– Nie miałam wyboru.

– Mam tylko nadzieję, że na zakończenie nie będziesz żałować. Nie ma nic za darmo… No i nic nie wiesz o tych tak zwanych siedmiu próbach. Na czym polegają? W jaki sposób zostaną przeprowadzone? Kiedy?

– No… Tych prób to i ja się trochę boję.

– Pozwól, Sapna, że opowiem ci bajkę. Dawno, dawno temu był sobie człowiek, który marzył, żeby mieć wyższy wzrost. Prosił Boga o to przez dwadzieścia lat. W końcu Bóg postanowił spełnić jego życzenie. Postawił jednak pewien warunek: „Za każdy dodatkowy centymetr zostanie ci odjęte półtora roku życia". Facet się zgodził. No więc Bóg podwyższył go o dziesięć centymetrów – i facet umarł na miejscu. Morał: nie wchodź w układ, jeśli nie znasz wszystkich faktów.

– Nie zamierzam brać udziału w żadnych próbach czy tam testach. Z miejsca obleję pierwszy. A dwieście patyków moje. Koniec opowieści.

– Gdyby to było takie proste… Taki człowiek jak Acharya musiał przemyśleć wszystko bardzo starannie, zanim cię zaczepił.

Chorobliwy, nieubłagany cynizm Karana obrasta mnie niczym grzyb. Kiedy siadam z Ma i Nehą do kolacji, jestem już przekonana, że podpisanie umowy z Acharyą było największą pomyłką mojego życia.

Ilekroć mam zmartwienie, szukam pocieszenia w wierszach. Po kolacji wyjmuję więc mój sekretny czarny zeszyt, w którym od dziewiątego roku życia zapisuję swoje myśli i uczucia. Przerzucam stronice o pozaginanych, wytartych rogach i mój wzrok pada na krótki wierszyk pod tytułem *Jutro*. Opatrzony jest datą 14 kwietnia 1999 roku, kiedy byłam smarkatą jedenastoletnią uczennicą. Pewnie dlatego, że został napisany w szczęśliwszych, prostszych czasach, działa na mnie jak balsam, którego potrzebuję. Oto co napisałam:

Nadzieja to słońca blask –
Rozjaśnia najgęstsze ciemności.
Miłość to wielki wiatr –
Rozprasza najgłębsze żałości.
Jutro to pusty trakt –
A ja się nie boję przyszłości.

PRÓBA PIERWSZA
Miłość w czasach khapu

Dzień dobry panu. Może zechciałby pan rzucić okiem na nasze telewizory wielkoekranowe? Mamy obecnie do zaproponowania kilka fantastycznych modeli – zwracam się do klienta z entuzjastycznym uśmiechem, godnym prezenterki kanału Home Shop.

Jest sobota, osiemnasty grudnia. Od spotkania z Acharyą minął tydzień i jestem pełna niepokoju. Nigdy w życiu nie bałam się egzaminów, a teraz sama myśl o testach Acharyi wywołuje dziwny ucisk w żołądku. Głównie dlatego, że nic o nich nie wiem, i gnębi mnie ta niepewność. A do tego wszystkiego nasz salon wystawowy zmienił się w dom wariatów. Zbliża się Puchar Świata w krykiecie, gorączka narasta i nasi sprzedawcy telewizorów wprost wyłażą ze skóry. Dziś rano wszyscyśmy się podniecili, bo poszła wieść, że za dwa tygodnie odwiedzi nasz sklep bollywoodzka aktorka Priya Capoorr. Jest twarzą kampanii promocyjnej produktów korporacji Sinotron i będzie promować ich najnowsze modele telewizorów.

Są i inne zmiany. Mamy nowego kasjera nazwiskiem Arjun Soni, niechlujnego grubasa, który nieustannie wrzuca do ust orzeszki i odpowiada pytaniami na pytania. Neelam, jedna ze sprzedawczyń, odchodzi za miesiąc z pracy, bo wychodzi za mąż. Chłopak jest Hindusem ze Sztokholmu.

Neelam jest podekscytowana perspektywą wyjazdu do Szwecji, kraju, o którym wiem tyle, co nic.

Po południu wzywa mnie do swojego kantorka menedżer.

– Sapna, właśnie sprawdziłem wasze wyniki sprzedaży. Znowu jesteś na pierwszym miejscu – błyska ku mnie promiennym uśmiechem, ukazując żółte zęby. Ten sztuczny, wymuszony uśmiech przywodzi mi na myśl złowrogą postać ze starego hinduskiego filmu, Jeevana, i momentalnie każe mi się mieć na baczności. Madan uśmiecha się wyłącznie wtedy, kiedy chce od pracownika jakiejś ekstraprzysługi, na przykład żeby został po godzinach albo pracował w niedzielę.

– Pamiętasz niejakiego Kuldipa Singha, który kupił w zeszłym tygodniu całą furę sprzętu? – ciągnie Madan.

– Ma pan na myśli tego rolnika ze stanu Haryana?

– Właśnie – Madan skwapliwie kiwa głową. – No więc dzwonił dzisiaj i powiedział, że nikt w domu nie rozumie instrukcji obsługi i nie ma pojęcia, jak to wszystko działa. Chce, żeby przyjechał ktoś ze sklepu i im wytłumaczył. Rozumiesz?

– No dobrze, więc czemu pan nie wyśle któregoś z chłopaków?

– W tym cały problem – wzdycha Madan. – On nie chce nikogo innego, tylko ciebie. Wygląda na to, że zrobiłaś na nim kolosalne wrażenie. Zróbmy tak: pojedziesz jutro do tej wsi i pokażesz mu, jak działa telewizor, pralka, stereo i DVD. Pokrywamy wszystkie koszty podróży, a do tego dostaniesz pięćset rupii na wydatki.

– Nie będę tracić niedzieli dla pięciuset rupii.

– Potraktuj to jak łatwy zarobek. Ustaliłem, że do wsi Chandangarh jedzie się raptem trzy godziny. Spokojnie wyjedziesz rano i wrócisz wieczorem. Zgoda?

– Nie. Jak pan może wysyłać kobietę samą na jakąś zabitą deskami wieś?

– Rozumiem, rozumiem… – kiwa głową Madan. – Ale *sahib* Gulati traktuje to jako osobistą przysługę. Proszę… Tylko ten jeden raz.

– Nie mogę jechać w niedzielę. To dzień urodzin Alki.

– Kto to jest Alka?

– Moja siostra. Umarła dwa lata temu.

– Że też umarli muszą się mieszać w sprawy żyjących… – mruczy pod nosem i z rezygnacją kiwa głową. – No dobrze. A w poniedziałek możesz pojechać?

– No, to już prędzej. Ale nie zostanę tam dłużej niż parę godzin. O której godzinie przyjedzie po mnie taksówka?

– Taksówka? A co ty jesteś, Priya Capoorr? Jedziesz autobusem, jasne?

Mam ochotę powiedzieć mu, żeby poszedł się bujać, ale z Madanem można sobie pozwolić tylko do pewnej granicy, a chyba ta granica jest blisko.

Jeśli kiedykolwiek zostanę szefową Grupy ABC, to pierwszą rzeczą, jaką zrobię, będzie wykupienie Gulati & Sons, a Madan będzie sprzątał biura. Na razie jednak przełykam dumę i kiwam głową.

Nad domem ciąży dojmujący klimat przygnębienia. Dziś są urodziny Alki. Gdyby żyła, skończyłaby siedemnaście lat… Matka delikatnie osusza chusteczką oczy. Ja mam w gardle gulę, która nie chce ustąpić. Dusi mnie ta cisza, bezruch, atmosfera hołdu i żalu. Nieodwracalność losu, co tak okrutnie zadrwił sobie z nas wszystkich.

Nie było ani jednego dnia w ciągu tych dwóch lat, żebym nie pomyślała o Alce. Umarli nie umierają. Zmieniają się tylko w fantomy, które wiszą nam nad głowami, polują na nasze myśli, wdzierają się w nasze sny. Nieobecność Alki prześladuje mnie każdego dnia, ale dziś tym bardziej. To okropne – być żywą na urodzinach zmarłej siostry.

Siedzę i patrzę na jej zdjęcie, trawiona poczuciem winy tej, co przeżyła, i wracają do mnie wspomnienia czasów wspólnie przeżytych w Nainital.

Mieszkaliśmy pod numerem 17 w dużym, pięciopokojowym domu na kampusie Akademii Windsor, szkoły z internatem dla chłopców, w której tato uczył matematyki. Zbudowana w roku tysiąc osiemset siedemdziesiątym na czterdziestu hektarach zielonych połaci, ze swymi blankami, wieżyczkami, kamiennymi iglicami oraz aniołami i gargulcami gotyckiej fasady głównego budynku przypomina wiktoriańską fortecę. Położona jest na zboczu niewysokiego wzgórza, gdzie ze wszystkich stron otaczają ją zamglone górskie łańcuchy i lasy, w których rośnie dąb, sosna i cedr himalajski. Z naszego domu mogliśmy nawet dostrzec przypominające kształtem oko jezioro Naini, ciemno połyskujące w oddali.

Tato był od zawsze związany z akademią: rozpoczął tam pracę jako nauczyciel w roku tysiąc dziewięćset osiemdziesiątym trzecim i pracował nieprzerwanie przez ponad dwadzieścia pięć lat. Byliśmy rodziną z klasy średniej, prowadzącą typowe dla tej sfery, spokojne życie. W domu panował klimat dyscypliny i odpowiedzialności, bez pozwalania sobie na jakieś ekstrawagancje. Pod wieloma względami była to idylla, wypełniona samotnością i pilną nauką, którą przerywały od czasu do czasu letnie burze, leniwe przejażdżki łódką po jeziorze i zimowe wyprawy do domu naszych przodków w Hardoi.

Choć wychowane w tym samym domu, my, trzy siostry, miałyśmy różne charaktery i odmienne podejście do życia. Ja byłam nieśmiałą kujonką, interesującą się głównie książkami, Neha – lubiącą się popisywać snobką, a Alka, wolny duch, zawsze robiła wszystko po swojemu. Miała wielkie poczucie humoru i nawet w drobiazgach potrafiła odnaleźć radość. Była żywiołowa, spontaniczna, radosna, pełna pomysłów, nieraz wprost skandalicznych. Ale wystarczyło, że uśmiechnęła się swoim zaraźliwym uśmiechem i powiedziała: „*Kamaal ho gaya!*", a wszystko jej wybaczano. Była dla mnie źrenicą oka, ozdobą i duszą przyjęć, sercem naszej rodziny.

Zostałyśmy wychowane w surowym reżimie, gdzie najważniejszy był obowiązek, a zasady liczyły się bardziej niż uczucia. Wszystkie trzy, Alka, Neha i ja, chodziłyśmy do Konwentu Świętej Teresy, ekskluzywnej angielskiej szkoły z internatem, prowadzonej przez katolickie zakonnice. Byłyśmy uczennicami dochodzącymi i nie płaciłyśmy czesnego, który to przywilej zawdzięczałyśmy pracy tatusia – Akademia Windsor miała obustronną umowę z Konwentem. Nasza surowa dyrektorka, siostra Agnes, miała jasne zasady, co wolno uczennicom, czego robić nie powinny, a co jest dla nich absolutnie zabronione. W domu ojciec wprowadził równie surowy kodeks postępowania, włącznie z zakazem wychodzenia z domu po ósmej. Bez dyscypliny pozostaje tylko anarchia, zwykł mówić. Jako nauczyciel matematyki sprowadził swój świat do dwójkowego systemu czerni i bieli, dobra i zła. W jego kosmosie nie było miejsca dla szarości.

Równie jasno wytyczył przyszłość trzech swoich córek. Ja, ta pracowita, miałam zostać urzędniczką państwową; Nehę, tę ładną, czekała kariera telewizyjnej dziennikarki; a Alka, ta empatyczna, miała zdobyć zawód lekarki.

Jako posłuszna córka zrobiłam to, czego oczekiwał ode mnie ojciec. Byłam najlepsza w szkole, a potem poszłam na Uniwersytet Kumaun. Choć moim kierunkiem była literatura angielska, czytałam wszystko, co tylko wpadło mi w ręce. Od cyklu życia ćmy do cyklu paliwowego elektrowni jądrowej, od czarnych dziur do brązowych chmur i chmury obliczeniowej, chwytałam każdy szczątek informacji, który mógł poszerzyć zasób mojej wiedzy ogólnej, podstawę sukcesu na egzaminach do służby państwowej.

Najważniejsza z zasad mojego ojca nieuchronnie dotyczyła chłopaków. Parę lat temu inny nauczyciel, pan Ghildayal, przeżył potajemny romans swojej osiemnastoletniej córki, Mamty, z synem dyrektora. Skończyło się to niespodziewaną ciążą dziewczyny i tato drętwiał na myśl, że podobny skandal mógłby się zdarzyć i w jego rodzinie.

– Jeśli przyłapię którąś z moich córek na tym, że choćby popatruje na chłopaka na kampusie, skórę z niej zedrę – groził. Nie mógł jednak nic poradzić na to, że uczniowie popatrywali na nas, a raczej na Nehę i Alkę. Były najładniejszymi dziewczynami na buzującym od hormonów kampusie, gdzie każdy dzień przynosił seksualne przebudzenie jakiegoś udręczonego wyrostka. Uczniowie byli to z reguły rozpieszczeni młodzieńcy z takich miast jak Delhi, Mumbaj i Kalkuta, którzy, z dala od domu, zdecydowani byli zrobić użytek ze świeżo zyskanej wolności. Akademia Windsor chlubiła się nieskazitelną opinią, w rzeczywistości jednak była to jaskinia korupcji i degradacji. Po kampusie swobodnie krążyły wszelkie rodzaje materiałów pornograficznych i napojów alkoholowych, a były nawet mroczne pogłoski na temat narkotyków i wizyt prostytutek.

Co do mnie, to zanadto byłam zajęta nauką, by zwracać uwagę na chłopaków. Neha traktowała ich ze skrajną wzgardą: dawno uznała, że Nainital nie jest miejscem, gdzie chciałaby spędzić resztę życia, i unikała miejscowych jak zarazy. Na placu boju pozostawała nasza najmłodsza siostra Alka. Zaledwie zaczynająca dojrzewać, usiłowała poradzić sobie ze zmianami, jakie zachodziły w jej ciele. Nawet jednak jeśli zmieniała się fizycznie, emocjonalnie wciąż była dzieckiem, wierzącym w baśnie o wróżkach. Dla mnie chłopcy to było coś, co odwraca uwagę od ważniejszych spraw, ale na szczęście można tego uniknąć. Dla Nehy stanowili przelotną rozrywkę. W oczach Alki – byli uwodzicielską zagadką, oglądaną przez różowe okulary romansów Mills & Boon, od których była uzależniona. Surowy zakaz ojca nie był w stanie wyrwać jej ze świata fantazji, pełnego dzielnych rycerzy i księżniczek w opresji, którym śpieszyli na ratunek. Przy jej niewinnej beztrosce i kompletnej pogardzie dla jakiegokolwiek autorytetu można się było spodziewać, że nieuchronnie oczaruje ją jakiś zdradziecki Romeo. Była to tylko kwestia czasu.

Przyszło to wcześniej, niż myślałam. Pierwsze podejrzenie, że coś jest na rzeczy, powzięłam w piętnaste urodziny Alki.

Tato nie uznawał świętowania urodzin. Traktował ten zwyczaj tak samo jak walentynki – jako import z Zachodu, żeby promować ohydną komercję. Jedynym ustępstwem na rzecz naszego pokolenia było to, że mogłyśmy w ten dzień poczęstować klasę cukierkami. Tylko Alce, jako najmłodszej i rozpieszczanej, wolno było urządzać urodzinowe imprezy. Nawet jednak i w jej wypadku były to skromne przyjęcia: tort, parę szkolnych koleżanek i niedrogi prezent, zwykle książka.

W piętnaste urodziny Alki był jak zwykle tort i ciasteczka, te same co zawsze gry i zabawy. Jednak oprócz zwykłego entuzjazmu emanowała z niej jakaś pierwotna, ukryta dotąd zmysłowość. Tego wieczoru, przeglądając jej prezenty, natknęłam się na buteleczkę perfum Poison Diora, ciśniętą niedbale pomiędzy ciuchy.

– O żeż! Szczęściara z ciebie! – Przewróciłam oczami. – I któż to w Nainital może sobie pozwolić na taki prezent?

Alka uśmiechnęła się rozbrajająco i wzruszyła ramionami, usiłując zbagatelizować sprawę.

– *Kamaal ho gaya, didi!* Biedny Rakhi nagle zrobił się hojny.

Wiedziałam, że kłamie. Rakhi Rawat był jej kolegą z klasy. W zeszłym roku dał jej na urodziny plastikową szkatułkę na biżuterię za pięćdziesiąt rupii. W żadnym wypadku nie mógłby sobie pozwolić na importowane perfumy za trzy tysiące.

Były też inne sygnały. Przez dwa tygodnie bożonarodzeniowych ferii, kiedy akademia była zamknięta, przyłapywałam Alkę na gorączkowym pisaniu listów, które wrzucała ukradkiem do czerwonej skrzynki pocztowej, stojącej przed główną bramą szkoły. Kiedy ją o to wprost spytałam, powiedziała, że pisze do korespondencyjnej przyjaciółki z Brazylii. Co gorsza, trochę się opuściła w nauce. Zaczęła cierpieć na bezsenność, straciła apetyt.

Ostateczny dowód otrzymałam pierwszego dnia po otwarciu akademii. Wracając wieczorem z biblioteki, usłyszałam stłumione dźwięki, dobiegające zza opustoszałej szkolnej siłowni. Podeszłam bliżej i zobaczyłam pod dębem dziewczynę i chłopaka, splecionych w namiętnym uścisku. Dziewczyna trzymała ręce na ramionach chłopca, on zaś całował ją w usta. Gdy tylko spostrzegli moją obecność, przerwali pocałunek, a chłopak rzucił się biegiem w dół zbocza i szybko znikł w gęstwinie sosen. Nie zdołałam dostrzec jego twarzy, ale zielony blezer i szare spodnie zdradziły go dostatecznie: był to szkolny uniform. Dziewczyna próbowała odwrócić twarz i przekraść się obok mnie, ale złapałam ją za rękę. To była Alka.

Poszłyśmy tego wieczoru na długi spacer. Nie chciała powiedzieć, jak chłopiec ma na imię ani podać żadnych szczegółów na jego temat, poza tym, że to najfajniejszy chłopak na kuli ziemskiej i że jest synem bardzo zamożnego biznesmena z Delhi.

– Jestem zakochana, *didi* – powtarzała, niczym w kiczowatej miłosnej piosence.

– Alka, nie mogłaś się zakochać w wieku piętnastu lat – studziłam ją. – To po prostu oczarowanie. Chłopak próbuje cię wykorzystać.

– Miłość nie zna granic wiekowych – odcinała się. – Zdarza się wtedy, kiedy się zdarza. I trwa przez całe życie. Zobaczysz, jak się pobierzemy.

– A co powie tato, kiedy się dowie o twoim romansiku?

– Nie dowie się. Wiem, że mnie nie zdradzisz, *didi*. Jesteś jedynym człowiekiem, do którego mam zaufanie.

– Wobec tego powinnaś mi ufać, kiedy ci mówię, że to, co robisz, jest nie tylko nieodpowiedzialne i niewłaściwe, jest też niesamowicie głupie.

Choć użyłam wszelkich możliwych argumentów, próśb i pogróżek, nie zdołałam wyperswadować Alce jej romansu. Była równie uparta i nieustępliwa jak ja. W końcu osiągnęłyśmy coś w rodzaju kompromisu. Wymogłam na niej obietnicę, że na jakiś czas zawiesi swój związek z chłopakiem, a ja w zamian nie wypaplam o tym nikomu, a przede wszystkim tacie.

Choć ufałam Alce, zaczęłam odtąd dyskretnie ją obserwować, a nawet przeszukiwać rzeczy pod jej nieobecność. Minęły dwa tygodnie, podczas których nie zaszło nic nowego, aż wreszcie któregoś wieczoru znalazłam ukryty w czubku pantofla mały pakiecik – zwiniętą kopertę. W środku była przezroczysta plastikowa torebka z jakimś brunatnym proszkiem. Wyglądało to jak saszetka brązowego cukru, ale dość filmów widziałam, by wiedzieć, że to wysokoprocentowa heroina.

Wezwałam Alkę do mojego pokoju i zamknęłam drzwi.

– Skąd to masz? – spytałam zimno, podnosząc torebkę do góry.

Alka wpadła w popłoch.

– Gdzie to znalazłaś?

– Odpowiedz mi na pytanie. Kto ci to dał? – powtórzyłam surowo.

– Mój chłopak – odparła ze spuszczonymi oczami.

– Myślałam, że z nim zerwałaś.

– Próbowałam, ale nie mogę – jęknęła. – On jest dla mnie jak tlen. Umrę bez niego! A on umrze beze mnie.

O mało się nie pociął, jak mu powiedziałam, że nie będziemy się już widywać.

– To tylko świadczy o tym, że to świr, niezależnie od tego, że jest dilerem narkotyków.

– On nie jest dilerem! A ja nie biorę narkotyków. Spróbowaliśmy tylko raz. I to też tylko w ramach eksperymentu.

– Eksperymentu, który może doprowadzić do tego, że się uzależnisz, a koniec końców nawet do twojej śmierci.

– Czemu ty musisz traktować wszystko tak strasznie serio, *didi*?

– Narkotyki to śmiertelnie poważna sprawa, Alka. Zawiodłaś moje zaufanie. Teraz będę musiała powiedzieć o tym tacie.

– Nie, *didi* – Alka ścisnęła mnie gwałtownie za ramię. – Przysięgam, że się zabiję, jeśli piśniesz tacie choćby słówko.

– Narkotyki zabiją cię wcześniej – powiedziałam i odsunęłam ją.

Kiedy wtargnęłam do pokoju ojca, był zatopiony w lekturze gazety.

– Twoja córka Alka zaczęła brać narkotyki. Zajmij się nią – powiedziałam bez wstępów i niczym skórkę od banana upuściłam mu na kolana plastikową saszetkę.

Ten wieczór stał się początkiem wszystkich dramatycznych wydarzeń w naszym domu. Tato słynął w akademii ze swoich niezłomnych zasad etycznych i z dyscypliny. Uważam się za szczęściarę, że odziedziczyłam po nim tylko ciemną cerę, a nie ciemny temperament. Tato zawsze był przekonany, że został stworzony do wyższych celów, a uczenie dzieciaków jest poniżej jego godności, i wyładowywał na nich swoją frustrację. Krążyły opowieści o tym, jak wychłostał do krwi ucznia, który popełnił nieostrożność i przyniósł do klasy zakazany egzemplarz „Playboya". Uczniowie kulili się ze strachu w jego obecności. Jego testy doprowadzały wszystkich do łez. W szkole zdawano sobie sprawę z jego zapalczywego charakteru, ale tolerowano ten stan, bo był po prostu wybitnym nauczycielem matematyki, prawdopodobnie najlepszym w kraju. Liczył szybciej niż komputer, potrafił rozwiązać każde równanie, udowodnić każde twierdzenie.

To, czego nie potrafił, to radzić sobie z kłopotami i lękami piętnastolatki. Myślałam, że porozmawia z Alką od serca, że samą tylko moralną siłą swojej osobowości obudzi w niej trochę rozsądku. Jednak ich rozmowa szybko przerodziła się w uliczną burdę, pełną agresji, wrzasków i płaczu.

– Mogę cię wsadzić do więzienia za posiadanie narkotyków! – zawołał ojciec, próbując zastraszyć Alkę.

– To mnie wsadź! – krzyknęła. – Lepiej mi tam będzie niż w tym więzieniu, który niby to nazywa się domem!

W gorączce chwili padło wiele słów, które nie powinny były zostać wypowiedziane. Ojciec oskarżał Alkę, że jest rozpieszczonym bachorem, który kala dobre imię rodziny. Alka zarzuciła mu, że jest tyranem.

– Twoje oczekiwania są kompletnie oderwane od rzeczywistości, twoje testy niemożliwe do rozwiązania! – Najgorszym ciosem z jej strony było to, że nazwała go tchórzem. – Cała szkoła śmieje się z ciebie za twoimi plecami. Jesteś żałosnym frajerem, nie zasługujesz nawet na odrobinę szacunku! – darła się.

Było to jak wybuch wulkanu.

– Jak śmiesz! – ryknął tato i zerwał się na równe nogi, cały czerwony na twarzy. – Jak śmiesz! – powtórzył i trzasnął ją w twarz, aż upadła. Ma, Neha i ja patrzyłyśmy na to osłupiałe z przerażenia. Pierwszy raz podniósł rękę na którąś z córek...

Alka pozbierała się z podłogi. Na policzku miała wielką czerwoną plamę i zadrapanie na ramieniu. Ciemne oczy żarzyły się furią, zdolną stopić skałę. Powiodła kolejno wzrokiem po wszystkich obecnych, wreszcie jej oczy spoczęły na mnie. Poczułam laserowy promień nienawiści, wwiercający się w moją duszę.

– Nienawidzę cię, nienawidzę was wszystkich – wysyczała przez zaciśnięte zęby, rzuciła się do swojej sypialni i zamknęła się od środka. Błagałam, żeby mnie wysłuchała, rozpaczliwie próbowałam ją nakłonić, żeby otworzyła, ona jednak uparcie odmawiała.

Zasługiwałam na jej nienawiść. Zasługiwałam na wszystko, co cisnęła mi tego wieczoru w twarz.

– Niech tam zgnije – powiedział tata z pogardą. – To wszystko przez naszą pobłażliwość.

Nikt z nas nie tknął tego dnia kolacji.

Nazajutrz był dwudziesty szósty stycznia, Dzień Republiki Indii. Kampus, obwieszony żółto-zielono-białymi flagami wyglądał inaczej niż zazwyczaj. Trójkolorowe sztandary na wysokich masztach dumnie powiewały wokół sportowych boisk, a świąteczny nastrój potęgował rozbrzmiewający od samego rana entuzjastyczny śpiew uczniów, ćwiczących patriotyczne pieśni. Alka jednak wciąż nie wychodziła ze swojego pokoju i zaczynałam się trochę martwić. Parę razy do niej pukałam, ale nie odpowiadała. Zakradłam się więc od strony ogrodu. Pierwsze, co spostrzegłam, to otwarte okno jej sypialni. Moją pierwszą myślą było, że uciekła. W tle słychać było chłopięce głosy, śpiewające Him Honge Kamyab: „We shall overcome... we shall overcome, some day, some day*"...

Rozsunęłam lekko zasłony i w półmrok pokoju padła smuga słonecznego blasku. I w tej promienistej smu-

---

* Znaczy protest song z czasów Martina L. Kinga, który stał się hymnem Afroamerykanów walczących o prawa obywatelskie (przyp. tłum.).

dze ujrzałam widok, od którego krew ścięła mi się w żyłach.

Alka, z przekrzywioną na bok głową, zwisała z sufitowego wentylatora. Szyję miała obwiązaną żółtym szalem *dupatta*. Obok na podłodze leżało przewrócone krzesło.

Świat zawirował mi przed oczami.

– Tato! – krzyknęłam i ostatkiem sił odeszłam od okna.

We'll walk hand in hand, we'll walk hand in hand,
We'll walk hand in hand some day, some day.
Oh, deep in my heart, I do believe,
We'll walk hand in hand some day.

Wszystko, co zdarzyło się później, pamiętam jakby w zwolnionym tempie, widziane przez zasłonę łez. Tato kopnięciem wyważa drzwi do pokoju Alki, gwałtownie chwyta powietrze i zwija się niczym człowiek w płomieniach. Matka wchodzi na łóżko i podtrzymuje bezwładne ciało Alki, żeby poluzować napięcie szala, na którym wisi. Neha przynosi z kuchni nóż, żeby ją odciąć.

We are not afraid, we are not afraid,
We are not afraid today, today.
Oh, deep in my heart, I do believe,
We are not afraid today.

Za późno. Życie uszło już z mojej pięknej siostry. Położyliśmy ją na łóżku i odwiązaliśmy jej z szyi żółty szal. Nigdy dotąd go nie widziałam. Twarz miała bladą, a stopy niebieskofioletowe, bo spłynęła tam cała krew – zabarwienie znane jako plamy pośmiertne albo hipostaza. Kolejna bezużyteczna informacja z mojego banku wiedzy ogólnej... W prawej ręce ściskała kawałek papieru. Widniało na nim, napisane jej uroczym, nieco dziecięcym charakterem pisma: „Miłość nie umiera. Przybiera tylko inną postać".

Rozpoznałam w tym slogan z hinduskiego filmu, który oglądałyśmy niedawno w telewizji, współczesnej tragedii. A pod spodem: „Przebaczam wam wszystkim".

Trzymałam zmarłą siostrę w ramionach, wtulałam się w jej ciało i powoli docierała do mnie okrutna rzeczywistość: nigdy już na tej ziemi nie przetną się nasze ścieżki. Jej serce było za wielkie na ten świat. Za życia wzruszała nas jej promienna obecność, jej dobroć i wdzięk. I nawet umierając, wybrała przebaczenie... Jak Jezus, o którym wciąż przypominała nam siostra Agnes, Alka odkupiła nas swoją krwią. Nigdyśmy jej w pełni nie rozumieli, a teraz odeszła na zawsze. Jacy czuliśmy się mali.

> The truth shall make us free, the truth shall make us free,
> The truth shall make us free some day, some day.
> Oh, deep in my heart, I do believe,
> The truth shall make us free some day.

Przyjechała policja i karetka pogotowia, która zabrała ciało Alki. Zebrała się grupka sąsiadów; stali, pogadując posępnie o nieuchronności losu. Dyrektor szkoły skrócił swoje przemówienie z okazji Dnia Republiki i też przyszedł. Wyglądało na to, że bardziej niż nasze nieszczęście martwi go zakłócenie programu obchodów. Matka i Neha, lamentujące głośno, nawet nie zwróciły na niego uwagi. Ja nie płakałam. Siedziałam jak skamieniała, z twarzą zastygłą w grymasie skrajnego szoku zmieszanego z przemożnym bólem. Ostatni widok zmarłej siostry wrył mi się w pamięć na zawsze.

> We shall live in peace, we shall live in peace,
> We shall live in peace some day, some day.
> Oh, deep in my heart, I do believe,
> We shall live in peace some day.

Nie było pokoju. Następstwem tragedii było tylko poczucie winy. Najpierw pojawiły się nocne koszmary: budziłam się w środku nocy spocona, nie mogąc złapać tchu. Potem przyszły ataki paniki, spowodowane jątrzącymi się ranami pamięci. Rzeczywistość stała się niczym psychodeliczny film, pełen cięć i zatrzymanych kadrów z huśtającym się na wietrze ciałem Alki. Doszło do tego, że nie mogłam spojrzeć na wentylator pod sufitem, bo dostawałam odruchu wymiotnego. Widok jakiejkolwiek żółtej szmatki przyprawiał Ma o ataki lęku.

Duch Alki prześladował nas w każdej godzinie dnia. Dom pod numerem 17 przesycony był jej zapachem, wypełniony jej obecnością. Najmniejszy drobiazg w jej pokoju przypominał nam o niej. Każde stare zdjęcie powodowało atak samobiczowania. W końcu nie byliśmy już w stanie tego znieść. Historii nie dało się zmienić, postanowiliśmy więc zmienić geografię.

To Neha pierwsza zaproponowała przeprowadzkę.

– Wyjedźmy gdzieś daleko od Nainital. Umrę, jeśli tu zostaniemy.

Tato przyjął tę propozycję niemal z ulgą. Wieść o skandalu, którego zawsze tak starał się unikać, rozeszła się już daleko poza kampus i położyła się piętnem na jego karierze, podważając wiarę w siebie. Nawet on marzył, żeby się wyzwolić od codziennego upokorzenia, jakiego doznawał wobec surowych spojrzeń innych nauczycieli i złośliwych chichotów uczniów. Spakowaliśmy więc nasze manatki do czterech kufrów i porzuciliśmy chłodny komfort Nainital na rzecz ciepłej wilgoci odległego o trzysta dwadzieścia kilometrów Delhi.

Wyzwoleni z kazirodczej klaustrofobii małego Nainital, staraliśmy się odbudować nasze życie, przeflancowując się na grunt szorstkiej anonimowości metropolii. Śmierć Alki uświadomiła mi wagę życia, jego kruchość, to, z jaką beztroską traktujemy je jak coś oczywistego. Każdego ranka budziłam się z mrożącą krew w żyłach pewnością, że ten dzień może być ostatni. A kiedy człowiek zaczyna żyć ze świadomością śmierci, nadaje to życiu uważność, intensywność i skupienie. Uczy nas niezwracania uwagi na błahostki, każe się starać, by to, co robimy, miało wartość i sens. Zostałam stałą dawczynią krwi dla Czerwonego Krzyża. Po pierwszym oddaniu krwi dowiedziałam się, że mam jedną z najrzadszych grup, tak zwaną grupę bombajską. Mają ją zaledwie cztery osoby na milion. Teraz w razie potrzeby dzwonią do mnie i wysyłają po mnie samochód. Jestem ich najcenniejszą krwiodawczynią.

Dopóki nie dostałam posady w firmie Gulati & Sons, pracowałam też jako wolontariuszka w szkole dla niewidomych. Teraz mam wolny czas tylko w niedzielę i wykorzystuję go, ucząc angielskiego grupkę dzieci ze slumsów, mieszkających niedaleko od naszego osiedla. Co oznacza, że tylko patrzeć, jak zapukają do drzwi Suresh, Chunnu, Raju i Aarti.

Wspomnienia odpływają. Zaczynam szukać *The Simple English Reader*, którego używam w mojej małej klasie jako nieformalnego podręcznika. Okazuje się, że Neha użyła go jako podkładki pod szklankę dietetycznej coli, którą ze smakiem popija. Nie wygląda, żeby urodziny Alki ją przygnębiały. Wprost wibruje od radosnego podniecenia.

– Przeczytaj tylko, *didi*! – woła i wciska mi do ręki jakiś list.

Jego nadawcą są organizatorzy programu *Gwiazda Pop nr 1*, popularnego konkursu muzycznych talentów. Neha brała udział we wstępnych eliminacjach i została wybrana jako jedna spośród pięciuset tysięcy kandydatów, by uczestniczyć w finałowym przesłuchaniu w Mumbaju. Tam ma być wybrana dwudziestka najlepszych wokalistów, którzy wezmą udział we właściwym konkursie w telewizji. „Muzycznymi guru", oceniającymi pokaz, będzie czterech czołowych reżyserów dźwięku.

– To szansa, na którą czekałam całe życie! – piszczy podniecona. – Zostanę gwiazdą, *didi*, zobaczysz!

Uśmiecham się do niej blado. Rzeczywiście, co za szansa, co za tricki losu… Alka znowu patrzy na mnie z centralnej ściany. Może to ona dyryguje tym wszystkim, gdziekolwiek teraz jest, może daje nam jeszcze jedną szansę? Patrzę w jej ciepłe, błyszczące oczy. *Kamaal ho gaya!* Nie do wiary! – niemal słyszę jej melodyjny głos.

Umarli nie umierają. Dopóki o nich pamiętamy, pozostają żywi w naszych sercach.

Jest zimny poniedziałkowy poranek, z temperaturą około dziesięciu stopni Celsjusza. W taką pogodę człowiek miałby ochotę nadal tkwić w ciepłym łóżku... Zamiast tego znajduję się na dworcu autobusowym na Kashmiri Gate. Roi się tu od ludzi z najróżniejszych środowisk – urzędników, studentów, pielgrzymów, turystów – udających się do rozmaitych miejscowości w północnych Indiach. Moim celem jest Karnal, jako że z Delhi do Chandangarh, gdzie mieszka Kuldip Singh, nie ma bezpośredniego połączenia.

Zdecydowałam się na strój tradycyjny: kremowy *salvar kameez* i *dupatta*, którą ledwie widać spod kołnierza ciemnoszarego płaszcza. W niewielkiej torbie mam wszystko, czego mogę potrzebować podczas jazdy: trochę pikantnych i słonych przekąsek, butelkę wody Bisleri i tomik wierszy Anny Achmatowej w zżółkłej okładce.

Na stanowisku numer 18 doznaję przyjemnego zaskoczenia: mój autobus to nowiutkie volvo o lotniczych, odchylanych siedzeniach i wygodnych podłokietnikach. Mam miejsce przy oknie, obok młodej kobiety w dżinsach, z fryzurą na pazia, na oko mniej więcej w moim wieku. Nie jest ładna w konwencjonalnym sensie, z tą swoją chłopięcą czupryną i kwadratową twarzą, wydaje mi się jednak dziwnie znajoma. Mam ochotę do niej zagadać, ale jest totalnie pogrążona w wystukiwaniu na komórce SMS-ów. Nie chcę jej przeszkadzać, więc gdy punktualnie o dziewiątej autobus rusza, i ja chowam twarz w gazetę.

Autobus toczy się powoli, dopóki jesteśmy w mieście, ale kiedy wydostajemy się na Grand Trunk Road, nabiera prędkości. Czteropasmowa autostrada wije się jak czarna wstęga wśród płaskiego, monotonnego pejzażu, na którym tu i ówdzie pojawia się niewielkie gospodarstwo, ceglany komin pieca lub łata miejskiej zabudowy. Jazda jest tak płynna, że mało brakuje, a ukołysałaby mnie do snu.

W końcu siedzącą obok mnie kobietę nuży telefon. Wtedy zwracam się do niej:

– Przepraszam, czy myśmy się już kiedyś nie spotkały? Uśmiecha się.

– Nie sądzę, ale być może widziała mnie pani w telewizji.

– Jest pani aktorką?

– Jestem dziennikarką śledczą w telewizji Sunlight.

– Ach tak… No jasne! – Teraz sobie przypominam. Nie oglądam zbyt często telewizji Sunlight, ale ich kanał wiadomości jest dobrze znany dzięki swym śmiałym odkryciom („Jak promień światła rozjaśnia ciemny pokój, tak my ujawnimy ukryte fakty" – brzmi slogan reklamowy telewizji Sunlight).

– To cześć! Nazywam się Shalini Grover. – Wyciąga rękę, a ja chętnie ją ściskam.

Dowiaduję się, że Shalini jedzie do Panipat, żeby zebrać materiały do programu o honorowym zabójstwie, które miało miejsce pół roku temu. Opowiada mi o parze młodych ludzi, Mahenderze i Ragini: zostali zamordowani każde przez swoich rodziców, bo próbowali złamać tabu zakazujące małżeństw z miłości pomiędzy członkami tej samej subkasty. Ciała wyrzucono do kanału irygacyjnego.

– Honorowe zabójstwo w Indiach? – Unoszę brwi. – Myślałam, że takie rzeczy zdarzają się w plemiennym Afganistanie.

– A słyszała pani o *khap panchayat*?

Kręcę głową. Wyrzuciwszy aspiracje co do służby państwowej do kosza, przestałam dbać o powiększanie mojego zasobu wiedzy ogólnej.

– *Khap panchayat* to struktury społeczne w Haryanie, Uttar Pradesh i Radżastanie, które egzekwują własną bezwzględną formę sprawiedliwości. Bazujące na systemie kastowym rady uważają się za strażników średniowiecznej moralności, a jeden z ich priorytetów to zapobieganie małżeństwom z miłości pomiędzy członkami tej samej *gotra*, czyli subkasty. Młodzi ludzie, którzy sprzeciwiają się fatwie, są usuwani poza nawias społeczności, bici, zmuszani do życia jak brat z siostrą, a czasem nawet zabijani. To gorsze niż sądy kapturowe.

– Ale jak to możliwe, że rodzice zabijają własne dzieci?

– Bo honor uważa się za ważniejszy niż życie syna czy córki. Te *khap* składają się z rzezimieszków, których jedynym celem jest podtrzymanie archaicznego, feudalnego, patriarchalnego porządku. Nawet Sąd Najwyższy wzywał, żeby je wyplenić bez litości.

– Mówiła pani, że ta para młodych została zamordowana pół roku temu. Więc co tam jest ciekawego dzisiaj?

– Wiele jest takich Ragini w naszych wioskach, ale nikt ich nie widzi i nie słyszy. Chcę pokazać przemoc, z jaką się spotyka zwykła wiejska dziewczyna, jeśli miłość okaże się silniejsza niż strach.

Słucham tego, co mówi z takim przejęciem, i zaczyna mnie ogarniać uczucie ciężkiej, tępej nudy, jakiego zawsze doświadczałam, kiedy nauczycielka w szkole zadawała mi pytanie, na które nie umiałam odpowiedzieć. Moje oczy zawsze jakoś omijały wszytkie te straszliwe historie bitych żon, spalonych narzeczonych i gwałconych uczennic, o jakich pisze się w gazetach.

Żeby zmienić temat, rozglądam się po autobusie.

– A gdzie są pani kamerzyści?

– Nie zabierałam kamerzystów – odpowiada Shalini. – Jadę tylko zebrać materiał do tła.

– A jeśli dziennikarka telewizyjna, taka jak pani, natknie się na jakąś nieoczekiwaną historię?

– Wtedy to staje się moją kamerą – macha komórką. – Ma 12 megapikseli, co pozwala mi na kręcenie filmów w rozdzielczości 640 na 480 pikseli z szybkością 30 klatek na sekundę. Co więcej, mogę nadawać bezpośrednio z telefonu, łącząc się z naszą stroną internetową.

Teraz mówi moim językiem. Wdajemy się w ożywioną rozmowę na temat zalet najnowszych smartfonów. Po chwili rozmowa zbacza na filmy hinduskie. Gdy dojeżdżamy do Panipat, czujemy się ze sobą już całkiem swobodnie.

– No to wszystkiego dobrego – mówię do Shalini, która zbiera się do wyjścia. Wymieniamy się numerami telefonów, obiecujemy sobie, że będziemy w kontakcie, ale to jedna z tych luźnych obietnic, jakie składają sobie towarzysze podróży, dobrze wiedząc, że ich drogi nigdy więcej się nie przetną.

Za Panipat ruch się zagęszcza, stoimy w korkach, aż wreszcie docieramy do Karnal. Ze swymi tłumnymi targowiskami, luksusowymi osiedlami apartamentowców i bujną zielenią Karnal sprawia wrażenie dobrze prosperującego prowincjonalnego ośrodka. Nie mam czasu, by zwiedzać miasto czy oglądać biżuterię z pustych srebrnych paciorków, z której ono słynie – muszę złapać kolejny autobus, do Chandangarh, czterdzieści kilometrów stąd. Tym razem wóz to stary, zardzewiały Ashok Leyland, a droga – wyboisty, poznaczony koleinami ziemno-żużlowy trakt. Zaczynam czuć mdłości, boli mnie głowa. Wreszcie po godzinie jazdy, w południe, docieram do wsi, gdzie mieszka Kuldip Singh.

Czeka na mnie we własnej osobie na przystanku.

– Chodźże, chodź, *beti* – mówi tytułem powitania. – Pani przyjazd napełnił radością moje serce. – Ma na sobie, jak poprzednio, koszulę i *dhoti*, a imponujące wąsy są jak zwykle wspaniale utrefione. Wsiadamy do jego auta, toyty innova, i odjeżdżamy, ciągnąc za sobą chmurę kurzu.

– Była pani kiedyś na wsi? – pyta Kuldip Singh.

Kręcę głową. Przez całe życie byłam dziewczyną z miasta i jedyny kontakt z prowincją, jaki miałam, to przelotne widoki z okna pociągu czy autobusu. Moje wyobrażenie o wsi nadal zakotwiczone jest w idyllicznych obrazach z bollywoodzkich filmów, gdzie piękne dziewczęta pośród bujnej zieleni pól śpiewają frywolne ludowe piosenki, a ludzie prowadzą szczęśliwe, nieskomplikowane życie. W prawdziwej wsi jestem po raz pierwszy.

– Chandangarh ma trzy tysiące mieszkańców – informuje mnie mój gospodarz.

– To mniej niż jedna dziesiąta ludzi, którzy mieszkają w samym tylko sektorze jedenastym osiedla Rohini – zauważam.

– Wciąż nie mogę zrozumieć, jak wy, ludzie z miasta, możecie żyć w tych wielopiętrowych budynkach, zawieszeni pomiędzy ziemią a niebem – śmieje się Kuldip Singh. – My, wieśniacy, nie wyobrażamy sobie, żebyśmy mogli mieszkać bez dachu nad głową i twardego gruntu pod nogami. To jest to, co nazywamy ziemią, co nazywamy domem. Dom to nasza ziemia. Ziemia to nasz dom.

Mijamy szereg gospodarstw, w pełni wyposażonych w ciągniki, studnie głębinowe, młocarnie. Nawet na drodze

niemal wcale nie ma kurzu: na dużych odcinkach jest wy-
brukowana granitowymi płytami. Mijamy jakiegoś wieśniaka
na skuterze, który macha nam przyjaźnie.

– To odkąd właściwie macie we wsi elektryczność? –
dopytuję się.

Patrzy na mnie z lekką irytacją.

– To nie wie pani, że Haryana to pierwszy stan w Indiach, w którym zelektryfikowano wszystkie wioski, jeszcze
w roku tysiąc dziewięćset siedemdziesiątym? I do każdej wsi
dochodzi utwardzona droga. Jedyna rzecz, jakiej we wsi nie
mamy, to szpital, ale może i to przyjdzie za parę lat.

Miga mi wystająca spomiędzy drzew iglica świątyni,
a w oddali linie wysokiego napięcia.

– To świątynia Amba, poświęcona bogini Durdze – mówi
Kuldip Singh. – Jest patronką naszej wsi. – Pochylam kor-
nie głowę, a mój szacunek dla Chandangarh nieco wzrasta.

Dom Kuldipa Singha, jak się okazuje, znajduje się dość
blisko świątyni. Jest to solidna, rozczłonkowana, trochę
nieforemna budowla, złożona z wielu pomieszczeń siedziba
rodu. Wchodzę od strony nasłonecznionego podwórka, gdzie
grupa *halvai** jest zajęta przyrządzaniem łakoci. W lewym
rogu znajduje się kuchnia, gdzie inna grupa mężczyzn gotuje
coś w wielkich garnkach na otwartym ogniu. Zerkają na
mnie nieśmiało, wyraźnie zaskoczeni. Cały dom przenika
odświętna atmosfera tradycyjnego wesela.

– Kiedy ślub? – zwracam się do mojego gospodarza.

– Jutro. Prawdę mówiąc, powinna pani na nim być jako
honorowy gość. Skąd ten pośpiech? Dlaczego musi pani
wyjechać już dziś?

– Praca – mówię rzeczowo, tak jakby nie wymagało to
żadnych dalszych wyjaśnień.

---

* W Indiach i Pakistanie osoba, która zajmuje się sporządzaniem tradycyj-
nych słodyczy, zwykle mężczyzna.

Wprowadzają mnie do obszernego, białego pokoju, w którym stoi tylko łóżko i komoda. Armia służących przynosi mi na metalowej tacy wyszukany wegetariański lunch, złożony z sześciu różnych dań. Wszystko jest przepyszne, wprost palce lizać. W życiu nie jadłam równie smacznego *missi roti**. Zmiatam wszystko do czysta i popijam paroma szklankami słodkiego *lassi*.

Po lunchu biorę się do roboty, z powodu której tu przyjechałam. Przed domem zatrzymuje się terenówka mahindra scorpio i wysiada z niego mężczyzna w czarnym swetrze, białej koszuli i czarnych spodniach. Przysadzisty, na oko po czterdziestce, ma ogoloną na gładko twarz i zeza.

– To Badan Singh-ji – przedstawia mi go Kuldip Singh i prowadzi nas na tyły domu, gdzie znajdują się szopy dla bydła. Przeżuwa tu paszę ponad tuzin krów i bawołów. Obok stoi oddzielny budyneczek, ceglany, ale pokryty strzechą; w środku, ustawione wzdłuż bel siana, zgromadzone są wszystkie kupione wtedy urządzenia. Jedyne oświetlenie tego dość ponurego wnętrza stanowi jarzeniówka pod sufitem. Wszystkie maszyny zostały rozpakowane. Od gniazdka prowadzi długi sznur, zwinięty w kłąb u podnóża telewizora.

– Kompletnie się nie wyznaję na tych nowomodnych maszynach – mówi mój gospodarz, uśmiechając się wstydliwie. – Nawet Chhotan, nasz wsiowy elektryk, nie ma pojęcia, jak działa pralka. Dlatego musieliśmy fatygować panią. Proszę wytłumaczyć wszystko co trzeba Badanowi Singhowi-ji. Ja muszę teraz dopilnować przygotowań.

Wychodzi, pozostawiając mnie sam na sam z Badanem Singhiem. Powietrze w szopie jest ciężkie, odurzające, przesycone wonią siana. Przez chwilę brak mi tchu.

– Przyjechała pani z Delhi? – pyta Badan Singh.

---

* Płaski chlebek z mieszanki mąki pszennej i cieciorkowej, z pikantnymi dodatkami.

– Tak – odpowiadam.

– Wszystko to i tak trafi niedługo do naszego domu, więc pomyślałem, że najlepiej będzie, jak stawię się tu sam. Przyjechałem z Batauli, trzydzieści kilometrów stąd. Nasz dom jest po drugiej stronie kanału.

– Jest pan ojcem pana młodego? – pytam. Badan Singh spogląda na mnie z ukosa.

– To ja jestem panem młodym. Wyglądam staro według pani?

– Nie, nie – mówię szybko i w myśli wymierzam sobie kopniaka za tę gafę.

– Wezwałem moich robotników. Opowie nam pani teraz, jak się podłącza i obsługuje te wszystkie gadżety. Chhotan, Nanhey! – woła i natychmiast pojawiają się dwaj mężczyźni. Z ich wyszmelcowanych ubrań, uniżonego sposobu bycia, zdenerwowanej miny i luźno zwisających wokół bioder pasów z narzędziami domyślam się, że to elektryk i hydraulik.

– Może zaczniemy od telewizora? – proponuję i włączam wtyczkę Samsunga 42C430 do gniazdka przedłużacza. Plazmowy ekran ożywa i zaczyna lekko śnieżyć.

– Na temat telewizorów wiem wszystko co trzeba – odzywa się elektryk. – Jestem operatorem telewizji kablowej dla wsi. To z pralką mam kłopoty. Może pani zacząć od pralki?

– Jasne. – Wzruszam ramionami i włączam do gniazdka pralkę Whirlpool. Zaledwie wciskam „start", świetlówka nad naszymi głowami zaczyna migotać. – Co się dzieje?

– Kuldip Singh-ji wciąż ma stary licznik, który nie radzi sobie z przeciążeniem – podśmiewa się Badan Singh. – W naszym domu nie mamy z tym problemu. Możemy używać czterech urządzeń równocześnie.

– Na wsi napięcie zawsze jest problemem. Musi pan używać stabilizatorów napięcia sieciowego – mówię i wyciągam wtyczkę z gniazdka.

Przez najbliższą godzinę tłumaczę im działanie programatora w pralce i sprzętu stereo, wyjaśniam, jak połączyć telewizor z DVD za pomocą kabla HDMI, pokazuję, jak korzystać z nowoczesnej lodówki. Badan Singh i dwaj jego podwładni kiwają głowami, wątpię jednak, czy naprawdę wszystko rozumieją. Przez cały czas mają na twarzach wyraz lekkiego oszołomienia i onieśmielenia, typowy dla mężczyzn, którzy nie potrafią pogodzić się z faktem, że kobieta zna się na elektronice lepiej niż oni.

O pół do trzeciej kończę. Chciałabym natychmiast wyjechać. Nic mnie więcej nie trzyma w tej zapadłej wsi, ale autobus do Karnal odjeżdża dopiero o czwartej.

Kuldip Singh wciąż stara się mnie przekonać, żebym została do jutra.

– Babli to moja jedyna córka. Wszyscy na długo zapamiętają jej wesele – mówi z dumą, odprowadzając mnie z powrotem do pokoju gościnnego. – Na pewno nie chce pani być na uroczystościach?

– Stanowczo nie – odpowiadam. – Jeśli nie ma pan nic przeciw temu, odpocznę godzinkę, a potem pański kierowca odwiezie mnie na przystanek.

Zamykam pokój na klucz, zdejmuję płaszcz i wyciągam się na łóżku, żeby się zdrzemnąć. Na zewnątrz kobiety śpiewają coś, co brzmi jak pieśń weselna. Usypiam... Budzą mnie jakieś stłumione odgłosy, pochodzące skądś z bliska. Siadam i rozglądam się. I dopiero wtedy spostrzegam drzwi w przeciwległej ścianie pokoju. To zza nich dochodzą te dźwięki.

Słyszę, jak ktoś naciska klamkę i drzwi odrobinę się uchylają. Przez szparę zagląda młoda dziewczyna. Ma śliczne, delikatne rysy, wielkie migdałowe oczy, kształtne różowe usta i bujne czarne włosy.

– *Didi, didi* – szepcze. – Możesz mi wyświadczyć przysługę? – Ma w sobie coś ze zwierzątka w klatce.

– Tak? – mówię ostrożnie i wstaję z łóżka. Kiedy się do niej zbliżam, dostrzegam na jej policzku ciemny siniec, wykwitający na nieskazitelnej cerze jak posępna róża. Jest alarmująco blada, a oczy ma czerwone i zapuchnięte; wygląda na to, że płakała.

– Możesz mi to wysłać? – Wyciąga ku mnie zwiniętą kartkę papieru.

– Kim jesteś? – pytam.

– Jestem Babli.

– Ach, więc to ty wychodzisz za mąż?

Kiwa głową.

– No, to wszystkiego najlepszego na nowej drodze!

Nie odpowiada, ale bezgraniczny smutek w jej oczach jest wymowniejszy od słów.

– Babli! Co ty tam jeszcze robisz w swoim pokoju? – słyszę kobiecy głos za oknem.

– Wiem, że dzisiaj wracasz – mówi dziewczyna pośpiesznie. – Mogłabyś włożyć to do koperty, przykleić znaczek za pięć rupii i wrzucić do najbliższej skrzynki? Byłabym ci nieskończenie wdzięczna. Z tej strony napisałam adres. Zrobisz to dla mnie?

– Bardzo chętnie – odpowiadam i biorę złożoną kartkę z jej umalowanych henną rąk.

– Proszę, *didi*, nie zapomnij. To dla mnie bardzo ważne – mówi błagalnie i niczym żółw chowający się do skorupy cofa głowę i zamyka drzwi.

Wciąż jeszcze staram się otrząsnąć z szoku, jakim było dla mnie to nieoczekiwane spotkanie, gdy słyszę pukanie do drzwi.

– Nie śpi pani, *beti*? – słyszę głos Kuldipa Singha, a zaraz potem klakson czekającego na mnie samochodu. O czwartej mam autobus, pora jechać na przystanek.

Rzucam ostatnie spojrzenie na zamknięte drzwi, zupełnie jakbym żegnała się z kimś bliskim, wkładam płaszcz i wychodzę. Na zewnątrz czeka Kuldip Singh z dużym pudełkiem *laddu**, które z uśmiechem wciska mi do rąk.

– Skoro nie chce pani zostać na wesele, proszę przynajmniej posmakować tych słodyczy.

Dziękuję mu wylewnie, żegnam się i wsiadam do auta. Ruszamy, a ja nie mogę przestać myśleć o Babli. Jest w niej coś, co przypomina mi Alkę. Jej smutne, zrezygnowane spojrzenie rodzi niepokojące pytania co do tego wesela… Jedno wydaje się pewne: tę osiemnastoletnią dziewczynę wydają za mąż za o wiele starszego mężczyznę, prawdopodobnie wbrew jej woli. Takie małżeństwa zdarzają się jednak na wsi przez cały czas. Nic nie mogę w tej sprawie zrobić. Jestem tylko przechodniem… Nie mam prawa wkraczać w prywatne sprawy rodziny.

Niemal bezwiednie wsuwam rękę do kieszeni płaszcza i wyjmuję świstek, który dała mi Babli. Adresatem jest niejaki Sunil Chaudhary, mieszkający w Vaishali, sektor 4, Ghaziabad. Nie mogę się oprzeć pokusie, by rzucić okiem na list. Jest napisany w nienagannym hindi, krągłym, trochę drżącym pismem uczennicy na wyrwanej z zeszytu kartce:

Kochany, najdroższy Sunilu!
Jutro wydają mnie za mąż.
Podobno małżeństwo to związek dwojga ludzi, którzy się kochają i chcą żyć ze sobą aż do śmierci. Jednak w tym związku nie chodzi o miłość, tylko o przemoc i podporządkowanie, bo dla mojej rodziny prestiż jest ważniejszy niż moje szczęście.
Sprzedają mnie Badanowi Singhowi. Dla ojca to jest transakcja. Dla matki – sposób na pozbycie się mnie z domu. Nikt nie zwraca uwagi na moje uczucia. Wszystkie serca zamieniły się w głaz.

---

* Słodkie kulki z mąki, mleka, cukru i innych składników, jak kardamon, migdały itp., podawane z okazji ślubów, narodzin i uroczystości religijnych.

Przebacz mi, że od trzech miesięcy nie byłam w stanie się
z tobą skontaktować. Po tym, jak cię wygnali, zamknęli mnie
w domu jak więźnia i nie mogłam wyjść nawet na chwilę.
Tej nocy jednak będę już wolna.
Chcę tylko, żebyś wiedział, że zawsze byłam twoja i na za-
wsze pozostanę twoja. Jeśli nie w tym życiu, to z pewnością
w następnym.

Twoja
Babli

Czytam i lodowacieją mi dłonie. To nie jest list miłos-
ny: to list samobójczyni, dziwnie podobny do notki, którą
napisała Alka, zanim się powiesiła.

Wiem, że nie są to czcze pogróżki. Babli naprawdę chce
to zrobić. Widziałam to w jej oczach: to były oczy dziewczyny, która straciła wszelką nadzieję. „Tej nocy będę wolna"...
Dreszcz przebiega mi po plecach.

Kiedy dojeżdżamy na przystanek, autobus do Karnal już
stoi i czeka na ostatnich pasażerów.

– Daliśmy radę. – Kierowca z ulgą ociera spocone czoło. – Niech się pani pośpieszy. – Wysiada, żeby otworzyć
mi drzwiczki, ale ja się nie ruszam. W głowie mam gonitwę
myśli. Co robić?

Najprościej byłoby wsiąść do autobusu i zapomnieć o Babli i o całej tej wsi. Mogę zarówno wrzucić list do skrzynki,
jak podrzeć go na kawałeczki i porzucić na ścieżce niczym
zużyty bilet autobusowy. Coś mnie jednak powstrzymuje.
Wiem, że to poczucie winy, czyhające na mój umysł niczym
sęp. Nagle przed oczyma staje mi zwisające z sufitu na żółtej szmacie ciało. Kiedy obraca się w lewo, ma twarz Alki.
Kiedy obraca się w prawo – widzę Babli. Zamykam oczy, ale
obraz nie ustępuje, jawi mi się wciąż i wciąż na nowo, jak
źle zaprojektowany pokaz slajdów, od którego nie sposób
odwrócić wzrok. Towarzyszy im milczący krzyk cierpienia,

który narasta niczym grzmot i wibruje w każdej komórce mego ciała. Kiedy milknie, otwieram oczy. Czuję się tak, jakbym miała zwymiotować.

– Co się z panią dzieje? – Kierowca patrzy na mnie z troską.

– Nic. – Mgła niepewności się rozwiewa, odzyskuję jasność myśli. – Proszę mnie odwieźć z powrotem do domu.

– Z powrotem do domu? – Spogląda na mnie z niedowierzaniem.

– Tak. Nie jadę do Karnal. Wracam do Kuldipa Singha. Pomyślałam sobie, że mimo wszystko zostanę na wesele.

– Jak pani sobie życzy. – Kierowca wznosi oczy do nieba i zawraca.

W kwadrans później jesteśmy z powrotem. Kuldip Singh wita mnie z mieszanką zaskoczenia i radości.

– *Yeh hui na bat!** Tak się cieszę, że zdecydowała się pani wrócić! Dziś wieczorem zobaczy pani, co to jest wesele w Haryanie.

Strasznie bym chciała pogadać z Babli, ale kobiety nastają, bym wzięła udział w ich ceremonii *sangeet*. Siadam więc przed domem w pierwszym rzędzie i udaję, że cieszą mnie piosenki i tańce, wykonywane na podwórku w rytm *dholaka*** i łyżki. Panna młoda powinna być obecna podczas kobiecego *sangeet*, ale mijają trzy godziny, a Babli wciąż ani śladu. Wreszcie pytam o nią żonę Kuldipa Singha, pulchną kobietę o surowym spojrzeniu.

– Babli poszła do salonu piękności – mówi.

– To nawet salon piękności macie we wsi?

– A co pani myśli? – Kobieta uśmiecha się triumfująco. – Nie jesteśmy tacy zacofani, jak się wam, miastowym, wydaje.

Jest już prawie pół do ósmej, gdy wraca Babli, eskortowana przez trzy starsze kobiety. Kiedy przechodzi przez

---

* A to dopiero!
** *Dholak* – ręczny bębenek.

podwórko, nasze oczy spotykają się na mgnienie. Widzę, że jest zaskoczona; po jej twarzy przemyka strach. Uśmiecham się do niej krzepiąco, próbując jej w ten sposób przekazać, że może być spokojna o swój sekret, nie zdradzę go. Wyczuwam odpowiedź w jej spojrzeniu, tak jakbyśmy zawarły milczący pakt.

W salonie piękności wykonano solidny kawał roboty. Obrzęk wokół oczu dziewczyny zniknął, a siniec na policzku fachowo zatuszowano makijażem. Włosy upięto w wymyślny kok, a cera zyskała sztuczne lśnienie. Przepadła gdzieś wystraszona nastolatka sprzed paru godzin: w karmazynowym *salvar kameez* i takimż szalu *chunni*, Babli wygląda jak promienna panna młoda. Tylko smutek w jej oczach zdradza, że to wszystko poza.

Po wspólnej, tłumnej kolacji, na której podano takie pyszności *jak mooli ke paranthe, kadhi pakora, jeera chawal i besan pinni**, jestem gotowa do snu. Kuldip Singh proponuje, żebym się położyła w luksusowym pokoju w przyległym domu, mówię mu jednak, że wolę pokój gościnny, w którym zatrzymałam się poprzednio.

W środku, zamknięta od wewnątrz na klucz, podchodzę na palcach do przeciwległych drzwi i przykładam ucho. Z sąsiedniego pomieszczenia dochodzą stłumione łkania i głosy kilku kobiet. A więc Babli nie jest sama.

Wracam do łóżka, wyłączam światło i cierpliwie czekam, aż przyzwoitki Babli pójdą spać. Ale dom weselny to jak ostry dyżur w szpitalu – wciąż coś się dzieje. Stale ktoś wchodzi albo wychodzi. Do tego skrzypienie podłóg, muczenie krów, naszczekiwanie psów, podzwanianie łańcuchów,

---

* *Mooli ke paranthe* – inna odmiana płaskiego chlebka z przyprawami, jak cebula, chili, kolendra itd.; *kadhi pakora* – warzywa w pikantnym cieście, podawane na gorąco w gęstym aromatycznym sosie na bazie zsiadłego mleka i mąki cieciorkowej; *jeera chawal* – ryż z dodatkami warzywnymi i przyprawami na ciepło; *besan pinni* – słodkie kulki na bazie mąki cieciorkowej z dodatkiem kardamonu i szafranu.

pobrzękiwanie garnków i ciekąca z kranów woda… Dość, żebym zmieniła się w kłębek nerwów.

Leżę w łóżku, wpatruję się w ciemny sufit i staram się oswoić z nieznanym otoczeniem. O drugiej w nocy wstaję i wyglądam przez szparę w zasłonie. Podwórko tonie w głębokiej ciszy, nigdzie ani żywego ducha. W końcu wszyscy poszli spać.

Podchodzę na palcach do drzwi Babli. Wiem, że wciąż czuwa, cała w napięciu jak ja.

– Babli! Babli! – szepczę nagląco. – Chcę z tobą porozmawiać.

Przez dłuższą chwilę nic się nie dzieje. Już mam zrezygnować, gdy słyszę cichutki skrzyp. Ktoś ostrożnie naciska klamkę… Drzwi uchylają się odrobinę i do pokoju wślizguje się Babli w jedwabnej nocnej koszuli. W bladym świetle księżyca wygląda jak krucha porcelanowa lalka. Wstrząsa nią dreszcz, bo z otwartego okna ciągnie chłodem. Pośpiesznie zaciągam zasłony i pokój znowu pogrąża się w ciemności.

Z początku jest między nami niezręcznie, ciężko od niewypowiedzianych myśli nas obu. Jestem gotowa, by słuchać, ale Babli nie jest gotowa, by się zwierzać. Milczy spięta.

– Miałam siostrę, Alkę – zaczynam. – Popełniła samobójstwo, mając zaledwie piętnaście lat.

– Dlaczego? – pyta Babli.

– Była zakochana w chłopaku uzależnionym od narkotyków. Próbowaliśmy ją nakłonić, żeby z nim zerwała.

– To dlatego wróciłaś? Żeby mnie nakłonić do zerwania z Sunilem?

– Nie. Wróciłam, żeby ci powiedzieć, że życie to coś bardzo cennego. I że nie mamy prawa go odbierać ani komuś innemu, ani sobie.

– Powiedz to mojemu ojcu i matce, którzy odebrali mi życie!

91

– Wszyscy od czasu do czasu mamy problemy z rodzicami. Ale oni zawsze chcą naszego dobra.

– Masz męża? – pyta.

– Nie.

– To jak możesz zrozumieć, co przeżywam? Jutro będzie nie moje wesele, a pogrzeb.

– Wiem, że nie chcesz wychodzić za Badana Singha. Czemu nie powiedziałaś o tym ojcu?

– To właśnie on doprowadził do tego małżeństwa. Ja kocham Sunila. Skoro nie mogę za niego wyjść, wolę umrzeć. Tej nocy.

– Co zamierzasz zrobić?

– Wypić butelkę pestycydu. A jak już będę tam w górze, spytam Boga: dlaczego my, dziewczyny, nie możemy przeżyć życia, tak jak chcemy? Dlaczego nie mogę wyjść za mężczyznę, który mnie kocha i którego kocham ja?

– Czy Sunil powiedział twoim rodzicom, że chce się z tobą ożenić?

– Oczywiście że powiedział. A ojciec mu odmówił. Planowaliśmy ucieczkę, ale Bao-ji* nas wyśledził i zgłosił sprawę do *khapu*. I wtedy niebo zwaliło nam się na głowę. *Khap* orzekł, że ponieważ *gotra* Sunila jest spokrewniona z moją subkastą, to nasze małżeństwo byłoby jak związek między siostrą a bratem. Od tego dnia zamknęli mnie w domu, a Sunila wypędzili ze wsi i zagrozili, że jeśli kiedykolwiek się tu pokaże, zabiją go. Powiedz mi, *didi*, czy myśmy popełnili jakieś przestępstwo? Dlaczego doprowadzono do tego, że czujemy się jak kryminaliści?

– Kim jest ten Badan Singh?

– To wstrętny staruch. Zawsze się ślinił na mój widok. Jestem pewna, że przekupił przewodniczącego *khap panchayat*, żeby wydał wyrok przeciwko Sunilowi.

---

* Pełna szacunku forma zwracania się do ojca lub mówienia o nim; *bao* – ojciec.

– Masz telefon do Sunila?

– Nie. Nie mam nawet komórki. *Khap* zabronił, żeby niezamężne dziewczyny w naszej wsi miały komórki. Żyję w więzieniu, *didi*, a nie w domu.

Kiwam współczująco głową. To samo powiedziała Alka.

– Czasem mi się wydaje, że największe przekleństwo to urodzić się dziewczyną – ciągnie Babli. – Walka zaczyna się, zanim jeszcze przyjdziemy na świat, i trwa aż do śmierci. Moje jedyne pragnienie to urodzić się w następnym życiu jako chłopak.

– Nie bądź taką pesymistką. A jeśli w jakiś sposób nie dopuszczę do tego ślubu?

– Jak?

– Nie mogę ci teraz powiedzieć. Ale przysięgam na pamięć mojej zmarłej siostry, że nie pozwolę, żeby doszło do tej parodii małżeństwa.

– Nawet Bóg nie jest już w stanie tego sprawić. Tylko moja śmierć.

W jej głosie pojawia się nuta histerii. Chwytam ją za rękę.

– Obiecaj mi, Babli, że nie zrobisz tej nocy nic pochopnego. A właściwie to chcę, żebyś mi przyniosła tę butelkę pestycydu.

Babli długo milczy, jakby obracała w głowie tę myśl, mocując się ze swoim losem. Wreszcie zagląda pod moje łóżko i wyciąga plastikową butelkę z ostrzegawczymi napisami: „Niebezpieczna trucizna", „Trzymać w miejscu niedostępnym dla dzieci", „W przypadku połknięcia może zabić". Nie miałam pojęcia, że moja sypialnia służy jej za sekretny schowek...

– Moje życie jest teraz w twoich rękach, *didi*. – Z błagalnym, żałosnym spojrzeniem podaje mi butelkę i równie cichutko, jak weszła, wraca do siebie.

Trzymam w rękach butelkę środka owadobójczego i doznaję przemożnego uczucia déjà vu. Ileż to razy szłam tym tropem, w myślach, w snach… A gdyby? Od samobójczej śmierci Alki nie daje mi spokoju to pytanie. A gdybym nie wygadała się o wszystkim przed tatą? Nie zdołałam uratować Alki, ale być może uda mi się uratować Babli. To chwila łaski, szansa na odkupienie. Nie zrobię tego dla Babli. Zrobię to dla siebie samej.

Jest tylko jeden problem. Złożyłam jej obietnicę, ale nie mam pojęcia, w jaki sposób się z niej wywiążę. Próba naprawienia starego błędu to jedno, ale jak wyczarować szczęśliwe zakończenie sytuacji, która ma wszelkie znamiona tragedii?

Pozostaje mi mieć nadzieję, że ranek przyniesie odpowiedź.

W Chandangarh wstaje się wcześnie. Słońce jeszcze nie wyjrzało zza horyzontu, a mieszkańcy już krzątają się po obejściach: ciągną wodę ze studni, doją krowy czy, jak ja, udają się na codzienne ablucje.

W domu Kuldipa Singha nieznane jest pojęcie pokoju z przyległą łazienką. Wspólne toalety zlokalizowane są w zachodnim krańcu obejścia, wszystkie w stylu hinduskim. Muszę też tam zanieść przelewające się *lota**, bo w toaletach zamiast wody jest powietrze. To jest to, czego nienawidzę w wiejskim życiu. Każdej zimy tato zabierał nas do Hardoi, miejsca jego pochodzenia, gdzie dziadek miał rozległy dom stojący w mangowym sadzie. Ale jedyne moje wspomnienie z tego domu to dziura w ziemi, służąca za latrynę. Zawsze miałam koszmarne sny, że kucam nad nią, a tu wyłania się z głębi jakaś ręka, chwyta mnie i wciąga w odmęty łajna.

Po krótkim zimnym natrysku idę poszukać Kuldipa Singha. Znajduję go w kącie podwórza: leży na *charpoy***,

---

* Naczynie codziennego użytku, miedziane, mosiężne lub plastikowe, w kształcie wazonu.
** Tradycyjne hinduskie łóżko, drewniana rama z rozpiętą tkaniną lub plecionką ze sznurów (przyp. tłum.).

masowany przez chudą masażystkę o gruzłowatych palcach.

Na środku podwórza robotnicy budują *mandap*, baldachim z podestem, gdzie odbędzie się wieczorem obrzęd zaślubin.

Kręcę się po moim pokoju, dopóki nie skończy się masaż. Wreszcie Kuldip Singh z powrotem wkłada kamizelkę.

– Mogę z panem chwilę porozmawiać? – pytam. W zimnym powietrzu oddech zastyga w kłęby pary.

– *Bilkul*, oczywiście – mówi serdecznie i poklepuje łóżko. – Proszę tu usiąść obok mnie.

Przysiadam na krawędzi.

– Dowiedziałam się wczoraj, że narzeczony Babli to Badan Singh-ji…

– Tak. Badan Singh to duma naszej społeczności. Jest nawet właścicielem młyna ryżowego! Babli będzie żyła jak królowa.

– Czy nie sądzi pan jednak, że różnica wieku jest odrobinę za duża?

– Kto tak mówi? – Momentalnie się spina. – Babli z panią rozmawiała?

– Nie… nie. Po prostu jestem ciekawa, to wszystko.

– Wiek mężczyzny nie ma znaczenia. Jak powiada się w naszej wsi, *Joban lugai ka bees ya tees, ar bael chaley nou saal. Mard aur ghora kadey no ho burha, agar milley khurak.* Kobieta jest młoda do dwudziestki czy trzydziestki, wół jest czynny przez dziewięć lat, ale mężczyzna i koń, jeśli są prawidłowo odżywiani, nie zestarzeją się nigdy.

– Mam tylko nadzieję, że Babli jest równie szczęśliwa w związku z tym małżeństwem jak pan.

– Oczywiście, że jest – mówi z naciskiem. – Wie pani, jakie są dziewczyny… Smutno jej, że porzuca rodzinę. Ale dziewczyna to *paraya dhan*, własność kogoś innego. Któregoś dnia musi opuścić ojcowski dom i przenieść się do mężowskiego. Pani też wyjdzie kiedyś za mąż... Jakby pani chciała, mogę zaproponować paru przystojnych chłopców z naszej wsi.

– Nie, dziękuję. – Wstaję.

– Dokąd pani teraz idzie?

– Chcę odwiedzić świątynię Amba.

– Może pani pojechać innovą.

– Wolę się trochę przewietrzyć.

Wychodzę nieśpiesznie z domu, ubrana w te same ciuchy, co wczoraj. Kiedy już się kawałek oddaliłam, wyjmuję komórkę i wybieram numer Karana.

– Gdzie jesteś? – chce wiedzieć.

– We wsi Chandangarg, w Haryanie.

– Co ty tam robisz?

– To długa historia. W tej chwili chciałabym, żebyś kogoś dla mnie namierzył.

– Kogo? Twojego brata bliźniaka, który zaginął w tłumie na Kumbhamela*?

Dla Karana wszystko to żart. Dla mnie jednak jest to sprawa czyjegoś życia lub śmierci.

– Chodzi o mężczyznę nazwiskiem Sunil Chaudhary, mieszkającego w Ghaziabad. – Odczytuję na głos adres Sunila. – Chcę, żebyś mi podał jego numer telefonu.

– Poczekaj. – I po paru minutach: – Masz szczęście. Sunil Chaudhary jest w Indus Mobile. Zapisz numer.

Dzwonię do Sunila, ale tylko po to, by zderzyć się z murem nagranej wiadomości. „Numer, z którym próbujesz się połączyć, jest obecnie niedostępny. Proszę spróbować później" – mówi kobiecy głos. Dzwonię po wielekroć, co dwie-trzy minuty, ale nie udaje mi się przebić ani razu.

---

* Pielgrzymka w celu kąpieli w świętej rzece; motyw rozdzielenia rodzeństwa podczas tego święta i odnalezienia się po latach był częsty w starych hinduskich filmach.

96

Kiedy rozpaczliwie usiłujesz się z kimś skontaktować, najbardziej irytującą rzeczą na świecie jest telefon, który odmawia wypełniania swojej elementarnej funkcji. Za każdym razem, gdy próbuję dotrzeć do Sunila, napotykam na leciutko chełpliwy głos kobiety, co sprawia, że mam ochotę ją walnąć.

Wreszcie wybieram numer Madana i informuję go, że nie będę w stanie przyjść dzisiaj do pracy.

– Wciąż jestem w Chandangarh. Dostałam potwornej biegunki.

– Co jadłaś?

– To, co mi dał Kuldip Singh. Och, jak mnie boli żołądek – jęczę ochryple dla lepszego efektu. – Nie powinien pan mnie tu wysyłać.

– Przykro mi, naprawdę. Nie ma sprawy, odpoczywaj i bierz *pudin hara*[*]. Pokryję koszty.

Co za przyjemność – słyszeć ton poczucia winy w wyniosłym głosie Madana! Nieczęsto jest mi to dane… Delektując się poczuciem własnej przewagi, ruszam do świątyni Amba, która znajduje się o rzut kamieniem nad brzegiem niewielkiego stawu. Wewnątrz stoi prastara figura ośmioramiennej Durgi. Skłaniam przed boginią głowę i proszę o siłę w walce o Babli.

Umocniona błogosławieństwem Matki Durgi, ruszam na podbój tego dnia. Mężczyźni idą już na pola albo do pracy w pobliskich młynach; kobiety zbierają wysuszone krowie placki na opał pod kuchnię.

Oddalając się od świątyni, przechodzę obok jeepa z czerwonym kogutem na dachu. Złoty napis na tablicy rejestracyjnej głosi: „Urzędnik Rozwoju Regionu". Wiem, że to ważna osoba, odpowiedzialna za tworzenie i wdrażanie różnych rządowych projektów. Ale mam szczęście!

---

[*] Ziołowy lek na dolegliwości trawienne.

Jeśli jest ktoś, kto zdoła wydostać Babli z tego bagna, to rząd.

Urzędnik okazuje się Sikhiem w średnim wieku, w turbanie, o przetkanej siwizną brodzie, nazwiskiem Inderjit Singh. Opowiadam mu o ciężkim losie Babli i proszę o pomoc w wyprostowaniu tej sytuacji.

Słucha mnie ze współczuciem.

– Proszę pani… O Babli i Sunilu nie słyszałem, ale znam parę przypadków, kiedy miejscowy *khap* robił kłopoty parom, które sprzeciwiały się dyktatom lokalnej społeczności. W jednym przypadku zmusili chłopaka, żeby pił mocz, w innym – żeby paradował nago przez wieś.

– Czy w takim razie nie powinien pan czegoś zrobić, żeby powstrzymać te nieludzkie akty?

Powoli kręci głową.

– Nic w tej sprawie nie mogę zrobić. Nikt nie pokona *khapu*.

– Nawet jeśli wie pan, że to, co robią, to przestępstwo?

– Nawet. Wiem, że niektóre z ich wyroków są wymierzone przeciwko kobietom i ludziom biednym – mówi otwarcie. – Ale ingerować w miejscową hierarchię społeczną to napytać sobie kłopotów.

– Jeśli pan mi nie pomoże, to kto?

– Proszę postarać się zrozumieć, że to wieś, a nie Brama Indii, gdzie może pani urządzać marsze protestacyjne i czuwania przy świecach. Tu nie ma działaczy społecznych, którzy mogliby przeciwstawić się instytucji *khapu*. Mężczyznom jest wszystko jedno, kobiety się boją.

– Ja się nie boję. Przeciwstawię się *khapowi*. Kto jest przewodniczącym *khap panchayat*?

– Sultan Singh. O, to jego dom – wskazuje widoczny w oddali budynek z czerwonej cegły. – Ale jeśli sądzi pani, że potrafi go przekonać, jest pani nierozsądna.

– Możliwe. Ale jak mówi znane hinduskie przysłowie, skoro zdecydowałam się wsadzić głowę w moździerz, dlaczego mam się bać tłuczka?

– Cóż, w takim razie życzę powodzenia – mówi urzędnik i odjeżdża.

Droga do kolejnego miejsca przeznaczenia zajmuje mi piętnaście minut. Sultan Singh to pomarszczony starzec o patrycjuszowskim wyglądzie starego *zamindara**. Spotykam go na ganku jego podupadłego *haveli***, ubranego w czarną kamizelkę, z laską w powykręcanych, sękatych dłoniach.

– Czego pani sobie życzy? – pyta burkliwie, mierząc mnie podejrzliwym wzrokiem strażnika w schronisku dla dziewcząt.

– Jest pan czcigodnym przewodniczącym *khap panchayat* i najważniejszym reprezentantem jego zasad. Pomyślałam więc, że szukając sprawiedliwości dla Babli, zwrócę się wprost do pana.

– Babli? Co za Babli?

– Córka Kuldipa Singha.

– Ach, to ta *chhori* – mówi po złowróżbnej pauzie. – *Wa to aafat ki pudiya sai*. Tylko z nią kłopoty.

– Wie pan, że ona kocha Sunila. Czemu więc skazaliście ją na małżeństwo bez miłości z Badanem Singhiem?

– Czy nie wie pani, że Babli jest z *gotry* Jorwal, a Sunil z *gotry* Jaipal? W naszej wsi ludzi z tych podkast od stuleci łączy więź braterstwa. Małżeństwo pomiędzy nimi nie może więc być usankcjonowane.

– Kogo to obchodzi w tych czasach? Jeśli o mnie chodzi, to nie wiem nawet, jaka jest moja *gotra*.

– Żal mi pani rodziców. Nie nauczyli pani niczego o naszym wspaniałym dziedzictwie i tradycjach.

---

* Hinduski właściciel ziemski, arystokrata.
** Rezydencja hinduskiego arystokraty, zwykle o wartości historycznej.

– Były czasy, kiedy zwyczaj *sati* też uważano za część hinduskiej tradycji. Wdowy palono żywcem na pogrzebowym stosie małżonka. Prześladowanie i zabijanie ludzi za to, że się kochają, jest nie mniej naganne.

– Kto mówi, że zabijamy ludzi? – W podnieceniu niemal dźga mnie laską w twarz. – To plotka, rozsiewana przez niższe kasty. Nasz *khap* odegrał pozytywną rolę we wprowadzeniu zakazu posagu i picia alkoholu w naszej wsi.

– Ale zabroniliście Sunilowi przyjeżdżać do wsi. A teraz Babli grozi, że popełni samobójstwo.

– Więc proszę pozwolić jej umrzeć. Nikt nie uroni po niej ani jednej łzy. Dziewczyna bez honoru plami rodzinę – mówi bez śladu skruchy.

– Więc miłość nic dla pana nie znaczy?

– W naszej tradycji nie ma miejsca dla tych nowoczesnych kaprysów serca. *Khap* to instytucja, i to bardzo szacowna. Proszę nie mieszać się do naszych tradycji. Niech pani powie Babli, że jeśli czegoś nie da się zmienić, trzeba to wytrzymać.

– Proszę mi powiedzieć, Sultanie Singhu-ji, ile kobiet macie wśród członków *khap panchayat*?

– Ani jednej.

– A więc kobietom nie pozostaje nic, tylko podporządkować się waszym nakazom?

– Nasze nakazy bazują na rozumie i logice. Małżeństwo pomiędzy Babli i Sunilem równałoby się kazirodztwu. Czy możemy dopuścić do takiej obrzydliwości?

– Ale hinduska Ustawa o małżeństwie uznaje takie związki.

Sultan Singh wybucha śmiechem.

– To moja wieś. Tu rządzą moje zasady, a nie indyjskiego rządu.

Słucham go z rosnącą odrazą. Czasem mi się wydaje, że nie ma na świecie drugiego kraju, gdzie zmarnowałoby się tyle miłości, co u nas. Zamiast łączyć zakochanych, którzy ośmielają się marzyć na przekór barierom kasty i klasy, siły ortodoksji i tradycji rozdzielają ich, ranią, torturują, głodzą, mordują, wciąż znajdując nowe, przerażające metody dławienia miłości. Nie wiem, co jest większym egzystencjalnym horrorem: ojcowie, którym przewrotny wstyd każe wyrzec się własnych synów i córek, czy nierozważny romantyzm nieszczęśliwych kochanków, którzy od rozłączenia wolą śmierć. Wiem tylko, że nie pozwolę, aby imię Babli dołączyło do listy tych nieszczęsnych, choćby nie wiem co.

Wychodzę od Sultana Singha i znowu ruszam wzdłuż pól i ugorów. Sceneria w niczym nie przypomina spokojnego, urokliwego azylu z filmów Yasha Chopry. Nie ma tu bujnej zieleni i żółci skąpanych w słońcu pól, pejzaż jest jednolicie brunatny. Zamiast wesołych, jowialnych wieśniaków widzę jedynie chmurnych, ciężko pracujących na swoich zagonach mężczyzn i kobiety. Starcy siedzą na swoich *charpoy* i palą nargile, małe dzieci bawią się w kurzu.

Ta część wsi jest znacznie mniej zamożna. Domy to w większości ziemne lepianki o słomianych dachach. Kobiety gapią się na mnie bez widocznej przyczyny i nikt nie zaproponuje mi choćby szklanki wody.

Nagle wpadam na Chhotana, elektryka. Jedzie na skuterze.

– Co pani tu robi? – pyta.

– Nic. Po prostu wyszłam na spacer.

Zsiada i rusza pieszo wraz ze mną. To od niego się dowiaduję, że wieś jest gniazdem komunalizmu* i wojny pomiędzy kastami.

---

* Podtrzymywanie antagonizmów między wspólnotami religijnymi dla osiągnięcia celów politycznych, dotyczy głównie hindusów i muzułmanów w Azji Południowej (przyp. tłum.).

– Mamy w Chandangarh trzynaście różnych kast – mówi. – Wyższe kasty, jak ta Kuldipa Singha, stanowią prawie połowę wioski; reszta to Harijanie* i inne niższe kasty, jak moja.

– A gdzie tu jest posterunek policji?

– Czemu pani pyta? Chce pani coś zgłosić?

– Nie. Jestem po prostu ciekawa.

– We wschodniej części, na skraju wsi, tuż nad rzeką.

– Tak bym chciała zobaczyć rzekę...

– Jadę w tamtą stronę. Jeśli pani chce, mogę panią podrzucić.

W chwilę później siedzę już za nim na siodełku i suniemy zakurzoną wiejską drogą. Ludzie patrzą na mnie z ciekawością, tak jakby nigdy nie widzieli kobiety na skuterze.

Przejeżdżamy, podskakując na siodełku, koło szkoły, gdzie pod drzewem miodli indyjskiej leniuchuje gromada uczniów.

– Nauczyciele to jak bogowie – zauważa zgryźliwie Chhotan. – Wierzy się w ich istnienie, chociaż nikt ich nigdy nie widział.

Wiejski rynek to konglomerat paru sklepików spożywczych, paru – z wyrobami metalowymi, przydrożnych straganów, na których można kupić warzywa, gotowane jajka i makaron Maggi, i salonu wideo, gdzie oferuje się najnowsze hity Boollywood, a nawet dostęp do Internetu! Wygląda na to, że powoli, ale nieustępliwie postęp dociera i do Chandangarh.

Jeszcze trochę podrzucania na wybojach, kołysania z boku na bok, i docieramy na stromy brzeg rzeki. Chhotan wysadza mnie koło wiszącego mostu i odjeżdża. Patrzę w dół na połyskujące srebrem i brązem wody Jamuny.

---

* Nietykalni – najniższa z kast. Termin „Harijanie" (dosł. ludzie Boga) ukuł Mahatma Gandhi, chcąc w ten sposób dowartościować „nietykalnych" i zintegrować ich z resztą społeczeństwa.

Jest sucha pora zimowa i płytki nurt ujawnia piaszczyste łachy.

Prędko znajduję posterunek policji. Jest to po prostu składający się z jednego pomieszczenia ceglany budynek na ogrodzonej posesji. Pełniący służbę funkcjonariusz, podinspektor Inder Varma, wygląda dokładnie jak na hinduskim filmie: żuje *paan**, brzuch ma jak balon, pewnie i łapówki bierze tak samo. Słucha mnie i wybucha śmiechem.

– Kim pani jest? Jakąś pracownicą społeczną?

– Nieważne, kim jestem. Zgłaszam panu wymuszenie małżeństwa.

– Skąd mam wiedzieć, że to wymuszenie? Gdzie jest ta dziewczyna? Czemu nie złoży skargi osobiście?

– Powiedziałam panu, jest zamknięta w domu na klucz.

– To niech ją pani wypuści i tu dostarczy. Niech pokaże mi jakiś dowód, że ma skończone osiemnaście lat. Wtedy podejmę czynności.

– Obiecuje pan?

– Proszę pani, dopilnowanie, żeby przestrzegano prawa, to mój obowiązek. Ale prawo wymaga ode mnie, żebym sprawdził, czy dziewczyna jest dorosła. Jeśli potrafi pani dostarczyć tu Babli, obiecuję, że zajmę się jej sprawą.

Po raz pierwszy świta mi w sercu promyk nadziei. Oschły, surowy podinspektor Inder Varma może okazać się wybawicielem Babli, który, zdawało się, nie istnieje.

Wychodzę z posterunku i znowu dzwonię do Sunila. Wygląda na to, że mam szczęście: tym razem mi się udaje.

– Halo? – słyszę ostrożny głos.

Przedstawiam mu się, po czym stawiam pytanie za milion dolarów:

– Nadal kocha pan Babli?

– Oczywiście że tak! – odpowiada.

---

* Stymulująca, psychoaktywna mieszanka liści betelu, orzeszków areca i tytoniu.

– To czemu się pan z nią nie ożeni?

– Ha! – śmieje się gorzko. – Nie wie pani, co zrobił ze mną *khap*? Trzy miesiące temu zmusili mnie, żebym paradował przez wieś z butem w ustach. Żeby mnie upokorzyć. A potem wyrzucili mnie ze wsi i zagrozili, że jeśli kiedykolwiek wrócę, zabiją nie tylko mnie, ale i Babli.

– No więc zrobili kolejny krok. Dziś wieczorem wydają Babli za Badana Singha.

– Nie! – wyrywa mu się jęk, rezonujący w słuchawce niczym zakłócenia atmosferyczne.

– Niech pan posłucha, Sunilu. Jeśli zdoła pan natychmiast przyjechać, wciąż jeszcze możemy nie dopuścić do tego ślubu. Rozmawiałam z policją; powiedzieli, że wam pomogą.

– Och, gdyby pani powiedziała mi o tym wczoraj...

– Próbowałam się dodzwonić wiele razy, ale miał pan wyłączony telefon. Ale nie jest jeszcze za późno. Z Ghaziabad dojedzie pan w parę godzin.

– Tak, ale w tej chwili jestem w Czennaj, dwa tysiące kilometrów od Ghaziabad!

– O nie!

– Niech się pani nie martwi, złapię samolot. Przylecę najszybciej jak się da. Dla Babli zrobię wszystko.

– Dobrze, poczekam. Niech pan zadzwoni do mnie pod ten numer, jak będzie pan w Chandangarh.

– Dziękuję... – i po chwili wahania dodaje: *„didi"*, momentalnie wykuwając więź między nami.

Jeszcze przed zakończeniem rozmowy zaczyna mi się w głowie formować plan. Pierwszą rzeczą, jakiej potrzebuję, żeby zadziałał, jest samochód do ucieczki.

– Czy można tu gdzieś wypożyczyć samochód? – pytam przechodzącego przez most wieśniaka.

Patrzy na mnie, jakbym przybyła z kosmosu. Najwyraźniej ostatnią rzeczą, jakiej można się spodziewać w takiej wsi jak Chandangarh, jest wypożyczalnia aut.

– Zna pan przynajmniej kogoś, kto ma motocykl?

Kiwa głową.

– Babban Sheikh, mechanik. Ma hondę hero.

– Jak mogę się z nim skontaktować?

– Pani idzie, zaprowadzę panią do jego warsztatu – mówi. – To w Uttar Pradesh, po drugiej stronie rzeki.

Przechodzimy przez most i znajduję się w osadzie muzułmanów. Niewielka grupa domów, parę sklepów. Koło starego meczetu kręci się kilku brodatych wiernych.

Warsztat niewiele różni się od blaszanej budy. Babban Sheikh to niski, muskularny mężczyzna po czterdziestce, o dziobatej twarzy i bacznym spojrzeniu. W wyszmelcowanym kombinezonie, dłubie właśnie przy zdezelowanym bajaj pulsarze. Ma także pomocnika, chłopca piętnasto- czy szesnastoletniego: ubrany podobnie jak szef, ale o rozjaśnionych na jasny brąz włosach, naprawia kawasaki ninja.

– Yyy... Babban-baju, mogę zamienić z panem parę słów? – zwracam się do starszego z mężczyzn.

Babban Sheikh odkłada świecę zapłonową, którą właśnie czyścił, wyciera ręce w szmatę i podnosi na mnie wzrok.

– Tak. Czym mogę pani służyć?

– Mówiono mi, że ma pan hondę hero.

– To prawda.

– No więc dziś wieczorem jest to wesele i...

Wysłuchuje mojego planu i kręci głową.

– Prowadzimy tu uczciwy interes. Nie jesteśmy gangsterami, co porywają narzeczone. Nie mogę pani pomóc.

– Od tego zależy przyszłość dziewczyny – proszę, ale on pozostaje niewzruszony. Bardziej przejmuje się sprawą młody pomocnik.

– Ta pani ma rację, Abbu – wtrąca się, ujawniając, że jest synem Babbana. – Nie wolno nam dopuścić do tego ślubu. Salim Ilyasi na pewno by tak zrobił! W *Love in Bangkok* uratował Priyę Capoorr, jak ją wydawali za tego drania Prakasha Puri.

Ojciec nie chce o tym słyszeć.

– Co, znowu zacząłeś oglądać filmy? Nie wiesz, że *sahib* imam wydał zakaz oglądania hinduskich filmów i słuchania ich plugawych piosenek?

– Wiem, Abbu, ale co robić... Po prostu nie mogę wytrzymać, jak wychodzi nowy film z Salimem Ilyasi.

– Te filmy to główna przyczyna wszelkiego zła w naszym społeczeństwie. Jeszcze jeden film obejrzysz i osobiście donoszę o tym *sahibowi* imamowi – upomina Babban syna. – A wtedy do końca życia będziesz czyścił dywany w meczecie. – Dociera do niego, że i ja tego słucham, i zwraca się do mnie: – Co pani tu jeszcze robi? Dość już czasu pani straciła. Do widzenia!

Przybita, wlokę się z powrotem w stronę mostu. Rozczarowania tego dnia przygniatają mnie niczym ucisk gigantycznego kciuka. Słońce stoi w zenicie, ale duch we mnie całkiem upadł. A więc nie uda mi się pomóc Babli...

Jestem właśnie na moście, gdy zatrzymuje się koło mnie motocykl. To kawasaki ninja, a na nim – młody mechanik.

– Przepraszam za mojego *abbajan*. Pomogę pani – mówi z szerokim uśmiechem.

– A co na to twój ojciec?

– Myśli, że odwożę ten motor do klienta. Niech się pani nie przejmuje, dam sobie radę. Ale jak sobie poradzimy z ojcem dziewczyny? A jak zacznie mnie gonić?

– Wtedy będziesz musiał być szybszy niż on. I zapłacę ci za tę fatygę.

– Nie, nie chcę żadnych pieniędzy – mówi, małpując wystudiowaną nonszalancję Salima Ilyasi. – Żeby obronić *muhabbat* – miłość – Aslam Sheikh oddał nawet życie.

Proponuje, że podrzuci mnie do Kuldipa Singha. Przyjmuję to z wdzięcznością. Tym razem mieszkańcom wsi jawnie opada szczęka. Kim jest ta kobieta? Przed chwilą ktoś ją wiózł na skuterze, a teraz – na motocyklu!

Żeby nie wzbudzać podejrzeń, zsiadam kawałek przed domem Kuldipa Singha. Okazuje się jednak, że to niepotrzebna ostrożność: wiadomość o moich niedyskrecjach już tu dotarła. Zaledwie przekraczam próg, naskakuje na mnie patriarcha rodu:

– Wezwaliśmy panią, żeby nam pani powiedziała, jak działa pralka, a nie żeby prała pani publicznie nasze brudy! Sultan Singh wszystko mi powiedział. Proszę natychmiast się stąd zabierać! Nie ma tu miejsca dla takich wichrzycieli jak pani.

– Kuldipie Singhu-ji, źle mnie pan zrozumiał – tłumaczę, usiłując dojść z nim do porozumienia. – Babli nie przetrwa tego małżeństwa. Raczej umrze, niż zaakceptuje Badana Singha jako męża.

– Wszystko jedno, wyjdzie za Badana Singha i już! A jak chce umrzeć, to niech umiera w domu męża, a nie w naszym.

– Co z pana za ojciec? Jest pan gotów poświęcić własną córkę w imię jakiegoś zacofanego obyczaju?

– Dosyć! – krzyczy. – Proszę się w tej chwili zabierać z mojego domu! Albo panią wyrzucę.

– Zabiorę się, ale nie sama. Babli pójdzie ze mną.

– Straciła pani rozum do reszty? Babli jest moją córką. Zrobi to, co jej każę!

– To może ją pan spyta? – prowokuję. Natychmiast podejmuje wyzwanie.

– Załatwmy to od ręki. Matko Babli! – woła. – Przyprowadź tu naszą córkę.

Babli pojawia się na podwórku, mocno trzymana przez matkę. Drży jak liść, nie jest nawet w stanie podnieść na mnie oczu. Kuldip Singh wskazuje mnie palcem.

– Powiedz mi, Babli, chcesz odejść z tą kobietą?

Babli powoli kręci głową. Po czym wybucha płaczem i zakrywszy twarz rękami, ucieka z powrotem do swojego pokoju.

– No, to ma pani odpowiedź. – Kuldip Singh, uśmiechnięty niczym diabelski magik, któremu udała się sztuczka, z zadowoleniem podkręca wąsa. – A teraz proszę stąd iść.

– Nie wiem, czy pana nienawidzić, czy żałować – wypuszczam pożegnalną strzałę i wychodzę.

Idę z powrotem do świątyni Amba, mojej kwatery zarządzania kryzysowego. Kolejne pięć godzin to najdłuższe godziny w moim życiu. Próbuję skontaktować się z Sunilem, ale wygląda na to, że znowu ma wyłączoną komórkę. Przygnębienie ciąży nade mną niczym gradowa chmura. Ach, gdyby był tu Karan, żeby mnie pocieszyć... Duchowny w świątyni częstuje mnie owocami. Siedzę z nim na stopniu i patrzę, jak gaśnie popołudnie.

Gdy zapada zmierzch, powietrze zaczyna pulsować dźwiękami weselnej muzyki. Przy akompaniamencie puzonów, tuby, saksofonów i *dhol* wokalista zawodzi nosowo *Aaj mere yaar ki shaadi hai* (Dziś jest wesele mojej przyjaciółki). To *baraat*, orszak weselny Badana Singha, który zmierza do domu Kuldipa Singha, jaśniejącego od migotliwych świateł.

Właśnie wtedy „biip, biip" mojej komórki sygnalizuje, że dostałam SMS-a. To od Sunila: informuje mnie, że jest już we wsi. Odpisuję, żeby przyszedł wprost do świątyni.

Sunil Chaudbary od pierwszego rzutu oka robi na mnie wrażenie. Jest młodym, przystojnym dwudziestoczterolatkiem o subtelnych rysach i łagodnym spojrzeniu. Skończył studia inżynierskie, obecnie pracuje w firmie software w Noida. Jest troszkę nieśmiały, odrobinę niezręczny i niepewny siebie, ale to, że kocha Babli, nie ulega wątpliwości. Wiem, że zrobi wszystko, żeby była szczęśliwa i bezpieczna.

– Przyleciałem samolotem z Czennaj, a z Delhi wziąłem taksówkę. Właśnie widziałem, jak orszak weselny wchodzi do domu Babli. Spóźniłem się? – wyrzuca z siebie. W twarzy ma udrękę i lęk.

– Zaraz się dowiemy. Idziemy.

Po drodze wyjaśniam Sunilowi mój plan. Przed domem Kuldipa Singha stajemy jak wryci na widok umundurowanych mężczyzn, którzy patrolują otoczenie, szybko jednak zdajemy sobie sprawę, że to nie uzbrojeni ochroniarze, tylko muzykanci, członkowie orkiestry dętej. Skończyli swoją robotę, a teraz odpoczywają, czekając na rozpoczęcie uczty. Zaglądamy przez otwarte drzwi: Babli i Badan Singh siedzą pod *mandapem*, a pośrodku duchowny zapala właśnie święty ogień. Za chwilę rozpocznie się ślubna ceremonia. W hinduskich filmach jest to moment, gdy wkracza bohater i oświadcza: *Yeh shaadi nahin ho sakti* (Ten ślub nie może się odbyć). Może to zrobić, ponieważ ma za sobą pełną ochronę ze strony reżysera. W realnym życiu, jeśli Sunil spróbuje tego numeru, momentalnie go zlinczują.

Z cienia pobliskiej alejki wygląda Aslam Sheikh, a jego motocykl warczy cicho, gotów do startu. Uśmiecha się do mnie i podnosi kciuk. Przedstawiam go Sunilowi, po czym przekradam się na tyły domu.

Bez przeszkód docieram do obory. Krowy i bawoły spokojnie przeżuwają, totalnie obojętne na dochodzące z sąsiedztwa hałaśliwe odgłosy weselnej ceremonii.

W szopie-magazynie jest ciemno. Naciskam kontakt. Wnętrze zalewa oślepiająco jasne światło, zapalając błyski w gładkich, szklistych blatach. Wszystko stoi dokładnie tak, jak ostatnio. Włączam do gniazdka telewizor, potem DVD, stereo i lodówkę. Świetlówka zaczyna alarmująco migotać, sygnalizując przeciążenie sieci. Kiedy dołączam i pralkę, wydaje ciche „pyk" i gaśnie. W tej samej chwili, tak jak zakładałam, pogrąża się w ciemności cały dom.

Wybiegam z szopy i pędzę z powrotem do alejki, gdzie czeka Aslam na motocyklu.

W parę chwil później drzemiących na podwórku muzykantów budzi ryk kawasaki ninja, który przemyka obok nich z czworgiem osób na siodełku. Jedna z nich to uciekająca panna młoda. Z tyłu za nami słyszymy krzyki, paru ludzi puszcza się w pogoń, ale oni są pieszo, a my na motorze 250cc.

Aslam fachowo meandruje po wyboistych wiejskich drogach, a my z Sunilem i Babli kurczowo przywieramy do siodełka i do siebie nawzajem. Ostre zimowe powietrze tnie w twarz niczym nabijana ćwiekami rękawica. Na szczęście po pięciu minutach jesteśmy na posterunku. Zsiadamy, Aslam kłania się teatralnie i odjeżdża. Jego misja jest zakończona.

Babli i Sunil przypadają do siebie w gwałtownym uścisku, tak jakby nie mieli przed sobą jutra.

– Jak tylko zgasło światło i ktoś mnie złapał za rękę, wiedziałam, że to ty – mówi Babli. Łzy płyną jej strumieniem po twarzy, rozmazując makijaż, ale i tak wygląda olśniewająco w swojej powiewnej płomiennoczerwonej ślubnej spódnicy i brokatowej bluzce. Sunil delikatnie ociera jej dłonią łzy. Mam wrażenie, że za chwilę zaczną śpiewać miłosną piosenkę, jak w filmie.

Kiedy jednak wchodzimy na posterunek, podinspektor Inder Varma śpiewa na zupełnie inną nutę.

– To, co pan zrobił, jest bardzo naganne. Ukarzę pana za nielegalne uprowadzenie – grozi Sunilowi. – Porwał pan dziewczynę!

– Powiedział pan, żeby ją tu przyprowadzić – przerywam mu. – No więc przyprowadziłam! Babli, może sama mu powiesz?

– Tak, *didi* i Sunil uratowali mnie przed wymuszonym małżeństwem – mówi wyzywająco. Obecność Sunila dodaje jej śmiałości. – Nie chcę wychodzić za Badana Singha. Chcę wyjść tylko za Sunila.

– To nie jest urząd stanu cywilnego! To jest posterunek policji – upomina ją policjant, wymachując jej palcem przed nosem. – Przede wszystkim proszę mi pokazać jakiś dowód, że ma pani ukończone osiemnaście lat.

– Dowód? Może pan sprawdzić mój arkusz ocen ze szkoły średniej. Tam jest podana data urodzenia.

– Poproszę. Ma go pani przy sobie?

– Jak mogę go mieć przy sobie? Przychodzę tu prosto spod *mandapu*, a nie ze szkoły.

– W takim razie nic nie mogę dla pani zrobić. Potraktuję to jak uprowadzenie nieletniej. Ram Kumar! – woła do swojego posterunkowego. – Zabierz tego chłopaka do aresztu, a potem idź do ojca dziewczyny i powiedz, żeby zabrał córkę do domu. I daj też znać Sultanowi Singhowi.

– Nie może pan tego zrobić! – krzyczę. – To potworna niesprawiedliwość! Zaufaliśmy panu!

Uśmiecha się, odsłaniając poplamione *paanem* zęby.

– Niech pani nigdy nie ufa policjantowi.

– Jeśli powiadomi pan mojego ojca, Bóg panu tego nie wybaczy! – Po twarzy Babli znowu płyną łzy.

– Na posterunku policji to ja jestem Bogiem.

– Panie inspektorze – próbuję jeszcze raz. – To całkiem prosta sytuacja: chłopak i dziewczyna się kochają, oboje są dorośli, chcą się pobrać. Powinien pan im pomóc, a nie grozić.

– Nic w życiu nie jest proste, a już z pewnością nie w małżeństwie. Proszę się do tego nie mieszać, inaczej posadzę i panią za współudział w uprowadzeniu!

Głuchy jest na nasze prośby. Co za ohydne nadużycie władzy! Czuję obrzydzenie i bezsilną wściekłość zwykłego małego człowieka, którym pomiata wszechmocny dyktator.

I wtedy przypominam sobie Shalini Grover. Korzystając z tego, że inspektor zajmuje się Sunilem i Babli, wymykam się do toalety i szybko wybieram jej numer.

– Shalini – szepczę – zajmujesz się przypadkiem młodej pary zamordowanej z nakazu *khapu*. A ja jestem na posterunku policji, gdzie pewna młoda para też może być zamordowana za sprzeciwienie się jego nakazom. Czy mogłabyś tu szybko przyjechać? Tylko ty możesz ich uratować.

– Jestem nadal w Panipat – gasi moje nadzieje Shalini. – Nie dam rady dotrzeć natychmiast do Chandangarh.

Kiedy wychodzę z toalety, okazuje się, że posterunkowy Ram Kumar zdążył już wykonać polecenie. Przed posterunkiem z piskiem hamulców zatrzymuje się innova i do środka wkracza Kuldip Singh w towarzystwie Badana Singha i pół tuzina męskich członków rodziny. Wszyscy mają w rękach broń. Kuldip Singh gromi mnie spojrzeniem i idzie prosto do szefa posterunku. Widzę przechodzące z rąk do rąk pieniądze. A więc dla podinspektora Varmy była to okazja do zrobienia interesu...

Zapłaciwszy, Kuldip Singh chwyta Babli za rękę.

– Idziesz ze mną w tej chwili! Nawet dziwka nie zrobiłaby rodzinie takiego wstydu jak ty.

Udaje jej się wyrwać i chowa się pod biurkiem. Kuldip Singh nachyla się, żeby ją wyciągnąć, ona czepia się kończynami nogi od stołu.

– Nie pójdę! Będziesz musiał mnie odciąć, jak chcesz mnie stąd zabrać! – krzyczy.

– To cię odetniemy, suko, i wyrzucimy w kawałkach do Jamuny – włącza się Badan Singh i schyla się, żeby pomóc teściowi.

– Trzeba przyznać, że dziewczyna ma charakter. – Posterunkowy przykuca, żeby lepiej widzieć szarpaninę.

– Proszę jej pomóc! – wołam do niego, gdy wtem do pomieszczenia wkracza Sultan Singh. Przewodniczący *khapu* interesuje się wyłącznie Sunilem.

– A więc ośmieliłeś się wrócić? – Jego słowa podkreśla teatralny świst laski. – No to ci zaraz pokażemy, co się robi z tymi, którzy gwałcą nasze święte tradycje.

Nie przybył sam: posterunek otacza co najmniej pięćdziesiątka jego popleczników. – Śmierć tym, co sprzeciwiają się *khapowi*! – wyją. Ten tłum jest gotów do samosądu, bez wahania rozerwą Sunila, Babli i mnie na strzępy! Jak te zombie w horrorach klasy B, nie da się ich powstrzymać, muszą się nasycić...

Od tej chwili wypadki rozwijają się z nieuchronnością greckiej tragedii. Babli wyciągają w końcu spod stołu. Wrzeszczy i szoruje paznokciami po podłodze, gdy Badan i Kuldip ciągną ją do drzwi. Inspektor przekazuje Sunila w ręce *khapu*.

– Zabierajcie go i róbcie z nim, co chcecie. Ja umywam ręce od całego tego bałaganu.

Sultan Singh z zadowoleniem kręci laską.

– Załatwimy go od ręki.

– Posłuchajcie mojej rady: zróbcie to po tamtej stronie rzeki. Wtedy podpadnie to pod posterunek w Bhopjura i niech się martwi policja w Uttar Pradesh – radzi chłodno policjant.

– Sunil! – krzyczy Babli, po raz ostatni próbując wyszarpnąć się ojcu.

– Babli! – Sunil usiłuje rzucić się ku niej, ale zbiry Sultana Singha łapią go w koc i zaczynają kopać. Inspektor i jego posterunkowi przyglądają się temu obojętnie, tak jakby to było przedstawienie wędrownego teatru. Czuję mdłości.

Ram Kumar, posterunkowy, przypomina sobie o mnie.

– A co z nią, sir? – wskazuje mnie głową. – Wygląda mi na niezłą intrygantkę.

Inspektor wzdycha. Jego zachowanie świadczy, że ma mnie za niepotrzebny balast, z którym musi sobie jakoś poradzić.

– Jaki właściwie ma pani w tym wszystkim interes? Jest pani nauczycielką Babli albo siostrą Sunila?

– Ani jedno, ani drugie – odpowiadam. – Jestem zaangażowaną obywatelką, która usiłuje im pomóc.

– Nie znam zbyt wielu sprzedawczyń, które byłyby zaangażowanymi obywatelkami. Wygląda pani raczej na jedną z tych dziennikarek, co to wsadzają nos w nie swoje sprawy. Dla której gazety pani pracuje? Dla „Punjab Kesari” czy „Jag Bani”?

– Nie jestem dziennikarką. Jestem tylko...

– Wie pani, co robimy ze wścibskimi dziennikarkami? – przerywa mi Varma. – Rozprawiamy się z nimi, o tak. – I, całkiem po prostu, wymierza mi policzek.

Jestem bardziej zdumiona niż obrażona. Pierwszy raz w życiu ktoś mnie uderzył...

– Jak pan śmie?... – zaczynam. Krew uderza mi do policzków, a on znów podnosi rękę.

– Zamknij twarz, bo będzie jeszcze gorzej! Ram Kumar, do aresztu z nią!

– Pod jakim zarzutem? – domagam się odpowiedzi.

– Och, z zarzutami nie będzie kłopotu. Możemy znaleźć narkotyki w twojej torbie, oskarżyć cię o snucie przestępczych planów, o przestępstwo z nienawiści, a nawet o prostytucję.

Dosłownie uginają się pode mną nogi. Przed oczyma zaczyna mi się robić szaro... i w tejże chwili ogłuszającą ciszę w mojej głowie przerywa daleki odgłos syreny. Kilku syren... są coraz bliżej i bliżej... całkiem jakby kolumna samochodów towarzysząca premierowi przejeżdżała przez wieś!

Konwój zatrzymuje się przed posterunkiem. Słychać trzaskanie drzwiczek aut i do pomieszczenia wkracza wyglądający na ważnego polityk w garniturze *bandgala** w towarzystwie pół tuzina umundurowanych policjantów i urzędników w nienagannych garniturach.

Oszołomiony podinspektor Varma stuka obcasami. Posterunkowy Ram Kumar traci głowę i nawet nie jest w stanie zasalutować; wyraźnie tylu szefów naraz w jednym pokoju to dla niego za wiele.

– Zaaresztować go – poleca polityk i policjant z godłem państwa oraz srebrną gwiazdką na epoletach wyjmuje kajdanki.

– O co... o co cho-chodzi, sir? – jąka Inder Varma, gdy kajdanki zatrzaskują się na jego przegubach.

– Zdaje pan sobie sprawę, że od pół godziny na kanale Sunlight idzie stąd przekaz na żywo? – grzmi inny wysokiej rangi funkcjonariusz. Trzy gwiazdki na epoletach ujawniają, że to zastępca głównego inspektora policji. – Cały kraj widział, jak pan terroryzuje niewinnego chłopaka i dziewczynę, pozwala, żeby *khap* wziął sprawę w swoje ręce, i wysuwa fałszywe oskarżenia przeciwko dobrej Samarytance, żeby ją zastraszyć! Przynosi pan hańbę policji!

– Przekaz na żywo? Sunlight? Ależ sir... przecież tu nie ma kamer! – Varma szybko spogląda w lewo i w prawo.

Zastępca głównego inspektora podchodzi do mnie i delikatnie wyjmuje mi z górnej kieszonki komórkę, nieco wystającą i zwróconą kamerą na zewnątrz.

– Dalszy przekaz na żywo nie jest nam już chyba potrzebny – mówi, wyłącza telefon i mi oddaje.

Varma wytrzeszcza oczy. Wreszcie do niego dotarło... Posyłam mu bezczelny uśmiech. Kiedy zdałam sobie sprawę, że Shalini nie zdoła przyjechać, postanowiłam sama stać

* Zbliżony do europejskiego, ale z kołnierzem-stójką i haftem wzdłuż zapięcia (przyp. tłum.).

się dziennikarką telewizyjną. Za pośrednictwem telefonu zaczęłam potajemnie nagrywać wszystko, co dzieje się na posterunku, i przekazywać wprost na stronę internetową telewizji Sunlight.

To, co dzieje się teraz, przypomina zakończenie scenariusza bollywoodzkiego filmu. Podinspektor Inder Varma i posterunkowy Ram Kumar zostają zabrani do aresztu. Tłum na zewnątrz cofa się pod naporem policyjnych pałek i rozprasza. Sultan Singh ucieka z podkulonym ogonem jak niepyszny. A Kuldip Singh w jednej chwili zmienia zdanie i oznajmia, że najlepiej będzie, jak Babli wyjdzie za Sunila.

Kiedy tej nocy patrzę, jak promienna młoda para obchodzi siedem razy święty ogień, nie mogę się powstrzymać, by nie spojrzeć w niebo. Puszczam oko do Alki i szepczę:

– *Kamaal ho gaya*. Nie uwierzysz, co się dzisiaj stało!

Nazajutrz rano Kuldip Singh odwozi mnie swoją toyotą innovą do Delhi. Biorę szybki prysznic, przebieram się i wychodzę do pracy, do codziennego młyna.

– Wcale nie wyglądasz na chorą. – Madan lustruje mnie podejrzliwie wzrokiem, gdy przekraczam próg salonu.

– To dzięki *pudin hara*. Postawiło mnie na nogi.

Po wszystkim, co zaszło wczoraj, powrót do monotonii zmywarek i kuchni mikrofalowych odczuwam jak nużącą orkę. Wolę już jednak sprzedawać telewizory, niż żeby miał mnie bić po twarzy jakiś porąbany gliniarz.

Po południu dzwonię do Shalini Grover.

– Szacunek, Sapna! Świetnie sobie poradziłaś. Jesteś niesamowita! – pieje.

– Nie zrobiłabym tego bez ciebie. To ty mi powiedziałaś, jak się zalogować na stronie telewizji Sunlight.

– Słuchaj, prowadzę też stałą rubrykę w „Daily Times". W następnym numerze chcę napisać o tobie. Jesteś inspiracją dla hinduskich kobiet!

– Nie – mówię zdecydowanie. – Nie chcę piętnastu minut sławy. Tyle z tego będę miała, że ludzie będą mi zazdrościć, a *khap panchayat* weźmie mnie na muszkę.

– To prawda, jest takie ryzyko – przyznaje Shalini. – A jakbym tak napisała artykuł, nie wymieniając twojego prawdziwego nazwiska?

– No, to już prędzej – mówię z oporem, wciąż nie do końca przekonana do pomysłu.

– Jakiego imienia mam użyć?

– Hm... Może Nisha?

– Brzmi nieźle. Ale dlaczego Nisha?

– Nie rozumiesz? To anagram od Sinha!

Dwa dni później dzwoni do mnie Rana.

– Pan Acharya chce panią dziś widzieć. Proszę przyjść do biura o szóstej. Niech się pani nie spóźni.

Niepokój skręca mi wnętrzności. Jestem tak wytrącona z równowagi, że nawet nie potrafię wymyślić nowej wymówki. Idę więc do kantorka Madana ze starą.

– Sir, mojej matce się pogorszyło. Muszę ją znowu zawieźć do szpitala.

Madan unosi ręce w geście desperacji.

– No nie, to już zaczyna być męczące. Czemu nie oddasz matki do szpitala na stałe? Jeśli będziesz musiała wychodzić wcześniej co drugi dzień, ja będę musiał cię zwolnić!

– Odrobię to w przyszłym tygodniu, obiecuję. Ale teraz muszę już iść.

To go trochę zmiękcza i z ponurą miną, ale się godzi. Za piętnaście szósta jadę znowu do Kyoko Chambers.

W lobby czeka na mnie Rana, a punkt szósta Jennifer wprowadza mnie do gabinetu Acharyi.

– Gratuluję! – wita mnie z ciepłym uśmiechem przemysłowiec.

– Czego? – pytam zdziwiona.

– Zdania pierwszego testu.

– Jakiego testu?

– Testu na przywództwo.

– Obawiam się, że nie rozumiem.

– Proszę spojrzeć – Acharya podnosi leżącą na biurku gazetę, dzisiejszy numer „Daily Times". Wskazuje mi palcem artykuł zatytułowany „Miłość w czasach *khapu*". – Widziała pani ten tekst?

Kiwam głową.

– Wiem, że to pani jest bohaterką tej historii.

– Dlaczego pan tak sądzi? Artykuł jest o jakiejś pracownicy centrum obsługi klienta imieniem Nisha.

– Przede mną nie musi pani udawać. Zastępca głównego inspektora policji, który przyjechał w związku z pani sprawą do Chandangarh, to syn mojego starego znajomego. O wszystkim mi opowiedział. I rozmawiałem też z Sunilem i Babli.

– A skąd pan w ogóle wie, że wyjeżdżałam do Chandangarh?

– Dowiedziałem się w salonie. Zresztą, Sapno, to nieważne, skąd wiem. Ważne jest to, że zdała pani pierwszy test. Mogła pani powiedzieć „to nie moja sprawa" i pozostawić Babli własnemu losowi. Pani jednak uznała, że należy zrobić to, co słuszne. Zdecydowała się pani walczyć przeciwko niesprawiedliwości, choć wyglądało na to, że nie ma pani szans. W moim kodeksie kwalifikuje to panią na przywódczynię.

– Nie miałam pojęcia, że to test zorganizowany przez pana...

– Nie przeze mnie. Przez życie. Co pani mówiłem? Że życie codziennie nas egzaminuje, zmuszając do dokonywania wyborów. W Chandangarh dokonała pani właściwego wyboru. Okazała się pani prawdziwą przywódczynią. – Upuszcza gazetę na kolana i pociera czoło. – Przywództwo to jedyna umiejętność, której nie można nauczyć w szkole dla menedżerów. Menedżera uczy się zasad prawidłowego działania, a przywódca po prostu działa prawidłowo. To nie kwestia treningu czy przygotowania, lecz instynktu i sumienia.

– Panie Acharya... To, że pomogłam Babli, nie oznacza, że stałam się wielką przywódczynią! Jestem zwykłą ekspedientką, nic więcej.

– I właśnie o to chodzi. Przywódca nie musi być najmądrzejszy, najsilniejszy czy najpiękniejszy. Wolę mieć na stanowisku dyrektora nieefektownego lidera niż geniusza bez charakteru. Przywództwo to najważniejszy czynnik decydujący o powodzeniu firmy. Jak maszyna potrzebuje konserwacji, a produkt – marketingu, tak pracownicy potrzebują kierunku. I to właśnie lider wytycza kierunek, to lider zachęca i inspiruje zwykłych ludzi, żeby wykonywali niezwykłe zadania. Dlatego musi swoje słowa zaświadczać czynem. Parafrazując Thomasa Jeffersona: jeśli chodzi o styl, lider powinien płynąć z prądem, ale jeśli chodzi o zasady, powinien stać jak skała. Pani była w Chandangarh jak skała. Jestem nie tylko zwyczajnie z pani dumny, Sapno. Jestem dumny, że mogę być pani promotorem.

Tylko na studiach zdarzało mi się słyszeć podobne słowa uznania. Jestem zażenowana.

– Hm... Nie wiem, co powiedzieć.

– Proszę nic nie mówić. Wystarczy, że będzie pani działać. Proszę nadal iść za głosem sumienia, a zda pani pozostałe testy śpiewająco.

Muszę przypomnieć sobie samej, że to wszystko jedynie gra Acharyi. Ani ja nie stałam się liderką, ani on nie jest moim promotorem. To po prostu znudzony bogacz, który dla rozrywki używa mnie jako zabawki. A ja muszę się podporządkować, bo wzięłam od niego dwieście tysięcy rupii. Podnoszę więc na niego wzrok i posyłam mu pełen wdzięczności uśmiech. Uśmiech za dwieście tysięcy.

Wieczorem na *rendez-vous* w ogrodzie dzielę się z Karanem najnowszymi wypadkami.

– Acharya powiedział, że zdałam pierwszy test. Teraz jestem certyfikowaną liderką...

– Ha! – śmieje się. – Acharya myśli, że jesteśmy certyfikowanymi palantami. Nie ma nic wspólnego z tym, co się wydarzyło w tamtej wsi, a przypisuje zasługę sobie. Ale tak czy owak, chrzanić Acharyę! Jestem z ciebie dumny. To wspaniałe, co zrobiłaś dla Babli i Sunila.

– Myślisz, że odtąd będą żyli długo i szczęśliwie?

– Nie wiem. Ale w każdym razie dzięki tobie będą przynajmniej żyli. – Wpatruje się w przestrzeń. W rysach ma dziwne napięcie, linia szczęki twardnieje. Wreszcie na jego twarzy pojawia się półuśmiech. – Właściwie to jest tylko jeden rodzaj ludzi, którzy odtąd żyją długo i szczęśliwie.

– Kto?

– Martwi.

PRÓBA DRUGA
Diamenty i rdza

Jest piątek trzydziestego pierwszego grudnia, godzina jedenasta. Ostatni dzień roku. Przed salonem stoi już parokilometrowa kolejka. W kraju, gdzie uliczna burda rutynowo gromadzi pięciuset gapiów, jest rzeczą w pełni normalną, że zbiera się pięć tysięcy, aby paść oczy widokiem celebrytki.

Tak, nadszedł ten wielki dzień, kiedy Priya Capoorr nawiedza nasz salon jako ambasadorka marki Sinotron. Dwa dni temu przyszła do nas namolna kobieta nazwiskiem Rosie Mascarenhas, menedżerka gwiazdy do spraw PR-u, żeby wybrać dla niej „asystentkę". Wymagania były ściśle określone: musi to być dziewczyna doskonale mówiąca po angielsku, o łagodnym głosie i dobrych manierach. Przeparadowały przed nią wszystkie cztery sprzedawczynie, i wybrała mnie. Niewątpliwie będę stanowić najlepszy kontrast dla jasnej cery pani Capoorr, dzięki czemu zalśni jeszcze promienniej... Żaden to powód do chluby, niemniej wszyscy w sklepie zachowują się tak, jakbym wygrała los na loterii.

– Ojejku, tyle czasu spędzisz u boku gwiazdy... Ty to masz szczęście – jęczy Prachi. – Kto wie, może nawet da ci jakąś rólkę w swoim następnym filmie...

Lubię hinduskie filmy, ale nie jestem specjalną fanką Priyi Capoorr. Tak naprawdę nie ma talentu; to tylko atrakcyjna lalka, której jedyny powód do sławy stanowi fakt, że jest potomkinią jednej z najstarszych dynastii Bollywood.

A to idiotyczne uwielbienie dla celebrytów budzi we mnie odruch wymiotny. Nie zazdroszczę ludziom znanym: żal mi ich. To jakieś nienormalne ludzkie istoty, smutne klauny, które tańczą, żeby dostarczyć innym rozrywki, skazane na życie w akwarium, przez którego szklane ściany nieustannie gapią się na nich zastępy wielbicieli.

Ci ostatni są jeszcze bardziej beznadziejni. To jakieś oszołomy, same bezbarwne i nijakie, więc ślepo naśladujące celebrytów, uwiedzione rzekomą szczerością ich wpisów na Twitterze. Trzeba by im przemeblować głowy i tyle... Weźmy choćby Swati, jedną z ekspedientek: mówi, że Priya Capoorr jest jej bliższa niż własna matka!

Większość celebrytów czuje się tak niepewnie, że wynoszą stare przesądy na całkiem nowy poziom. Idealnym przykładem jest właśnie Priya Capoorr. Przyszła na świat jako Priyanka. Kiedy jej debiutancki film zrobił klapę, za radą astrologa skróciła imię na Priya. Potem zmieniła nazwisko z Kapoor na Capoor. I w końcu, pod naciskiem numerologa, dodała jeszcze jedno r, tak żeby było w nim słychać mruczenie kota. To jeszcze nie wszystko! Jeśli wierzyć plotkom krążącym w Tinsel Town*, przeszła więcej operacji plastycznych niż Pamela Anderson: ma wypełnione kolagenem wargi, powiększony biust i zmniejszony nos. W rezultacie przypomina jakąś dziwaczną plastikową Barbie i wygląda na więcej niż swoje dwadzieścia sześć lat. Niemniej trzy filmy z rzędu z jej udziałem okazały się superhitami i uważana jest teraz za jedną z czterech najważniejszych gwiazd Bollywood.

Jej wizytę wyznaczono dziś na dwunastą w południe i pracujemy dwadzieścia cztery godziny na dobę, żeby zdążyć ze wszystkim na czas. Cały sklep udekorowany jest balonami i serpentynami. Każdą ścianę zdobią reklamowe plakaty telewizorów Sinotron. Pod ścianą głównego holu

---

* Slangowa nazwa Hollywood (przyp. tłum.).

wystawowego, na tle gigantycznej twarzy aktorki, stanęło tymczasowe podium, a z głośników ryczą taneczne kawałki z jej filmów, co stwarza klimat niczym na dyskotece.

O jedenastej trzydzieści otwierają się frontowe drzwi i tłum zostaje wpuszczony do środka. W mgnieniu oka każdy centymetr kwadratowy głównej hali, foyer i alejek zapełnia się ludźmi. Ich podniecenie jest niemal dotykalne. „Priya! Priya! Priya!" – zaczyna wznosić okrzyki któryś z widzów. Szybko dołączają się inni. Atmosfera rozgrzewa się do stanu gorączki.

Priya Capoorr przybywa, stylowo spóźniona, o wpół do drugiej, półtorej godziny po ustalonym terminie. Nie jest sama. Towarzyszy jej tłumek złożony z sześciu potężnie zbudowanych ochroniarzy, menedżerka PR-u, makijażysta i nawet fryzjer. Wchodzi tylnym wejściem i przemyka się na zaplecze administracyjne, wysprzątane i zmienione w strefę oczekiwania. Nasz właściciel, pan Gulati, i jego syn Radża czekają tu, żeby ją osobiście powitać, wraz z wyglądającym na Chińczyka mężczyzną nazwiskiem Robert Lee, szefem marketingu korporacji Sinotron.

Muszę przyznać, że prawdziwa Priya wygląda równie efektownie jak w filmach, jest tylko troszkę niższa. Jasnobrązowe włosy ufryzowane ma w loki, które okalają owalną twarz i w miękkich, trochę nieporządnych falach spływają na ramiona. Lata mrużenia oczu, robienia min, mizdrzenia się i półuśmiechów zmieniły kąciki jej dużych sarnich oczu i ma teraz stalowe spojrzenie drapieżnika, intensywne i niepokojące. Ubrana w białą marszczoną bluzkę, brązowy żakiet i superobcisłe dżinsy, do tego skórzane kozaki i torba od Birkin, zachowuje się z królewską pewnością siebie diwy, która dokładnie zna swoją wartość. Radża Gulati o mało nie klęka, wręczając jej bukiet róż.

– Dziękuję – szemrze z bladym uśmiechem uczestniczki przyjęcia, która nie może się doczekać, żeby wyjść.

W parę minut od jej przybycia wejście na zaplecze zostaje zablokowane przez tłum pracowników, którzy wyciągają szyje, żeby choć zerknąć na słynną aktorkę. Stoją w zachwycie, olśnieni, że na własne oczy widzą żywą i prawdziwą gwiazdę kina. Normalnie byłabym ostatnią osobą, na której robiłaby wrażenie obecność celebrytki, widząc jednak, jak zachowują się inni, nie potrafię się oprzeć dramaturgii tego wszystkiego.

W końcu ochroniarze przeganiają wszystkich z zaplecza, pozostawiając Priyę Capoorr tylko z menedżerką od PR-u, makijażystą, fryzjerką i ze mną. Wszyscy siadają przy stole, ja z szacunkiem stoję w tle, gotowa zaproponować herbatę, bezalkoholowe napoje i kanapki. Wszystko jest pod ręką.

– Zawody już za niecałe cztery miesiące, a ty jeszcze nie ustaliłaś, który zespół – mówi Priya do Rosie Mascarenhas. Nastawiam uszu. Puchar Świata w krykiecie zacznie się za niecałe dwa miesiące, więc chyba mówi o rozgrywkach Indyjskiej Pierwszej Ligi w piłce nożnej, które odbędą się w kwietniu.

– Pracuję nad tym – odpowiada Rosie.

– Wszystko mi jedno, która drużyna, po prostu muszę być widziana na IPL.

Nie zwraca na mnie uwagi, gdy makijażysta nanosi jej puszkiem puder na czoło. Jestem dla niej elementem krajobrazu, niczym więcej. Ta jej wyniosłość, wobec mnie i wszystkich innych, budzi we mnie takie samo poczucie zniewagi, jakie towarzyszyło mi w Chandangarh. Tam był to powrót systemu kastowego, ale ten system działa i w Bollywood! System, który przyznaje nadmierne korzyści nielicznym uprzywilejowanym – synom i córkom gwiazd filmowych i producentów. Często nie mają nawet talentu ani urody, a wyłącznie plecy, i dzięki nim zyskują sławę i majątek. Ludzie tacy jak Priya są w czepku urodzeni, sukces był im pisany od początku, zanim jeszcze nauczyli się chodzić. Ona nigdy nie musiała się mordować jako statystka, tańcząc w geometrycznych układach na plaży w grupie skąpo odzianych dziewczyn, gdy bohater i bohaterka baraszkują w morzu... Wiedziała, że rozpocznie swoją karierę od roli głównej bohaterki i nieuchronnie zostanie gwiazdą. Ale na każdą Priyę Capoorr przypadają tysiące początkujących aktorek, które codziennie lądują na wybrzeżach Mumbaju i do których nigdy nie uśmiechnie się los. Nikt się nigdy nie wyłamał z szeregów anonimowych statystów, by zostać słynną gwiazdą, może tylko Salim Ilyasi. A nawet on miał za sobą wsparcie finansowe ze strony przemysłowca Rama Mohammada Thomasa.

Priya miała kiedyś z Salimem Ilyasi ognisty romans, co wzbudziło plotki, że mają się wkrótce pobrać. Potem jednak znalazła zieleńsze pastwiska – związała się z Rockym M, synem barona węglowego Laxmana Mudaliara, miliardera. Ten związek trwa już kilka lat, a ostatnio Rocky miał się jej jakoby oświadczyć. Jeśli to prawda, to Priya nie tylko zapewniła sobie teraźniejszość, ubezpieczyła się również na przyszłość.

Kiedy makijaż jest skończony, otwiera torbę i wyjmuje pierścionek z diamentem, który wkłada na palec lewej ręki. Widzę, że jest troszkę za duży: siedzi na palcu dość luźno. Priya poprawia go parę razy. Widać, że się nim afiszuje. I dlaczego by nie? Nigdy nie widziałam takiego wielkiego diamentu. Musi mieć ze cztery karaty, może więcej. W ostrym świetle jarzeniówek iskrzy się niczym brylantowa gwiazda w morzu złota, rzucając tęczowe błyski.

Rosie Mascarenhas unosi ostrzegawczo palec.

– Jesteś pewna, że chcesz go tu nosić?

– Tak – odpowiada Priya. – Najwyższy czas.

– Ludzie będą gadać. A media dostaną szału. Rzucą się na ciebie jak stado wygłodnialych psów, którym nieoczekiwanie trafiła się smakowita kość.

– Umiem sobie radzić z psami.

– Nie czuję się zbyt dobrze w tym środowisku. Wolałabym, żebyśmy dali materiał o zaręczynach tylko w „Filmfare".

– Nie chcę więcej dyskutować na ten temat. Zrobię to tak, jak zechcę. – Aktorka podnosi głos na tyle, żeby menedżerka wiedziała, kto tu rządzi.

Fryzjerka, dziewczyna z północnego wschodu, o niedużych, melancholijnych oczach, delikatnie muska loki Priyi. Gwiazda rzuca ostatnie spojrzenie w lustro, które trzyma przed nią makijażysta, i wstaje z krzesła.

– No, to kończmy z tym.

Już ma ruszać do głównej hali, gdy wbiega Radża Gulati i prosi, żeby zaczekała.

– Przepraszamy, ale mamy kłopot z nagłośnieniem. Potrzebujemy kilku minut, żeby usunąć problem.

Widzę, że Priya się niecierpliwi.

– Czemu oni nie mają jakiegoś systemu awaryjnego? – sarka. Żeby zabić czas, wyjmuje BlackBerry i zaczyna esemesować. Nie wkłada w to jednak serca. Po chwili odkłada aparat, wyraźnie znudzona.

– Jest pani na Twitterze? – pytam, tylko żeby przerwać milczenie. Patrzy na mnie, jakby zobaczyła mnie pierwszy raz w życiu. Rosie przedstawia mnie pospiesznie:

– To Sapna, jedna z ekspedientek w tym sklepie.

Priya lustruje mnie wzrokiem od stóp do głów.

– Nie, nie jestem na Twitterze, i nie chcę być – odpowiada, gestykulując teatralnie dłońmi. – Wie pani, jestem gwiazdą, a gwiazda z definicji musi być tajemnicza i odległa. Nadmierna familiarność zabija mistykę. Marka, która odnosi sukces, musi być jedyna w swoim rodzaju, ekskluzywna, a ja jestem teraz marką, prawda?

Jest to pytanie retoryczne; nie oczekuje ode mnie odpowiedzi. Mimo to odpowiadam.

– Salim Ilyasi mówi to samo w jego nowej biografii. Czytała pani?

– Nie czytam książek – odpowiada kategorycznie. – Mam bardzo mało czasu, i szczerze mówiąc, czytanie mnie nudzi. Po co mam tracić czas na książkę, skoro mogę w dwie godziny obejrzeć jej filmową wersję? A ostatnio robimy mnóstwo filmów opartych na książkach.

– Jak się pani podobał *Slumdog. Milioner z ulicy*?

– Według mnie był dosyć dobry. Ale że nakręcił go biały, nasi ludzie są zazdrośni.

Pomimo że ujawnia przede mną te rewelacje, jej twarz nie mięknie. Toleruje mnie tylko, ale nie zaprasza, żebym się do niej zbliżyła.

– A jaki mój film widziała pani ostatnio? – pyta nagle.

Zastanawiam się, co powiedzieć. Ostatni film z Priyą, jaki widziałam, to *Morderstwo w Mumbaju*, i był okropny. Nawet nie wysiedziałam do końca...

– *City of Dust* – kłamię.

Unosi perfekcyjnie wyregulowane brwi.

– Przecież on się ukazał dwa lata temu.

– Tak, ale dosłownie przed paroma dniami widziałam go na kablówce.

– I jak się pani podobał?

– Niezły, naprawdę niezły. Zagrała tam pani dla odmiany rolę nieefektowną.

Kiwa głową, nieco bardziej ożywiona.

– Tak... To było prawdziwe wyzwanie, zagrać prostą wiejską dziewczynę, ale dałam radę. Dostałam za tę rolę Nagrodę Państwową.

– Muszę powiedzieć, że zakończenie troszeczkę mnie zaskoczyło.

Zimne spojrzenie Priyi mówi, że wkraczam na niewłaściwy teren.

– A jak pani zrozumiała zakończenie? – pyta lodowato.

– No więc niemal cały film to wnikliwa postmodernistyczna krytyka kultury materializmu, a pod koniec mamy nagle ten numer taneczny, przedobrzony moim zdaniem, gdzie tańczy pani w szarawarach. Trochę mi to zgrzytało.

Rzuca mi ironiczne spojrzenie.

– Po prostu pani nie zrozumiała.

Wpatruję się w nią bez wyrazu.

– Powiedziała pani, że widziała film parę dni temu, tak? – pyta Priya.

Kiwam głową.

– Proponuję, żeby pomyślała pani o nim jeszcze z pięć dni.

– Słucham?

– Widzi pani, to film dla elity, nie dla mas. Tacy ludzie jak pani muszą go analizować przynajmniej przez tydzień, żeby zrozumieć. Tyle czasu potrzeba, żeby zadziałał światłowód w pani mózgu.

Krew uderza mi do głowy. „Tacy ludzie jak pani..". To zdanie brzmi jak jawna obelga, której nie można przemilczeć. Ale Rosie Mascarenhas rzuca mi już ostrzegawcze spojrzenie.

– A może podałaby nam pani herbatę? – proponuje.

– Tak, byłoby miło – podchwytuje Priya, jeszcze wyraźniej odsyłając mnie tam, gdzie moje miejsce. Ja jestem celebrytką, a ty – zaledwie asystentką, zdaje się mówić. Tacy jak ja podają herbatę, a tacy jak ona ją piją... Przysuwam jej filiżankę, dotknięta do głębi.

Od tej chwili nie raczy odezwać się do mnie ani słowem. Tak czy inaczej, nagłośnienie zostaje wkrótce naprawione i artystka przechodzi do hali. Idę za nią i ja i oglądam spektakl z tylnych rzędów. Ma dobre, profesjonalne wystąpienie, puszcza wyćwiczoną gadkę o niezwykłych cechach telewizorów Sinotron na tle ich najbardziej wypasionych modeli i pozuje do zdjęć pstrykaczom.

Kiedy zaczyna się sesja pytań i odpowiedzi, reporterzy wykazują niewielką wdzięczność dla gościnności Sinotrona.

Nie interesują ich plazmowe telewizory ani panele LED. Ich oczy są utkwione w pierścionku Priyi, a na ustach mają tylko jedno pytanie:

– Czy to pierścionek zaręczynowy?

– Tak – odpowiada Priya, dumnie prezentując błyskotkę na tle jęków i westchnień męskiej części widowni i szeroko otwartych, zafascynowanych oczu – żeńskiej.

– Ile karatów?

Podnosi pięć palców. Tym razem ochy i achy wyrywają się ze wszystkich bez wyjątku gardeł.

– Kiedy ślub z Rockym M?

– Nie śpieszy nam się. Z pewnością nie prędzej niż za dwa lata.

– Ile jest wart pierścionek?

– Jest bezcenny.

Jeszcze jeden ozdobny ruch dłoni i sesja jest skończona, a reporterzy i publiczność – znokautowani. Podziwiam jej zmysł do interesów. Nawet z nudnej prezentacji nowego produktu wprowadzanego na rynek potrafiła wycisnąć kilometry relacji na temat marki Priya Capoorr!

Kiedy wraca na zaplecze, ma na twarzy zadowolony uśmieszek kobiety, która dostała to, czego chciała.

– To co pani robi w wigilię Nowego Roku? – pyta, być może starając się mi w ten sposób wynagrodzić ostre słowa, które wypowiedziała wcześniej.

– Nic – odpowiadam. – Dla mnie trzydziesty pierwszy grudnia to taki sam dzień jak każdy inny.

– E, chyba nie. To koniec jednego roku i początek drugiego. Nowy rok grzebie stare marzenia, nadzieje i aspiracje, a powołuje do życia nowe. – Mówi to tak gładko, z taką pogodną szczerością, że brzmi to jak tekst z któregoś z jej filmów.

Mam ochotę jej powiedzieć, że nowy rok bynajmniej nie grzebie pozostałości starego. Będzie powolnym przetwarzaniem tych samych zalegających smutków i zadawnionych żalów. Nie mówię tego jednak, lecz pytam:

– A pani co robi dziś wieczorem?

– Och, Rocky urządza w Regency megabalangę. Będę się bawić całą noc. A może dołączy pani do nas? Zapraszam około wpół do dwunastej. Zobaczy pani, jak się bawi ta druga połowa*.

Wygląda to na propozycję zrobioną pod wpływem impulsu, której być może już żałuje. Rosie Macarenhas jest zaalarmowana wystarczająco, by dostać ataku kaszlu. Ale ja i tak nie mam zamiaru pakować się w sytuację, gdzie musiałabym ścierpieć kolejną rundę protekcjonalności „drugiej połowy".

– Dziękuję za zaproszenie – mówię z uśmiechem. – Przypomniałam sobie jednak, że obiecałam mojej amerykańskiej przyjaciółce, że wpadnę do niej na noworoczne przyjęcie w Mehrauli.

Rosie wraz z zespołem skończyli tymczasem zbierać rozmaite duperele. Rosie rozgląda się po zapleczu po raz ostatni.

– No, to chyba możemy iść – ogłasza.

Priya nadal wpatruje się we mnie, tak jakbym była nową zabawką, z którą żal jej się rozstać.

– Zanim wyjdę, nie chce pani dostać ode mnie autografu?

Pytanie jest tak nieoczekiwane, że mnie na chwilę zamurowuje.

– Oczywiście – mamroczę.

– Gdzie ma pani zeszyt do autografów?

Nie mam zeszytu do autografów. Nie mam też nic, co mogłoby spełnić jego rolę... Rozglądam się w panice po otoczeniu. Widzę jedynie ustawione rocznikami na regałach

---

* Nawiązanie do tytułu znanego brytyjskiego filmu *Druga połowa* (2006), ukazującego życie finansowe elity (przyp. tłum.).

grube księgi rachunkowe. I wtedy dostrzegam na górnej półce nieduży tomik. Zdejmuję go i ocieram z kurzu skórzane okładki. Jest to pusty album fotograficzny, którego grube stronice połączono metalową spiralką z ochraniaczami z półprzezroczystego plastiku. Idealny!

Zdejmuję plastikowy ochraniacz ze środkowej strony i kładę album przed Priyą, która już czeka z piórem. „Sapnie – z serdecznymi pozdrowieniami, Priya Capoorr", wpisuje zamaszystym pismem. I w tej chwili przy drzwiach robi się jakieś zamieszanie. Odwracam się: to jakaś fanka usiłuje wtargnąć na zaplecze. Jest trochę szamotaniny z ochroniarzami, ale nic poważnego.

Priya zamyka album i podaje mi.

– Proszę. Niech go pani trzyma w jakimś bezpiecznym miejscu.

Do pokoju wchodzi Radża Gulati i pośpiesznie odkłada album na górną półkę.

– Dziękujemy, Priya-ji, jest pani wspaniała – mówi, krygując się niczym jakiś oślizgły showman. Tym razem Priya się do niego nie uśmiecha. Niemalże nas nie dostrzegając, wsiada do swojej limuzyny. Z uprzejmym, ale lekceważącym pożegnalnym gestem dłoni podciąga przyciemnioną szybę i wóz odjeżdża.

– Myślałam, że przyciemniane szyby są w Delhi zakazane – zwracam się do Radży Gulatiego.

– Dla ciebie i dla mnie – odpowiada, wciąż wpatrując się w róg ulicy, za którym zniknął samochód. – Ale nie dla takich gwiazd jak ta, którą przed chwilą widzieliśmy.

Wracam do sklepu, gdzie natychmiast opadają mnie, niczym gwiazdę rocka, pozostałe sprzedawczynie.

– Powiedz, o czym rozmawiałaś z Priyą? – pyta bez tchu Prachi.

– Dzwonił do niej Rocky M? – Neelam szarpie mnie za ramię.

– Dała ci jakieś rady co do makijażu? – chce wiedzieć Jyoti.

Cały sklep pławi się w odbitym świetle wizyty celebrytki, ale euforia trwa tylko godzinę – gdyż o trzeciej aktorka znowu pojawia się w Gulati & Sons, zmartwiona i zła.

Okazuje się, że nie może znaleźć swojego pięciokaratowego pierścionka zaręczynowego. Zsunął się jej z palca i jest przekonana, że musiał upaść gdzieś w sklepie. Każe nam wyprosić wszystkich klientów i opuścić żaluzje, po czym przez godzinę przetrząsamy każdy centymetr kwadratowy sklepowej powierzchni. Sprawdzamy szpary podłogi i listwy przyścienne, zaglądamy pod biurka i krzesła, za telewizory i pralki, do misek klozetowych i koszy na śmieci. Pierścionka nigdzie nie ma.

Przyjeżdża wezwana policja pod wodzą tego samego inspektora Goswamiego, który interweniował w sprawie poprzedniego kasjera Choubeya.

– Dla mnie to oczywiste, że ktoś z was ma ten pierścionek – mówi złowieszczo, przechadzając się po sklepie i przyglądając się nam badawczo, jakbyśmy byli na identyfikacyjnej paradzie na posterunku. – Jeszcze nie jest za późno, żeby się przyznać – ciągnie, przybierając cierpliwy ton ojca, który upomina dzieci. – Pani Capoorr powstrzyma się od wnoszenia sprawy, jeśli pierścionek zostanie zwrócony.

Odpowiada mu ściana milczenia. Wówczas zwraca się do aktorki:

– Priya-ji, czy podejrzewa pani kogoś w szczególności?

Teraz Priya lustruje kolejno twarze pracowników zimnym, twardym wzrokiem. Wreszcie zatrzymuje go na mnie. Serce tak mi wali, że z pewnością słyszą je wszyscy wokół. Priya przygląda mi się i wymierza we mnie wymanikiurowany palec.

– Ta dziewczyna spędziła ze mną najwięcej czasu. Jestem pewna, że wie, gdzie jest mój pierśconek. Proszę sprawdzić jej torebkę!

Gapię się na nią w szoku. To nie może być naprawdę... Jeden z policjantów podchodzi i wyjmuje mi z rąk moją torbę od Niny West. Zanadto jestem zdumiona, by protestować. Poza tym protest oznaczałby milczące przyznanie się do winy. Pozwalam więc, by policjant otworzył torbę i wysypał zawartość na stół. Patrzę w bolesnym napięciu, jak przegarnia mój dobytek niczym celnik sprawdzający bagaż przemytnika. Nie ma potrzeby mówić, że pośród kluczy, kart, klipsów, chusteczek do nosa, zużytych biletów, recept, ochronnej pomadki do ust, pieprzowego sprayu i telefonu nie ma pierścionka.

Priya jeszcze ze mną nie skończyła.

– Proszę ją przeszukać – poleca, tak jakby to ona była inspektorem. Korzysta z najbardziej oczywistej prerogatywy celebrytki: władzy. Zanim mam czas choćby pisnąć, policjantka o wytatuowanych ramionach prowadzi mnie do damskiej toalety i każe się rozebrać.

– Co takiego?

– Nie słyszałaś? Zdejmuj ciuchy – mówi i popycha mnie na ścianę. Czuję na twarzy jej gorący oddech. Egzekwuje najbardziej oczywistą prerogatywę władzy: licencję na jej nadużycie.

– Proszę zabrać ręce! Nie ma mowy, żebym się rozebrała. Nie może mnie pani zmusić.

– Mogę cię zmusić, nawet żebyś zjadła gówno, zrozumiano? – Chwyta mnie za włosy i wpycha głową do miski klozetowej, o centymetry od lustra wody. Przerażona, poddaję się.

To, co teraz następuje, to najbardziej upokarzające chwile w moim życiu. Policjantka zdziera ze mnie bluzkę i spódnicę i maca mi w staniku, w majtkach. Zamykam oczy, marząc, żeby rozstąpiła się ziemia i mnie pochłonęła.

Kiedy dwie minuty później wychodzę z toalety, moja duma leży w gruzach, ale moja uczciwość wciąż pozostaje nienaruszona.

– Nie ma – mówi z westchnieniem policjantka.

Aktorka jest niepocieszona.

– Ten pierścionek wart jest dwa *krory*! Dwadzieścia milionów rupii! Jeśli się nie znajdzie, mój narzeczony mnie zabije... Szukajcie dalej, aż znajdziecie!

– Oczywiście, proszę pani, będziemy szukać – zapewnia skwapliwie, acz fałszywie Radża Gulati.

Gdy Priya Capoorr wychodzi, żaluzje zostają podniesione i powraca normalny tryb, ale dla mnie wszystko się zmieniło. Spojrzenia, jakie rzucają mi inni pracownicy, od współczujących do triumfalnych, są nie do zniesienia. W ciągu paru godzin z gwiazdy rocka zmieniłam się w podejrzaną o rabunek.

Tuż przed zamknięciem podchodzą do mnie Prachi i Neelam i starają się ukoić moje zranione uczucia.

– To było okropne, co z tobą zrobili, stara – mówi współczująco Prachi. – Tym rozpuszczonym gwiazdom się wydaje, że mogą oskarżać, kogo chcą!

– Nigdy nie pójdę na żaden jej film – oświadcza Neelam. – A jak się trafi okazja, wydrapię tej suce oczy.

– Nie bądźmy hipokrytkami, Neelam – mityguje Prachi. – Mówisz tak dziś, ale założę się, że jakbyś się jutro znalazła w jednym pokoju z Priyą, wcale byś jej nie wydrapała oczu, tylko poprosiła ją o autograf.

I wtedy przypominam sobie o autografie, który dała mi Priya. W całym tym rozgardiaszu kompletnie o nim zapomniałam.

Kiedy nikt nie widzi, wślizguję się na zaplecze i zdejmuję album z górnej półki. „Sapnie – z serdecznymi pozdrowieniami, Priya Capoorr". Ten wpis pali mnie teraz niczym

134

rozżarzone żelazo, jakim wypalano piętno bydłu i niewolnikom. To znak mojego upokorzenia... Z goryczą w ustach wydzieram stronę, rwę ją na kawałeczki i wyrzucam do najbliższego kosza na śmieci.

Już mam zamknąć album, gdy słyszę coś jakby metaliczne podzwanianie. Zaintrygowana, przeglądam tomik jeszcze raz... i kurczę się z przerażenia. W skąpej przestrzeni pomiędzy pierścieniami metalowej sprężynki tkwi pięciokaratowy diamentowy pierścionek Priyi... Jak to możliwe, że ześliznął się jej z palca i utkwił w grzbiecie albumu? Nie mam pojęcia. Pewnie była jedna szansa na miliard, że tak się stanie – ale się stało.

Usiłuję ogarnąć tę nową sytuację. Głowa błyskawicznie analizuje dostępne możliwości. Pierwsza: mogę zostawić pierścionek w albumie i udawać, że go nie znalazłam. Druga: zanoszę pierścionek do Radży Gulatiego, opowiadam mu, jak go znalazłam, i proszę, żeby oddał go aktorce. Kłopot w obu przypadkach jest taki, że w oczach ludzi nie rozgrzeszy mnie to do końca z domniemanej winy. Zawsze będą wątpliwości i domysły, że kto wie, pewnie sama schowałam pierścionek w albumie, a w ostatniej chwili stchórzyłam.

Jest jeszcze trzecia możliwość. Sama mogę oddać pierścionek Priyi, powiedzieć, gdzie był, i zamknąć ten żałosny rozdział.

Zanim mam czas to przemyśleć, słyszę zbliżające się kroki. Niemal instynktownie chowam pierścionek do kieszeni i w tej chwili do pokoju wkracza Madan.

– Co ty tu robisz?

– Nic. Przyszłam sprawdzić, czy nie zostawiłam tu długopisu.

– Nie widzę, żeby leżał tu jakiś długopis.

– W takim razie musiałam go zostawić gdzieś indziej – mówię i z bijącym sercem wychodzę.

Kiedy jadę metrem do domu, wciąż jeszcze płoną mi ze wstydu policzki. Nieustannie powraca mi w wyobraźni scena w toalecie, i jeszcze raz, i jeszcze... Wreszcie, żeby odwrócić myśli, wyjmuję pierścionek i przyglądam mu się. Jak świecą, jak iskrzą się te płaszczyzny... To okrągły soliter, który zdaje się pulsować ukrytą energią, opalizującym ogniem. Priya oceniła go na dwadzieścia milionów... Na myśl o tym zasycha mi w ustach. Żeby zarobić taką sumę przy mojej pensji, musiałabym pracować sto lat! Nieśmiało rzucam okiem w prawo i w lewo. Przedział jest niemal pusty, noworoczny tłum zaroi metro później. Drżącą ręką wsuwam pierścionek na środkowy palec. Pasuje idealnie. Podziwiam go przez chwilę, po czym, czując się jak złodziejka, pośpiesznie zdejmuję i wkładam z powrotem do torby.

W domu jestem niespokojna, nosi mnie. Neha już wyszła, żeby świętować wieczór z przyjaciółmi z college'u, a Ma leży w łóżku i wpatruje się obojętnie w sufit. Zapadła tak głęboko w trzęsawisko swojego smutku, że nawet nie dostrzega, iż to ostatni dzień roku. Mam poczucie winy, że zostawiam ją samą, gdy o dziesiątej przebieram się i pośpiesznie wychodzę z domu.

Jadę metrem do Dhaula Kuan. To skomplikowana trasa, muszę się dwa razy przesiadać. Z Dhaula Kuan biorę autorikszę do Bhikaji Cama Place, gdzie mieści się hotel Grand Regency.

Gdy wchodzę, portier obrzuca nieufnym spojrzeniem moje dżinsy i wyzywająco niemodny szary sweter. Przez chwilę podziwiam lśniący splendor lobby, po czym podchodzę do recepcji. Recepcjonistka jest dla mnie w sposób wyczuwalny chłodna. Widzę w jej w oczach to samo protekcjonalne spojrzenie, które moje koleżanki ze sklepu mają zarezerwowane dla tych, co wystają przed witryną, ale nic nie kupują. Zapewne wnioskuje z mojego ubrania i nieotrza-skania w sposobie bycia, że nie należę do tych, którzy co tydzień przychodzą na lunch do hotelowego Polo Lounge.

– Przyszłam się zobaczyć z panią Priyą Capoorr – mó-wię, w nadziei że zrobi to na niej wrażenie.

– Przykro mi, proszę pani – odpowiada natychmiast. – Nie mamy w hotelu gościa o tym nazwisku.

– Mam na myśli aktorkę filmową.

– Odpowiedź jest ta sama.

– Być może pani nie rozumie. Pani Capoorr osobiście zaprosiła mnie na przyjęcie, które wydaje tu dziś jej part-ner.

– Powiedziałam pani, że tu nie mieszka. Ale jeśli pani chce, może pani spróbować jej poszukać w sali balowej, piętro niżej.

W foyer sali balowej zatrzymuje mnie jeszcze bardziej służbista pracownica. Wodzi palcem po wydruku listy gości na biurku, po czym kręci głową.

– Przykro mi. Nie liście nie ma pani nazwiska.

– Proszę posłuchać... Może pani spytać Rosie Mascaren-has. Priya osobiście mnie zaprosiła. Jeśli pozwoli mi pani wejść dosłownie na sekundę, wszystko wyjaśnię.

Przygląda mi się z brodą wspartą na pięści, tak jakby mogła prześwietlić mnie wzrokiem.

– Przykro mi. To impreza prywatna, wyłącznie za za-proszeniami. Bez zaproszenia nie mogę pani wpuścić.

– No dobrze, a czy może pani przynajmniej przesłać jej wiadomość, że Sapna Sinha czeka na zewnątrz?

– Nie mogę tego zrobić, i nie mogę pozwolić, żeby pani tu czekała. Proponuję, żeby pani natychmiast wyszła, inaczej będę musiała wezwać ochronę.

Nie na sposobu, żeby się z nią dogadać. I nie udaje mi się zobaczyć z Priyą. Mur niedostępności, wzniesiony wokół

gwiazdy, okazuje się nie do naruszenia. Po kwadransie bez-
owocnych prób wypadam z hotelu, zła i zmartwiona. Łapię
pierwszą dostępną autorikszę i każę się zawieźć do domu
Lauren w Mehrauli. Powinnam była wrócić na Dhaula
Kuan i wsiąść do metra, ale wciąż pali mnie lekceważenie
ze strony hotelowej urzędniczki. No i jak się ma w kieszeni
klejnot za dwadzieścia baniek, człowiek nie zastanawia się
zbyt długo, czy może sobie pozwolić na autorikszę za stówę.

Potrzebny mi jest w tej chwili leczniczy plasterek przyjaźni, a nikt nie przylepi go skuteczniej niż Lauren. Znamy
się zaledwie półtora roku, a zdążyła się stać w tym czasie
niezwykle cenną cząstką mego życia. Nasza więź zrodziła się
z tragedii. To ona była świadkiem wypadku taty i zawiozła
go do szpitala.

Kiedy w marcu 2009 roku przyjechaliśmy do Delhi, tato wynajął niewielkie mieszkanie na osiedlu Rama Kriszna Puram i wokół tego jądra Południowego Delhi staraliśmy się
zbudować nowe życie. Ja zapisałam się na anglistykę na
Uniwersytecie im. Jawaharlala Nehru, Neha zaczęła studia
w college'u im. Kamali Nehru. Przez jakiś czas się wydawało, że udało nam się pozostawić za sobą trudną przeszłość,
ale to było złudzenie. Tato nie był ten sam, co przedtem.
Zniknęła gdzieś jego dawna zarozumiałość i arogancja. Stał
się jednym kłębkiem żalu i wyrzutów sumienia. Po miesiącu
od przeprowadzki w prawej ręce, tej, którą uderzył Alkę,
pojawił się lekki paraliż. Znalazł pracę jako nauczyciel
matematyki w szkole w Vasant Kundż, ale nie potrafił już
uczyć. Poczucie winy wydrążyło go od środka. Szedł przez
życie jak we śnie. I umarł też w jedyny właściwy dla po-
grążonego we śnie sposób: zginął na miejscu, przejechany
przez samochód. Sprawca zbiegł.

Delhi ma więcej samochodów niż Mumbaj, Kalkuta
i Chennai razem wzięte, co oznacza, że łatwiej tu o wypa-

dek samochodowy niż w jakimkolwiek innym mieście Indii. Jeśli nie dopadnie cię autobus Błękitnej Linii, to z pewnością dopadnie bmw. Ojca zabiła jadąca z dużą szybkością ciężarówka, koło Jeleniego Parku w południowej części Delhi, prawie o północy ósmego czerwca 2009 roku. Próbował przejść przez jezdnię, ciężarówka potrąciła go, a potem przejechała. Co robił o tej porze koło Jeleniego Parku, tak daleko od domu, do dziś nie mamy pojęcia. Kierowcy ciężarówki również nie ujęto.

Zbiegiem okoliczności Lauren wracała wtedy z pobliskiego Hinduskiego Instytutu Technologicznego, jako że jej ówczesny chłopak był tam profesorem na Wydziale Inżynierii Chemicznej. Zobaczyła tatę, leżącego w kałuży krwi na skraju drogi. Wcześniej minęło to ruchliwe przejście parę samochodów, ale żaden się nie zatrzymał, żeby mu pomóc. Dopiero Lauren zabrała mocno krwawiącego ojca do swojego maruti 800 i zawiozła na ostry dyżur do szpitala Moolchand. Podobno przez jakiś czas był przytomny, ale jedyne, co wyłapała z jego mamrotania Lauren, to „hiran" – po hindusku „jeleń". Może próbował wytłumaczyć, co robił o tej porze w Jelenim Parku? Nie mieliśmy szansy go wypytać, bo krótko po przewiezieniu do szpitala stracił przytomność. Trzy dni leżał na intensywnej terapii, ale świadomości nie odzyskał. Dwunastego lipca umarł.

Śmierć Alki wykończyła nas psychicznie; śmierć ojca – również finansowo. Był jedynym żywicielem rodziny. Z jego śmiercią ten ciężar spadł na mnie, najstarszą córkę. Bieg mojego życia uległ całkowitej zmianie. Musiałam rzucić studia i rozejrzeć się za pracą.

Choć tato chciał, żebym została urzędniczką administracji państwowej, ja zawsze marzyłam o tym, aby być pisarką. Zgłosiłam się więc na stanowisko asystentki redaktora w wiodącym wydawnictwie. Ku memu zaskoczeniu dostałam tę pracę. Większe wrażenie zrobiły na nich moje amatorskie wiersze niż to, że z wyróżnieniem zaliczyłam pierwszy rok literatury angielskiej. Ale płaca, jaką mi zaoferowano, wynosiła tylko dziewięć tysięcy rupii, mniej nawet, niż dostaje dziś goniec w urzędzie. Choć niechętnie, musiałam przełożyć kopertę z wypłatą nad pasję.

Zaliczyłam parę zajęć tymczasowych, aż w końcu znalazłam stałą pracę w firmie Gulati & Sons. Z pisarki *in spe* zmieniłam się w sprzedawczynię. Bolesne to było – przestawić się z Tennysona na telewizory, z Milne'a na mikrofalówki, z Pratchetta na pralki... Plan był jednak taki, że to zajęcie przejściowe, dopóki nie znajdę czegoś lepszego. Minął już ponad rok i znalezienie „czegoś lepszego" wciąż jeszcze jest przede mną.

Lauren to jedyna osoba, z którą mogę rozmawiać o literaturze i poezji. Skończyła studia podyplomowe w Vassar College, jest bystra, dowcipna i ma pasję do sztuki. Ilekroć się spotykamy przy kawie, żeby wymienić myśli i polecić sobie nawzajem nowe książki, czternaście lat różnicy wieku między nami po prostu przestaje istnieć. Mówi, że tak jak w przypadku Kolumba i Ameryki, trafiła do Indii przez pomyłkę.

– Dostałam grant na badania terenowe w związku z doktoratem – powiedziała mi. – Jako miejsce badań wybrałam Nepal, ale lot miałam z przesiadką w Indiach. Zamierzałam się zatrzymać tylko na dwa dni, a siedzę tu od piętnastu lat i nie sądzę, żebym kiedykolwiek wyjechała. Jestem absolutnie oczarowana tym fantastycznym krajem i ten czar rośnie, nie maleje.

Dom, w którym mieszka Lauren, jest równie ciekawy jak ona. Jest to położona niedaleko od wieży Qutub Minar stara, na wpół zrujnowana *haveli*, która stanowiła niegdyś rezydencję władcy jakiegoś księstewka. Choć tynk się kruszy, antyczne meble są porysowane, z poplamioną tapicerką, a dywany tak wytarte, że widać przez nie deski podłogi, to miejsce ma klimat. Wspaniałe kryształowe kandelabry i wysokie stropy zaświadczają o dawnym splendorze. Lauren uporządkowała też ogród przed wejściem, a brukowane patio zastawiła donicami z kwitnącą bugenwillą i jaśminem, tworząc ciepły i przyjazny klimat. Jest to bezpieczna przystań dla wszystkich, którzy przekraczają bramę wejściową, a zwłaszcza dla bezdomnych i skrzywdzonych dzieci, które są głównym przedmiotem zainteresowania prowadzonej przez Lauren fundacji RMT *Asha*. Założyła ją osiem lat temu, a funduszy dostarczył przemysłowiec-miliarder Ram Mohammad Thomas, który sam był kiedyś dzieckiem ulicy. Dziś fundacja opiekuje się ponad tysiącem dzieci, dając im dach nad głową, naukę i przyjazne, pełne miłości otoczenie, gdzie szanuje się ich dumę i poczucie godności. A co najważniejsze – dostają tam nadzieję: *asha*.

Choć gospodyni noworocznego przyjęcia, Lauren jest ubrana w swoim zwykłym praktycznym stylu. Ciemnoblond włosy sczesała gładko do tyłu i zwinęła w surowy koczek. Na białą *kurti* zarzuciła ręcznie haftowany pendżabski szal *phulkari*, do tego dżinsy i markowe, ręcznego wyrobu klapki *kolhapuri*. Orzechowe oczy na mój widok rozbłyskują entuzjazmem. Obejmuje mnie ciepło i całuje w oba policzki.

W rozległym salonie trzaska ogień na kominku i serwuje się piwo z beczki. Gości jest chyba ze czterdzieścioro, głównie Hindusów plus paru obcokrajowców na okrasę. Kobiety mają na czołach czerwone kropki, mężczyźni noszą bujne brody. Wszyscy ubrani są w bawełniane *kurta* marki Fabindia i wytarte dżinsy, a towarzyszy temu plecaczek z materiału. To ludzie ze środowiska, które określa się jako *jholawala**albo NGO-sowcy. To oni namiętnie bronią środowiska, ubarwiają swoją obecnością fora rozwoju społecznego, zadają

---

* Hipisi-lewacy.

śmiałe, prowokacyjne pytania na konferencjach prasowych i dzierżą transparenty z krytycznymi hasłami na globalnych szczytach.

– Sapna, to James Atlee, poznajcie się. – Lauren przedstawia mi wysokiego Brytyjczyka o kudłatej jasnej czuprynie i intensywnie niebieskich oczach. Z władczego gestu, jakim obejmuje talię Lauren, wnioskuję, że to jej najnowszy chłopak. Zazdroszczę kobietom Zachodu, że tak łatwo im znaleźć miłość... James to trzeci partner Lauren w ciągu półtora roku, co stanowi dowód, że równie łatwo się odkochują.

– Czyli że pan też usiłuje zbawić świat? – pytam go.

– To działka Lauren – uśmiecha się. – Ja usiłuję tylko zbawić parę spółek.

– To znaczy?

– To znaczy, że jestem konsultantem marki.

– Nigdy dotąd nie miałam do czynienia z konsultantem marki.

– Jesteśmy tymi facetami, którzy pomagają firmom stworzyć wizerunek marki, zarządzać nim, zmieniać go albo odnawiać. Mówiąc po prostu, pomagamy stworzyć niepowtarzalną tożsamość firmy, czasem nawet nazwę i logo.

Kiwam głową. Jestem pod wrażeniem.

– To gdzie pan pracuje? W Londynie?

– Kiedyś tak, ale teraz mieszkam w Delhi. Mam roczny kontrakt z Indus Mobile, pomagam stworzyć na nowo wizerunek tej korporacji. Mają mnóstwo kasy i planują wielką ekspansję.

– O, a ja mam znajomego, który pracuje w Indusie! Karan Kant... Zna go pan?

– A co robi?

– Pracuje w dziale obsługi klientów.

– W takim razie nie mogę go znać. Mam do czynienia tylko z kierownictwem najwyższego szczebla, przede wszystkim z panem Swapanem Karakiem, właścicielem firmy.

Gadam jeszcze chwilę z Jamesem i ruszam w stronę innych gości. Brodaty mężczyzna w okularach pierwszy mnie zaczepia, machając mi przed nosem broszurką Fundacji *Asha*.

– Czy pani też pracuje dla Lauren?

– Nie. To moja przyjaciółka.

– W takim razie proszę mi powiedzieć, jak ona może sobie pozwolić na takie wspaniałe lokum?

– Słucham?

– Zgodnie z tym, co tu napisano, jest członkinią zarządu fundacji. A pierwszą zasadą w przypadku członkostwa w zarządzie jest to, że nie można czerpać z tej funkcji żadnych korzyści. Coś mi śmierdzi korupcją w tej fundacji...

Jego własny oddech śmierdzi nadmiarem whisky. Grzecznie wymawiam się i odchodzę. Pijanego mogę znieść, ale nie niewdzięcznika, który nadużywa gościnności tego domu.

Pogaduję od niechcenia z paroma innymi gośćmi, ale to tylko pozory. Nie mam z tymi ludźmi nic wspólnego, a zdawkowe rozmówki mnie nudzą. Poza tym czuję się jakoś niezręcznie. Wiem, że to z powodu ukrytego w torbie pierścionka.

– Trochę mnie boli głowa – tłumaczę się przed Lauren. – Chyba powinnam pójść do domu. Możesz mi wezwać autorikszę?

Jest jak zwykle wyrozumiała.

– Nie radziłabym ci taksówki o tej porze. Poproszę Shantanu, żeby cię odwiózł.

Shantanu to kierowca Lauren, chudy, tyczkowaty czterdziestoparolatek, pracujący u niej od ośmiu lat i bardzo jej oddany. Odwozi mnie jej zdezelowanym maruti 800 z roku 1999. Kiedy suniemy Hauz Khas, niebo rozbłyska fajerwerkami, sygnalizując północ.

– Szczęśliwego Nowego Roku! – mówi Shantanu, zerkając na mnie we wstecznym lusterku.

– Wzajemnie. Niech się spełnią w tym roku pańskie marzenia!

– Proszę dać sobie spokój z życzeniami... Ja już o niczym nie marzę.

– Dlaczego?

– Marzenie rdzewieje, jeśli nosi się je w sobie za długo. A zardzewiałe marzenie jest bardzo niebezpieczne. Zatruwa serce.

– A jakie pan miał marzenie?

– Własny warsztat samochodowy. Ale to się nigdy nie spełni. Nigdy nie zarobię dość pieniędzy, żeby sobie na niego pozwolić. Ten warsztat już zardzewiał... Tak jak mój mózg. – Głos więźnie mu w gardle, zdławiony goryczą rozczarowania i porażki.

Przez chwilę mam ochotę wyjąć pierścionek i dać go Shantanu. Kupiłby sobie za niego dziesięć warsztatów... Ale maleńki dzwoneczek w mojej głowie rozdzwania się: „Nie! Nie! Nie!" Ten pierścionek nie należy do mnie. I nigdy nie stosowałam się do zasady „znalezione nie kradzione". Po prostu sprawuję zarząd nad pierścionkiem. A pierwsza zasada członka zarządu to nieczerpanie korzyści ze swojej funkcji.

W pierwszym złotym blasku noworocznego dnia przyglądam się pierścionkowi jeszcze raz. Całkiem jakby magiczne zaklęcie straciło swą moc... Pierścionek nic już dla mnie nie znaczy. To tylko błyszczący kawałek kamienia. Kusi mnie, żeby pokazać go siostrze, śpiącej spokojnie w swoim łóżku, ale po chwili porzucam tę myśl. To tajemnica, której nie ośmielę się zdradzić nikomu, nawet Karanowi.

Błyskają mi w głowie rozmaite pomysły. Mogę wrzucić pierścionek do Jamuny, à la *Titanic*. Mogę sprzedać go jakiemuś podejrzanemu jubilerowi i przekazać zysk na fundację Lauren. Mogę przemycić go do kieszeni Madana i oskarżyć go o kradzież. Jedyne, co wiem na pewno, to że nie chcę zwracać go Priyi Capoorr. Straciła do niego prawo po tym, jak mnie potraktowała.

Rosie Mascarenhas dzwoni do sklepu cztery razy na dzień, pytając, czy nie udało nam się znaleźć pierścionka. Madan nie może już dłużej podtrzymywać pozorów.

– Nie, proszę pani – mówi – nie znaleźliśmy i nie sądzę, żebyśmy kiedykolwiek znaleźli.

W poniedziałek trzeciego stycznia zdobywam się na zuchwalstwo. Kiedy jadę metrem do pracy, mam pierścionek na palcu. To przemyślane wyzwanie. Poruszam dłonią, ogryzam paznokcie, unoszę rękę i poprawiam włosy – wszystko po to, żeby ten tłum ludzi zdał sobie sprawę, że mam na palcu klejnot za dwadzieścia milionów rupii. Chcę, żeby zauważyli wielkość i błysk kamienia, chcę usłyszeć ich ochy i achy... ale ludzie nie reagują. Nikt nie zwraca na mój diament najmniejszej uwagi. Myślą, że to tani pierścionek z cyrkonią, taki, jaki można kupić na Janpath za parę setek rupii. Wiedzą, że ktoś, kto nosi prawdziwe diamenty, nie podróżowałby metrem... Uśmiecham się gorzko na myśl o ironii tego wszystkiego. Nawet jeśli noszę prawdziwy diament, ludzie myślą, że jest fałszywy. A gdyby Priya Capoorr miała na palcu fałszywy diament, myślano by, że jest prawdziwy... Nigdy nie widzimy rzeczy takimi, jakie są naprawdę. Podobnie jak piękno jest w oczach patrzącego, tak wartość – w jego umyśle.

Rosie Mascarenhas dzwoni tego dnia znowu, ale raczej bez przekonania. W środku tygodnia przestaje dzwonić w ogóle. Wygląda na to, że Priya pogodziła się z utratą pierścionka; mogę go zachować na zawsze. Ale im dłużej go mam, tym bardziej mnie przytłacza. Stał się dla mnie kryptonitem, wysysa ze mnie siłę, wpędza w depresję. Czuję, że pora się z nim rozstać.

Udaje mi się wykraść numer Rosie Mascarenhas z książki telefonicznej Madana i dzwonię do niej do Mumbaju.

– Chyba znalazłam ten pierścionek.

– Nie wierzę! – wyrzuca z siebie. – Już lecę do Delhi go odebrać!

– Nie. Przekażę go wyłącznie do rąk własnych pani szefowej.

– Ale to przecież...

– Proszę posłuchać – przerywam jej. – Albo Priya przyjdzie do mnie jutro o siódmej rano, albo wrzucam pierścionek do Jamuny. Wybór należy do pani.

Nazajutrz, siódmego stycznia o szóstej czterdzieści pięć pod bramę osiedla LIG podjeżdża czarne bmw. Priya Capoorr przyjechała z piętnastominutowym wyprzedzeniem. Większość mieszkańców jeszcze śpi, Neha też. Aktorka, która wchodzi do mojego salonu, jest zupełnie inną osobą niż ta, która odwiedzała sklep. Zamiast wymuskanej diwy mam przed sobą przygnębioną, zdruzgotaną przez tę stratę narzeczoną. Przybyła sama, bez makijażysty i menedżera od PR-u. Jest zdenerwowana, ogryza w napięciu paznokcie, przekłada z ręki do ręki telefon... Wygląda, jakby płakała: twarz ma w plamach, ze śladami łez, włosy w nieładzie. Ewidentnie piła... Nic dziwnego, że ochroniarz przy bramie nawet jej nie rozpoznał.

– Naprawdę ma pani mój pierścionek? – pyta drżącym głosem.

– Tak. Znalazłam go tego dnia, kiedy odwiedzała pani nasz sklep, w albumie, do którego się pani wpisywała.

– Czy... czy mogę go zobaczyć?

Wyjmuję pierścionek i jej podaję. Przygląda mu się, wkłada na próbę na palec i z satysfakcją kiwa głową.

– Tak, to mój. – Szybko chowa go do kieszeni i wstaje.

– Może posiedzi pani chwilkę?

– Nie – mówi i po raz pierwszy rozgląda się po pokoju. Spostrzega obłażącą farbę, zblakłą, wytartą tapicerkę i jej twarz zmienia się w taką samą maskę niechęci i odrazy, jaką widziałam kiedyś w metrze u pewnego biznesmena, gdy jakiemuś dziecku ulało się na jego garnitur.

– Proszę się przynajmniej napić herbaty.

– Nie mam czasu. Pierwszym możliwym samolotem wracam do Mumbaju – mówi, idąc do drzwi. Po czym zatrzymuje się i odwraca. – Zanim pójdę, mogę panią o coś spytać?

– Jasne.

– Dlaczego pani mi go zwróciła? To bardzo kosztowny pierścionek. Gdyby pani chciała, mogła go zatrzymać dla siebie.

– Nie mogłabym. Niespecjalnie lubię diamenty.

– W takim razie czemu tak długo pani zwlekała? Zdaje pani sobie sprawę, jak przez panią cierpiałam? – W jej głosie nie ma już wdzięczności. Wróciła do swojego odpychającego, wyniosłego sposobu bycia.

– Co ja poradzę? – wzdycham. – Widzi pani, tacy ludzie jak my potrzebują tygodnia, żeby zadziałały nam światłowody w mózgu.

W tydzień później znowu wzywa mnie do swojego biura Acharya. Tym razem dla odmiany bardziej liczy się z moim czasem, bo wyznacza spotkanie na pierwszą trzydzieści, tak że mogę go odwiedzić podczas przerwy na lunch.

– Dobra robota! – mówi, gdy wchodzę. – Cieszę się, Sapno, że przeszła pani pomyślnie drugi sprawdzian. Sprawdzian etyczności.

– Etyczności? Jak to?

– Zwróciła pani Pryi Capoorr jej pierścionek z diamentem.

Kręci mi się w głowie. Skąd on o tym wie? Przecież to się odbyło bez świadków, w czterech ścianach naszego salonu!

– Jak się pan o tym dowiedział?

– Mam swoje sposoby.

– Inwigiluje mnie pan czy co?

– Oczywiście że nie. To bardzo proste. Wie pani, że korporacja ABC produkuje też filmy. Priya Capoorr gra główną bohaterkę w naszej najnowszej produkcji. Wspomniała o historii z pierścionkiem swojemu makijażyście, który z kolei powiedział reżyserowi, reżyser producentowi, a producent mnie.

Nie mam pojęcia, czy mówi prawdę, czy może sprawdza, jak dalece jestem naiwna. Tak czy owak, postanawiam trzymać się faktów.

– Powinnam go była zwrócić zaraz pierwszego dnia. Nie miałam żadnej przyjemności z tego, że trzymałam go przez tydzień.

– Etyczność, Sapno, to znacznie więcej niż zwykła uczciwość. Etyczność oznacza bycie uczciwym nawet wtedy, kiedy nikt nie patrzy. Pani dowiodła, że ma solidne rozeznanie pomiędzy dobrem a złem. Proszę pamiętać, dobry przywódca czy przywódczyni musi mieć wzorcowy charakter. Tylko wtedy będzie budzić zaufanie. Nic nie szkodzi organizacji bardziej niż nieuczciwość pracowników... A jeśli i sam naczelny dyrektor jest na bakier z uczciwością, to niech niebo ma taką firmę w opiece.

Przywołuje mnie gestem na swoją stronę.

– Proszę tu podejść i popatrzeć na ulicę. Co pani widzi?

Spoglądam przez wykuszowe okno w dół, na zatłoczone jezdnie i chodniki Barakhama Road.

– Widzę setki aut i ludzi.

– Tak. Stąd, z góry, widzi pani ich głowy, ale nie może pani zobaczyć, co się w tych głowach dzieje. – Wzdycha, tak jakby to było dla niego ciężkie doświadczenie. – Ludzie znakomicie się nauczyli maskować swoją prawdziwą naturę. Doświadczony oszust z łatwością może przejść z pozytyw-

148

nym skutkiem test na etyczność, jaki przeprowadzamy jako pierwszy etap selekcji kandydatów na pracowników. Może nawet oszukać wykrywacz kłamstw.

– To skąd pan może wiedzieć, czy zatrudnia pan w firmie ludzi uczciwych?

– To największe wyzwanie, jakie stoi przed dyrekcją. Nie istnieje żadne oprogramowanie, żadne urządzenie, które mogłoby ze stuprocentową trafnością ujawnić prawdziwe uczucia danej osoby. Co do mnie, to zawsze kieruję się instynktem i otaczam ludźmi, których uważam za lojalnych i godnych zaufania. Ale od czasu do czasu i mnie zdarza się pomylić.

– Co pan ma na myśli?

– Mamy w firmie wtyczkę. Człowieka, który przekazuje tajne informacje naszym rywalom.

– To straszne!

– Proszę się nie martwić, w końcu znajdziemy zdrajcę. Nie chcę, żeby nie spała pani z tego powodu. Musi się pani przygotować do trzeciej próby.

– A czego będzie tym razem dotyczyła?

– Żebym to ja wiedział. To życie rozdaje karty, a pani nimi gra. Ja jestem tylko krupierem, który ogłasza wynik. To tyle na razie... Do zobaczenia.

Wieczorem łapię Karana za ramię i nachylając się do jego ucha, mówię przesadnie konspiracyjnym tonem, jak ktoś, kto dzieli się sekretem o wielkiej wadze:

– W ABC jest zdrajca. Przekazuje poufne informacje rywalom Acharyi.

– Aha! – wykrzykuje. – A więc intryga się zagęszcza!

Siedzimy w ogrodzie, otoczeni chłodem nocy. Nie widzieliśmy się cały tydzień.

– Zastanawiam się, dlaczego powiedział mi o czymś tak drażliwym.

– Powiem ci dlaczego. Bo to wszystko intryga. Chodzi mu o to, żeby cię wciągnąć, sprawić, że będziesz mu ufała. On z tobą gra w jakąś dziwną grę. To jest chore!

– Tyle to i ja wiem... Ale to, co mówił, brzmiało tak szczerze, że niemal mu wierzę.

– No to musisz być superostrożna. Obudź się, Sapna, zanim wciągnie cię otchłań.

– Jestem czujna i zwarta. To ty spałeś, kiedy odwiedziła mnie Priya Capoorr.

– Co? Priya Capoorr była na osiedlu LIG?

– Tak, proszę pana. Choć raz udało mi się pokazać gwieździe, gdzie jest jej miejsce. – Opowiadam Karanowi całe zdarzenie.

– Nie do wiary... Naprawdę zwróciłaś jej diament za dwadzieścia baniek? No coś ty.

– Tak. Z diamentami się nie przyjaźnię. Przyjaźnię się z tobą.

PRÓBA TRZECIA
Marzenia pod kluczem

A **teraz powtarzajcie za mną:** c-o-l-d, cold, znaczy thanda;
t-a-l-l, tall, znaczy lamba.

– C-o-l-d, cold, *yani thanda*; t-a-l-l, tall, *yani lamba* –
powtarzają chórem uczniowie, po czym tu i ówdzie rozlegają się chichoty.

To niedzielna szkółka angielskiego, którą prowadzę
u nas w mieszkaniu. Siedzi przede mną czwórka uczniów:
Chunnu, Radżu, Aarti i Suresh. Wszyscy mają od dziesięciu do dwunastu lat i mieszkają na komunalnym osiedlu
MCD. Chunnu jest synem Sohana Lala, zatrudnionego jako
ogrodnik w Parku Japońskim. Ojciec Radżu, Tilak Radż, jest
salowym w państwowym szpitalu w sektorze 17. Zaś Aarti
i Suresh są dziećmi Kalawati, samotnej matki, która pracuje
jako sprzątaczka na godziny w paru domach na osiedlu LIG,
aczkolwiek nie w naszym. Przy mojej pensji nie mogę sobie
pozwolić na sprzątaczkę.

To Kalawati zachęciła mnie pół roku temu, żebym zajęła
się ich nauką.

– Aarti i Suresh chodzą do państwowej szkoły, ale tam
wszystkiego uczą w hindi. Jak nie lizną choć trochę angielskiego, to jak znajdą porządną pracę? – zamartwiała się, po
czym chwytała mnie za ręce. – Ich przyszłość leży w twoich
rękach, *didi*... Pomóż im, proszę.

Nie potrafiłam się oprzeć jej ciągłym prośbom i wreszcie zgodziłam się raz na tydzień dawać lekcje jej chłopakom. Wkrótce dołączyli do nich Raju i Chunnu.

W gruncie rzeczy lubię uczyć te dzieciaki. Szanse życiowe mają niewielkie, ale mają ambicję i motywację. Ich marzeń, ich losu nie pętają już przesądy kasty i klasy. W oczach mają błysk, w twarzy nadzieję, która pozwoli im osiągnąć w życiu lepszą pozycję, niż mają ich rodzice.

Już mam kończyć dzisiejszą lekcję, gdy dzwoni mój telefon. To Lauren.

– Sapna, kochana… Dostałam właśnie anonimową wiadomość, że na osiedlu MCD w Rohini funkcjonuje nielegalna fabryczka zamków. Czy to gdzieś blisko ciebie?

– Tak, niemal na moim podwórku.

– Powiedziano mi, że ten zakład zatrudnia w skrajnie niebezpiecznych warunkach ponad dwadzieścioro dzieci…

– To straszne!

– Prawda? Słuchaj, zrób mi przysługę! Spróbuj dyskretnie porozmawiać z ludźmi na osiedlu MCD i wywiedzieć się, czy to prawda. Możesz to dla mnie zrobić? – W jej głosie pobrzmiewa desperacki, błagalny ton.

– Jasne, nie przejmuj się. Oddzwonię do ciebie jeszcze dziś.

Wyłączam telefon i zwracam się do chłopaków:

– Jest tam gdzieś koło was jakaś fabryka zamków?

– Tak, *didi* – kiwa głową Suresh. – Prowadzi ją Anees Mirza.

– A kto to jest Anees Mirza?

– Szef mafii. Wszyscy na osiedlu się go boją.

– Możesz mi pokazać tę fabrykę?

Suresh drapie się w głowę.

– Matka zakazała mi się tam zbliżać. Jak mnie zobaczy…

– Ja ci pokażę, *didi* – przerywa Chunnu. – To koło mojego domu. Nawet proponowali mi pracę, dawali osiemdziesiąt rupii na dzień, ale powiedziałem, że nie. Wolę chodzić do szkoły.

– Bardzo dobrze, Chunnu.

Przekazuję to Lauren. Momentalnie wpada w rozpacz.

– Musimy natychmiast ratować te dzieci! Nie wytrzymam ani chwili dłużej.

– Może powinnyśmy powiadomić kogo trzeba?

– Później, najpierw muszę sprawdzić sama. Zaraz do ciebie przyjeżdżam. Załatwisz jakiegoś miejscowego przewodnika?

– Już go mam. Stoi koło mnie.

W godzinę później, prowadzone przez Chunnu, idziemy z Lauren labiryntem obskurnych uliczek osiedla slumsów. I tak jest trochę lepsze niż inne dzielnice slumsów, które zdarzyło mi się oglądać. Nie ma tu prowizorycznych bud skleconych z blachy falistej, brezentu, tektury i plastikowych toreb; większość domów, nawet jeśli są małe i zatłoczone, zbudowano z cegły i cementu. Zewnętrzne dróżki są względnie czyste, ale kiedy wchodzimy głębiej, każdy zakątek przenika zgniła woń odpadów. Studzienki odpływowe są przepełnione, przy krawężnikach zalegają góry śmieci. W powietrzu wisi chmura dymu z naftowych kuchenek, w którym wszystko wygląda jak okryte brudnym całunem.

Chunnu prowadzi nas koło malutkich jadłodajni, koło sklepików z żywnością, aż wreszcie dochodzimy do rynsztoku, który stanowi północną granicę osiedla slumsów. Budynki po przeciwnej stronie *nala* są wyższe i w lepszym stanie. Chunnu wskazuje pomalowany na jasnożółto dwupiętrowy bliźniak.

– O, to jest ta fabryka. Tylko nikomu nie mówcie, że was tu przyprowadziłem – mówi i zmyka do domu, budy o jednym pomieszczeniu na samym końcu osiedla.

Podchodzę do nijakiego z wyglądu budynku wahają-cym się krokiem sapera. Lauren na odwrót, aż się pali, żeby wejść.

– Dobra, plan jest taki, żeśmy się zgubiły – mówi. – Pytamy, jak stąd dojechać do Instytutu Technologicznego.

Stuka do drzwi wejściowych i czeka. Chwila oczekiwania, czuję się nieswojo... Wreszcie żelazne drzwi się otwierają i ukazuje się chłopiec może dziesięcioletni, ubrany tylko w brudną kamizelkę i szorty. Wpatruje się w Lauren, jakby nigdy dotąd nie widział białej kobiety.

– Cześć, *munna**. Możemy porozmawiać z twoim oj-cem? – pyta w nienagannym hindi Lauren.

Przez chwilę chłopak milczy jak zamurowany. Nie spodziewał się zobaczyć obcokrajowca, a już na pewno nie takiego, który mówi w hindi.

– *Bhai*** Anees wyszedł. Będzie za godzinę – odpowiada w końcu.

– W takim razie zaczekamy – mówi Lauren i nie cze-kając na odpowiedź, wchodzi, a ja za nią.

Widoku, jaki roztacza się przed moimi oczami, nie zapo-mnę nigdy w życiu. W długim, niskim, dusznym pomiesz-czeniu stłoczonych jest około trzydzieściorga dzieciaków. Byle jaka cementowa posadzka, brudne ściany. Światła do-starcza raptem parę jarzeniówek, nie ma wentylacji. Uszy natychmiast atakuje potworny hałas: młotki uderzają o metal, w tle ryczą i wyją narzędzia elektryczne. Oczy zaczynają mnie piec od ciężkich, toksycznych oparów, które snują się w powietrzu niczym latające węże.

Chłopcy, wszyscy w wieku od ośmiu do czternastu lat, wykonują rozmaite czynności, od obsługiwania ręcznej prasy po polerowanie, powlekanie galwaniczne i malowanie spra-

---

* *Munna* (hind.) – chłopiec na posyłki.
** *Bahi* (hind.) – brat. W połączeniu z imieniem stanowi formę zwracania się do osoby starszej od siebie, a także do przywódców mafii.

yem. Żaden nie ma ochronnego stroju ani maski. Na krótko podnoszą głowę znad roboty, gdy wchodzimy, i wracają do swojego zajęcia. W pomieszczeniu nie ma żadnych dorosłych.

– Jest gorzej, niż myślałam – szepcze Lauren. – Tu się wyzyskuje wyłącznie dzieci. – Wyjmuje komórkę i zaczyna robić zdjęcia.

– Hej, co pani robi? – Wysoki chłopak, który wygląda na przywódcę zespołu, upuszcza swój malarski pistolet i patrzy na nas wojowniczym wzrokiem.

– Spokojnie – mówi Lauren. – Nie jestem z inspekcji pracy.

– Ale szef powiedział, żebyśmy nikomu nie pozwalali robić zdjęć.

– To nas nie dotyczy.

– A kim pani jest? – pyta, przyglądając się nam podejrzliwie.

– Jesteśmy importerkami z Ameryki. Przyszłyśmy sprawdzić jakość waszych zamków, bo być może będziemy chciały je kupić – kłamie bez drgnienia powieki Lauren. Onieśmiela to chłopaka na tyle, że choć niechętnie, godzi się na naszą obecność.

– Jak się nazywasz? – pytam go.

– Guddu.

– Powiedz mi, do której godziny pracujecie?

– To zależy od *Bhai* Aneesa. Czasem do ósmej, czasem do dziesiątej wieczorem.

– Od dawna tu pracujesz, Guddu?

– Pięć lat. Odkąd *Bhai* Anees przyjechał tu z Aligarh i otworzył tę fabrykę. Zrobiłem się takim specjalistą od zamków i kluczy, że teraz w minutę otworzę każdy zamek.

Obserwuję małych chłopców, obsługujących ręczne prasy do wycinania różnych elementów zamków. Co z miejsca rzuca mi się w oczy, to że wielu z nich ma obandażowane palce.

– Te biedne dzieci często tracą koniuszki palców w wypadkach, które są spowodowane skrajnym wyczerpaniem – szepcze Lauren ze łzami w oczach.

Przechodzę do innego stanowiska. Jakiś dzieciak obsługuje szlifierkę do polerowania zamków. Pokrywa go czarny pył, co sprawia, że wygląda jak górnik. Kiedy nachyla się nad maszyną, wdycha ten metaliczny pył i co jakiś czas dostaje ataku kaszlu. Nawet ja muszę zatkać nos i usta, żeby nie wdychać drobin metalu.

– Wiele z tych dzieci choruje na drogi oddechowe. Z czasem dostają astmy, gruźlicy – rozpacza Lauren.

Inny chłopiec ma na plecach coś jakby wysypkę. Przesuwam po nich delikatnie palcem... Okazuje się, że to siateczka blizn.

– Skąd to masz? – pytam.

Nie odpowiada, ale robi to za niego pracujący obok chłopak.

– Radhua dostał karę od *Bhai* Aneesa. Szef nie lubi, jak się robi za dużo pomyłek, a do tego spóźnia do pracy.

Dreszcz mnie przenika.

– Ten człowiek to jakiś sadysta – mówię szeptem do Lauren. – Chodźmy stąd, bo jeszcze wróci, zanim wyjdziemy.

– Dobrze, to chyba już widziałyśmy, co trzeba – oznajmia głośno Lauren, chowając telefon. – Idziemy.

Jesteśmy już przy drzwiach, gdy Guddu woła:

– Zaczekajcie!

– Tak? – Lauren odwraca się powoli.

– Nie wiemy, jak się panie nazywacie. Jak szef mnie spyta, kto był, to co mam powiedzieć?

Lauren myśli przez chwilę.

– Powiedz, że Ma Barker z Nowego Jorku.

– Ma... jak?

– Ona to Ma – wskazuje na mnie Lauren. – A ja – Barker.

– Czy Ma Barker to przypadkiem nie jakaś słynna królowa gangu? – pytam Lauren, gdy wracamy do mnie. – Była o niej, zdaje się, taka piosenka Boney M.

– Piosenka była o Ma Baker, ale to ta sama. Zmienili jej nazwisko, bo „Baker" lepiej brzmiało. Ale nawet jej przestępstwa to pikuś w porównaniu z tym, co robi ten cały Anees – głos Lauren nabrzmiewa gniewem. – Ona ze swoim gangiem tylko kradła pieniądze... A ten facet ukradł tym dzieciom przyszłość!

– To jaki będzie nasz następny krok?

– Powiadomimy o tym miejscowego sędziego pokoju. Do niego należy zorganizowanie nalotu, tak żeby uratować te dzieci i zamknąć fabrykę. Chodźmy od razu!

– Ale dziś niedziela. Biuro będzie zamknięte.

– Szlag. Na śmierć zapomniałam... W takim razie jutro z samego rana.

Nazajurz o dziewiątej rano stawiamy się w biurze sędziego pokoju. Wygląda jak typowy urząd: białe ściany przyozdobione portretami narodowych przywódców, podstawowe niezbędne meble, wszędzie segregatory i teczki. Na zewnątrz kłębi się tłum, ale w środku atmosfera jest całkiem letargiczna. Niemniej obecność Lauren budzi w urzędniku nazwiskiem Keemti Lal, o wąsach jak szczotka, szpakowatych baczkach i obwisłym podgardlu, cień zainteresowania.

– Witam, w czym mogę pomóc? Potrzebuje pani zarejestrować nieruchomość?

– Przyszłam złożyć doniesienie o istnieniu nielegalnego zakładu pracy, który zatrudnia dzieci. Kiedy możemy się spotkać z sędzią?

– Obawiam się, że *sahib* sędzia nie przyjdzie wcześniej niż o trzeciej. Ale może pani porozmawiać ze mną.

Przez pół godziny cierpliwie opisujemy, co widziałyśmy w zakładzie, nielegalny charakter działalności, zagrożenie dla zdrowia dzieci i dla środowiska. Lauren wydrukowała nawet zdjęcia, które zrobiła komórką. Urzędnik każe nam złożyć pisemny raport i podpisać rozmaite formularze. Zaczyna mnie złościć cała ta biurokracja. Wygląda na to, że złożenie zwykłej skargi wymaga więcej papierkowej roboty niż wystąpienie o bankowy kredyt!

– To bardzo ważna sprawa – podkreśla Lauren. – Mam nadzieję, że podejmiecie natychmiastowe działania, żeby uratować te nieszczęsne dzieci.

Keemti Lal z powagą kiwa głową.

– Bezwzględnie, proszę pani. Musimy jednak przestrzegać określonej procedury. Trzeba dostarczyć zawiadomienie, następnie przeprowadzić wywiad, a dopiero po nim mogą nastąpić dalsze działania. Wszystko to wymaga czasu. Można jednak przyspieszyć bieg sprawy, jeśli... – zawiesza głos, ale wyraz oczekiwania na szczurzej twarzy dość jasno zdradza jego intencję. Chce dostać łapówkę.

Jestem wstrząśnięta.

– Co z pana za człowiek? Próbuje się pan się wzbogacić kosztem tych niewinnych dzieci?

Lauren jednak wydyma tylko wargi i kiwa głową. Z filozoficzną obojętnością otwiera portfel i odlicza pięć banknotów tysiącrupiowych.

– Wystarczy?

– Ojej, zawstydza mnie pani – bąka przymilnie Keemti Lal, niemniej bierze pieniądze i chowa do górnej kieszonki koszuli. – Proszę być pewną, że jak tylko *sahib* sędzia przyjdzie, natychmiast go powiadomię. *Namaste* – składa dłonie w geście szacunku i kłania się. Mam ochotę walnąć pięścią w tę brzydką gębę i zetrzeć z niej ten chytry uśmieszek.

Kiedy wychodzimy, nie mogę się powstrzymać, żeby nie zrobić Lauren uwagi.

– Nie spodziewałam się, że tak chętnie dasz w łapę temu łajdakowi!

– Dla mnie najważniejsze jest uratowanie tych dzieci. Jeśli wymaga to trochę wydatków ekstra, mówi się trudno.

– Staliśmy się narodem łapówkarzy i dających łapówki. – Kręcę z niedowierzaniem głową.

– Może ci to pomoże, jeśli powiem, że w Ameryce też istnieje łapówkarstwo.

– Naprawdę?

– Tak. Tyle że zrobiliśmy z tego wyrafinowaną sztukę. I nazywamy to lobbingiem.

Jest dwudziesty szósty stycznia, Dzień Republiki. Dla narodu oznacza to rocznicę uchwalenia Konstytucji Indii, dla mnie jednak i dla mojej rodziny jest to rocznica śmierci Alki. Na zewnątrz ryczą z głośników patriotyczne pieśni; w mieszkaniu panuje nastrój smutnej kontemplacji. Wszystkie jesteśmy dziś emocjonalnymi uchodźczyniami, szukającymi sanktuarium, gdzie mogłybyśmy się schronić przed naszym zbiorowym bólem. Ma, przesiąknięta religią, znajduje ucieczkę w świętej księdze Bhagawad Gita. Neha, ze słuchawkami w uszach, chowa się w swojej MP-trójce, z której leci jakiś ostry taneczny łomot. Ja usiłuję odwrócić myśli za pomocą czytania, ale nie potrafię się skoncentrować. Siadam więc przed telewizorem i bazgrząc bezmyślnie po papierowej serwetce, oglądam transmisję na żywo ze świątecznej parady. Poranek jest mglisty, niebo szare, mimo to tysiące widzów odważyło się wyjść na to zimno, żeby wiwatować na cześć maszerujących oddziałów i kolumn zmechanizowanych, posuwajacych się od Raisina Hill w stronę Czerwonego Fortu. Sekwencja scen ukazuje naszą potęgę militarną i kulturową różnorodność: czołgi i rakiety na przemian z obrazami tradycji sufickich z Biharu i uroczystych tańców z Sikkim.

– Nie szkoda czasu na oglądanie tych śpiewów i pląsów? – słyszę od drzwi jakiś karcący głos.

Nirmala Ben mieszka pod numerem B-25, na tym samym piętrze, o trzy mieszkania od naszego. Jest drobną, maleńką kobietką po sześćdziesiątce, o bystrych, ruchliwych oczach, które z miejsca widzą wszystko wokół. Siwiejące włosy ma ciasno ściągnięte w mały koczek, a na sobie, jak zwykle, proste białe sari i pospolite klapki.

Życie Nirmali Ben to lustrzane odbicie naszych własnych przejść. Przed wyściem za mąż nazywała się Nirmala Mukherjee i była Bengalką z Kalkuty, która uwielbiała *Rabindra Sangeet*, pieśni Rabindranatha Tagore. W wieku dwudziestu czterech lat zakochała się w księgowym narodowości Gudżarati nazwiskiem Hasmukh Shah. Pomimo sprzeciwu rodziny poślubiła go i przeprowadziła się wraz z nim do Surat. Mieli tylko jedno dziecko, chłopca imieniem Sumit. Niestety, mąż umarł w roku osiemdziesiątym piątym na atak serca. Wszystkie jej nadzieje skupiły się odtąd na synu. Była niezwykle dumna, gdy poszedł do wojska i został przydzielony do pułku Strzelców Radżputańskich, najważniejszego w hinduskiej armii. Stacjonował w Assam i w Delhi, po czym wysłano go do Kaszmiru. I to właśnie tam, 13 czerwca 1999 roku, podczas hindusko--pakistańskiej wojny o Kargil dostąpił męczeństwa, dzielnie walcząc z wrogiem na oblodzonych stokach w rejonie Dras.

Po jego śmierci Nirmala Ben przeprowadziła się do Delhi. Jej mieszkanie to poświęcona synowi izba pamięci. Wszędzie stoją oprawione w ramki zdjęcia oszałamiająco przystojnego oficera, odznaczonego pośmiertnie Orderem

Mahavir Chakra, drugim z kolei pod względem ważności hinduskim odznaczeniem wojennym. Ale oprócz pamiątek po synu można tu także zobaczyć miniaturowe kołowrotki i popiersia Mahatmy Gandhiego. Jeden regał w całości wypełniają *Dzieła zebrane* Gandhiego, złożone z dziewięćdziesięciu tomów.

– Po śmierci Sumita załamałam się kompletnie – powiedziała mi raz Nirmala Ben. – Rozpaczałam prawie dwa lata, dopóki nie odkryłam Gandhiego. Zaczęłam czytać wszystko, co tylko napisał. To Bapu* otworzył mi oczy na to, co naprawdę oznacza prawda, niestosowanie przemocy i samopoświęcenie.

Odtąd Nirmala Ben poświęciła życie Gandhiemu i szerzeniu jego idei. Jest obecna w każdej publicznej kampanii, od pokoju społecznego do ochrony krów, zawsze gotowa wesprzeć akcję własnym głosem i pomocnymi dłońmi.

Od czasu do czasu mieszkańcy osiedla muszą wysłuchiwać jej kazań na temat niesłuszności wojny, miłowania nieprzyjaciół i zwyciężania zła dobrem. Jest pacyfistką, antyglobalistką, przede wszystkim jednak sprzeciwia się korupcji.

– To nie kule wroga zabiły mojego syna – powtarza niezmordowanie. – Zabiła go korupcja. Dostawał karabiny z usterkami, kamizelka kuloodporna była kiepskiej jakości, a jak zginął, zarobili nawet na jego trumnie. Mówię wam, korupcja to rak, który zżera nasz kraj od środka!

Cały dzień ciska przekleństwa, inwektywy i wezwania do opamiętania się pod adresem klasy politycznej Indii. Jednak za tą chropawą powłoką kryje się złote serce. „Ben" to w języku gudżarati siostra, i naprawdę jest starszą siostrą dla całego osiedla – miłą, pozbawioną egoizmu i hojną do

---

* Bapu (hind.) – ojciec; zwyczajowy tytuł Gandhiego.

przesady. Nie sposób zliczyć, ile razy jedliśmy przekąski i słodycze z jej kuchni.

Niemal przeznaczeniem było, że ze wszystkich ludzi na osiedlu to właśnie z moją matką, Susheelą Sinhą, Nirmala Ben nawiąże najbliższą więź. Obie mają za sobą traumatyczne przeżycie – stratę męża i dziecka. Krnąbrność wyznawczyni Gandhiego i jej ostry język znakomicie uzupełniają łagodność i przyziemny rozsądek Ma.

Produktem ubocznym tej przyjaźni jest to, że Nirmala Ben w pewnym sensie zaadoptowała mnie jako córkę. Wciąż sprawdza, czy się zdrowo odżywiam, czy się nie przemęczam, czy wystarczająco długo śpię...

Siada teraz koło mnie, zdejmuje okrągłe okulary i zaczyna je polerować skrajem sari.

– Też oglądałam u siebie telewizję, ale to zanadto przygnębiające – mówi.

– Paradę z okazji Dnia Republiki uważa pani za przygnębiającą?

– Nie oglądałam parady, tylko wiadomości. Wszystkie były o korupcji: przekręt w telefonii 2G, przekręt w górnictwie w Karnataka, przekręt w nieruchomościach w Uttar Pradesh, przekręt w cukrowni w Kerala... I jakby tego było za mało, strajk lekarzy w Patna, w Chhattisgarh naxaliści* zabili dziesięciu ochroniarzy, a cebula podskoczyła do pięćdziesięciu rupii za kilo. Co się dzieje z naszym krajem?

– Właśnie dlatego przestałam oglądać wiadomości – mówię w nieco lżejszym już nastroju.

– I to jest największy problem naszego kraju. Młodzi, tacy jak ty, nie chcą się angażować w jego sprawy. *Arrey***,

---

* Hinduska partyzantka maoistyczna.
** *Arrey* (hind.) – okrzyk zaskoczenia, gniewu lub desperacji (przyp. tłum.).

musicie wziąć byka za rogi! Tylko wtedy będzie można wreszcie skończyć z tymi aferami.

– Przecież rząd wyznaczył już komitety, żeby się przyjrzały sprawie, tak?

– Pffff! – prycha. – Tylko tyle rząd potrafi: powołać komitet, który po pięciu latach napisze raport. Do tego czasu będzie miało miejsce piętnaście innych skandali. Niepotrzebne są nam komitety: potrzebna jest nam odwaga. Odwaga, żeby ujawnić ludzi, którzy stoją za tymi aferami. Odwaga, żeby zdemaskować Atlasa.

Wiem, co Nirmala Ben ma na myśli. W tych dniach media pełne są wzmianek o firmie Atlas Investment, firmie--przykrywce, która jakoby stoi za większością przekrętów w naszym kraju. Tyle że nikt nie zna faktycznej tożsamości osoby czy firmy, która stoi za Atlasem. A rząd twierdzi, że nie sposób to ustalić.

– E, lepiej nie psujmy sobie humoru gadaniem o przekrętach – mówię, żeby odwieść ją od tematu.

– Przeciwnie, musimy rozmawiać przede wszystkim o przekrętach! Tylko w taki sposób ludzie zyskają dość wiedzy, żeby podjąć walkę z korupcją. Czytałam na ten temat, robiłam notatki. Zobacz, ile się dowiedziałam na temat Atlasa...

Pokazuje mi zapisany maczkiem zeszyt. Ołówkiem. Ołówek też już lewo zipie, ostrzony tyle razy, że został z niego może dwucentymetrowy ogryzek. Ale Nirmala Ben tak właśnie ma: nie lubi niczego marnować ani wyrzucać. Jej mieszkanie jest usiane najrozmaitszymi bibelotami, tyle że większość nie jest jej. Kiedyś przy okazji odkryłam nawet u niej w kuchni nasze własne łyżeczki i widelce... Nirmala ma ten dziwny zwyczaj, żeby wynosić z domów i sklepów, gdzie bywa, różne drobne przedmioty – tu cążki do paznokci, tam długopis. Nawet rzeczy, których nie potrzebuje, jak piłeczkę do krykieta czy zapalniczkę. Na osiedlu rozmawiamy czasem po cichu o jej stanie. W języku psychologii nazywa się to kleptomanią; jest to niemożliwy do opanowania impuls, by kraść przedmioty, których się naprawdę nie potrzebuje i które z reguły mają niewielką wartość. Nirmala Ben jest chyba jedyną na świecie gandhystką-kleptomanką.

W miarę jak rozmawiamy, staje się oczywiste, że niesłychanie przeżywa sprawę tego nieuchwytnego Atlasa.

– Jednego dnia mówią, że ma bazę w Szwajcarii, drugiego, że w Monako, trzeciego okazuje się, że jakoby na Mauritiusie, a czwartego – że na Cyprze. *Arrey*, czy my naprawdę potrzebujemy atlasu, żeby zlokalizować siedzibę tego Atlasa? – pyta z retoryczną drwiną.

– Ale co my, zwykli ludzie, możemy zrobić?

– Walczyć! Trzeba powiedzieć „stop" korupcji. To, czego potrzebuje nasz kraj, to druga rewolucja gandhiańska.

– A jak mamy zrobić tę rewolucję?

– Nie wiem. Bapu wskaże mi sposób. Zawsze wskazuje. – Spogląda na ścienny zegar i podnosi się niechętnie. – Muszę iść. Pora na południową modlitwę.

Tyle że po jej wyjściu odkrywam, iż długopis, którym bazgrałam na serwetce, zniknął!

O szóstej po południu rozlega się dzwonek przy drzwiach. Neha mówi, że przyszli jacyś dwaj nieznajomi i chcą się ze mną zobaczyć.

Przyjmuję ich w salonie. Obaj są po trzydziestce. Jeden to niski, smagły, gładko ogolony mężczyzna w wełnianej dzianinowej czapce, o rozbieganym spojrzeniu kombinatora z jakiegoś państwowego urzędu. Drugi, kompletnie łysy, wyższy i bardziej napakowany, ma niebezpieczny wygląd recydywisty, który dopiero co wyszedł zza kratek więzienia w Tihar.

– Pani Sapna Sinha? – pyta niższy.

Kiwam głową.

– O co chodzi?

– Chodzi o skargę, jaką dwa dni temu wniosłyście z pani amerykańską koleżanką przeciwko firmie Mirza Metal Works.

– Jesteście ludźmi Aneesa Mirzy?

– Tak i nie. Staramy się po prostu rozwiązać problem. – Nachyla się ku mnie i przybiera pojednawczy ton negocjatora: – Przyszliśmy poprosić, żeby pani wycofała skargę.

– I pozwoliła, żeby te biedne dzieci się męczyły?

– Kto mówi, że one się męczą? Proszę pani... To nie jest praca niewolnicza. Ci chłopcy przyszli do nas dobrowolnie. A my im dobrze płacimy.

– Ale zatrudnianie dzieci poniżej czternastego roku życia jest nielegalne.

– Niech pani zapomni o przepisach. Proszę spojrzeć na rzeczywistość. Jeśli te dzieciaki nie będą pracowały u nas, będą pracowały gdzie indziej. Jak nie będą wytwarzały zamków, to będą produkowały cegły, dywany czy bransolety. Gorzej, będą kradły albo żebrały. My im przynajmniej zapewniamy uczciwe środki do życia, pozwalamy, by jadły uczciwie zapracowany chleb.

– Nie ma w tym nic uczciwego, że dzieci pracują po dwanaście godzin na dobę w szkodliwych dla zdrowia warunkach. Powinny chodzić do szkoły, a nie pracować.

– One nie chcą chodzić do szkoły. Chcą zarabiać, żeby wspomóc rodzinę.

– Bo nikt im nie dał innej możliwości!

– Znaczy pani da im taką możliwość? Zaadoptuje pani je wszystkie?

– Zrobi to moja przyjaciółka Lauren. Prowadzi fundację *Asha*.

– Proponuję raz jeszcze, żeby przemyślała pani swoją decyzję. Zadziera pani z niewłaściwą osobą. *Bhai* Anees nie jest człowiekiem nierozważnym, ale jest dosyć pamiętliwy.

– Grozi mi pan?

– Nie, skąd. My nie grozimy uczciwym obywatelom, takim jak pani. Proszę to potraktować jako przyjacielską radę. *Achha**, to my już pójdziemy.

Niski wstaje. Grube wargi ma rozchylone w chytrym uśmiechu. Łysy nadal siedzi, nie ma chęci wychodzić.

– No, Joginder – ponagla go kolega. – Nie możemy nadużywać gościnności pani domu.

Joginder dźwiga z kanapy swoją pokaźną masę. Napina mięśnie, tak jakby to był kulturystyczny występ, po czym przesuwa dłonią po łysej czaszce i rzuca mi złe spojrzenie. Patrzę w ślad za wychodzącym duetem i same zaciskają mi się pięści. Razem stanowią idealny zespół bezwzględnych terrorystów: jeden mówi, drugi egzekwuje.

Drżę na całym ciele, nie wiem: z gniewu czy ze strachu. Może jedno i drugie. W tej chwili trudno mi myśleć: w gardle mnie dławi, czuję gorycz w ustach.

Zza paciorkowej kurtyny wychodzą Ma i Neha. Wygląda na to, że podsłuchały całą rozmowę. Matka już histeryzuje.

– *Beti*, natychmiast idź i wycofaj tę skargę. Inaczej na naszą rodzinę spadnie kolejne nieszczęście – biadoli, z miejsca pełna złych przeczuć, jak to matka.

– Czemu ty, *didi*, zawsze musisz się zachowywać jak Rani z Dżhansi**? – atakuje mnie z kolei Neha. – Wiesz, że

---

* *Achha* (hind.) – dobra, w porządku.
** Władczyni jednego z księstw hinduskich, przywódczyni powstania przeciwko Brytyjskiemu Towarzystwu Wschodnioindyjskiemu w r. 1857, w Indiach symbol oporu wobec brytyjskiej dominacji.

mam jechać na ten konkurs do Mumbaju. To najważniejsze dla przyszłości naszej rodziny! A ty zaczynasz się mieszać w jakieś nie swoje sprawy.

– Jak ty możesz być taką egoistką? – wybucham. – W ogóle cię nie obchodzi tych trzydzieścioro dzieci, pracujących jak niewolnicy?

– Nie, nie obchodzi. To sprawa dla policji, a nie dla porządnych dziewczyn, takich jak my.

– Neha ma rację, *beti* – wtrąca się Ma. – Rób, co uważasz za właściwe, ale nie chcę, żeby tu jeszcze kiedyś przychodzili ci *goonda**.

– Co ja będę z wami gadać! – wołam, zła, i wybiegam z domu.

Zawsze instynktownie, wręcz patologicznie nienawidziłam łobuzów, którzy wykorzystują swoją władzę, autorytet czy przewagę fizyczną, żeby prześladować słabszych i mniejszych. Większość tych drani uważa się za silnych, ale tak naprawdę to mięczaki bez charakteru, które dają tyły, jeśli tylko im się dostatecznie mocno przeciwstawić. Nauczyłam się tego dość wcześnie.

W swoim czasie w szkole pod wezwaniem świętej Teresy byłam prześladowana przez grupkę rówieśniczek. Nazwały się Spice Girls, choć miały na imię Amrita, Brinda i Chavi i choć jedyną muzyką, jaką potrafiły uprawiać, było wykorzystywanie i dręczenie innych. Były moim przekleństwem, moimi katami. Większe ode mnie, a zarazem dużo słabsze intelektualnie, prześladowały mnie przez całą piątą klasę i pierwsze półrocze szóstej. Moje jedyne przestępstwo stanowiło to, że niezmiennie miałam najlepsze wyniki w klasie i że w przeciwieństwie do pozostałych dziewczyn, które miały swoje koterie i kliki, byłam niezależna. Prześladowały mnie i wyśmiewały bez przerwy, na korytarzu, na boisku podczas

---

* *Goonda* (hind.) – wynajęty zbir.

przerw. Ośmieszenie było częścią mojej codzienności, czułam się tak mała, jak tylko jest to dla człowieka możliwe. Kradły mi zeszyty, obdzierały okładki z podręczników, wyciągały spode mnie krzesło, gdy miałam siadać, zatrzaskiwały mi drzwi przed nosem... Raz zamknęły mnie w toalecie, kiedy indziej o mało nie podpaliły mi włosów.

Wszystko to doprowadziło do tego, że znienawidziłam siebie samą. Miałam mentalność ofiary. Myślałam o pocięciu się, w każdy weekend przymierzałam się do samobójstwa, wyobrażałam sobie własną śmierć... Do dnia, kiedy postanowiłam z tym skończyć. Podjęłam decyzję: zabiję się, ale przedtem zabiję moje dręczycielki.

Tego dnia zabrałam ze sobą do szkoły nóż kuchenny. Na dużej przerwie weszłam do pustej klasy na trzecim piętrze, gdzie zwykle dopadały mnie Spice Girls. Naturalnie przyszły za mną i zaczęły mnie przezywać. Słuchałam tej tyrady przez jakąś minutę, po czym wyszarpnęłam z kieszeni nóż.

– Dość tego, wy suki! – warknęłam, starając się, żeby mój głos brzmiał ochryple i nieludzko, jak u Lindy Blair w *Egzorcyście*. Obnażyłam zęby i zatoczyłam oczami. – Jeszcze słowo, a poucinam wam języki.

I jak pantera na ofiarę, rzuciłam się na Amritę, przywódczynię gangu, i o mało nie dusząc, złapałam ją za gardło. Dwie pozostałe wstrzymały dech i jak skamieniałe patrzyły, jak wolną ręką, pchana jakąś atawistyczną siłą, odcinam jej nożem pasmo włosów. Żadna nawet nie pisnęła; jedyne, co słyszałam, to pulsowanie adrenaliny w żyłach i szum własnej krwi, co brzmiało jak zagrzewająca do walki bojowa pieśń. Było to i upajające, i straszne.

W tym momencie rozległ się dzwonek. Całkiem jakby zaklęcie straciło moc... Trzy dziewczyny wrzasnęły jednogłośnie i wyleciały z klasy, jakby się paliło. Zostałam sama, z nożem w jednej ręce i kłakiem włosów w drugiej. Wiedziałam, że polecą prosto do siostry Agnes. Myślałam, że despotyczna dyrektorka lada moment wejdzie i oznajmi, że wyrzuca mnie ze szkoły. Wtedy uśmiechnęłabym się drwiąco, po czym w stylu harakiri wbiłabym sobie nóż w brzuch. Efektowne samobójstwo w sielskim Nainital.

Czekałam długo, ale nikt się nie pojawił, ani dyrektorka, ani żaden nauczyciel. Schowałam z powrotem nóż do kieszeni i powoli ruszyłam do klasy, gdzie właśnie miała zacząć się lekcja historii. Gdy weszłam, Spice Girls skuliły się w ławkach i udawały, że patrzą w inną stronę. Później się dowiedziałam, że nigdzie na mnie nie naskarżyły. Dały mi odtąd ksywę „Psycholka", ale już nigdy więcej się nade mną nie znęcały.

Spotkanie ze zbirami Aneesa Mirzy wyzwoliło i wspomnienia tamtych odległych zdarzeń, i towarzyszące im emocje. Kiedy na dole natykam się na Karana, wciąż jeszcze dyszę gniewem.

– Widziałem dwóch raczej niemiłych typów, którzy pytali, jak do ciebie trafić – mówi. – Wszystko w porządku?

– Nie, nie wszystko. – I opowiadam mu o nielegalnej fabryczce.

– Jak oni śmieli ci grozić! Jak śmieli! – wybucha z wściekłością Karan. – Jeśli jeszcze raz się tu pokażą, daj mi znać. Już ja się zajmę tymi skurczybykami.

– O siebie się tak nie martwię, ale jak zaczną prześladować Nehę?

– Wiesz co, zainstaluję ci jutro guzik alarmowy.

– A co to takiego?

– Takie urządzonko elektroniczne. Jak naciśniesz, bezgłośnie wysyła umówionej osobie sygnał o zagrożeniu. W tym przypadku tą osobą będę ja i natychmiast przybędę na ratunek, niczym Superman.

Im dłużej go słucham, tym bardziej jestem wdzięczna Matce Durdze, że dała mi za sąsiada takiego fantastycznego faceta. Nic nie napawa większą otuchą niż przyjaciel, na którym zawsze można polegać, który zawsze przyjdzie z pomocą, ilekroć jej potrzebujesz.

– Masz jakąś specjalną dietę, dzięki której jesteś taki dzielny? – trącam go w żebro.

– Taaak... – uśmiecha się szeroko. – Rzecz w tym, żeby konsumować dużo odwagi w płynie.

– A co to za napój?

– Inna jego nazwa to alkohol!

Mija tydzień. Wizyty najemników Mirzy się nie powtarzają. Powoli incydent blednie w mojej pamięci, zabierając wraz z sobą bezsenne noce. Z Karanowym guzikiem bezpieczeństwa w torebce czuję się o wiele bezpieczniej.

W czwartek trzeciego lutego mamy remanent i jak zwykle zostajemy długo po godzinach. Wychodzę z pracy dopiero kwadrans po dziesiątej wieczorem. Kiedy wysiadam na stacji metra Rihala, dogania mnie sprzedawca uliczny.

– Mam coś w sam raz dla pani. Na pewno się przyda – mówi i wyciąga kuchenny nóż o drewnianej rączce z logo firmy: KK Thermoware. Przyglądam się uważnie małemu sprzedawcy. W wytartych spodniach i brudnym, poszarpanym, o wiele na niego za dużym swetrze, ma chyba z dziesięć lat, może odrobinę więcej. Blady, anemiczny, wygląda, jakby miał gorączkę. Wieńczy to wszystko zakatarzony nos, który co chwila ociera rękawem. Nie przeszkadza mu to wychwalać po hindusku zalet noża:

Kroi, sieka, kawałkuje
Tnie w plasterki, rżnie, szatkuje!
Zamiast żonie bukiet róż
Kup jej, mężu, supernóż!

– Kiepsko wyglądasz, mały – mówię. – Lepiej byś poszedł do domu.

– Nie mogę, dopóki nie sprzedam wszystkich noży. Został mi tylko ten jeden. Pani kupi! Kosztuje tylko sto rupii.

– Nie potrzebuję noża. Mam w domu do licha i trochę – odpowiadam i ruszam w stronę Rammurti Passi Marg.

– Dobra, tylko dla pani... Pięćdziesiąt rupii – nie rezygnuje mały.

– Nie.

– A dwadzieścia?

– Nie jestem zainteresowana.

– Dobra, ostatnie słowo: dziesięć.

– Powiedziałam ci, że nie potrzebuję noża!

– *Didi*, od południa nic nie jadłem... Sprzedam go pani za pięć. W całym Delhi nie znajdzie pani taniej. Pani kupi!

Trudno oprzeć się temu błaganiu. Biorę od chłopaka nóż i podaję mu banknot dziesięciorupiowy.

– Reszta dla ciebie. A teraz leć do domu odpocząć.

Niemal porywa mi banknot z ręki i umyka, ginąc w ciemności.

Chowam nóż do torby i przyspieszam kroku, bo mijam właśnie Swarn Jayanti Park, znany raczej jako Park Japoński. Jest to rozległy zielony teren ze starannie wypielęgnowanymi kwietnymi rabatami, jeziorami, po których można pływać łódką, fontannami i trasami do joggingu. W dzień to raj dla entuzjastów fitness i rodzin z dziećmi, ale w nocy jest tu raczej niebezpiecznie. W zeszłym roku przy bramie numer 1 zamordowano kobietę, a w tym – policja zastrzeliła w obrębie parku znanego przestępcę, rzekomo w obronie własnej.

Właśnie mijam bramę numer 2, gdy z okalającego park murku zeskakuje trzech chłopaków. O długich włosach, z rozpiętymi na piersiach koszulami, wyglądają jak ci niesforni, bezrobotni młodzieńcy, co wałęsają się po herbaciarniach, zaczepiają dziewczyny i gwiżdżą w pierwszych rzędach podczas filmowych seansów. W Nainital zwykliśmy ich nazywać *chavanni chhap*, czyli wart tylko piętnaście rupii. Ale szkody, które potrafią wyrządzić ludziom, są znacznie poważniejsze. Mój niepokój jest tym większy, że odcinek, którym idę, jest ciemny i wyludniony; w zasięgu wzroku nie ma ani jednego przechodnia. Momentalnie, na zasadzie odruchu warunkowego, wkładam rękę do torby i chwytam przyrząd bezpieczeństwa. Z pewnością Karan jest poza zasięgiem, ale i tak wciskam guzik.

Mój niepokój okazuje się uzasadniony, bo trzech młodziaków zaczyna iść w ślad za mną. Przyspieszam, i oni też. Jeszcze parę długich, zdecydowanych kroków i zrównują się ze mną. Otaczają mnie ze wszystkich stron.

– Co ci tak śpieszno, złotko? Lepiej byś popatrzyła na nas – mówi jeden z uliczników i klepie mnie w ramię. Wygląda na przywódcę paczki, ma ostre, złe spojrzenie i cienki, rzadki wąsik.

Momentalnie wyciągam z kieszeni pojemnik pieprzowego sprayu.

– Jeszcze krok, a wszystkich oślepię! – syczę, trzymając pojemnik na poziomie jego oczu.

Chuligan, zaskoczony, cofa się o krok, ale jego kolega z prawej wymierza mi cios w ramię. Pojemnik wyślizguje mi się z ręki jak mokra kostka mydła.

– Ha! – Przywódca wybucha gromkim śmiechem. – Jak masz jeszcze jakąś broń, chętnie ją zobaczymy. No, dalej, dawaj portfel!

Otaczają mnie drapieżne, wilcze twarze. Im chodzi nie tylko portfel... Po raz pierwszy w życiu jestem śmiertelnie przerażona. Oddech mam płytki, żołądek zaciska się w zimny węzeł strachu. I wtedy przypominam sobie o nożu, który dopiero co kupiłam.

Torba, którą trzymam w lewej ręce, jest już otwarta, nóż połyskuje matowo w żółtym ulicznym świetle. Błyskawicznie wyszarpuję go prawą ręką. Torba pada na ziemię.

– Precz ode mnie! – wrzeszczę, obracając się wokół własnej osi, i siekam powietrze nożem. – Niech się który spróbuje zbliżyć, zabiję skurwiela!

Niestety, nie wygląda na to, żeby się przestraszyli. Cofnęli się trochę, ale nie przestają mnie obserwować ze wzgardliwym rozbawieniem.

– Zostawcie mnie, bo was wszystkich zasztyletuję! – grożę znowu, mocniej ściskając rękojeść noża.

– Myślisz, że się zlękniemy twojego scyzoryka? – szydzi przywódca. – No to popatrz na to. – Wyciąga z tylnej kieszeni błyszczący pistolet i wymierza mi w twarz.

– Rzuć nóż – warczy chuligan z mojej prawej strony.

Stać oko w oko z lufą pistoletu – to naprawdę odbiera odwagę. Poddaję się. Nóż pada na chodnik z odgłosem, który przypomina brzękanie monet w kieszeni. Młodziak z prawej, niczym sędzia śledczy, badający morderczą broń na miejscu zbrodni, ostrożnie podnosi go za koniuszek.

– Ostry – zauważa i wrzuca go z powrotem do torby.

– Idziemy do parku, laleczko – rzuca z uśmieszkiem przywódca.

Nie ruszam się. Wiem, że z chwilą gdy znajdę się w ciemnościach parku, stanie mi się coś złego. Przyglądam się zmrużonymi oczyma twarzom moich dręczycieli, starając się wykryć jakieś blizny, tatuaże czy inne znaki szczególne, które będę mogła przekazać policji, kiedy będą mnie o to pytać. I wtedy mi świta, że być może nie będę miała szansy pójść na policję... Najpierw mnie zgwałcą, a potem zabiją. Co się stanie z Ma i Nehą, kiedy mnie zabraknie? Jak sobie dadzą radę beze mnie?

Zbir nachyla się i szturcha mnie pistoletem w czoło, pozostawiając na nim znak *bindi*.

– Nie słyszałaś, co mówię? Głucha jesteś?

– Puśćcie mnie, proszę – zawodzę głośno.

– Puścić? Niemożliwe. Taka jesteś ładna... – mówi niby to przymilnie i spogląda na kompanów. – No to jak? Pora się zabawić, nie?

Śmieją się. I to ta ich chełpliwość sprawia, że nagle przepełnia mnie czysta, skondensowana nienawiść. Policjant mnie uderzył, policjantka wsadziła mi głowę do miski klozetowej, a teraz te dranie chcą mnie w trójkę zgwałcić! Co to ja jestem? Bydlę, żeby je każdy kopał? Przedmiot, którym każdy się może zabawić? Tylko dlatego, że przypadkiem jestem kobietą? Coś we mnie pęka, jak nadmiernie naciągnięta guma. Nie dbam, zastrzelą mnie czy posiekają na plasterki, ale nie dam się tak łatwo! Wzbiera we mnie pierwotna wściekłość, ta sama, która kazała mi się przeciwstawić Spice Girls, i z całej siły kopię przywódcę w krocze. Pada jak ścięte drzewo, zgięty z bólu. Ożywa we mnie tamto popołudnie w pustej klasie, wspomnienia zalewają mi mózg i rzucam się na dwóch pozostałych. Walę pięściami, kopię, drę pazurami! Gniew we mnie płonie, rozżarzony do białości. Nienawidzę tych skurwieli, nienawidzę jak nikogo na świecie. Policzki mi płoną, serce wali jak bojowy bęben, czerwona mgła przesłania oczy. Chcę tylko dusić, dławić, zabijać, zabijać, zabijać!

Mój nieoczekiwany kontratak na chwilę przynosi efekt, ale napastnicy mają przewagę liczebną. Zanim jestem w stanie ich znokautować, lider wraca do akcji. Kątem oka widzę, że dźwiga głowę. Podnosi pistolet za lufę, bierze zamach i ciska we mnie. Ból rozdziera mi żołądek, potykam się i padam. Drugi bandzior kopie mnie w kark.

W parę minut ciągną mnie już w poszycie parku. Przywódca przygważdża mnie do ziemi i wyciąga połyskujący metalicznie nóż sprężynowy.

– Jak chcesz kogoś nastraszyć, to nie kuchennym nożem. Weź Rampuri, taki jak mój. – Szczerzy zęby i przesuwa nożem po moim ciele. Zbliża do szyi... Czuję jego gorący, nieświeży oddech.

Usiłuję się wyrwać, walczę. Mój prześladowca przykłada palec do ust.

– Ćśśś... Cicho bądź – sączy mi się do ucha jego szept. – Bo będę musiał cię zabić.

Bez śladu emocji w martwych oczach przeciąga mi po policzku koniuszkiem noża. Jeszcze odrobinę bardziej naciśnie i przetnie mi skórę, oszpeci na zawsze... Czuję, że całe moje ciało rozgrzewa się jak w ogniu. Żar płynie mi w żyłach, cała się trzęsę w oczekiwaniu śmierci. Oby to się już skończyło! Modlę się, żeby Bóg pozwolił mi umrzeć szybko, najlepiej od strzału. Jedna mała kulka w mózg. Nie chcę, żeby kroił mnie na kawałki, chlastał nożem, aż zmienię się w jęczącą skrwawioną masę podrygujących mięśni i kończyn... Nie wytrzymam takiego bólu!

– Zostawcie ją! – rozlega się nagle w ciemności, niczym grzmot, jakiś dudniący baryton. Chuligani rozglądają się wokół, potem patrzą na siebie, kompletnie pogubieni. Przywódca odejmuje nóż od mojej twarzy i przykuca w pozycji psa, usiłując zlokalizować intruza.

– Policja! – rezonuje znowu poprzez park. Przypomina to komendy nadawane przez głośniki podczas policyjnej obławy. Moi prześladowcy momentalnie się podrywają i rzucają do ucieczki. Po chwili giną w zaroślach parku.

Z ciemności wyłania się jakaś postać. Spodziewałam się zobaczyć inspektora policji, tymczasem okazuje się, że to Karan... Nigdy w życiu nie czułam takiej ulgi, jak w tym szczytowym momencie.

Podbiega do mnie i pomaga mi wstać. Przywieram do niego ciasno, wciąż jeszcze drżąc ze strachu. Szepcze moje imię, ja jego. Obejmuję go jeszcze mocniej, czuję jego ciepło, moje piersi ocierają się o jego pierś... I w tej chwili w sercu rozkwita mi nowy, dziwny kwiat, który budzi nagły przypływ zmysłowego pożądania. Niemal bezwiednie zaczynam go całować. Podbródek, policzek, wreszcie usta... Jestem zdesperowana, przepełniona wdzięcznością, otumaniona, ledwie zdaję sobie sprawę z tego, co robię, jednak zachłannie wypełniam pustkę mego życia jego zapachem, jego smakiem, jego oddechem.

Karan sztywnieje. Wyczuwam jego niemal niedostrzegalne odsunięcie się. Momentalnie przytomnieję. Łagodnie wysuwa się z moich objęć i świeci mi w twarz miniaturową latarką, sprawdzając, czy nie mam siniaków.

– Potrzebujesz lekarza? – pyta. Jego praktyczna troska przywraca sytuacji odrobinę normalności.

– Nie... nie – odpowiadam, wciąż ciężko dysząc. – Wszystko dobrze. Zobacz tylko, czy jest tu gdzieś moja torba.

Karan sprawdza, pochylony, okolicę, ale potwierdza się to, czego się obawiałam: chuligani zabrali moją Nine West.

– Dużo w niej miałaś pieniędzy?

– Nie, niespecjalnie... Najdroższą rzeczą była komórka.

– Nie przejmuj się. Załatwię ci nowiutką w Indusie.

– Jak... jak mnie znalazłeś?

– Dostałem sygnał z guzika bezpieczeństwa. Nie było cię w domu, więc wiedziałem, że pewnie wracasz z pracy. Pobiegłem najszybciej jak się da w stronę metra. Ale po drodze usłyszałem jakieś głosy koło Parku Japońskiego i postanowiłem sprawdzić.

– Przybyłeś w samą porę. Gdybyś nie zdążył...

– Nie myśl o tym więcej. Idziemy na policję. Trzeba koniecznie złapać tych skurwieli.

– Nie! – kręcę gwałtownie głową. – Nie zniosę przesłuchania, nie jestem w stanie. I wiem, że policja i tak

ich nigdy nie złapie... Odwież mnie tylko do domu, dobrze?

– Skoro tak chcesz. – Wzrusza ramionami.

– Zrób mi jeszcze jedną przysługę – proszę. – Nie wspo-
minaj o tym ani słowem u mnie w domu, dobrze? Nie chcę,
żeby Ma i Neha wiedziały.

– To musieli być ludzie Aneesa Mirzy – mówi Lauren, kiedy
opowiadam jej nazajutrz o tym incydencie.

– Nie mamy żadnego dowodu.

– Za dużo tych zbieżności. To straszne, że przez cały
ten czas Mirza jest na wolności!

– Są jakieś postępy w naszej sprawie?

– Żadnych. Myślę, że Keemti Lal wystawił nas do wiatru.
Nie kiwnął palcem, żeby zbadać sprawę tej fabryczki... A te
biedne dzieciaki dalej się męczą. Parę razy próbowałam się
spotkać z sędzią pokoju, ale za każdym razem byłam spła-
wiana. Próbowałam pójść z tym na policję, to powiedzieli,
że mam się zgłosić do biura sędziego pokoju. Po prostu nie
wiem, co robić. – W głosie ma przygnębienie i zniechęce-
nie.

– Ale ja wiem. Pójdziemy jeszcze raz do sędziego. Ostatni.

Nazajutrz rano po drodze do pracy wstępuję z Lauren do
biura sędziego pokoju. Panuje tam straszny tłok. Sędzia nie
będzie mógł się z nami spotkać, słyszymy.

– *Sahib* jest bardzo zajęty. Dziś nie ma szans – informuje
nas biurowy goniec.

Jestem tak samo nieugięta.

– Proszę powiedzieć szefowi, że nie wyjdziemy stąd,
dopóki z nami nie porozmawia. Nawet jeśli to oznacza, że
nie ruszymy się stąd przez tydzień.

Pogróżka działa. W godzinę później zostajemy wezwa-
ne przed oblicze sędziego. Jest jakiś nijaki, ze swoją mało

wyrazistą, niemal pozbawioną rysów twarzą i dziwnym zwyczajem niekończenia zdań, tak jakby się spodziewał, że rozmówca zrobi to za niego.

– Tak, ta wasza skarga... – zaczyna i popada w milczenie.

– Sprawdził pan tę fabrykę? – naciska Lauren. – Dołączyłam nawet dokumentację zdjęciową.

– Tego typu sprawy pochłaniają wiele czasu, wiele czasu. Nie da się...

– Przewiduje pan, że jak długo będziemy musiały czekać?

– Musi pani zrozumieć, że to proces. Nie możemy po prostu...

– Ale te dzieci każdego dnia cierpią!

– Nie, dlaczego. Zarabiają na życie. Tak jak pani. Tak jak ja. Czy mamy im zabronić, żeby...

– Zatrudnianie dzieci w warunkach szkodliwych dla zdrowia jest zakazane, prawda?

– A co to znaczy: szkodliwy dla zdrowia? Powietrze, jakim oddychamy w tym mieście, też jest szkodliwe dla zdrowia. Czy to znaczy...

– Czyli że mamy zostawić te dzieci na łaskę i niełaskę Aneesa Mirzy?

– Anees Mirza nie jest w gruncie rzeczy złym człowiekiem. To...

Zupełnie jakbyśmy rozmawiały ze ścianą. Kiedy wychodzimy z tego przybytku biurokracji, Lauren gotuje się ze złości.

– Wiem, o co chodzi. Keemti Lal wziął ode mnie niedużą łapówkę. A ten człowiek wziął od Aneesa Mirzy znacznie większą.

Trudno się z nią nie zgodzić. Odór korupcji wisi tu w powietrzu niczym papierosowy dym. Przy każdym stole ubija się interesy. Kątem oka dostrzegam Keemti Lala: siedzi przy swoim narożnym biurku, pogrążony w rozmowie ze starszym dżentelmenem. Bez wątpienia wyciąga z niego kolejną łapówkę... Rozmyślnie unikam z nim kontaktu wzrokowego. I wtedy moje spojrzenie pada na przyszpilony do tablicy plakat. Dotyczy Ustawy o prawie do informacji.

– Hej – szturcham Lauren. – Mamy jeszcze jedną możliwość. Skorzystajmy z tego prawa!

– Co nam to da?

– Zgodnie z Ustawą o prawie do informacji każda władza publiczna ma obowiązek w ciągu trzydziestu dni udzielić pytającemu odpowiedzi na dowolny temat – czytam na głos informację na plakacie. – No więc wypełnijmy formularz i zapytajmy sędziego, co się stało z naszą skargą. Przynajmniej wywrze to na niego jakiś nacisk.

Lauren jest sceptyczna.

– Wątpię, żeby jakiś papier zdołał pobudzić tego człowieka do działania.

– Ale co nam szkodzi spróbować? I kosztuje to raptem dwadzieścia pięć rupii.

Biorę z kontuaru formularz zgłoszenia i wypełniam. Pytam o stan naszej skargi i dodaję informację o tym, jak Anees Mirza próbował mnie zastraszyć, nasyłając na mnie swoich bandziorów. Po czym żegnam się z Lauren i łapię metro do Connaught Place.

Dziś żegnamy Neelam. To jej ostatni dzień w pracy – w przyszłym tygodniu wychodzi za mąż, a zaraz potem wyjeżdża do Szwecji. Wygląda, jakby bardziej ją ekscytowała perspektywa pierwszej podróży zagranicznej niż pierwszego małżeństwa.

– A ty, Sapna? – pyta. – Kiedy planujesz wyjść za mąż?

– Wiesz, jak to się mówi: wychodzisz za mąż, kiedy przyjdzie czas.

– Ale znalazłaś już swojego Pana Właściwego?

Nie odpowiadam, ale pytanie przywołuje wspomnienie tamtego wieczoru, kiedy pocałowałam Karana. Dotąd czuję

na ustach jego smak; dotąd czuję wokół siebie jego zapach...
Mimo to jest teraz między nami jakiś dystans, niezręczność,
tak jakbym przekroczyła niewidzialną granicę, jakąś *lak-shman rekha**. Czuję się zraniona, niemal zdradzona jego
rezerwą w tamtej chwili. Nie wiem, co jest grane. Już mnie
nie lubi? Może ma potajemnie jakąś dziewczynę? Albo jest
po prostu nieśmiały? A może niepotrzebnie osądzam człowieka, który był po prostu równie jak ja przytłoczony całą
sytuacją? Buzuje we mnie od pytań, ale mu ich nie zadaję,
bo obawiam się odpowiedzi. Jedyne, co wiem, to że nie
chcę stracić Karana. Potrzebuję czasu, żeby to wszystko
przemyśleć, ustalić, jakie są jego prawdziwe uczucia wobec mnie, uczucia, które ukrywa głęboko w jakiejś czarnej
skrzynce.

Kiedyś znajdę klucz do tej skrzynki. A do tego czasu będę
trzymała moje marzenia pod kluczem, zamknięte w sercu.
Stąd nikt mi ich nie ukradnie.

Dwa tygodnie później rozpoczyna się Puchar Świata w krykiecie i wszystko inne schodzi na dalszy plan. Jak cały kraj,
również ja daję się porwać euforii towarzyszącej zwycięstwu
drużyny hinduskiej nad Bangladeszem w otwierającym
zawody meczu.

Mija kolejny tydzień. Do tego czasu już niemal zapomniałam o tamtej sprawie, gdy ni stąd, ni zowąd ktoś
dzwoni do mnie do pracy. Okazuje się, że to sędzia pokoju
we własnej osobie.

– Chciałem tylko, aby pani wiedziała, że... – zaczyna
i nagle urywa.

– Że co?

---

* We współczesnej kulturze hinduskiej – nieprzekraczalna granica, zasada, której złamać nie wolno. Termin odwołuje się do wypadków opisanych
w sanskryckim eposie *Ramajana*.

– Że dziś przeprowadziliśmy kontrolę w nielegalnej fabryce zamków i...

– I co?

– I zamknęliśmy ją. Uratowaliśmy trzydzieścioro pięcioro dzieci. Każde z nich dostanie...

– Co dostanie, na miłość boską?

– Odszkodowanie edukacyjne w wysokości dwudziestu tysięcy rupii, tak jak przewiduje Ustawa o pracy dzieci. Czy coś jeszcze...?

– Nie, to wszystko – mówię i odkładam słuchawkę. Nie do wiary! Zbyt dobrze to wygląda, aby było prawdziwe. Ale wieczorne gazety przynoszą artykuły o zamknięciu Mirza Metal Works. Są nawet zdjęcia Aneesa Mirzy, z twarzą osłoniętą szalem, prowadzonego przez policję jak pospolity przestępca.

Lauren nie posiada się z radości.

– Niech żyje Ustawa o prawie do informacji! – wykrzykuje. – Zawsze słyszałam, że informacja to władza, a teraz sama to widzę. Od dziś zaczynamy kształtować przyszłość każdego z tych trzydzieściorga pięciorga dzieci!

– Tak – przyznaję. – Dziś wypuściliśmy na wolność ich marzenia, zamknięte dotąd na klucz.

– Czemu nie powiedziała mi pani, że zmieniła pani numer telefonu? – zaczyna od wymówki Acharya, zaledwie przekraczam próg jego gabinetu. Jest czwartek, trzeci marca. Jak zwykle zostałam do niego wezwana z raptem godzinnym wyprzedzeniem.

– Ukradli mi moją starą Nokię – wyjaśniam. – Teraz mam telefon sieci Indus Mobile.

– Czyli tak jak ja. Przynajmniej nie będzie mnie teraz kosztować, kiedy będę do pani dzwonił. Proszę się upewnić, że Rana ma pani nowy numer. To ważne, żebym był z panią w stałym kontakcie.

Przebiega mnie dreszcz irytacji. Mam ochotę mu powiedzieć, że nie jestem jego własnością, on jednak się uśmiecha.

– Tak czy inaczej, wezwałem panią, żeby pogratulować pomyślnego przejścia trzeciej próby.

– A co to była za próba?

– Próba odwagi. To, że walczyła pani o te dzieci do końca, że nie zlękła się pani pogróżek ze strony Aneesa Mirzy, szefa mafii, że nie ustąpiła pani, dopóki nie zamknięto tego nielegalnego zakładu, świadczy o niczym innym, jak o odwadze.

Zrywam się z krzesła.

– Właśnie. Dość tego! Nie biorę więcej udziału w żadnych pańskich próbach.

Acharya gwałtownie podnosi głowę.

– Dlaczego? Co się stało?

– Twierdzi pan, że mnie pan nie śledzi. Ale przecież nie mógł pan znać tej sprawy z Aneesem Mirzą! Nawet w pracy nikomu o tym nie mówiłam!

– Ale złożyła pani wniosek w ramach Ustawy o prawie do informacji. A o całej historii dowiedziałem się stąd – podnosi z biurka magazyn.

Biorę od niego pismo. To lutowe wydanie „Nowin PDI", wydawanych przez organizację pozarządową o nazwie Odrodzenie Indii. Na stronie 32 widnieje artykuł o tym, jak moja podjęta w porę interwencja w ramach obywatelskiego prawa do informacji pomogła uwolnić od szkodliwej dla zdrowia pracy trzydzieścioro pięcioro dzieci. To niepokojące, jak ten człowiek potrafi uzyskać każdą najmniejszą informację na mój temat...

– Aby zaplanować przebieg akcji i doprowadzić ją do końca, przywódca musi wykazać wiele odwagi – ciągnie Acharya. – I nie mam tu na myśli odwagi, jakiej potrzebuje żołnierz, aby walczyć, lecz odwagę moralną, aby zawsze, bez względu na konsekwencje, robić to, co słuszne. Proszę pamiętać, że odwaga to nie jest brak strachu: to zdolność do działania pomimo strachu i przewagi opozycji.

– Nadal nie pojmuję, co ma wspólnego odwaga z funkcjonowaniem korporacji.

– To proste – uśmiecha się Acharya. – Najpospolitszym lękiem w przypadku dyrektora firmy jest lęk przed porażką. Dobry przywódca potrafi przezwyciężyć tę obawę. Śmiało podejmuje ryzyko, bo wie, że największym zagrożeniem nie jest podjęcie działania niewłaściwego, lecz powstrzymanie się od jakiegokolwiek działania. Jego największym lękiem jest lęk przed tym, iż będzie żałował, że nie spróbował.

Kiwam głową. Przypomina mi to cytat z Kierkegaarda, na który kiedyś natrafiłam: „Odważyć się – to utracić na chwilę punkt oparcia. Nie odważyć się – to utracić siebie".

– Nigdy nie powinniśmy się obawiać przekroczenia własnych granic – ciągnie Acharya. – Odważnie podjąć wyzwanie – oto prawdziwy test na przywództwo. Przywództwo pozbawione odwagi to jak samochód wyścigowy, któremu brak pedału gazu. Może jeździć przez całe lata, ale nigdy nie przekroczy linii mety. – Milczy chwilę, po czym w jego głosie pojawia się cień goryczy. – Oczywiście nawet mając najlepszy samochód wyścigowy, można czasem nie dotrzeć do mety, jeśli wieziemy w nim sabotażystę.

Podchwytuję aluzję.

– A właśnie, są jakieś wiadomości na temat tej wtyczki w firmie?

– Nie – wzdycha. – Ale w zeszłym tygodniu straciliśmy na rzecz Grupy Pierwszej kolejny przetarg na dostawę technologii do produkcji dowodów osobistych.

– W takim razie wtyczką jest najwyraźniej ktoś, kto przekazuje informacje Grupie Pierwszej.

– Prawidłowo. Tak właśnie zawsze działał mój brat, Ajay Krishna Acharya. Podchody, dwulicowość i wszelkie matactwa przychodzą mu z dużą łatwością.

– Mam nadzieję, że w końcu znajdzie pan zdrajcę, obojętne kto nim jest.

– Ja też – mówi posępnie.

Spoglądam na zegarek. Jest prawie druga.

– Pójdę już. – Wstaję z krzesła. – Powinnam też panu powiedzieć, że do końca miesiąca mnie nie będzie.

Podnosi wzrok.

– Wyjeżdża pani?

– Tak, do Mumbaju. Moja siostra Neha została wybrana do finałowej edycji telewizyjnego konkursu *Gwiazda Pop nr 1*. Będę jej towarzyszyć. Wzięłam już dwa tygodnie urlopu.

– W takim razie życzę siostrze szczęścia. I pani także.

– Mnie? Dlaczego?

– Kto wie... Może czeka tam panią kolejny test?

– **Czy brałaś pod uwagę pewną możliwość?** – pyta mnie Karan.

– Jaką?

– Że te łobuzy, co cię napadły w Parku Japońskim, to mogli nie być ludzie Aneesa Mirzy.

– W takim razie kto ich nasłał?

– Mam przeczucie, że mógł ich wynająć Acharya. Po prostu po to, żeby móc ci przyznać certyfikat odwagi.

Insynuacja jest tak straszna, że mnie po prostu zatyka.

– Czemu nie skończysz z tym absurdem? Przestań się widywać z tym łobuzem i już.

Zdecydowanym ruchem podnoszę głowę i podaję mu rękę.

– Umowa stoi. Jeśli się okaże, że to robota Acharyi, nie będę się z nim więcej zadawać. Nigdy.

PRÓBA CZWARTA
Ślepota sławy

Zapada nagła cisza. Niebo mieni się opalizującymi barwami
gasnącego dnia, a czerwona kula słońca zaczyna powoli za-
padać w ocean, wyostrzając ciemne sylwetki łodzi rybackich
na złocistej wodzie. W oddali, jak płaskorzeźba, widnieje wał
drapaczy chmur i osiedli apartamentowców. Nieprzerwany
zgiełk świata cichnie, powietrza nie porusza nawet najlżejszy
powiew. Nie ma nic, tylko łagodny plusk fal u moich stóp,
piasek pomiędzy palcami, krzyk krążących nad głową mew
i cierpka woń soli w nozdrzach.

Dla kogoś jak ja, kto nigdy dotąd nie zanurzył stóp
w oceanie, jest to radosne odczucie czystej transcendencji.
Góry Nainital budziły we mnie przeżycia duchowe, wrażenie trwania poza czasem; spieniony ocean Mumbaju rodzi
uczucie bezgranicznej wolności, podobnie jak całe miasto.
W porównaniu z luzem i erotyczną swobodą Mumbaju Delhi
wydaje się bastionem konserwatyzmu. Zakochani otwarcie
obejmują się i pieszczą tuż koło mnie na plaży Chowpatty, niepomni na chichoty gapiów. Modne dziewczyny bez
skrupułów błyskają przedziałkiem piersi i odsłaniają pę-
pek. Nawet żebracy, którzy oblegają turystów pod Bramą
Indii, bez śladu skrępowania odprawiają publicznie swoje
proszalne tańce.

Przyjechałyśmy tu z Nehą wczoraj i z miejsca dałyśmy
się porwać urokowi Mumbaju. Mówi się, że w Mumbaju

chodzi o pieniądze, tak jak w Delhi – o władzę, ale to nie do końca prawda. W Mumbaju koniec końców chodzi o okazję. To bezczelne miasto wielkich marzeń i wybujałych ambicji, gdzie mówi się, co się czuje, niczego nie udając. To także miasto-hiperbola, gdzie wszystko jest wyższe, większe, szybsze... Dla tych, co tu mieszkają, Mumbaj to kraj sam w sobie. Dla reszty Indii jest to jednak syrena, śpiewająca swą nieodparcie ponętną pieśń o świetności, sławie i złocie.

Nehę uwiodło to bez reszty. Wyczuwa nosem swój los w wilgotnym powietrzu Mumbaju. Urodziła się, by rządzić tym miastem. A jej biletem do sukcesu jest *Gwiazda Pop nr 1*, konkurs młodych talentów wokalnych, dzięki któremu tu jesteśmy.

Przyjechałyśmy pociągiem wczoraj wieczorem. Wylądowałyśmy na dworcu VT, stąd zaś śmignęłyśmy na wyspę Colaba na południowym krańcu miasta. Tam doznałyśmy pierwszego szoku. Nocleg, jaki przewidzieli dla nas organizatorzy, zorganizowano w zaniedbanym budynku szkoły podstawowej. Klasy zamieniono w sypialnie i w jednej z nich upchnięto mnie i Nehę wraz z siedmioma innymi zawodnikami i ich osobami towarzyszącymi. Na myśl, że będzie dzielić pokój z gromadą nieznajomych i korzystać ze wspólnych toalet, Neha wpadła w przerażenie. Pewnie się spodziewała, że zakwaterują ją w hotelu Tadż...

Dziś miałyśmy dzień wolny na zwiedzanie miasta. I zwiedziłyśmy wszystko, od Wiszących Ogrodów przez bulwar Marine Drive do meczetu Hadżi Ali. Widziałyśmy slumsy Dharavi i drapacze chmur Nariman Point. Podróżowałyśmy zapchanymi lokalnymi pociągami, gdzie napór spoconych ciał był niemal nie do wytrzymania. Zaglądałyśmy do *chawli**, gdzie na galeriach wystają tabuny mężczyzn,

---

* *Chawl* – osiedle galeriowców złożonych z identycznych niewielkich, tanich mieszkań o wspólnej toalecie.

którzy, przechyleni przez poręcz, patrzą na toczące się poniżej uliczne życie. Jadłyśmy *vada pav* w Prabhadevi i *bhel puri** w Dżuhu. A teraz jesteśmy na plaży w Chowpatty. To nasz ostatni przystanek, zanim udamy się z powrotem na Colaba.

Sam ogrom Mumbaju zatyka dech w piersiach. To naprawdę miasto-gigant, gdzie każdego dnia bogactwo i bieda, sacrum i profanum mieszają się z sobą we wspólnej pogoni za wielkością.

Dziś do mieszkańców dołączyło czterdziestu zawodników, którzy będą ze sobą rywalizować w programie *Gwiazda Pop nr 1*. Wszyscy mają od szesnastu do dwudziestu lat, wszystkich znęciła obietnica, że z dnia na dzień odniosą sukces i zdobędą natychmiastową sławę.

Tego wieczoru poznaję siedem osób, które śpią wraz z nami w jednym pomieszczeniu.

Gaurav Karmahe pochodzi z Dżharkhand, stanu, który zyskał sławę dzięki M.S. Dhoni, kapitanowi hinduskiej drużyny krykieta. Jest studentem trzeciego roku mechaniki na politechnice w Kharagpur i twierdzi, że śpiew ma we krwi.

– Wystarczy, że mnie usłyszysz, a przekonasz się, że jestem reinkarnacją Mohmmada Rafiego** – zapewnia.

Anita Patel to okularnica, studentka przyrodoznawstwa z Bhavnagar w stanie Gudżarat. Jej rzecznikiem jest ojciec, sprytny biznesmen o umyśle rachmistrza ze skłonnością do operowania wielkimi liczbami.

– Kiedy Anita zwycięży, dostanie kontrakt na płytę i cztery miliony gotówki – mówi. – Postanowiłem, że ulokuję tę sumę w funduszu inwestycyjnym o stałym oprocentowaniu.

---

* *Vada pav* – wegetariański burger na bazie ziemniaków i mąki ciecior-kowej z przyprawami, typowe danie uliczne Mumbaju; *bhel puri* – danie z dmuchanego ryżu i warzyw z przyprawami.
** Znany wokalista (1924–1980), uważany za jednego z największych pio-senkarzy z playbacku w hinduskim przemyśle filmowym (przyp. tłum.).

Za dwadzieścia lat będziemy mieli co najmniej dwadzieścia milionów plus bezpłatne ubezpieczenie na życie. Niezła inwestycja, co?

Javed Ansari, szestastoletni syn rikszarza z Lucknow, emanuje chłopięcym wdziękiem i chojracką pewnością siebie.

– Śpiewam od piątego roku życia. To przeznaczenie przyprowadziło mnie do Mumbaju – zwierza się. – Nieważne, wygram czy nie, po konkursie i tak nie wracam do Lucknow. Muszę tu zdobyć markę. Muszę i już! Nic mnie nie powstrzyma.

Osiemnastoletnia Koyal Yaday to kolejne cudowne dziecko. Przyjechała z biharskiej prowincji.

– Zaczęła śpiewać, kiedy miała zaledwie dwa lata. To właśnie dlatego nazwaliśmy ją Koyal – kukułka – mówi z dumą jej matka. – Jej ojciec też jest muzykiem, sławnym harmonistą w orkiestrze z Bhodżpuri. Kismet mojej córki jest bardzo mocny. Czuję, że niedługo czeka ją coś wielkiego.

Jasbeer Deol to jedyny startujący w konkursie Sikh. Jest postawnym, mocno zbudowanym nastolatkiem, którego ojciec prowadzi w Ludhianie dobrze prosperujący biznes – wyrabia wełniane koce.

– Czemu postanowiłeś zostać wokalistą? – pytam go. – Przecież doskonale byś się urządził, przejmując rodzinny biznes.

– Nie zależy mi na pieniądzach – odpowiada szczerze. – Chcę być sławny.

– A to dlaczego?

– No bo sama zobacz... Mój ojciec tyrał przez trzydzieści lat jak niewolnik, zdobył majątek, ale nawet wtedy gazety ani razu nie zamieściły jego zdjęcia. A ja śpiewałem przez trzy minuty, wygrałem przesłuchanie regionalne i już następnego dnia moje zdjęcie było w lokalnej prasie. O czym to świadczy? Że lepiej być sławnym niż bogatym.

Zgodnie z listą mieszkańców pokoju, jaką nam dano, jest wśród nas jeszcze jedna dziewczyna, dziewiętnastoletnia Mercy, bez nazwiska. Znajduję ją ukrytą za zasłoną. Na szyi wisi jej srebrny krzyż. Ubrana w tanie bawełniane sari, krucha z wyglądu, ma kędzierzawe włosy, krzywe zęby i twarz oszpeconą bielactwem. Plamiste białe łaty nadają jej niezdrową bladość, tak jakby była zrobiona z powoli mięknącego wosku.

– Skąd jesteś? – pytam łagodnie.

– Z Goa – odpowiada, wpatrując się uporczywie we własne stopy w zniszczonych gumowych klapkach.

– Kto z tobą przyjechał? Ojciec?

– Nie mam tu nikogo – odpowiada, kurcząc się, tak jakby starała się być jeszcze mniejsza, niż jest.

Zanim udaje mi się wyciągnąć z niej coś więcej, dopada mnie Nisar Malik, przystojny siedemnastoletni chłopak, który przyjechał z Pahalgamu w Kaszmirze.

– *Didda**, nie pożyczyłabyś mi dwudziestu rupii?

Unoszę brwi.

– Dlaczego? Nie masz pieniędzy?

Kręci głową.

– Wyjechałem z domu trzy dni temu raptem ze stoma rupiami w kieszeni. Teraz nie mam już nawet drobniaków. Nie martw się, oddam ci z procentem, jak wygram.

Niechętnie, z oporem rozstaję się z banknotem dwudziestorupiowym.

– Co cię skłoniło, żeby wziąć udział w konkursie?

– Tylko jedna rzecz: pragnienie sławy – odpowiada z ponurą szczerością. – Nie chcę być w życiu anonimowy, *didda*. Wolę umrzeć jutro jako człowiek sławny, niż żyć sto lat jako nikomu nieznany.

---

* Kaszmirska wersja *didi*; starsza siostra.

Ta bolesna determinacja zawodników i zawodniczek, to, że się tak chełpią bez cienia żenady, daje mi do myślenia. Czemu ludzie tak desperacko pragną być sławni? Skąd się bierze to nieustanne, obsesyjne dążenie do tego, żeby ich rozpoznawano, zauważano, żeby wyróżniali się z tłumu? To chyba jakaś choroba, wirus we krwi, rozsiewany przez telewizję. Infekcja ogarnęła cały kraj, od Kaszmiru do Kanyakumari. Sława nie jest już postrzegana jako produkt uboczny talentu, ale jako cel sam w sobie. Każdy chce natychmiast stać się celebrytą, a występ w telewizji to najszybsza droga, by to osiągnąć. To dlatego mamy ludzi gotowych zrobić po prostu wszystko, byleby dostać się do reality show. Jeść karaluchy przed kamerą, znęcać się nad rodzicami, uprawiać seks, brać ślub, ogłaszać rozwód, nawet rodzić... Wszystko, co robimy w realnym życiu, pakuje się obecnie do reality show. A pula stale się rozszerza. Mamy teraz show bazujący na regresji do poprzedniego życia, tak jakby obecne nie było już dość ekscytujące.

Dla mnie programy tego typu są chorobliwie fascynujące, całkiem jak wtedy, gdy jesteśmy świadkami wypadku samochodowego: człowiek chciałby odwrócić wzrok, a mimo to coś go zniewala i wbrew woli – patrzy.

Neha nie ma takich myśli. Jest zajęta ocenianiem konkurencji.

– Jeśli reszta jest taka sama jak ci tutaj idioci – omiata salę pogardliwym spojrzeniem – to wygrywam z palcem w nosie.

Podziwiam jej niezachwianą wiarę w siebie. Ale martwię się też, jak zniesie porażkę. Podobnie jak w innych telewizyjnych konkursach, zwycięzca czy zwyciężczyni *Gwiazdy Pop nr 1* zostaną ostatecznie wyłonieni dzięki głosom telewidzów. A jak wciąż na nowo przekonują się nasi politycy, trudno o coś bardziej nieprzewidywalnego niż głosująca publiczność...

Nazajutrz show zaczyna się na dobre. Przewożą nas do studia Mehboob w podmiejskiej dzielnicy Bandra, gdzie zostaje sobie oficjalnie przedstawionych wszystkich czterdzieścioro uczestników.

Wnętrze ma w sobie szyk w stylu retro i przypomina elegancki nocny klub, w rodzaju tych, które pojawiały się w hinduskich filmach z lat siedemdziesiątych. Ciemne ściany w odcieniach terakoty, fioletu i granatu eksponują czarne, żłobkowane obrotowe podium, zaprojektowane tak, by przypominało płytę winylową. Atmosferę *noir* podkreśla dramatyczne oświetlenie: mglista czerwień i fiolet nadają scenie aurę jak ze snu. Na widowni siedzi ponad dwieście osób, częściowo publiczność, częściowo krewni i znajomi uczestników.

Producentem i reżyserem w jednej osobie jest wysoki, tyczkowaty hipster, ze swoimi dredami i kozią bródką wyglądający jak muzyk reggae. Ma na sobie wytarte dżinsy i trampki. Jest Syryjczykiem z Kerali, chrześcijaninem, i występuje pod nazwiskiem Mathew George. Jak trener formujący nową drużynę, wyjaśnia zawodnikom podstawowe zasady:

– Pierwsze, o czym musicie wiedzieć, to że *Gwiazda Pop nr 1* nie jest prezentacją muzycznych talentów. To show rozrywkowe, coś pośredniego pomiędzy *Bigg Boss* a *Hinduski idol*. A zatem nie potrzebuję wyłącznie waszych piosenek. Potrzebuję także waszego życia, z całym jego zamętem, smutkiem, niepewnością, z jego brzydotą i pięknem. Chcę waszych łez, chcę waszych lęków. Chcę awantur, skandali, kłótni pomiędzy kochankami. Chcę waszych mrocznych tajemnic, prania brudów. Wszystkiego, co w sobie macie i co wywrzeszczycie na cały głos, ogłaszając światu, że wy i tylko wy zasługujecie na to, żeby zostać Gwiazdą Pop nr 1, i że nic nie jest w stanie wam przeszkodzić, aby nią zostać! Pamiętajcie, świat wielbi wyłącznie numer jeden. Dla numeru dwa nie ma na nim miejsca. Historia jest okrutna dla pokonanych. A zatem powstańcie, walczcie i sięgajcie po koronę!

Urywa i toczy spojrzeniem po zbitych w kupkę zawodnikach. Niektórzy nerwowo ogryzają paznokcie, inni podrygują stopą.

– Zrozumieliście?

Nie wiem jak inni, ale Neha na pewno zrozumiała. Ściska mnie za rękę.

– Właśnie, właśnie, *didi*! Czuję to we krwi, że to ja zostanę numerem jeden!

– Pozostałych trzydzieścioro dziewięcioro też czuje – wzdycham.

W chwilę później wchodzą sędziowie, czterech tak zwanych „muzycznych guru". Potężnej budowy Bashir Ahmad jest w Bollywood głośnym reżyserem dźwięku. Jako jeden z duetu Bashir–Omar jest współautorem muzyki do wielu filmowych hitów. Ma też godną pozazdroszczenia smykałkę do autopromocji. Rohit Kalra jest znanym tekściarzem i śpiewakiem gazeli*; próbował też sił jako aktor, ale bez sukcesu. Choć już dobrze w latach, wciąż ma w sobie jakiś zawadiacki wdzięk, podkreślony przez długą grzywę włosów. Udita Sapru uosabia w tym gronie współczynnik elegancji: to ponętna wokalistka o zmysłowym głosie, sama odkryta trzy lata temu w konkursie talentów o nazwie *Pieśń życia*. I wreszcie – Vinayak Raoji Wagh w markowych ciemnych okularach. Bliski sześćdziesiątki Raoji stanowi stały element wszelkich konkursów muzycznych. Traktowany jak żywa legenda, jest jedynym niewidomym muzykiem, kompozytorem i wokalistą w Bollywood. Ospowata twarz to spadek po przebytej w dzieciństwie chorobie, ale blizna pod lewym okiem to rezultat makabrycznego incydentu sprzed kilku lat. Jakaś niepoczytalna fanka zaatakowała go podczas koncertu nożem, o mało nie wydłubując mu oczu, po czym popełniła samobójstwo, wbijając sobie ten sam nóż w szy-

---

* Gazel, gazela – wiersz liryczny o tematyce erotycznej.

ję. Raoji stracił wzrok, ale nie zapał do pracy. Nadal pisze muzykę do filmów i jest na drodze do tego, by wymieniono go w Księdze Rekordów Guinessa jako najpłodniejszego kompozytora na świecie.

Guru zajmują miejsca na podium dla sędziów, a Matthew George tłumaczy zasady rywalizacji.

– Wszystkich czterdzieścioro uczestników zostanie podzielonych na cztery zespoły po dziesięć osób. Każdy będzie miał swojego muzycznego guru. Przez najbliższe dwa tygodne będziemy mieli kolejne rundy bezpośrednich eliminacji, na podstawie których zostanie wyłoniona dwudziestka najlepszych. Wtedy zacznie się głosowanie na żywo w telewizji, w rezultacie którego pod koniec roku publiczność wyłoni wokalistę czy wokalistkę, którzy otrzymają koronę i tytuł Gwiazdy Pop nr 1.

Pstryka palcami i światło przygasa. Podium oświetla jeden jedyny reflektor. Rozlega się otwierający show muzyczny kawałek.

– A teraz każdy i każda z was podejdzie i wykona wybraną przez siebie piosenkę. Na tej podstawie sędziowie podzielą was na cztery zespoły.

Na to czekałam. Teraz będę się mogła przekonać, czy te nadęte samochwały w ogóle potrafią śpiewać. Siadam na widowni wraz z pozostałymi gośćmi, a zawodnicy w przewidzianym uprzednio porządku wchodzą na podium.

Jak zmienia ludzi fakt, że stoją na scenie, twarzą w twarz z tłumem widzów! Jest w tym jakaś dziwna alchemia. Zwykłe szaraki z zapyziałej prowincji w jednej chwili przemieniają się w dumnych wokalistów. Zaledwie staną w blasku reflektora i wezmą do ręki mikrofon, zmienia się cały ich język ciała. Nie są już inżynierami ani rolnikami, studentkami ani sprzedawczyniami: wyrastają ponad własną przeciętność i stają się ludźmi sceny. Kamery telewizyjne przydają im momentalnie aureolę gwiazdorstwa.

Przez najbliższe trzy godziny wysłuchuję trzydziestu siedmiu wykonań wszelkiego rodzaju piosenek śpiewanych przy akompaniamencie orkiestry. Wrażenia mam bardzo mieszane. Niektórzy z zawodników to wyraźnie wyszkoleni wokaliści, którzy potrafią utrzymać tonację, ale są też osoby pozbawione jakiegokolwiek muzycznego talentu. Ich śpiew jest płaski. Czyżby opłacili sobie zwycięstwo we wstępnych eliminacjach?

Przychodzi kolej na Nehę. Śpiewa tytułową piosenkę z filmu *City of Dust*. Sędziowie, zwłaszcza Raoji, kiwają głowami, wyraźnie pod wrażeniem zarówno jej umiejętności wokalnych, jak scenicznej swobody. Stanowi rzadkie połączenie dobrego głosu, ładnej twarzy i królewskiej prezencji i jest jak dotąd zdecydowanie najlepsza.

Po niej występuje Javed. Syn rikszarza zaskakuje wszystkich nienagannym wykonaniem. Wybiera popularną piosenkę z *Love in Bangkok* i jego głęboki baryton niemal natychmiast budzi entuzjazm publiczności. Sędziowie przytupują do rytmu.

Neha zaczyna przejawiać irytację, zmuszona uznać, że istnieje ktoś, czyje gwiazdorstwo jest lepsze niż jej.

Tłum wciąż jeszcze skanduje: „Ja-ved! Ja-ved!", gdy wtem ponad zgiełk wzbija się delikatna nitka jakiejś nieziemskiej melodii. To ostatnia zawodniczka, nieszczęsna, zabiedzona Mercy. Ale choć ciało ma wiotkie i kruche, głos, który wydobywa się z jej gardła, jest jak potężny strumień rwący przez piaski pustyni. Narastający niczym modlitwa śpiew wzrusza mnie do głębi, przenosi w jakieś niebiańskie miejsce, gdzie panuje błogość i spokój. Sala cichnie... Jest to nagłe milczenie tłumu, który wie, że ma do czynienia z czymś większym niż on sam, przeżycie niezwykłe, nieomal magiczne.

Widzę, że guru są urzeczeni niepowtarzalnym brzmieniem głosu Mercy. Mimo to George powoli kręci głową.

Mercy nie ma nawet cienia szansy na to, by zostać Gwiazdą Pop nr 1. Ma głos bogini, ale osobowość rośliny doniczkowej.

Po wysłuchaniu wszystkich zawodników sędziowie zbijają się w kupkę. Zdenerwowani kandydaci przypominają czekających na wyniki egzaminu studentów. Wygląda na to, że wszyscy chcą trafić albo do drużyny Bashira Ahmada, albo Raojiego. Obaj są reżyserami dźwięku i mogą umożliwić nowemu wokaliście czy wokalistce upragnione wejście do świata filmu.

Po ogłoszeniu wyników jedni są przygnębieni, inni wiwatują. Javed został wybrany przez Bashira Ahmada, Mercy idzie do drużyny Udity, Nisar Malik z Kaszmiru – do Rohita Kalry. A moja siostra trafia pod skrzydła niewidomego Raojiego. Jest w ekstazie.

– Wprost nie mogę uwierzyć... Będę się uczyć od muzyka takiego kalibru jak Raoji!

Nazajutrz dźwiękowiec-weteran zaprasza wszystkich dziesięcioro członków swojej drużyny do okazałego trzypiętrowego bungalowu w Dżuhu, gdzie ma własne prywatne studio nagrań. Przez całe życie kawaler, mieszka obecnie tylko z wiekowym służącym, który sam wygląda, jakby był na wpół ślepy. Studio nagrań okazuje się ekstranowoczesne, ma też własny zestaw syntezatorów. Niemal od razu zaczynają się improwizowane próby. Ktoś zaczyna grać na harmonii, ktoś inny wyjmuje z futerału gitarę... Przestrzeń wypełniają dźwięki *raga**, a ja zaczynam się czuć niczym jeżdżąca za zespołem fanka na zakulisowym przyjęciu.

Raoji słucha cierpliwie każdego, a specjalną pochwałą wyróżnia Nehę.

– Słyszę w twoim głosie obecność bogini Saraswati. Daleko zajdziesz, dziewczyno.

---

* W klasycznej muzyce hinduskiej melodia stanowiąca ramę dla improwizacji lub kompozycji (przyp. tłum.).

Neha kłania się nisko i dotyka jego stóp.

– Chcę być pańską uczennicą, guru-ji, i wchłonąć całą wiedzę, jaką pan posiadł.

– I tak się stanie. Nie zapomnij jednak o moim *guru-dakshina* – śmieje się. Chodzi o tradycję odwdzięczenia się nauczycielowi po zakończeniu nauki.

Wiem, że niewidomi mają szósty zmysł, ale Raoji mówi to w taki sposób, patrząc z przechyloną głową wprost na Nehę, że przez chwilę mam wrażenie, jakby naprawdę ją widział.

Wieczorem podczas kolacji Mercy odwołuje mnie na bok.

– Powiedz siostrze, żeby uważała na Raojiego – mówi zagadkowo.

– Wiesz o czymś, czego my nie wiemy? – przyciskam ją. Ona jednak zagryza tylko wargi i milczy.

Po utworzeniu drużyn zaczynają się eliminacje – w tym samym nużącym i przewidywalnym porządku, jaki znam z niezliczonych programów tego typu. Na każdej sesji zostaje wybranych czworo wykonawców, po jednym z każdej grupy. Są proszeni o zaśpiewanie piosenki wybranej przez ich własnego guru. Następnie pozostali sędziowie oceniają wykonanie i najsłabszy z czwórki zostaje wyeliminowany. Jest to ekwiwalent nagłej śmierci; osoba odrzucona nie dostaje powtórnej szansy.

Pankaj Rane, dwudziestodwuletni przedstawiciel medyczny o niewielkim talencie i jeszcze bardziej nikłej osobowości, jest pierwszym, któremu pokazano drzwi. Załamany, wybucha niepowstrzymanym płaczem. Oko kamery skupia się na jego zalanej łzami twarzy. Matthew George szczerzy zęby w uśmiechu. Tego właśnie chciał.

Żal mi tych młodych ludzi i ich ślepej ambicji. Zwycięzca będzie w show tylko jeden. Reszta zostanie przeżuta i wypluta; zostaną po nich dymiące zgliszcza zrujnowanych nadziei i marzeń. Wysoko mierzący, z gwiazdami w oczach, w jednej chwili znajdą się na bruku, zapomniani i samotni.

George ma rację. To nie jest konkurs talentów. To jarmarczne reality show, bezwzględna, mordercza rywalizacja pod okiem kamery.

Dwa dni później Raoji przysyła po Nehę samochód: wzywa ją na próbę. Postanawiam, że pojadę i ja. Na miejscu okazuje się, że jesteśmy tylko my dwie: nie zaproszono żadnego z pozostałych siedmiorga członków drużyny.

– Skąd te względy właśnie dla Nehy? – pytam grzecznie po wejściu do studia nagrań.

– Pani siostra z łatwością przejdzie przez wstępną fazę eliminacji – odpowiada. – Chcę ją teraz przygotować do fazy drugiej, w której będzie głosować cały kraj. Jeśli wybierze właściwą piosenkę, ma wszelkie szanse, by zostać Gwiazdą Pop nr 1.

To właśnie Neha chce usłyszeć.

– Jaką piosenkę pan poleca, guru-ji? – pyta, trzepocząc rzęsami, choć ma do czynienia z niewidomym. Przypomina nadgorliwą uczennicę, łaknącą za wszelką cenę aprobaty nauczyciela.

– Zacznijmy od klasycznej *Kuhu kuhu Bole Koyaliya* – *Kukułeczki*.

Pamiętam tę mało znaną piosenkę z filmu *Swarna Sundari* z roku 1958. Ku mojemu zaskoczeniu Neha też ją zna. Zaczyna śpiewać z typowym dla siebie zapałem, ale głos ją zawodzi: załamuje się na najwyższych nutach.

Raoji uderza pięścią w rozpostartą dłoń.

– Nie! Nie! Nie!

Neha urywa w pół tonu.

– Co się stało, guru-ji?

– Ta piosenka przekracza twoje możliwości – mówi Raoji kategorycznie. – To jedna z najtrudniejszych do wykonania, bo cztery wersy, z jakich się składa, bazują na czterech odmiennych *raga*. Tylko najbardziej wszechstronni wokaliści potrafią wziąć przejścia pomiędzy nimi bez przerwy albo fałszu. W tej chwili jeszcze nie jesteś w tej klasie. Ale będziesz, jak poćwiczysz.

Wypowiedziawszy tę upokarzającą uwagę, mięknie.

– No dobrze, spóbujmy czegoś lżejszego. Może *It's Raining* z repertuaru Udity Sapru?

Neha się rozjaśnia.

– To mój ulubiony numer! – I tym razem podejmuje z sukcesem wyzwanie, bez trudu wspina się w górę skali i opada w dół w chwytliwym, szybkim rytmie. Kiedy kończy, Raoji klaszcze w ręce.

– Ha! To było bezbłędne! A teraz podejdź i stań przede mną. Chcę cię zobaczyć.

Neha idzie ku niemu z wahaniem.

– Ale... pan przecież nie widzi, sir.

– Niewidomy nie patrzy oczami, tylko rękami – mówi i zaczyna delikatnie wodzić koniuszkami palców po jej twarzy, jak gdyby zapamiętując każdą wypukłość i wklęsłość. Zaczynam się czuć niezręcznie, bo dłoń schodzi niżej, błądzi po szyi, jeszcze niżej, i jeszcze, niemal do podbrzusza...

Neha stoi jak zamarła, wstrzymując dech. Widzi, że jestem gotowa interweniować, i podnosi ostrzegawczo rękę. Ściskam poręcze fotela i ostatkiem sił powstrzymuję się, żeby nie przerwać tej przerażającej ciszy.

Jeszcze chwila i Raoji cofa dłonie.

– Teraz cię zobaczyłem – mówi. – Jesteś równie piękna, jak twój głos.

Neha puszcza do mnie oko. Kąciki ust wygina jej drapieżny uśmieszek rozbawienia.

W domu, dokąd odwiózł nas szofer Raojiego, Neha wybucha niepowstrzymanym, histerycznym śmiechem.

– Jakie to żałosne!

– Nie ma się z czego śmiać – mówię. – On zdecydowanie próbował cię obmacywać.

– Spokojnie, *didi* – Neha oddala moje lęki władczym ruchem dłoni. – Nie róbmy z tego od razu sprzedawania się dla roli. Ten biedny ślepiec potrzebuje po prostu trochę kontaktu z człowiekiem. Współczuję mu, naprawdę. Wyobraź sobie tylko, brnąć przez życie w kompletnej ciemności, bez żadnego koloru, kształtu, bez nadziei... – Wzdryga się na samą myśl. – Wolałabym śmierć niż takie życie.

– Coś w Raojim wydaje mi się nie tak – upieram się. – Od tej chwili nie powinnaś mu pozwolić się do siebie zbliżać.

– Wręcz przeciwnie, muszę się trzymać blisko niego – dowodzi Neha. – Nieczęsto ma się szansę pomocy niewidomemu. A jego przychylność na pewno nie zmniejszy moich szans na wygraną w konkursie.

Mogę tylko pokręcić głową na tę jej beztroskę. Wiem, że odtąd moje zadanie jest podwójnie trudne. Muszę nie tylko chronić Nehę przed Raojim; muszę chronić moją siostrę przed nią samą.

Reszta tygodnia to nieustanny wir prób, przedstawień, zmian garderoby i sesji zdjęciowych. Wyeliminowani udają, że uśmiechają się przez łzy. Ci, co przeżyli, dziękują swemu szczęściu i wymieniają słowa otuchy.

Nie mam zbyt wiele do roboty: jestem tu tylko cheerleaderką Nehy. Przy tej ilości wolnego czasu moje myśli nieuchronnie skręcają w stronę Karana. Rozmawiamy przez telefon niemal codziennie.

– Kiedy wracasz? – pyta. – Cierpię na ostry niedobór witaminy S.

Ilekroć słyszę jego głęboki, czysty głos, puls mi przyspiesza. Znów wracają wspomnienia tamtego wieczoru, kiedy go pocałowałam. Jedyne wiersze, jakie piszę w tych dniach, rodzą się z niewypowiedzianych emocji, kiedy pióro niemal mi krwawi z bólu rozłąki i tęsknoty, których nie sposób udźwignąć. Czy to reakcja na te wszystkie ckliwe piosenki miłosne, których słucham w wykonaniu zawodników? A może naprawdę się zakochałam? Karan jest zabawny. Bystry. Przystojny. Idealny mężczyzna dla mnie... Ale im bardziej się do niego zbliżam, tym bardziej czuję, że coś przede mną ukrywa. A zdradziecki umysł zaczyna mi podsuwać różne toksyczne wątpliwości, od których zamiera mi serce. Może nie jestem dla niego dość dobra? To, że spędzamy całe godziny na rozmowie, nie oznacza jeszcze, że jest we mnie zakochany. Gdyby był, to czy nie odpowiedziałby na mój pocałunek?

Aby odwrócić myśli od tej niepokojącej zagadki, zaczynam spędzać czas z Mercy. Ze wszystkich zawodników ona intryguje mnie najbardziej. Na zawsze już pozostanie mi w pamięci jej czysty, wysoki sopran i aksamitny kontralt. Ale niezależnie od głosu przemawiają do mnie jej oczy. Wydaje się, jakby zawsze były na granicy łez, niby fontanna, co stale tryska smutkiem, który przepełnia jej serce. Jest samotnicą, zawsze trzyma się na uboczu i stara się unikać jakiegokolwiek towarzystwa. Ilekroć ją widzę, przypomina mi chowającego się w kącie zbitego psa.

– Czemu zdecydowałaś się przyjechać na ten konkurs? – pytam ją któregoś wieczoru. – Przecież aby zostać Gwiazdą Pop nr 1, ważniejszy jest wygląd niż głos.

Mimo że tak dobrze potrafi ukrywać prawdziwe uczucia, tym razem udaje mi się przełamać jej mechanizmy obronne.

– Przyjechałam, żeby się zobaczyć z Raojim – wypala. Jestem zdumiona.

– Żeby się zobaczyć z Raojim? A cóż to za dziwny powód?

Powoli, po kawałeczku, wypływa z niej cała historia. Dowiaduję się o Raojim brzydkich rzeczy. Starsza siostra Mercy, początkująca wokalistka Gracie Fernandez, przyjechała tu z Goa osiem lat temu. Raoji został jej mistrzem i zaczął ją uczyć. Wkrótce zmusił ją do relacji seksualnej. Kiedy jednak Gracie zaszła w ciążę, Raoji zmienił się krańcowo. Nazwał ją dziwką i odmówił ożenku. Gracie błagała, żeby się zastanowił, zmienił decyzję, on jednak był niewzruszony. Popełniła fatalny błąd: zagroziła, że pójdzie z tym do prasy. Raoji wpadł we wściekłość. Wychłostał ją pasem, tak że cała była niebieskoczarna, i powiedział, że ją zabije. Gracie poroniła i przez sześć tygodni leżała w szpitalu. Kiedy wyszła, myślała wyłącznie o zemście. To ona zaatakowała Raojiego nożem na koncercie sześć lat temu.

– Moja siostra nie była szalona – kończy Mercy, a w oczach wzbierają jej łzy. – Ten człowiek nie pozostawił jej innego wyjścia. Świat sądzi, że Gracie popełniła samobójstwo, ale tak naprawdę to było morderstwo. Raoji zmusił ją, żeby odebrała sobie życie.

– W takim razie czemu te fakty nie zostały ujawnione?

– Bo moja siostra była nikim z Goa, a Raoji ma pieniądze i władzę. Przekupił policję i wszystko ucichło.

– Czyli że przyjechałaś tu zabić Raojiego, zemścić się?

– Nie, skąd! – Unosi wiszący na jej szyi krzyżyk. – Jezus mi świadkiem, że nie jestem w stanie zabić nawet muchy. Zemstę i wymierzenie sprawiedliwości najlepiej pozostawić Bogu.

– To jaki masz plan?

– Nie mam żadnego planu. Kiedy się dowiedziałam, że Raoji będzie w tym show jednym z sędziów, postanowiłam wziąć w nim udział. Po prostu chciałam zobaczyć człowieka, który zniszczył życie mojej siostry. Była moim guru, uczyła mnie śpiewać... Marzyła, żebym wygrała jakiś wokalny konkurs. Nie przyjechałam tu, żeby ją pomścić, tylko uhonorować.

– A co z Raojim?

– Kiedyś osądzi go Chrystus.

Słucham tej tragicznej historii i przejmuje mnie podziwem opanowanie Mercy. Gdybym była na jej miejscu, nie wiem, czy byłabym w stanie patrzeć na niego i nie plunąć mu w twarz. Nie miałabym też cierpliwości, żeby czekać na sąd boski.

Historia Gracie nie tylko mnie wzrusza, umacnia również moje narastające podejrzenia wobec reżysera.

– Od tej chwili nie spotykasz się z nim w żadnych okolicznościach – polecam siostrze. – Kto raz okazał się sadystą, zawsze nim pozostanie. Tak uważam.

– Ale to głupie! – sarka. – Jest moim guru, na litość boską! I wezwał mnie na próbę generalną dziś wieczorem...

– Powiedz mu, że nie przyjdziesz.

– Tak, i tytuł Gwiazdy Pop nr 1 przejdzie mi koło nosa? Nie opowiadaj głupstw, *didi*. A poza wszystkim, co mi może zrobić ślepy facet? Jestem umówiona i absolutnie tego dotrzymam.

– W takim razie jadę z tobą.

Raoji wita nas na tarasie domu. Jest chłodny, wietrzny wieczór. Na bezchmurnym niebie lśni księżyc w pełni, lejąc blask na rozległą rezydencję.

Gospodarz, w jedwabnej *kurta pyjama*, jest jak zwykle pełen czaru, ale ja nie potrafię już na niego patrzeć inaczej niż przez pryzmat tego, co zrobił z siostrą Mercy. Wstrząsa mną dreszcz odrazy.

Neha wygląda ślicznie w różowym komplecie *salvar* z jedwabnej krepy, który kupiła wczoraj w Crawford Market. Sama tylko szyfonowa *dupatta* kosztowała mnie osiemset rupii.

Służący Raojiego wnosi tacę z napojami. Ja poprosiłam o sok pomarańczowy, Neha o dietetyczną colę. Raoji, jak już zdążyłam zaobserwować, najchętniej truje się szkocką whisky Talisker Single Malt.

– Dziś Neha otrzyma ode mnie ostatnią lekcję – mówi cokolwiek tajemniczo, napełniając kieliszek ciemnym, złocistym płynem. – Jesteśmy na finiszu pierwszego stadium. Jutro odbędzie się ostatnia runda eliminacji. A później, Neha, nic cię nie powstrzyma. Zdrowie! – Wznosi kieliszek i w dwu łykach wychyla.

Neha, przejęta, zaczyna omawiać z Raojiim technikę śpiewu. Podchodzę do krawędzi tarasu, opieram się łokciami na ozdobnej kamiennej balustradzie i patrzę w dal, na rozległą konurbację, widniejącą za pomarszczonym aksamitem oceanu. Horyzont Mumbaju wygląda w nocy spektakularnie. Migotliwe, iskrzące się światła okrywają miasto, jaśniejące zorzą niczym fatamorgana. Na wieżowcach wzdłuż plaży płoną miękko neony reklam. Place targowe wciąż pulsują zgiełkiem handlu. Ulicą w dole nadal mkną samochody. To miasto naprawdę nigdy nie kładzie się spać...

Powietrze przepełnia odurzający zapach rosnącego w donicach *Cestrum nocturnum*. Miesza się z nim wilgotna, słona woń oceanu... Usypia mnie to. Pociągam kolejny łyk soku. Troszkę dziwnie smakuje... Nagle zaczyna mnie boleć głowa, uginają się pode mną kolana. Mam wrażenie, że zaraz będę wymiotować, i rzucam się w stronę toalety na odległym krańcu tarasu.

Wspieram się na umywalce i patrzę w lustro. Oczy mam dziwnie półprzymknięte, ciążą mi powieki. Fale senności atakują mój umysł, jedna za drugą. Spać, spać... A zarazem mnie mdli. Nadludzkim wysiłkiem chlustam sobie w twarz zimną wodą. Mrugam, usiłując odzyskać ostrość widzenia, ale w głowie nadal mam zamęt. Opieram się o ścianę i usiłuję zrozumieć, co mi się stało.

Ależ tak! Raoji musiał powiedzieć służącemu, żeby mi czegoś dolał do soku. Widzę go teraz w oknie, jak gładzi Nehę po plecach. Podwaja mi się w oczach, potraja, mnoży, aż wreszcie głowę wypełnia mi wizja dziesięciogłowego

Raojiego, uśmiechniętego szatańsko niczym demon Rawana z *Ramajany*.

– Chodźmy do studia – dobiega mnie z oddali niby echo. – Poprowadzisz mnie?

Jak przez mgłę widzę, że Neha bierze Raojiego za rękę i prowadzi ku schodom.

– Nie! – usiłuję zawołać, tknięta strasznym przeczuciem, ale nie jestem w stanie ani mówić, ani się poruszać. Jakbym była zahipnotyzowana, w transie... Mój mózg nie ma już łączności z ciałem.

Przezwyciężam narastający paraliż i zataczając się, wychodzę z łazienki. Raoji i Neha już zniknęli, pozostawiając po sobie miskę solonych orzeszków cashew.

Głowa mi ciąży, w całym ciele czuję taką słabość, że ledwie mam siłę ją unieść. Wiem, że lada moment upadnę niczym pijak. I wtedy mój wzrok pada na połyskującą na stole opróżnioną do połowy butelkę Taliskera. Chwytam ją w ręce. Waży chyba tonę... Zbieram wszystkie rezerwy energii, jaka mi jeszcze pozostała, unoszę ją nad głowę i walę nią o posadzkę. Roztrzaskuje się na kawałki, powietrze wypełnia ostra woń whisky. W ręce została mi tylko najeżona ostrymi zębami podstawa. Choć nadal się chwieję i kręci mi się w głowie, biorę głęboki oddech i niczym sztylet, wbijam sobie szkło w lewe udo. Ostry, palący ból przenika ciało i ten szok momentalnie rozwiewa mgłę, która spowija mi mózg, budzi uśpione zmysły.

Ignorując ostry ból w udzie, schodzę z trudem po schodach, brnę przez bawialnię i wpadam do studia nagrań. Neha i Raoji leżą spleceni na kanapie. On obejmuje ją ciasno w pasie, przygważdżając jej ręce do boków, i stara się ją pocałować. Neha walczy desperacko, usiłując się wyrwać z uścisku.

– Raoji! – wrzeszczę i wyszarpuję ją z jego objęć.

Puszcza ją, dysząc ciężko jak człowiek bliski ataku serca. Ma ślinę w kącikach ust i nabrzmiałe żyły na czole.

– Idź, Neha! – warczy. – Starałem się tylko ci pomóc. Ale nie jesteś warta mojej uwagi.

Płonę z oburzenia i poczucia zniewagi. Jednym ruchem odciągam Nehę na bok i z całej siły kopię go w brzuch. Obcas trafia w splot słoneczny. Twarz Raojiego wykrzywia ból i szok.

– Ty suko! – jęczy, trzymając się za żołądek.

Moja furia narasta.

– Szlag by cię trafił, ty gnido! – I rzucam się na niego z pięściami, on jednak z zaskakującym refleksem chwyta mnie w pół ciosu za ramię. Jednym ruchem obraca mnie twarzą do ściany i wykręca mi rękę, o mało jej nie łamiąc. Skręcam się z bólu.

– Mógłbym cię zgnieść jak muchę – syczy mi do ucha. Po czym, równie nagle, mnie puszcza.

– Nie będzie żadnych prób! – oświadcza tonem odprawy. – Zabierajcie się z mojego domu, obydwie!

Neha jest potwornie wstrząśnięta incydentem. Niemal czuję wstyd, przerażenie i odrazę, które nią miotają, gdy siedzimy w taksówce wiozącej nas z powrotem do Colaba.

– Próbował... próbował mnie m-m-macać – jąka. – Miałaś rację, *didi* – i wybucha płaczem, kryjąc twarz na moim podołku.

– Nie martw się... Wszystko będzie dobrze – mówię uspokajająco i gładzę ją po głowie.

Przypadkiem dotyka mojego uda i wyczuwa na ubraniu lepką plamę. Z rany wciąż sączy się krew.

– O Boże, *didi*! Krew ci leci! – woła. Pulsujący ból, przytłumiony dotąd przez adrenalinę, teraz zaczyna mnie palić żywym ogniem.

Neha bez chwili wahania rozdziera swój nowy szal i owija nim ranę jak bandażem. Upływ krwi zostaje zatamowany.

Siedzimy na tylnym siedzeniu taksówki i odkrywamy na nowo siebie nawzajem. Chyba pierwszy raz w życiu widzę Nehę w nowym świetle i czuję się z nią naprawdę związana. Wyczuwam w niej serdeczność i ciepło, które dotąd ukrywała za narcystyczną fasadą egocentryzmu, powierzchowności i sztuczności.

– Zawsze mi się wydawało, że kochasz Alkę bardziej niż mnie – mówi, a w jej głosie słychać całe zranienie i gorycz, jakie narastały w niej od lat. – Ale teraz już nie.

Okazuje się, że to wieczór niespodzianek, odkryć i wyznań.

– Zawsze mi się wydawało, że dla sławy zrobisz wszystko – odpowiadam z równą szczerością. – Ale teraz już nie.

Obejmujemy się jak dwaj rozbitkowie, którzy uratowali się z powodzi, dryfując na tej samej kłodzie.

Życie nie daje nam wyboru, jeśli chodzi o związki krwi, ale zawsze daje nam okazję, żeby je naprawić.

Nawet gdy docieramy bezpiecznie do naszej kwatery, Neha nadal się do mnie tuli. Dotykam jej czoła: chyba ma gorączkę. Mercy pomaga mi położyć ją do łóżka. Kiedy odwracam się, by odejść, Neha łapie mnie za rękę.

– A gdzie teraz idziesz, *didi*?

– Na policję, zgłosić sprawę Raojiego. Próbował mnie odurzyć narkotykami, a ciebie molestować.

– Nie, *didi*! – Neha wyskakuje z łóżka i zagradza mi drogę. – Nie pozwolę ci na to.

– Ale dlaczego?

– To przekreśli moje szanse na zwycięstwo w konkursie.

– Czyś ty zwariowała? Po tym wszystkim, co ci zrobił, nadal myślisz o konkursie?

– Posłuchaj, powiem George'owi, żeby po tej rundzie przydzielił mnie do innej drużyny. Nie będę mieć więcej do czynienia z tą szują Raojim. Ale nie chcę stracić szansy...

Już blisko! Jeśli uda mi się wejść do ostatniej dwudziestki, nawet Raoji nie zdoła mi przeszkodzić. Nie odbieraj mi mojej jedynej nadziei, jedynego marzenia!

Znów zaczyna płakać. Ustępuję.

– No dobrze. Nie doniosę na Raojiego, skoro tego chcesz.

Mercy, która przypadkiem słyszała naszą rozmowę, bardziej troska się o moją skaleczoną nogę.

– Powinnaś pójść do lekarza, *didi*. Jeśli rana nie zostanie szybko opatrzona, może się wdać zakażenie.

Idzie ze mną do pobliskiej kliniki, gdzie pielęgniarka czyści ranę i ją dezynfekuje. Po drodze mijamy ruchliwy uliczny rynek. Z powrotem natykamy się tu na inspektora w mundurze policji stanu Maharasztra, zajętego negocjowaniem ze sprzedawcą zabawek. Jego motocykl rajdoot parska na poboczu niczym dziki kot.

Mercy delikatnie próbuje skierować mnie w stronę funkcjonariusza.

– Powinnyśmy jeszcze dać znać policji.

– Nie mogę. Obiecałam siostrze.

Mercy ściska mnie za ramię.

– Nie powinnyśmy pozwolić, *didi*, żeby Raojiemu i tym razem się upiekło. – Oczy płoną jej ciemnym ogniem, niczym lawa wulkanu, który wybuchł wewnątrz niej.

Patrzę na nią, na stragan z zabawkami, i nagle w głowie błyska mi myśl.

– Mam pewien plan – szepczę do Mercy.

– Jaki? – odpowiada mi szeptem.

Powietrze wprost iskrzy od napięcia. To finałowa runda eliminacji. Dziś pokaże się drzwi dwóm ostatnim uczestnikom, a pozostałych dwadzieścioro będzie walczyć o upragnioną koronę w programie na żywo.

Czekam na widowni wraz z pozostałymi widzami. Napięcie osiąga szczyt.

Sędziowie kolejno ogłaszają nazwiska dzisiejszych zawodników. To jak gra w szachy: chodzi o to, aby przewidzieć ruch przeciwnika. Sędziowie próbują chronić swoje atuty, zestawiać najlepszych wokalistów ze słabszymi i dać w ten sposób mata innym drużynom.

– Wyznaczam Javeda – oświadcza Bashir Ahmad. Po widowni przechodzi dreszcz podniecenia: Javed Ansari jest jak dotąd ewidentnym faworytem. Posunięcie Bashira to gambit królowej.

– A ja Sujatę Meenę – mówi Udita Sapru. Sujata to pierwotny typ wokalistki o schrypłym, gardłowym głosie. Stanowi ekwiwalent konika szachowego z dżokerem w pakiecie: może zaskoczyć.

– Mój wojownik to Nisar Malik – oznajmia Rohit Kalra. Pochodzący z Kaszmiru Nisar nie jest najlepszym śpiewakiem w jego drużynie. Spełnia rolę pionka, którego nie żal stracić.

– A ja wystawiam Nehę – mówi Raoji. Ze wszystkich ust wyrywa się zbiorowe „yyyhhhhh!". Stawianie przeciw sobie Javeda i Nehy nie ma sensu w tym stadium eliminacji. To jak przeciwstawianie sobie w wyjściowej zagrywce dwóch królowych.

Czworo współzawodników staje w rzędzie na podium i runda się zaczyna.

Bashir Ahmad wybiera dla Javeda potężną pieśń miłosną, a jego protegowany wykonuje ją bezbłędnie, wprawiając wszystkich w zachwyt skalą, intensywnością i mocą ekspresji głosu.

Mocną stroną Sujaty Meeny jest folk i guru pozwala jej wykorzystać te możliwości. Ballada z Radżastanu w jej wykonaniu oczarowuje słuchaczy. Śmiały, swobodnie płynący głos, wprost z trzewi, to fascynujący kontrapunkt dla wypracowanej perfekcji wokalnego stylu Nehy.

Tragiczna pieśń Kishore Kumara w wykonaniu Nisara Malika także wywiera zaskakująco silne wrażenie. Nadzwyczaj przekonująco oddaje melancholię zawiedzionego serca, dramat miłosnego rozczarowania.

Teraz przychodzi kolej na Nehę. Wszyscy patrzą wyczekująco na Raojiego. Neha stoi na podium z anielskim uśmiechem na twarzy, ale wiem, że musi mieć w brzuchu motyle. Jedyne, co się dla niej liczy, to główna wygrana – a ten moment jest przełomowy.

Raoji odchrząkuje.

– Neha to moja najlepsza śpiewaczka. Dlatego dam jej do wykonania piosenkę, która ujawni pełną skalę jej wokalnych możliwości. – Twarz za ciemnymi okularami pozostaje bez wyrazu, gdy zwraca się do Nehy: – Chciałbym, *beti*, żebyś zaśpiewała *Kuhu kuhu Bole Koyaliya*.

Jestem zdumiona. Wyraz spięcia na twarzy Nehy zdradza, że i ona się tego nie spodziewała. Raoji zastawił sprytną pułapkę... Niestety, nie ma żadnego sposobu, żeby moja siostra w nią nie wpadła. Dzielnie bierze początek, ale wczorajsze przejścia odebrały jej moc. Głos jest nieco wysilony, jakby ściągnięty. I znowu, gdy przychodzi wziąć górny rejestr w najtrudniejszym *antara** piosenki, nie daje sobie rady: napięty głos staje się bezbarwny i płaski.

Rezultat był z góry założony. Zarówno w przekonaniu sędziów, jak i publiczności, Neha jest najsłabszą wykonawczynią w grupie. Zostaje wyeliminowana.

Na widowni zapada grobowa cisza. Poległa jedna z tych, co od początku byli faworytami... Neha, z kamienną twarzą, przyjmuje werdykt ze stoicką rezygnacją.

Niemal natychmiast zaczyna się finałowa runda eliminacji. Mercy występuje w niej wraz z trójką innych wokalistów, o wiele od niej gorszych.

Udita Sapru prosi Mercy o zaśpiewanie *Aye Mere Watan Ke Logon* (O, ludu mego kraju!), patriotycznej pieśni

---

* W klasycznej muzyce hinduskiej odpowiednik wersu.

Laty Mangeshkar*, czczonej powszechnie jako ostatni hołd złożony żołnierzom, którzy zginęli w roku 1962 w wojnie z Chinami. Mercy przechodzi dziś siebie samą. Przełamuje swoje wewnętrzne zmrożenie, dociera do głębi i śpiewa z żywiołową brawurą. Pieśń dostaje skrzydeł, tak jakby wyzwoliła się z ziemskich ograniczeń. Melodyjny głos wzbija się pod niebiosa, zmiatając wszystko, co na drodze, orkiestrę, sędziów, publiczność! To catharsis, wyśpiewanie bólu utraty, żałobna elegia na cześć jej zmarłej siostry. Dostaję gęsiej skórki... W tym śpiewie jest czystość i perfekcja, jakiej nie notowano w historii konkursu.

Skończywszy, Mercy wycofuje się z powrotem do swojej skorupy, zaczerwieniona jak biegacz na mecie. Sędziowie szepczą pomiędzy sobą, wymieniają zakłopotane spojrzenia z producentem... Jasne jest, że wymyślają, jak usprawiedliwić wyeliminowanie Mercy z zawodów.

Bashir Ahmad pociąga łyk wody ze szklanki i ogłasza werdykt:

– To było... yyy... dobre wykonanie. Masz niewątpliwie talent. Ale nie sądzę, żebyś była gotowa do kolejnego poziomu. W twoim głosie jest pewne niewyrobienie, surowość, którą trzeba wygładzić.

Rohit Kalra obwinia jej śmiertelnie poważny wyraz twarzy i skrępowanie.

– W wokalistyce chodzi nie tylko o czystość śpiewu – zauważa. – Ważne jest także, jaki przekaz wysyłamy do publiczności.

Raoji odkrywa jakiś rzekomy brak koncentracji w przedostatniej zwrotce.

– Ta maleńka usterka psuje jak dla mnie całe wykonanie. Ale wiesz, co ci powiem? Jeszcze tylko trochę *riyaaz* – praktyki – i za rok wygrywasz zawody na mur beton.

---

* Lata Mangeshkar (ur. 1929) – hinduska śpiewaczka i kompozytorka (przyp. tłum.).

– Dziękuję, sir – bąka Mercy. – Potrzebuję pańskiego błogosławieństwa.

– Chętnie przekażę ci je osobiście – mówi Raoji. Wstaje i wymacując drogę laską, rusza ku scenie. Matthew George pomaga mu wejść po schodach. Mercy stoi z pochyloną głową. Gdy Raojiego dzieli od niej zaledwie parę kroków, nagle ją podnosi, a w ręce nie wiadomo skąd pojawia się nóż. W czerwonym świetle reflektora ząbkowane ostrze wygląda, jakby ociekało krwią.

Jęk przerażenia i szoku przebiega przez widownię i rezonuje w sali.

Mercy unosi nóż i zbliża go do piersi reżysera. Ten odruchowo wyciąga ręce, żeby się osłonić. Porzuca laskę i ze stłumionym okrzykiem, blady jak wosk, zeskakuje z podium.

Z widowni wznosi się jeszcze głośniejszy jęk – tym razem zaskoczenia.

– To... to pan widzi? – jąka z opadłą szczęką Bashir Ahmad.

Wbiegam na podium i chwytam mikrofon.

– Tak jest, widzi – oznajmiam. – Mercy nie zamierzała zabić Raojiego, a tylko go zdemaskować.

Mercy upuszcza plastikowy nóż-zabawkę, kupiony wczoraj przeze mnie na ulicznym straganie. Pierś faluje jej z emocji. Pada na kolana, żegna się znakiem krzyża i całuje wiszący na szyi krucyfiks. Z twarzą zalaną łzami wznosi ręce w modlitwie.

– Panie, miej litość nad duszą mojej siostry!

– Raoji nie jest ślepy, w każdym razie nie na oboje oczu – ciągnę. – Udawał, żeby móc obmacywać młode dziewczyny, brać je na współczucie i koniec końców wykorzystywać, tak jak wykorzystał siostrę Mercy, Gracie, zmuszając tym samym, żeby się zabiła. Wczoraj wieczorem próbował tej samej haniebnej sztuczki z Nehą. Ten łotr zasługuje, żeby go publicznie wychłostać!

211

Tłum wydaje ryk aprobaty. Nagle wstaje Udita Sapru.

– Nie mogę dłużej być w jednym pomieszczeniu z tą bestią – mówi drżącym głosem i urywa, jak gdyby walcząc ze sobą. – On... on... zrobił to samo ze mną, kiedy występowałam w konkursie *Pieśń życia*!

Publiczność reaguje na wyznanie zdumieniem, szokiem i gniewem. Paru mężczyzn rusza w stronę Raojiego, który kuli się ze strachu.

– Dość tego! – Mathew George podrywa się z reżyserskiego krzesełka. – Co tu się dzieje? – Nie kieruje tego pytania do nikogo konkretnego, usiłuje jedynie zachować klimat spokojnego profesjonalizmu.

Udita rzuca mu pogardliwe spojrzenie.

– Nie powinnam się była zgodzić na sędziowanie w tym trzeciorzędnym konkursie. Odchodzę!

– Ja też – oświadcza Bashir Ahmad.

– I ja – dodaje Rohit Kalra.

Gniewnie wychodzą ze studia, pozostawiając Raojiego na łaskę i niełaskę tłumu, który napiera ze wszystkich stron.

Pół godziny później zastaję Matthew George'a siedzącego samotnie na ławce. Patrzy na ruiny telewizyjnego planu, zdemolowanego przez rozjuszony tłum.

– I co pani narobiła? – podnosi na mnie głos producent i reżyser w jednej osobie. – Raoji jest w szpitalu, ma pięćdziesiąt złamań! A mój program skończył się, zanim się zaczął...

– Proszę nie mieć do mnie pretensji – odpowiadam spokojnie. – Dałam panu wyłącznie to, czego pan chciał.

– Ja chciałem zniszczyć swój własny program? – krzyczy, targając się jak oszalały za dredy.

– Chciał pan naszych brudów, naszych tajemnic i wyznań. No więc dostał pan skandal pierwszej klasy. Na zdrowie.

Jeszcze tego popołudnia wsiadamy z Nehą do pociągu. Osiemnastogodzinna podróż do Delhi mija nam w kompletnej ciszy. Każda z nas pochłonięta jest własnymi myślami. Przede mną, niby w uporczywym, gorączkowym śnie, nieustannie majaczy twarz Karana. Neha jest nietypowo dla siebie przygaszona, oczy patrzą gdzieś w dal.

– Żadnych więcej konkursów wokalnych – mówi. Zobaczyła wreszcie prawdziwą twarz świata i to strzaskało jej złudzenia, zgasiło gorączkową ambicję natychmiastowego gwiazdorstwa.

Kiedy nazajutrz o siódmej rano pociąg wjeżdża na dworzec Pahargandż, czeka nas przyjemna niespodzianka. Na peronie stoi Karan Kant z ogromnym bukietem żółtych goździków. Informowałam go o naszym przyjeździe, streściłam mu pokrótce fiasko programu *Gwiazda Pop nr 1*, ale w życiu bym nie pomyślała, że będzie na nas czekał na dworcu, i to jeszcze z powitalnym bukietem! Z miejsca przekreśla to mumbajskie dramaty i porażkę. Czuję się kimś wyjątkowym.

W pasiastym polo i drelichach khaki Karan wygląda olśniewająco. Zarumieniona, z sercem bijącym, tak że o mało nie wyskoczy mi z piersi, robię krok w jego stronę, by wziąć bukiet. Ku memu najwyższemu zdumieniu mija mnie i kładzie wiązkę goździków na kolanach Nehy.

– Witaj w domu, Śpiewająca Królowo – mówi z promiennym uśmiechem. To przemiły gest, żeby ją pocieszyć, nic jednak nie poradzę, że czuję się leciutko zdradzona. Patrzę, jak Neha się rumieni, i zalewa mnie fala zazdrości.

Być może Karan przewidział moją reakcję, bo w następnej chwili zwraca się ku mnie.

– Proszę nie myśleć, że zapomniałem o szanownej pani. – Szczerzy zęby w uśmiechu niczym magik pod koniec sztuczki i wyciąga owiniętą w celofan jedną jedyną czerwoną różę. Kłania się z powagą i wręcza mi ją. A widząc, że nadal jestem zmieszana, drapie się w głowę i przewraca oczami. – Nie lubi pani róż? Wolałaby pani filiżankę gorącej herbaty? – Krzywi się i naśladując śpiewne głosy roznosicieli tego napoju, którzy atakowali nasz przedział na każdej stacji, intonuje gardłowo: – *Chai! Chai garam!*

Teraz wiem, że mam przed sobą dawnego Karana. Karana, który ukrywa prawdziwe uczucia za maską zabawnych banałów. Jest równie nieodgadniony, jak był dawniej... A na dodatek mam teraz do rozwikłania jeszcze jedną zagadkę: czy jedna czerwona róża znaczy więcej niż dwanaście żółtych goździków?

Jeszcze tego samego dnia wieczorem wzywa mnie do siebie Vinay Mohan Acharya.

Kiedy docieram do jego biura na piętnastym piętrze, przy biurku sekretarki zastaję bezpretensjonalną młodą Hinduskę.

– Witam, panno Sapno – pozdrawia mnie z nieśmiałym uśmiechem, od którego robią się jej dołki w policzkach. – Nazywam się Revathi Balasubramaniam.

Zanim mam czas jej odpowiedzieć, na biurku odzywa się brzęczyk i zostaję wprowadzona przed oblicze prezesa.

– Co się stało z Jennifer? – pytam na wstępie.

– Zwolniłem ją – mówi z grymasem niechęci.

– Dlaczego?

– Była wężem w naszym gnieździe. Przekazywała Grupie Pierwszej ważne informacje na temat firmy.

– O Boże!

– To Rana ją nakrył. Udało mu się zdobyć nagrania rozmów z jej prywatnej komórki. Znaleźliśmy tam mnóstwo telefonów pod prywatny numer Ajaya Krishny Acharyi, szefa Grupy Pierwszej. Szczególnie intrygujące było zobaczyć telefony wykonane tego wieczoru, kiedy finalizowaliśmy ofertę cenową w przetargu na krajowe oprogramowanie dowodów osobistych.

– Pytał ją pan, co to znaczy?

– Zaprzeczyła, rzecz jasna. Powiedziała, że ktoś musiał sfabrykować te nagrania, żeby ją wrobić. Ale każdy złodziej zaprzecza, że jest złodziejem. – Wpatruje się w zadumie w blady róż wieczornego nieba w wykuszowym oknie. – Wrogowi mogę wybaczyć, ale nie zdrajcy – podsumowuje głucho, jakby we władaniu potężnych emocji. – Błąd można naprawić, ale zaufanie, które zostało zawiedzione, znika na zawsze.

Kiwam w milczeniu głową.

– Tak czy inaczej, nie wezwałem pani, żeby się skarżyć na Jennifer, tylko żeby pani pogratulować. Zdała pani celująco czwarty test.

– A co to był za test?

– Test na przezorność.

– Nie rozumiem. Co ja takiego zrobiłam, co świadczy o przezorności?

Acharya poklepuje stos gazet na biurku. Wszystkie eksponują na pierwszej stronie sprawę Raojiego.

– Trzeba było tego ślepca, żeby ujawniła się pani zdolność strategicznego przewidywania. Czuła pani, że coś jest z nim nie w porządku i wymyśliła pani genialny plan, żeby zdemaskować szarlatana. Brawo!

– Ale skąd pan wie, że odegrałam w tej sprawie jakąś rolę? W gazetach nie wymienia się mojego nazwiska.

– Ale wspomina się o niejakiej Mercy Fernandez. To od niej znam całą historię. Opowiedziała mi, jak to od początku miała pani podejrzenia co do Raojiego i jak uratowała pani siostrę z pułapki, którą na nią zastawił.

– Skąd pan zna Mercy?

– Właśnie zatrudniliśmy ją jako artystkę od dubbingu w naszym pionie filmowym.

– Będzie w tym znakomita. Ma głos anioła!

– Ale czy ma także przenikliwość wizjonera? Moim zdaniem jedyny sposób, aby przygotować się do przyszłości, to jej zaplanowanie. Ci, którzy bez powodzenia planują, planują niepowodzenie. Przezorność to sztuka trafnego odczytywania sytuacji i przewidywania jej skutków. To sprawa zasadnicza, jeśli chodzi o sukces jakiejś organizacji. Trzydzieści lat temu zobaczyłem mój pierwszy komputer, Commodore PET, i instynktownie wiedziałem, że ta maszyna zmieni nasz sposób funkcjonowania w codziennym życiu. Zrobiłem wtedy pierwsze wejście w biznes komputerowy. Dziś nasz pion komputerowy kontroluje trzydzieści dwa procent rynku sprzętu PC w Indiach...

Nadaje tak przez kwadrans na swój ulubiony temat, to jest o sobie samym, ale ja się już wyłączyłam. Mniej mnie razi jego dziecinna próżność niż błędne przekonanie o moich walorach. Jakżebym chciała mieć umiejętność przewidywania.... Nie pozwoliłabym wtedy, by Alka odebrała sobie życie!

Na świecie pełno jest wróżbitów i astrologów, którzy utrzymują, że znają przyszłość. Ale tak naprawdę nie zna jej nikt. Przyszłość to tajemnica, która nigdy nie zostanie nam do końca odkryta; może nam tylko niewyraźnie mignąć w snach czy w wyobraźni. Umiejętność przewidywania, przezorność to po prostu nazwa, jaką nadano procesowi wyciągania nauki z wczorajszych porażek i sukcesów, by zaplanować lepsze jutro. To proces, który trwa od zarania ludzkości. A nazywa się: walka o przetrwanie.

PRÓBA PIĄTA
Atlas rewolucji

Wygląda to jak skrzyżowanie Diwali* z Dniem Niepodległości. W całym mieście strzelają fajerwerki, jezdnie zapchane są wolno sunącymi samochodami, które trąbią na wiwat, ciężarówki wiozą zastępy rozkrzyczanych fanów, powiewających trójkolorowymi flagami, a tłumy na chodnikach tańczą i wznoszą okrzyki: „Niech żyją Indie!" i „Jai Ho!"

Choć to już blisko północ, nikt na naszym osiedlu nie zamierza spać. Również ja z Nehą dałyśmy się porwać ogólnemu entuzjazmowi z okazji zwycięstwa Indii nad Pakistanem w półfinale Pucharu Świata w krykiecie; skłonne do przesady media zdążyły już ochrzcić tę rozgrywkę mianem „matka wszystkich meczów". Przez cały wieczór siedziałyśmy przyklejone do telewizora, całe w nerwach, aż wreszcie, gdy wbiliśmy Pakistanowi finałową bramkę, cała okolica wybuchła grzmotem oklasków, gwizdów i triumfalnych okrzyków. Pan J.P. Aggarwal, diler sprzętu komputerowego spod numeru B-27, który ma fioła na punkcie krykieta, natychmiast skoczył na bazar i wrócił z wielką miską słodkich serowych kulek *rasagulla*, do podziału pomiędzy sąsiadów z drugiego piętra. Nawet Ma, którą krykiet interesuje mniej więcej tak, jak woskowanie nóg, przyłączyła się do bachanaliów i dyskretnie wsunęła do ust wilgotną, ociekającą syropem *rasagullę*,

---

* Hinduistyczne święto światła obchodzone jesienią.

ignorując swoją chroniczną cukrzycę i kategoryczny zakaz jakichkolwiek słodyczy, wydany przez jej lekarza, doktora Mittala.

Tylko jedna sąsiadka izoluje się od całego tego zamieszania. To Nirmala Ben z mieszkania B-25, nasza tutejsza gandhystka. Zastaję ją w pokoju samą. Siedzi z książką z cytatami Bapu na kolanach i jak prorok czekający na objawienie wpatruje się w ścianę.

– Co pani tu robi, kiedy całe osiedle świętuje zwycięstwo Indii?

– Daj mi spokój z tym szaleństwem – odpowiada szorstko.

– Ojej, niech pani nie psuje innym zabawy... Idziemy wszyscy na dach oglądać sztuczne ognie!

Reaguje tak, jakbym dotknęła obnażonego nerwu.

– Czy ty masz pojęcie, ile milionów rupii marnujemy na tę strzelaninę? Kiedy miliony idą spać z pustym żołądkiem, kiedy tysiące dzieci umiera z braku lekarstw, kiedy całe rodziny żyją pod gołym niebem, bo nie stać ich na dach nad głową, to szczyt głupoty puszczać z dymem tyle kasy! I cały ten Puchar Świata... Co nam z niego przyjdzie? Czy usunie nędzę i analfabetyzm z naszego kraju? Powstrzyma rolników przed popełnianiem samobójstwa? Suresh, syn Kalawati, powiedział mi onegdaj, że się codziennie modli o zwycięstwo Indii w Pucharze Świata. A ja się modlę o rozum dla moich rodaków. *Sabko Sanmati De Bhagwan**.

Zaskoczona jej wybuchem, myślę gorączkowo, co by jej odpowiedzieć. Ona tymczasem ciągnie:

– To naprawdę przerażające, co się dzieje w naszym kraju. Afera za aferą, za każdą stoi Atlas, i nikt nie ma po-

---

* „Pobłogosław każdego tą prawdziwą mądrością, iż wszyscy jesteśmy wytworem jednej materii i jednej świadomości i że wszyscy podążamy ku ścieżce prawości i cnoty" – fragment znanej pieśni religijnej, ulubionej pieśni Gandhiego, często śpiewanej na jego modlitewnych spotkaniach.

jęcia, kim jest człowiek, który stoi za Atlasem. *Arrey*, czy ten Atlas przybył z Księżyca albo z innego świata? Jest niewidzialny jak Bóg?

– Podobno ta afera z fałszywymi kredytami mieszkaniowymi, które wykryło w zeszłym tygodniu Centralne Biuro Śledcze, to też robota Atlasa – dodaję, cytując główną nowinę dzisiejszych wiadomości.

– *Bahut thaigyoo*. Dość tego – oznajmia. – Nie mogę tak po prostu siedzieć i patrzeć, jak rozgrabia się narodowy majątek. Nie o to walczył i nie za to umarł Bapu.

– Co pani proponuje?

– Długo szukałam jakiegoś wyjścia, aż wreszcie przyszedł jasnowidz z Riszikesz i mnie oświecił.

– A co powiedział?

– Potrząśnij łagodnie światem, powiedział.

– Jak pani zamierza to zrobić?

– Doprowadzę do wybuchu narodowej rewolucji. To jedyny sposób, żeby zdusić raka korupcji i zdemaskować siły, które stoją za Atlasem.

– Czyli że zamierza pani zorganizować wiec czy coś w tym stylu?

– Nie. Podejmę głodówkę. Będę głodować, dopóki rząd nie spełni mojego żądania, żeby dokładnie sprawdzić firmę Atlas Investments. Nawet do śmierci.

W głowie rozlega mi się dzwonek alarmowy.

– Niech pani tego nie robi, Nirmalo Ben – próbuję wyperswadować jej ten pomysł. – Głodówka to coś więcej niż chwilowe wzburzenie.

– A kto mówi, że chwilowe? – odpowiada, zdziwiona moją uwagą. – Kiedy *satyagrahi** ucieka się do głodówki, są możliwe tylko dwa rezultaty: albo rząd ustąpi przed moim

---

* Osoba stosująca sformułowaną przez Gandhiego zasadę satagraha, tj. określoną teorię i praktykę w ramach szerszej koncepcji niestosowania przemocy; „satya" oznacza „prawda", a „agraha" – wytrwałość

żądaniem, albo będzie musiał sprzątnąć moje martwe ciało. Rewolucja, bądź co bądź, potrzebuje męczennika.

– Rewolucja potrzebuje także zwolenników i jakiejś organizacji. A pani nie ma ani jednego, ani drugiego.

– Ale mam siebie – uśmiecha się, jakby podkreślając, iż to się rozumie samo przez się. – A jeśli masz siebie, nie potrzebujesz nikogo więcej. Żeby zrobić różnicę, wystarczy jedna osoba. – I zaczyna cicho, melodyjnie nucić: – *Jodi tor dak shune keu na ashe tobe ekla cholo re* (Jeśli nie odpowiedzą na wezwanie, krocz sam). – Jest to ulubiona pieśń Gandhiego, napisana przez Rabindranatha Tagore.

Słucham tego uduchowionego śpiewu z nadzieją, że jej ślubowanie samotnego marszu się nie ziści. Bo choćby nie wiem jak dobrą śpiewaczką była Nirmala Mukherjee Shah, jej samotny głos to za mało, by łagodnie wstrząsnąć światem.

Piątek pierwszego kwietnia zaczyna się jak każdy inny dzień pracy. Moim pierwszym klientem jest przesadnie grzeczny Sikh, biznesmen o starannie zadbanym zaroście. Już niemal zdecydował się na zakup pięćdziesięciocalowego telewizora plazmowego Panasonic Viera.

– To dla mojego syna Randeepa – mówi. – Chłopak upiera się, że musi oglądać finał Pucharu Świata tylko na dużym ekranie.

Kiwam ze współczuciem głową i zaczynam mu wyjaśniać zasady rozszerzonej gwarancji, gdy wtem słyszę brzęczyk. Dzwoni mój nowy Indus.

Wyjmuję go i marszcząc brwi, patrzę na ekranik. W tych dniach siedemdziesiąt procent moich telefonów pochodzi od telemarketerów i kiedy nie rozpoznaję numeru dzwoniącego, nie zawracam sobie głowy i nie odbieram. Tym razem wyświetla się numer rozpoczynający się od +22. To kod Mumbaju... Zaintrygowana, wciskam „odbierz".

– Halo?

– Dzień dobry, czy mogę mówić z panną Sapną Sinhą? – mówi znajomy głos.

– Tu Sapna, słucham.

– Sapna-ji, mówi Salim Ilyasi. Dzwonię do pani z Mumbaju.

No jasne! Jak mogłabym zapomnieć ten głęboki, męski głos, który uwodzi miliony kinomanek! Salim Ilyasi to panujący król Bollywood i na myśl o nim każdej dziewczynie w Indiach szybciej bije serce. To, że ni stąd, ni zowąd dzwoni do mnie supergwiazdor, jest trochę dziwne, ale tyle dziwnych rzeczy zdarza mi się ostatnio, że już nic mnie tak do końca nie zaskakuje.

– Gratuluję! Została pani wybrana jako szczęśliwa klientka miesiąca sieci Indus Mobile. Co oznacza, że w niedzielę dziesiątego kwietnia może pani zjeść ze mną wytworną kolację w hotelu Maurya Sheraton w Delhi. Czy zgadza się pani?

Salim Ilyasi chce się ze mną umówić na kolację. Ze mną??? Zalewa mnie fala euforii, która wypłukuje z głowy wszelką racjonalną myśl. Zawsze pochlebiałam sobie, że jestem twardą realistką, odporną na kult celebrytów. A jednak... W tym niezwykłym momencie mózg zmienia mi się w galaretę. Czy Indus prowadził ostatnio jakiś konkurs? Jak udało mi się go wygrać? Wszelkie tego typu przyziemne wątpliwości uchodzą przez okno, a ja cofam się do poziomu gimnazjalistki wielbiącej swego herosa.

– T-taak – jąkam, czując, że się cała rumienię. – Bardzo... bardzo chętnie.

– No to fuantastyycznie – mówi z przesadą, powtarzając swoją słynną frazę z *Miłości w Bangkoku*. – Jest jednak pewien problem. Jak panią rozpoznam?

– Może... może włożę coś charakterystycznego?

– Dobrze. Niech pani tak zrobi. Mój ulubiony kolor to żółty. Ma pani coś żółtego?

Szybko przerzucam w głowie mój skromny wybór *salvar kameez*.

– Yyy... nie, nic żółtego chyba nie mam, ale mogę kupić.

– Nie ma konieczności. Powiem pani, co zrobić. Niech pani włoży cokolwiek. Proszę tylko przylepić do ubrania żółtą karteczkę.

– Karteczkę?

– Tak, z dużymi literami: P-R-I-M-A A-P-R-I-L-I-S. Rozumie pani?

I dopiero wtedy łapię.

– Karan... To ty, prawda?

W słuchawce rozlega się gromki śmiech.

– Nabrałem cię, co?

Niemal widzę, jak tarza się po podłodze, trzymając się za brzuch ze śmiechu. Co za naiwność, co za łatwowierność z mojej strony... Krzywię się.

– Zabiję cię! – krzyczę do słuchawki.

– To nie będzie zbyt fuantastyyczne – mówi w charakterze ostatniej riposty i rozłącza się.

Chowam telefon i widzę, że mój klient dnia zmierza do wyjścia.

– Hej, panie Singh? Dokąd pan idzie? – wołam za nim.

Zatrzymuje się na chwilę i rzuca mi współczujące spojrzenie, jakim człowiek zdrowy psychicznie patrzy na obłąkanego. I wychodzi.

Kiedy wieczorem spotykam Karana na podwórku, ma błysk w oczach.

– Ty oszuście! – Wymierzam mu żartobliwy cios pięścią w żebra. – Tak znakomicie udawałeś Salima Ilyasi, że ani przez chwilę nie przyszło mi do głowy, że to może być ktoś inny.

– No cóż, jeśli to może cię pocieszyć, to nabrałem w ten sam sposób również innych klientów Indusa. Żaden się nie połapał, że to primaprilisowy żart. Mieliśmy ubaw po pachy w całym biurze!

– Ale jak ci się udało sfałszować numer Mumbaju? To dlatego uwierzyłam, że rozmowa jest autentyczna.

– To się nazywa spoofing. Ponieważ kontrolujemy sieć, możemy sprawić, że w telefonie odbiorcy pojawi się dowolny numer.

W tym momencie pojawia się Neha.

– A co ty tu robisz? – zwraca się do Karana. – Szukają cię po całym domu.

– Kto? – pyta Karan.

– Policja. Inspektor i dwóch posterunkowych.

– Co??? – wyrzuca ochryple, z grymasem paniki na twarzy.

– Czego by mogła chcieć od ciebie policja? – dziwię się na głos.

– Tak czy owak, lepiej idź i zobacz, o co chodzi – mówi Neha. – Walą do twoich drzwi, jeszcze rozwalą...

– Nie! – wydziera się z piersi Karana udręczony krzyk. – Nie pozwól, żeby do mnie weszli! – I rzuca się na górę, przeskakując po dwa stopnie naraz, a my z Nehą za nim.

Gdy docieramy na malutki podest na trzecim piętrze, jestem kompletnie bez tchu. Karan skręca za róg, za którym znajduje się jego mieszkanie B-35, i staje jak wryty. Na korytarzu nie ma nikogo.

– Wygląda, jakby policja weszła już do środka – mówi Neha.

– O nie! – mamrocze pod nosem Karan. Cofa się i opiera o ścianę.

– Nie chcesz sprawdzić? – mobilizuję go.

Niepewnie podchodzi do drzwi. Dopiero wtedy dostrzega wetknięty w dziurkę od klucza plakacik. Przedstawia on błazna trzymającego kartonik z napisem: WESOŁEGO PRIMA APRILIS!

– Mam cię! – wykrzykuje Neha z triumfem, a Karan z zakłopotaniem drapie się w głowę. – Oko za oko, ząb za ząb. – Rzuca mu znaczące spojrzenie i zbiega po schodach.

– Zapłacisz mi za to, Neho Sinha – mamrocze Karan głosem słynnego złoczyńcy Prakasha Puri i niezdarnie rusza za nią, udając pościg.

Patrzę na ten mały spektakl z wyrozumiałym uśmiechem. Karan musiał dzwonić i do Nehy, udając Salima Ilyasi, uświadamiam sobie. Odpłacono mu pięknym za nadobne... Tylko dlaczego mam wrażenie, że to mnie zrobiono w ten sposób primaaprilisowy kawał?

Słońce, które wschodzi nad Indiami drugiego kwietnia, jest wyjątkowe, wraz z nim wschodzą bowiem nadzieje dziesiątek milionów Hindusów. W finale Pucharu Świata w krykiecie Indie grają dziś ze Sri Lanką i cały kraj modli się o zwycięstwo naszego zespołu.

Krykiet to jedyny temat rozmów w naszym salonie. Czuje się, jak w powietrzu narasta podniecenie i wyczekiwanie. Szaleństwo jest tak wielkie, że połowa zespołu dostaje wolne, aby mogła obejrzeć mecz.

Tuż po lunchu wzywa mnie do swojego kantorka Madan.

– Chcę cię prosić o przysługę – mówi z uśmiechem.

– Co tym razem? – pytam. – Planuje pan mnie posłać na kolejną wieś?

– Nie nie, nic z tych rzeczy. Ktoś zamówił właśnie Sony KDL-65. Chciałbym, żebyś szybko zrobiła DWW.

DWW to nasz sklepowy skrót od dostawy o wysokiej wartości. Firma Gulati & Sons przyjęła zasadę, że w przypadku każdego zakupu powyżej dwustu tysięcy pracownik sklepu musi osobiście towarzyszyć dostawie przedmiotu, żeby się upewnić, że bezpiecznie dotarł na miejsce, i uzyskać podpis klienta na formularzu preinstalacyjnym.

– Przecież pan wie, że ja nie robię dostaw – mówię, niezadowolona. – Czemu nie pośle pan któregoś z chłopaków?

– Dwóch akurat pojechało gdzie indziej, a pozostali mają wolne. Proszę... To ci zajmie raptem pół godziny! I mogę dodać bonus.

– Jaki?

– Po dostawie możesz wrócić do domu i obejrzeć finał.

Propozycja jest niewątpliwie kusząca.

– Pod jaki adres trzeba pojechać?

Mahan sprawdza formularz zamówienia.

– Tu jest napisane: działka numer 133-C, Poorvi Marg, Vasant Vihar.

– A nazwisko klienta?

– Tego mi nie powiedziano. To zdaje się urodzinowy prezent dla kogoś i chcą to załatwić po cichu.

– No dobrze – mówię. – Załatwię to.

Dziesięć minut później siedzę obok kierowcy w samochodzie dostawczym, poobijanym bajaj tempo. Prowadzi Sharad, jeden z naszych najstarszych kierowców. Czterdzieści minut jazdy na miejsce przeznaczenia to nieustanne obijanie, hałas i gorąco, jako że klimatyzacja w wozie dawno wysiadła.

Vasant Vihar, w południowo-zachodniej części Delhi, ma opinię jednego z najdroższych osiedli mieszkaniowych na świecie i tylko milionerzy mogą sobie pozwolić na to, aby tu mieszkać. Kiedy jednak docieramy pod wskazany adres, przekonujemy się, że jesteśmy w rezydencji miliardera.

Przed wysoko zautomatyzowaną bramą, najeżoną kamerami systemów zabezpieczenia, zatrzymuje nas grupa ochroniarzy w marynarkach i okularach słonecznych, wyposażonych w walkie-talkie i bezprzewodowe słuchawki z mikrofonem. Starannie sprawdzają nasz formularz zamówienia i odsyłają nas na stanowisko ochrony, gdzie zostajemy sprawdzeni jeszcze raz. Samochód jest skanowany na okoliczność ukrytych bomb, a Sharad, kierowca, musi otworzyć maskę i bagażnik. Wreszcie brama się otwiera i wjeżdżamy.

W oddali widać rozległą, otoczoną hektarami zieleni rezydencję w stylu tych, które pokazuje się w bollywoodzkich filmach. Aby dojechać, musimy pokonać długi, kręty podjazd, otoczony starannie wypielęgnowanym żywopłotem. Po drodze spostrzegam dwa dobermany, uwiązane do pnia drzewa. Na widok nadjeżdżającego samochodu zaczynają się szarpać na smyczy. Czuję się niezręcznie na widok tylu zabezpieczeń, ale rośnie też moja ciekawość: kim jest właściciel? Marmurowa tabliczka na ścianie zawiera tylko nazwę posiadłości: „Prarthana", czyli po hindusku modlitwa.

Główna rezydencja to okazała, ostentacyjna budowla, o korynckich kolumnach, palladiańskich oknach i francuskich balkonach, z których wylewają się kaskady kwitnącej bugenwilli. Służący w liberii otwiera rzeźbione brązowe drzwi i znajduję się w wystawnym wnętrzu salonu. Są tu złocone meble, wytworne perskie dywany, a nawet wspaniały fortepian.

– O, jesteście. – Z sofy wstaje jakiś mężczyzna. – Witam w Prarthanie.

Jest to Vinay Mohan Acharya.

– Co pan tu robi? – pytam zdumiona.

– Odbieram zamówiony telewizor – mówi bez mrugnięcia okiem.

I wtedy dociera do mnie, że to jego posiadłość... On tu mieszka.

– Czyli że ma pan urodziny?

– Nie. Telewizor to był pretekst, żeby panią tu sprowadzić.

– O co chodzi tym razem? Jaki nowy test zdałam... albo oblałam? – pytam cierpko.

– Tym razem nie chodzi o żaden test. Wezwałem panią, bo chcę, żeby wzięła pani udział w pewnym ważnym spotkaniu biznesowym, które wkrótce się tu odbędzie.

– Z kim?

– Wkrótce się pani przekona – mówi i odprawia Sharadę: – Może pan iść. Zadbam, żeby odwieziono pannę Sinhę.

Przez następny kwadrans oprowadza mnie po posiadłości. Oglądam kryty basen, w pełni wyposażoną salę gimnastyczną i świątynię, gdzie stoją posągi bóstw ze złota i kości słoniowej. Są tu całe szeregi pokoi umeblowanych antykami ze wszystkich stron świata i wspaniała kolekcja sztuki, włącznie z muralem projektu Tyeba Mehty w pokoju jadalnym. W tle wszędzie czeka służba w liberiach, gotowa spełnić każdy kaprys gościa.

– Ile pokoi ma ten dom? – pytam, gdy wchodzimy do gabinetu.

– Nigdy nie liczyłem, ale jeśli doda pani kwatery służby na końcu kompleksu, to pewnie koło pięćdziesięciu.

Gabinet jest równie okazały, o wysokim suficie, dębowej boazerii i drewnianym parkiecie. Minibiblioteka pełna jest oprawnych w skórę ksiąg o starożytnym wyglądzie. Podwójne szklane drzwi na taras ukazują bujny ogród w stylu angielskim, z marmurowymi fontannami i posągami z trawertynu.

Już mam zapaść w luksusowy głęboki fotel, gdy odzywa się brzęczyk interkomu. To ochrona sprzed bramy informuje, że spodziewany gość jest na miejscu.

– Dawajcie go – mówi Acharya.

– Nigdy nie widziałam tylu ochroniarzy w prywatnej rezydencji – zauważam cierpko.

– Delhi nie jest bezpiecznym miastem. Musimy odstraszyć obcych od prób wtargnięcia na teren posiadłości.

– Nie podejmuje się aż takich środków ostrożności tylko po to, żeby odstraszyć obcych.

– Nie jest to wiedza obiegowa, ale były dwa zamachy na moje życie. A mam mocne podejrzenie, że w obu wypadkach organizatorem była osoba, z którą właśnie mam się spotkać. Jest niebezpieczniejsza od jadowitego węża.

– Wobec tego dlaczego pan się z nią spotyka?

– Prosiła mnie o to spotkanie.

– Proszę mi przynajmniej podać nazwisko tej tajemniczej osoby.

– To mój brat bliźniak, Ajay Krishna Acharya albo AK, jak sam siebie lubi nazywać. Właściciel Premier Industries.

Prąd mnie przenika. Zrywam się z fotela.

– W takim razie nie będę uczestniczyła w tym spotkaniu.

– Dlaczego?

– Nie sądzę, żeby wciąganie mnie w waszą korporacyjną rywalizację to był dobry pomysł. – W uszach dźwięczą mi słowa Karana: „Acharya użyje cię jako pionka, żeby dobrać się do brata".

Acharya, z nagle obwisłą twarzą, przyciska palce do skroni. Jest jasne, że nie spodziewał się po mnie takiej reakcji.

– Poznaj swojego wroga – oto pierwsza zasada biznesowej strategii – mówi. – Chciałem, żeby pani poznała największego wroga Grupy ABC. Człowieka, który próbował przeniknąć do mojej organizacji. Człowieka, który przez ostatnie trzydzieści lat robił, co mógł, żeby mnie zniszczyć.

W tej chwili odzywa się dzwonek przy drzwiach. Słyszę odgłos otwierania frontowych drzwi.

– Szybko! – Acharya popycha mnie w stronę przyległych drzwi. – Jeśli nie chce pani uczestniczyć w spotkaniu, proszę je przynajmniej obserwować.

Zanim mam czas się obejrzeć, już jestem w przyległym pokoju, który – jak odkrywam – stanowi sypialnię pana domu. Dominuje tu ogromne mahoniowe łóżko z misternie rzeźbionym zagłówkiem i pościelą w kolorze głębokiego fioletu. Lewą ścianę zdobi masywne owalne lustro z czarnego onyksu. Na prawej wisi portret surowego starca z sumiastym wąsem, ubranym w stylu lat czterdziestych; prawdopodobnie ojca Acharyi. Na stoliku pod nim stoi kolekcja rodzinnych fotografii.

Z pewną obawą, a zarazem poczuciem niezręczności odsuwam stojące w nogach łóżka wyściełane krzesło i siadam na wprost drzwi. Acharya zostawił je lekko uchylone, tak żebym mogła widzieć, co się dzieje.

Człowiek, który wchodzi do studia, wygląda jak kopia Acharyi: ten sam wzrost, ta sama budowa, te same rysy. Jakie to dziwne, niepokojące nawet – widzieć w jednym pomieszczeniu dwóch mężczyzn, z których każdy wygląda jak lustrzane odbicie drugiego! Te same przenikliwe brązowe oczy, ten sam orli nos, te same mocno zarysowane usta... Jedyna rzecz, która ich różni, to włosy. AK nosi krótko strzyżony zarost w stylu van Dycka, a jego smoliście czarna czupryna jest ewidentnie farbowana. Ubrany wyłącznie w czerń – jedwabna koszula, obcisłe spodnie, buty o długich noskach – wygląda, w przeciwieństwie do Acharyi, odrobinę dandysowato. Opalona twarz sprawia wrażenie, jakby była po botoksie – albo zabalsamowana, jak kto woli. Ogólny efekt to zmęczony, starzejący się playboy, stary człowiek usiłujący za wszelką cenę wyglądać na młodego.

Siada w fotelu naprzeciw Acharyi, który wzywa służącego.

– Czego się napijesz, AK?

– Martini z lodem – odpowiada bliźniak. Nawet głos ma niesamowicie podobny do głosu Acharyi.

– Przykro mi, w tym domu nie podaje się alkoholu.

– A ty wciąż taki sam stary świętoszek, co? No dobra, w takim razie daj mi *nimbu paani**.

---

* Hinduska lemoniada, oprócz wody i cytryny zawiera różne ziołowe przyprawy; bywa słodka lub pikantna.

Gdy Acharya zajęty jest wydawaniem polecenia służącemu, AK wyjmuje z kieszeni na piersi cygaro i zapala. Wyciąga przed siebie nogi i wydmuchuje dym ku sufitowi. Acharya marszczy brwi.

– Obawiam się, że nie możesz tu palić. Prarthana to strefa bez papierosa.

– To po co to trzymasz? – AK wskazuje z przyganą na marmurową popielniczkę na głównym stole. Zaciąga się po raz ostatni i szybkim, brutalnym ruchem gasi cygaro.

– To o czym chciałeś ze mną porozmawiać? – pyta Acharya.

– O Grupie ABC. Dlaczego tak źle wam idzie.

– Idzie nam całkiem dobrze, dziękuję.

– Doprawdy? A ja słyszałem, że wyniki pierwszego kwartału są dość rozczarowujące: przychody spadły o 8,52 procent w styczniu i 4,7 procent w lutym.

– Wyniki za pierwszy kwartał jeszcze nie zostały ogłoszone. Skąd masz te liczby?

– Mam swoje źródła.

– Tę samą wtyczkę, która dostarczała ci tajnych informacji, dzięki którym w przetargu na krajowe oprogramowanie dowodów osobistych mogłeś złożyć ofertę z ceną niższą o jedną rupię od naszej?

AK ignoruje komentarz.

– Na tym się nie kończą złe wiadomości. Nie masz dosłownie żadnych nowych przychodów, nie masz środków pieniężnych z działalności finansowej, a koszty ogólne firmy stale rosną z powodu twojej uporczywej odmowy zwalniania pracowników.

– Przyszedłeś, żeby mnie uczyć, jak mam prowadzić mój biznes?

– Nie. Przyszedłem, żeby ci nalać trochę rozumu do głowy. Wyrok już zapadł, czy to dostrzegasz, czy nie. Spójrz prawdzie w oczy, Vinay: Grupa Pierwsza przebiła was w siedmiu kolejnych ofertach przetargowych. Twoja umowa z Nippon Steel co do zbycia udziałów jest zagrożona. Twoja propozycja wykupu Clemantis Windpower zostanie prawdopodobnie odrzucona przez akcjonariuszy.

– Za dużo czytasz biznesowych plotek. Do rzeczy, AK – mówi z rozdrażnieniem Acharya.

– Dobrze. Wiem, że Grupa ABC stoi w obliczu braku gotówki i negocjuje z bankiem odnowienie linii kredytowej. Mogę ci dać tę gotówkę.

– Przykro mi, nie wypuszczamy nowych akcji.

– Nie chcę kupować waszych akcji. Chcę kupić waszą firmę, w całości. Sprzedaj mi ją. Jestem przygotowany, aby przedstawić Grupie ABC rozsądną ofertę, całe pięć miliardów dolarów.

– Nigdy! – Acharya o mało nie zrywa się z fotela. – Znam twój sposób prowadzenia interesów, AK. Jesteś bezbożnym łotrem, który kupuje firmy tylko po to, żeby je wyssać do końca. Nigdy nie pozwolę, żeby Grupę ABC prowadziła taka szumowina jak ty!

– Spokojnie, Vinay. To tylko biznes, nie ma w tym nic osobistego.

Atmosfera staje się tak napięta, że niemal widzę, jak przeskakują pomiędzy nimi iskry. Po raz pierwszy w życiu jestem świadkiem walki na noże w świecie biznesu. Tego, jak formułuje się oferty i je odrzuca. Acharya i jego bliźniak to genetyczne kopie, mimo to są krańcowo odmienni. Jeden to samowładny satrapa, który rządzi, kierując się instynktem i przekonaniami, drugi – cwany oportunista, który czerpie korzyści, posługując się przebiegłością i oszustwem. To tak, jakby patrzeć na walkę dwóch byków, które zwarły się rogami. Ich kontrastujące ze sobą osobowości trzaskają przy zetknięciu niczym burzowe chmury, a pokój wibruje od piorunów wzajemnej niechęci.

AK wciąż jeszcze nie zrezygnował.

– Posłuchaj mnie, bracie – mówi swym najbardziej kurtuazyjnym tonem, wychylając się ku niemu. – Łączą nas więzy krwi. Obaj przeżyliśmy osobistą tragedię. Ty straciłeś żonę i córkę. Mój jedyny syn popełnił samobójstwo. Dlaczego nie możemy zakopać wojennego topora? Zgoda buduje, niezgoda rujnuje... zwłaszcza ciebie.

– Przypominam sobie, że wiele lat temu wystosowałeś podobny apel do naszej matki. Biedna Amma sprzedała swoje akcje, tylko po to, żebyś je roztrwonił na szybkie kobiety i powolne konie.

– To dawne sprawy. Lepiej nie wprowadzaj do rozmowy matki.

– W takim razie ty nie wprowadzaj do niej Grupy ABC.

– Jeśli ja tego nie zrobię, zrobi to ktoś inny. Słyszałem, że z twoim zdrowiem ostatnio nietęgo.

– Kłamstwo. Wierutne kłamstwo!

– Nawet jeśli, to czy zastanawiałeś się, co się stanie po twoim odejściu z Grupą ABC?

– Mam już plan co do sukcesji.

– A kto jest tym sukcesorem, jeśli wolno spytać?

– Ktoś, kto wyznaje te same wartości, co ja. Kto będzie chronił Grupę ABC przed takimi drapieżnikami jak ty.

– Tobie nie jest potrzebny plan sukcesji; tobie jest potrzebny plan ratunkowy. Nadal cenię sobie nasz związek krwi i moja oferta wykupu pozostaje aktualna. Możesz albo doprowadzić do jej realizacji, albo przynajmniej nie przeszkadzać, żeby się to stało. W przeciwnym razie, obiecuję ci, Vinay, zdziwisz się, co się stanie.

– Dosyć! – Acharya podnosi głos. – Proponuję, żebyś już wyszedł.

– Doskonale. – AK wstaje i wygładza koszulę. – Następnym razem zobaczymy się na twoim pogrzebie.

Zaledwie AK wychodzi, Acharya wpada do sypialni z zaciśniętą gniewnie szczęką, z rozdętymi nozdrzami.

– Co ten barbarzyńca sobie myśli, że niby kim jest? Królem angielskim?

Przyjmuję neutralną pozycję sędziego w szczególnie przykrym postępowaniu rozwodowym.

– Możliwe, że AK jest okropny, ale czy fakty i liczby, które przytaczał, są prawdziwe? Czy Grupa ABC naprawdę jest w złej kondycji?

– Absolutnie nie – zaprzecza gwałtownie Acharya. – I nas dotknął przedłużający się światowy kryzys, tak jak wszystkich. Ale sytuacja nie jest ani w połowie tak zła, jak to przedstawił AK. Nasz bilans zysków i strat wypada zupełnie dobrze, a wskaźnik konwersji długu wynosi mniej niż jeden. To właśnie dlatego chce nas wykupić.

– Ale pan odrzucił jego ofertę od ręki. Była za niska?

– Proszę pozwolić, że zadam pani pytanie. Czy zgodziłaby się pani wyjść za mąż za notorycznego kobieciarza, a do tego pijaka i złodzieja?

– Oczywiście że nie.

– Właśnie. I dlatego nigdy nie sprzedam mojej firmy Grupie Pierwszej, nawet jeśli zaoferują mi dwadzieścia miliardów. Ponieważ prowadzi ją klika oszustów, a na jej czele stoi największy z nich – AK.

– Wspomniał też coś o tym, że nie chce pan zwalniać robotników.

– Mogę wyrzucić pracownika za nielojalność, ale nie za kryzys ekonomiczny, który nie on wywołał. Zanim wyrzuci pani pracownika, musi pani pomyśleć także o kosztach społecznych, a nie tylko o zysku ekonomicznym. Weźmy na przykład naszą fabrykę cementu w Laosie. Przynosi straty, ale nie takie, żebyśmy musieli ją zamknąć. Ludzie są tam biedni. Jeśli zwolnimy robotników, ich rodziny poumierają z głodu. Nie mogę na to pozwolić.

– A ja myślałam, że korporacje są bezduszne i pozbawione skrupułów, a ich jedynym celem jest zysk.

– Tradycyjne korporacje takie są. W biznesie z natury rzeczy chodzi o to, żeby podejmować trzeźwe decyzje ekonomiczne, bez zwracania uwagi na emocje. To jest wbudowane w system: myśleć wyłącznie o tym, żeby jak najwięcej zarobić, bez względu na dobro publiczne. Ja też z początku tak funkcjonowałem, dopiero później zdałem sobie sprawę, że to błędna droga. – Przerywa i spogląda na mnie. – Wie pani, kto mnie tego nauczył?

– Pański ojciec?

– Nie. Maya, moja córka. Była ponad wiek mądra. Właśnie dlatego Bóg ją zabrał, gdy miała zaledwie dwadzieścia pięć lat.

Podchodzę do stolika pod ścianą i biorę do ręki zdjęcie kilkunastoletniej dziewczyny, siedzącej w fotelu. Kąciki jej czarnych, lekko skośnych oczu są zmarszczone w uśmiechu.

– Czy to ona?

– Tak. Każdego dnia za nią tęsknię.

Przyglądam się twarzy dziewczyny w poszukiwaniu podobieństwa do mnie, ale nie, nie ma nawet powierzchownego. Ewidentnie Acharya nie wybrał mnie dlatego, że wyglądam tak jak jego córka.

– Nie ma typowo hinduskich rysów – zauważam.

– To dlatego, że jej matka – moja żona – była Japonką.

– Gdzie pan ją poznał?

– W Nagasaki. Jako student pojechałem do Japonii i mieszkałem tam przez dziesięć lat. Zakochałem się w ich kulturze i w dziewczynie imieniem Kyoko.

Biorę do ręki drugą fotografię, przedstawiającą szczupłą, delikatną kobietę w kimonie.

– Czy to Kyoko?

Kiwa głową.

– Zginęła w tamtej katastrofie razem z Mayą.

Bierze z moich rąk zdjęcie i przygląda mu się tęsknym wzrokiem.

– Japońskie kobiety są podobne do Hindusek. Łagodne, szczere, miłe i oddane rodzinie. Tak samo jak kobiety hinduskie wiedzą, co to hierarchia.

Odbieram to jako delikatną aluzję. Ja też powinnam wiedzieć, co to hierarchia, i jej przestrzegać.

Stawia zdjęcie z powrotem na stole. Z kącika oka spływa mu łza. Po raz pierwszy, odkąd się znamy, odrzucił zewnętrzną powściągliwość i odsłonił miękkie wnętrze. Pomimo rezerwy wobec całego projektu czuję drgnienie współczucia dla niego. W jego znużonych oczach, w jakimś szlachetnym smutku twarzy widać niszczące skutki samotności. Jego wybujały egoizm, uświadamiam sobie, to tak naprawdę mechanizm obronny, aby ukryć wrażliwość i podatność na zranienie. Wciąż jest w żałobie. Odniósł sukces jako biznesmen, ale żaden majątek nie jest w stanie wypełnić pustki w sercu.

Zauważa, że to dostrzegam, rumieni się lekko i odwraca wzrok, jak gdyby zakłopotany własnym sentymentalizmem.

– Czy teraz, kiedy widziała pani AK, rozumie pani, dlaczego trzymam się od niego z daleka? – pyta, wyraźnie żeby zmienić temat.

– Muszę przyznać, że jest wyjątkowo arogancki i niegrzeczny.

– Głównym problemem nie jest jego arogancja, lecz niestabilność. Czy zastanawiała się pani, dlaczego logo Grupy Pierwszej to szarżujący byk? Bo to właśnie jest AK: rozszalały byk. Nie zawaha się przed niczym, aby zdobyć to, na czym mu zależy.

– Rzeczywiście jest tak potężny?

– Jego potęga pochodzi z matactw i korupcji. Proszę pozwolić, że czymś się z panią w najgłębszej tajemnicy podzielę. Słyszała pani o Atlas Investments?

– Tak, naturalnie. To spółka-przykrywka, która stoi za niemal każdą aferą.

– No więc mam silne podejrzenie, że to AK jest mózgiem, który stoi za Atlasem.

– Co? – Podrywam głowę. – To bardzo poważne oskarżenie.

– Oczywiście nie mam twardych dowodów, ale starannie prześledziłem przebieg inwestowania Grupy Pierwszej w ostatnim okresie i niemal pokrywa się on z chronologią tych przekrętów. A do tego, jak pani sama zauważyła, wygląda na to, że AK opływa w gotówkę. Nie trzeba zgadywać, skąd pochodzą te wszystkie pieniądze.

– Więc dlaczego nie podejmuje się jakichś działań przeciwko niemu?

– Bo wszyscy tam trzymają sztamę. Żeby się do niego dobrać, musimy mieć niezbite dowody wpłat na jego tajne konta bankowe.

– Na naszym osiedlu jest pewna starsza kobieta, gandhystka, nazwiskiem Nirmala Ben, która grozi, że roznieci narodową rewolucję, żeby zmusić rząd do ustalenia tożsamości oszusta, który stoi za Atlasem.

Acharya macha lekceważąco ręką.

– Niech jej pani powie, że szkoda zachodu. Sieć łapówkarskich powiązań sięga tak głęboko, że potrzebna jest więcej niż transparentna analiza struktury posiadania, żeby ujawnić sprawcę. A tego się nie załatwi na chybcika.

Właśnie wtedy wchodzi do pokoju Rana, niosąc grubą teczkę. Na mój widok jest wyraźnie zdziwiony.

– Sir, przyniosłem panu umowę z Avantha do podpisu – zwraca się do szefa.

– Tak, oczywiście – mówi Acharya, jak gdyby przypominając sobie o czymś ważnym

Zaczynam się czuć niezręcznie, stojąc tak pośrodku sypialni Acharyi.

– Czy mogłabym już iść? Chciałabym obejrzeć przynajmniej końcówkę krykieta.

– Możesz ją odwieźć do domu? – zwraca się Acharya do Rany.

Rana marszczy z niezadowoleniem brwi i prowadzi mnie do podziemnego garażu z miejscem na sześć samochodów. Stoi tam bmw, mercedes, jaguar, porsche i, raczej dziwny w tym towarzystwie, tata indica.

– Co tu robi indica obok tych luksusowych wozów z importu? – pytam. Rana chmurzy się jeszcze bardziej.

– Tak się składa, że to mój prywatny samochód. Nie lubię jeździć cudzym – wyjaśnia zimno i przywołuje szofera w uniformie. Dwie minuty później opuszczam posiadłość mercedesem; to moja pierwsza w życiu jazda w takim luksusie. Z wyciągniętymi wygodnie nogami patrzę przez przyciemnione szyby na przesuwające się za nimi miasto i nastrój z miejsca mi się poprawia. Zdecydowanie mają z tym coś wspólnego zamszowe siedzenia, kontrolowana temperatura wnętrza i kojący głos Jagjita Singha, sączący się ze stereo. Najważniejsza jest jednak myśl, że któregoś dnia ten samochód naprawdę może być mój.

Kiedy dojeżdżamy do Rohini, jest już prawie piąta po południu. Zbiegiem okoliczności niemal w tej samej chwili w bramie pojawia się Karan. Widzi, jak wysiadam z mercedesa, przeciera ze zdumieniem oczy i pręży się na baczność.

– *Ba-adab, ba-mulahiza hoshiyar, Mallika-e-Hindustan aa rahi hain.* Okażcie szacunek, bądźcie czujni, bądźcie gotowi, władczyni Indii przybywa – intonuje, udając średniowiecznego wartownika, obwieszczającego przybycie królowej z czasów Mogołów.

– *Takhliya*, możesz odejść – odpowiadam wyniośle, po czym wybucham śmiechem.

– To co, odtąd to będzie twój codzienny środek lokomocji? – Wskazuje kciukiem odjeżdżającego mercedesa.

– Żeby to... Po prostu Acharya kazał mnie odwieźć. Byłam w jego rezydencji w Vasant Vihar.

Przewraca oczami.

– Coś ty robiła w jego domu?

– Uczestniczyłam w dziwnym spotkaniu – mówię i streszczam mu burzliwą scenę pomiędzy Acharyą i AK.

– Czyli w końcu pojawił się w kadrze AK. – Karan robi długi wydech. – I jak ci się podoba?

– Ewidentnie coś jest między nimi. AK powiedział: „To czysty biznes, nic osobistego", ale wydaje mi się, że jest dokładnie na odwrót. W tym, co widziałam, nie było nic z biznesu: to było czysto osobiste.

– Jak dla mnie, to obu może trafić szlag – mówi Karan. – Idę oglądać mecz, na razie.

Podwórko, zazwyczaj pełne kręcących się mieszkańców, dziś jest kompletnie wyludnione. Indie mogą zwyciężyć, więc wszyscy są przyklejeni do telewizorów. Kiedy mijam drzwi Nirmali Ben, widzę, że wisi na nich kłódka. Zły znak.

– Widziałaś się z Nirmalą Ben? – pytam Ma, która jest przyjemnie zdziwiona, że wracam tak wcześnie.

– Przyszła mi oddać nożyczki, bo pożyczała, i powiedziała, że na jakiś czas wyjeżdża.

– Nie powiedziała dokąd?

– Nie, ale zachowywała się troszkę dziwnie. Uściskała mnie na pożegnanie, tak jakby nie zamierzała wrócić.

Dhiman Singh, osiedlowy ochroniarz, potwierdza moje obawy. Widział, jak o drugiej po południu Nirmala Ben opuszcza osiedle z niedużą walizką i paroma hasłami na kijkach. Nie ma pojęcia, dokąd pojechała, ale ja wiem. Natychmiast wzywam autorikszę i każę się zawieźć do Dżantar Mantar.

Dżantar Mantar to obserwatorium astronomiczne przy Parliament Street, zbudowane prawie trzysta lat temu przez Radżę

Dżaj Singha II z Dżajpuru. Dziś jest bardziej znane jako del-
hijski Hyde Park, jedyne miejsce, gdzie partiom, zwykłym
obywatelom i grupom aktywistów wolno urządzać podczas
sesji parlamentu strajk okupacyjny.

Prawdziwe protesty mają miejsce na Dżantar Mantar
Road, zielonej arterii obok Connaught Place. Z całego kraju
przyjeżdżają tu ludzie z rozmaitymi zażaleniami, w nadziei
że zostaną wysłuchani albo przynajmniej napiszą o nich
media. Na ogół unikam tego hałaśliwego, chaotycznego
salonu wystawowego naszej demokracji, gdzie nieustannie
roi się od wykrzykujących hasła i wymachujących tabliczką-
kami demonstrantów. Zdarza się, że jakieś grupy całymi
tygodniami obozują na chodniku, który praktycznie staje
się ich drugim domem.

Dziś demonstrantów jest niewielu, z rzadka rozsianych na
chodniku. W prowizorycznym namiocie przycupnęła jakaś
para w średnim wieku z Madhya Pradesh. Własnoręcznie
sporządzony plakat informuje, że protestują w ten sposób
przeciwko bierności policji w sprawie ich kilkunastoletniej
córki Parvati, która zaginęła szóstego stycznia. Obok nich
jakieś stowarzyszenie handlowców żąda całkowitego zakazu
udziału międzynarodowych sieci handlowych i wielkich korporacji w handlu detalicznym. Trzecia grupa to kilkunastu
studentów Uniwersytetu Delhijskiego w maskach gazowych,
wzywających do ochrony rzeki Jamuny przed skażeniem.
I wreszcie – samotna kobieta w białym sari, siedząca na tle
spowiałego prześcieradła, które spełnia rolę banera. STRAJK
GŁODOWY PRZECIWKO KORUPCJI – głosi czerwony
napis. W rękach trzyma tabliczki o drewnianych uchwy-
tach. Na jednej jest napisane: ZDEMASKOWAĆ ATLASA,
na drugim: RATUJMY INDIE.

Spostrzega mnie i wzrok się jej rozjaśnia.

– Sapna, *beti*... Przyszłaś, żeby dołączyć do mojego
protestu?

– Nie, Nirmalo – odpowiadam. – Przyszłam, żeby zabrać panią do domu.

– Wykluczone – oświadcza i zdecydowanie kręci głową. – Powiedziałam ci, że odejdę stąd dopiero wtedy, kiedy dostanę zapewnienie od rządu, że ujawni, kto stoi za Atlasem. Inaczej będę głodować aż do śmierci.

– Czy widzi pani choć jedną osobę, która by panią poparła? – pytam w desperacji. – Wybrała pani na protest najgorszy możliwy dzień. Wszyscy oglądają Puchar Świata!

– Obiecało przyjść paru znajomych ze Stowarzyszenia Durga Podża i z Guarati Samadż.

– No i gdzie oni są? Dlaczego nie może pani przyjąć do wiadomości, że mają w nosie pani sprawę?

– To nieważne. Kiedy *satyagrahi* podejmuje głodówkę z przekonania, musi wytrwać niezależnie od tego, czy jest szansa, że akcja przyniesie owoce, czy nie. Mam rację, prawda?

Żadne argumenty nie są w stanie przekonać Nirmali Ben, by porzuciła głodówkę. Uparta jak nastolatka, przypomina w tym Alkę. Zawiedziona i zaniepokojona zarazem, siadam obok niej, w nadziei, że po paru godzinach jej zdrowy rozsądek weźmie górę.

O dziewiątej zaczynam czuć głód.

– Może by pani coś zjadła? – zwracam się do Nirmali Ben.

– Jak mogę jeść podczas głodówki? Ty idź i coś zjedz, mnie wystarczy to. – Wyjmuje z walizki butelkę wody mineralnej i pociąga łyk.

W godzinę później pojawia się policjant. Korpulentny, o szczurzej twarzy, patrzy na nas podejrzliwie.

– Co to wszystko znaczy? – wskazuje pałką trzymaną przez Nirmalę Ben tabliczkę.

– To się nazywa protest – odpowiadam z większym sarkazmem, niż zamierzałam.

– Dostała pani pozwolenie? Proszę okazać.

– Nie wiedziałam, że trzeba mieć pozwolenie na protest. Bądź co bądź, mamy demokrację...

– Proszę ze mną na posterunek przy Parliament Street – drwi. – Tam nauczymy panią zasad demokracji.

– Słuchaj, synu, nie zamierzamy wam sprawiać kłopotu – wtrąca Nirmala Ben. – To pokojowy protest, żeby polepszyć sytuację w naszym kraju.

– Słuchaj no, *budhiya** – odwarkuje posterunkowy. – To nie jest twoja prywatna własność, gdzie możesz sobie powiesić jaki chcesz baner. Pokazuj pozwolenie albo cię usunę siłą.

– Nie będę załatwiać żadnego pozwolenia – oświadcza Nirmala Ben. – I nie ruszę się stąd.

– Głupia babo, chcesz się ze mną spierać? – Zaciska zęby i zamierza się na nią pałką. Jednym skokiem znajduję się pomiędzy nimi.

– Załatwmy to w cywilizowany sposób. Jutro dostarczę panu pozwolenie. Niech pan nam tylko pozwoli zostać tu na noc. Proszę, to drobna oznaka naszej wdzięczności. – Otwieram torebkę i podaję mu pięćdziesiąt rupii.

Porywa banknot i wkłada do górnej kieszeni.

– W porządku, dziś wam daruję, bo całe miasto i tak ma w głowie tylko Puchar Świata. Ale jutro pakujecie się i zabieracie stąd – mówi surowo i raźnym krokiem odchodzi.

– Po coś mu dała łapówkę? – beszta mnie Nirmala Ben. – To właśnie to, przeciwko czemu walczę!

– Jakbym mu nie dała łapówki, to ten wredny gliniarz by panią uderzył.

– Więc trzeba mu było na to pozwolić. – Uśmiecha się. – Istota *satyagraha* to siła ducha przeciwko brutalnej sile fizycznej. To jedyny sposób, żeby ci ludzie zeszli z drogi nienawiści i przemocy.

---

* *Budhiya* (hind.) – stara.

Nic nie poradzę, że pociąga mnie ten jej uśmiech, pełen czułości, miłości i odwagi. I gdzieś w głębi serca uświadamiam sobie, że jesteśmy w tym razem. Nawet jeśli nie wierzę w jej metodę, to wierzę w jej racje. I pójdę za nią, nawet jeśli nie znajdzie się nikt inny, kto byłby do tego gotów.

Tymczasem zdążyła już zapaść ciemna noc. Wiem, że muszę iść do domu. Nie mam ochoty zostawiać tu Nirmali Ben całkiem samej, ale na chodniku spać nie będę. Z oporem żegnam się z nią i łapię ostatnie metro do Rohini.

Jestem jeszcze w pociągu, gdy dzwoni moja komórka. Neha...

– *Didi*, gdzie jesteś? – piszczy radośnie.

– A co się stało?

– Indie właśnie wygrały Puchar Świata, po raz pierwszy od dwudziestu ośmiu lat!

Kiedy wysiadam w Rohini, wita mnie cała dęta orkiestra. Ludzie dmą w rogi i trąbki, młody chłopak z trójkolorowym malunkiem na twarzy raz po raz robi gwiazdę. Ulice są zapchane autami i ludźmi, niebo eksploduje fajerwerkami. Wszystko to widzę jak przez mgłę. Całe to świętowanie wydaje mi się puste, bo brakuje w nim jednej mieszkanki naszego osiedla. Cały naród wiwatuje, bo hinduska drużyna krykieta wygrała z drużyną Sri Lanki, a nie ma nikogo, kto by poparł bohaterską kobietę, która prowadzi o wiele ważniejszą walkę...

Jedyną osobą, która przejmuje się Nirmalą Ben, jest Ma.

– Zawieź mnie do niej, *beti*. Przekonam ją, żeby wróciła.

– Ona nikogo nie słucha.

– W takim razie ja też usiądę razem z nią i będę głodować.

– Nie bądź śmieszna.

– Nigdy tego nikomu nie mówiłam, ale Nirmali Ben zawdzięczam życie.

Patrzę na nią zdumiona.

– Co ty mówisz?

– To prawda. Półtora miesiąca temu nagle strasznie mi spadł cukier i upadłam w kuchni. Gdyby nie Nirmala Ben, która zawiozła mnie do szpitala, mogłam umrzeć tego popołudnia.

– I teraz mi o tym mówisz?

– Nie chciałam, żebyście się z Nehą bez potrzeby martwiły...

– Czy ty zawsze musisz dźwigać na barkach ciężar całego świata? – Maskuję zmartwienie udawaną irytacją. – Czasem mi się wydaje, że jesteście z Nirmalą Ben bliźniaczkami, skrojonymi z tego samego kawałka.

Ma załamuje ręce.

– Nie będę mogła spać, wiedząc, że powinnam być z Nirmalą.

Ja też nie mogę. Obraz Nirmali Ben, leżącej samotnie na chodniku, nie pozwala mi zasnąć przez całą noc. Jestem jej winna więcej, niż myślałam.

Wstajemy z Ma przed świtem i pierwszym porannym metrem jedziemy na Dżantar Mantar Road.

Wczorajsi demonstranci wciąż jeszcze śpią w swoich prowizorycznych namiotach, zawinięci w koce. Ta zbieranina studentów, przekupniów i gospodyń domowych nie sprawia bynajmniej dobrego wrażenia. Ulica wygląda nie jak salon wystawowy demokracji, a raczej jak muzeum wykluczonych.

Nirmala Ben jest jedyną osobą przytomną i na nogach. Skończyła już w pobliskiej toalecie publicznej swoje codzienne ablucje i kiedy docieramy, śpiewa *Raghupati Raghav Radża*.

– Ben, przestań być taka uparta i wracaj do domu – prosi Ma, ale ona tylko się uśmiecha.

– Jak długo wytrzymasz bez jedzenia? – próbuje Ma jeszcze raz.

– Dopóki będę miała wewnętrzną siłę. I dopóki rząd nie zareaguje na moje żądanie.

– Przecież rząd nawet nie wie o pani żądaniu! – krzyczę. – Ale co tu mówić o rządzie... Nawet człowiek z ulicy nic o nim nie wie! Dopiero co przejeżdżał mleczarz na rowerze. Spytałam go, czy popiera pani protest. Powiedział, że nigdy nie słyszał o Atlas Investment!

– Gdybyś spytała go o korupcję, odpowiedź byłaby inna. Bapu powiedział, że prawda jest ze swej natury oczywista. Wystarczy, że usuniesz otaczającą ją pajęczynę ignorancji, a zaczyna błyszczeć. Celem mojej *satyagraha* jest przebudzenie słabych i zawstydzenie możnych – ciągnie. – Zobaczysz, że mój protest rozrośnie się w ruch, który zmieni bieg naszej historii.

Wiem, że Nirmala Ben nie wróci na nasze osiedle. Przejęta głębokim smutkiem i uwiedziona wspaniałą wizją rewolucji, zagłodzi się na śmierć. Ale ta śmierć będzie na darmo. Ubodzy tego świata nie są w stanie zmieniać historii ani jej tworzyć. Jesteśmy skazani na to, żeby się jej wyłącznie uczyć.

– **Ciśnienie krwi wzrasta, serce przyspiesza.** To nie jest jeszcze zagrożenie życia, ale nie sądzę, żeby długo wytrzymała bez jedzenia. Powinna odwołać głodówkę – oświadcza lekarz, pakując stetoskop, po czym wyciąga rękę po honorarium za wizytę. Wręczam mu sto rupii i znika.

Jest środa szósty kwietnia. Nirmala Ben od czterech dni nie miała w ustach źdźbła jedzenia. Co gorsza, jej protest pozostaje kompletnie bez echa. Czasem pojawiają się jacyś gapie, ale poza tym równie dobrze mogłaby głodować na Księżycu. Nawet policja przestała ją nachodzić; uznali ją za wariatkę. Prawdę mówiąc, bez brygady zwolenników i naśladowców, którzy dzierżyliby transparenty i wykrzykiwali hasła, jej protest w ogóle nie przypomina protestu: wygląda jak bezdomna, ciśnięta gdzieś na chodnik w miejskim zaułku.

– Zrób coś, *beti*, zanim będzie za późno – prosi Ma. Zawarłyśmy między sobą umowę: Ma jest z Nirmalą Ben cały dzień i dotrzymuje jej towarzystwa, ja odwiedzam ją, ilekroć mogę się wyrwać ze sklepu, położonego zaledwie o parę minut stąd.

Nirmala Ben straciła na wadze, ale jej zapał bojowniczki i wiara w ludzką naturę pozostały nienaruszone.

– Ludzie w końcu przyjdą – mówi, wciąż pełna nadziei.

Oczywiście nikt nie przychodzi, ale podczas przerwy na lunch przypadkiem wpadam na Shalini Grover, moją znajomą z telewizji Sunlight. Okazuje się, że jeden ze studentów w maskach gazowych, protestujących przeciwko skażeniu Jamuny, to jej bratanek czy siostrzeniec.

Patrzę na nią wyczekująco. Może coś poradzi?

– Co zrobić, żeby nagłośnić głodówkę Nirmali Ben?

– Musicie tu mieć kamery telewizyjne – mówi. – To jedyny sposób, żeby zaczęła się reakcja łańcuchowa.

– Możesz przyjść z kamerzystą i załogą?

– Nasz profil to dziennikarstwo śledcze, a nie wiadomości. Ale nawet ludzie z wiadomości nie dadzą materiału o proteście, o ile nie jest uznany za ważny.

– A co sprawia, że protest staje się ważny?

– Albo temat musi być chwytliwy, albo liczba popierających wielka. Zastanawiałaś się kiedykolwiek, dlaczego przemarsz modelek wzdłuż rampy podczas Tygodnia Mody Hinduskiej obsługuje tysiąc dziennikarzy, ale o samobójstwach rolników w Vidarbha robię materiał tylko ja? Zła wiadomość się źle sprzedaje. Głodówka Nirmali Ben przeciwko jakiejś nieokreślonej firmie-przykrywce po prostu nie jest wystarczająco seksowna. Gdyby jednak chodziło jej o to, żeby zachęcić kobiety do zorganizowania czegoś w typie Marszu Szmat, jak ten, który miał miejsce parę dni temu w Toronto, natychmiast przyciągnęłoby to ludzkie oczy i stało się wydarzeniem medialnym.

– Atlas Investment to tylko symbol. Tak naprawdę chodzi jej o wysoki poziom korupcji.

– Przestań... Kogo obchodzi korupcja w tym kraju? Połowa klasy średniej sama dzięki łapówkom pławi się w dobrobycie, a druga połowa nie zawraca sobie głowy wychodzeniem na ulicę, żeby coś z tym zrobić.

– Nie sądzisz, że jesteś troszkę niesprawiedliwa wobec klasy średniej? – protestuję.

– Mówię tylko gorzką prawdę. Klasa średnia wszystko ma w nosie – ani nie głosujemy, ani nie zwalczamy wyborów – więc wszyscy mają w nosie klasę średnią.

Następny dzień także nie przynosi Nirmali Ben żadnych zwolenników. Jedyną zmianą jest dalsze pogorszenie stanu zdrowia gandhystki.

– Puls osiemdziesiąt osiem, a ciśnienie sto pięćdziesiąt na dziewięćdziesiąt. W ciągu najbliższych dwudziestu czterech do czterdziestu ośmiu godzin może być potrzebna pilna pomoc lekarska. Proszę mieć w pogotowiu ambulans – mówi lekarz, kończąc badanie.

Nirmala Ben straciła w ciągu sześciu dni ponad trzy kilo. Z powodu odwodnienia pociemniała jej cera, a niepokojącą mizerność twarzy podkreślają sine kręgi pod oczami. Nie ma już siły, żeby przez cały dzień siedzieć. Przeważnie leży na boku z podkurczonymi nogami. Ale umysł wciąż ma jasny, przytomny.

– Nirmalo Ben, niech pani skończy to szaleństwo – błagam. – Pogódźmy się z tym, że tym razem przegrałyśmy. Musi pani żyć, żeby dalej walczyć.

– Nie – mówi zdecydowanie. – Teraz już wyłącznie moje zwłoki opuszczą to miejsce.

Dreszcz mnie przechodzi. Co za przerażająca koncentracja na celu.

W południe odwiedza nas Vinay Mohan Acharya. Twierdzi, że widział krótką migawkę o Nirmali Ben w telewizji Sunlight.

– To jest ta ludowa rewolucja, którą mi pani obiecała? – Wpatruje się w leżącą samotnie na ziemi gandhystkę. – Ale gdzie są ludzie?

– Nirmala Ben umiera – mówię, łamiąc ręce. – I wygląda na to, że nikogo to nie obchodzi.

– Mówiłem pani, że szkoda jej zachodu na Atlasa – prycha ironicznie. – Ja też próbowałem działać na rzecz zmiany, ale rewolucja w naszym kraju jest niemożliwa. Historia uczy, że aby rewolucja odniosła sukces, potrzebna jest przynajmniej jedna z dwóch rzeczy: powszechnie znienawidzony rządzący albo powszechnie uwielbiany przywódca opozycji. W Indiach nie mamy ani tego, ani tego. My, Hindusi, dla nikogo nie mamy ani zbyt wiele miłości, ani zbyt wiele nienawiści.

– Może moglibyśmy coś zrobić, żeby wstrząsnąć ludźmi i skłonić ich, żeby poparli jej protest?

– Niech pani o tym zapomni. Ludźmi można wstrząsnąć i skłonić ich do działania tylko wtedy, gdy dana sprawa budzi w nich emocjonalny oddźwięk. A hasło wyeliminowania korupcji, choć przykro mi to mówić, nie budzi w nich żadnych emocji. Uważają, że korupcja jest zbyt powszechna, żeby dało się coś z tym zrobić.

Wygłosiwszy swoją homilię, odchodzi, ale ja nie zamierzam poddać się tak łatwo. Po powrocie do salonu gorączkowo poszukuję jakiegoś rozwiązania. Wiem, że pora na zmianę taktyki. Ludzie nie przyjdą z własnej woli, żeby poprzeć jakąś nieznaną kobietę bez zaplecza organizacyjnego. Najpierw zbuduj swoją obecność w świadomości ludzi, a dopiero potem skłaniaj do kupna swojego produktu – oto naczelna zasada marketingu. Tak działa cała reklama. Ale jak powinien wyglądać marketing w przypadku protestu?

I wtedy mój wzrok pada na ogromny billboard, górujący nad Dżantar Mantar. Jaśnieje na nim gigantyczna twarz Priyi Capoorr, trzymającej w ręku tubkę ziołowego kremu do twarzy Amla. I już mam odpowiedź: Nirmala Ben także potrzebuje poparcia jakiegoś celebryty.

Wciąż mam numer Rosie Mascarenhas, menedżerki Priyi od spraw PR-u. Dzwonię do niej i przedstawiam moją propozycję.

– Jak pani sądzi, czy Priya Capoorr zgodzi się powiedzieć parę słów poparcia dla głodówki Nirmali Ben? To szlachetny cel.

Menedżerka nie jest ubawiona.

– Ma pani sporo odwagi, żeby dzwonić do mnie po tym, jak się pani zachowała wobec Priyi – upomina mnie. – A któż to jest Nirmala Ben? Kto o niej słyszał? – dodaje. – Nigdy nie wiążemy się z nieznanymi markami.

Niezrażona, przełączam się na plan B i dzwonię do Karana.

– Jeśli Priya Capoorr nie chce poprzeć głodówki Nirmali Ben, zrobi to Salim Ilyasi.

– Ale jak do niego dotrzemy? Nie mam numeru jego sekretarki.

– To ty jesteś Salim Ilyasi. Pamiętasz, jak mnie nabrałeś na prima aprilis? Chciałabym, żebyś zrobił to samo w sprawie Nirmali Ben.

– Nie łapię.

– Chciałabym, żebyś jako Salim Ilyasi nagrał wiadomość głosową, wzywającą ludzi do przyłączenia się do protestu Nirmali Ben, i rozesłał to do klientów sieci Indus jako wiadomość MMS.

– Hola, hola! Chcesz mnie wsadzić do więzienia? A jak facet mnie pozwie?

– Nie będziemy używać jego nazwiska. Jeśli ktoś ma taki sam głos jak jego, to czy to nasza wina? Nie, prawda?

– A co z pracą? Jeśli mój szef odkryje, że wysłałem tego obszernego MMS-a na koszt firmy, to mnie wyleje.

– Wiem, że jest pewne ryzyko, ale to nasza jedyna szansa. Inaczej Nirmala Ben umrze!

Muszę jeszcze troszkę nad nim popracować, ale raz przekonany, Karan daje z siebie wszystko. Mam już przygotowany tekst i nagrywa go bezbłędnie. Jego głos brzmi jak klon Salima Ilyasi; sam jest pod wrażeniem tej niesamowitej mimikry.

– Setki milionów abonentów Indusa czeka niezła niespodzianka – mówi z szerokim uśmiechem.

W trzy godziny później słyszę „biip": mój telefon sygnalizuje nadejście wiadomości z numeru mumbajskiego. Klikam „otwórz" i słyszę głęboki, zniewalający baryton Salima Ilyasi:

– Przyjaciele, w naszym kraju źle się dzieje. Przekręty, afery, malwersacje poderwały zaufanie ludzi do władzy i do siebie nawzajem. Nie możemy dłużej bezradnie się temu przyglądać. Dlatego postanowiłem przyłączyć się do nieustraszonej walki Nirmali Ben przeciwko korupcji. W sobotę, dziewiątego kwietnia, przyjdę pod Dżantar Mantar, żeby ją poprzeć. Wy także powinniście przyjść! Wspólnym wysiłkiem na pewno uda się nam uzdrowić nasz kraj. Do zobaczenia! To będzie fuantastyyczne!

Dzwonię do Karana.

– Genialne! Ale trochę się niepokoję o ten mumbajski numer, którego użyłeś. To prawdziwy numer Salima Ilyasi?

– Odbiło ci? Zaaresztowaliby mnie, gdybym to zrobił.

– W takim razie czyj?

– Nie ma takiego numeru, ale jeśli zmienisz ostatnią cyfrę i zamiast zera wybierzesz jeden, to się dodzwonisz.

– Do kogo?

– Do szpitala psychiatrycznego Andheri!

Plan działa lepiej, niż mogłam sobie wymarzyć w najśmielszych snach. Fałszywy MMS Salima Ilyasi jest jak wirus. Wiadomości o głodówce Nirmali Ben rozchodzą się poprzez blogi, Twittera, Facebooka, MySpace i YouTube, aż zostaje osiągnięta pewna masa krytyczna. W sobotę od wczesnego ranka ciągną na miejsce głodówki ludzie. Przyszli popatrzeć na Salima Ilyasi, ale nagle staje się coś dziwnego. Widzą Nirmalę Ben, kruchą starszą panią, która od tygodnia nic nie miała w ustach, i zostają, pociągnięci nie tylko perspektywą spotkania z gwiazdorem Bollywood, ale i jej niezwykłym uporem i determinacją.

Po południu tłum liczy już osiem tysięcy ludzi, może więcej. I wtedy dzieje się kolejna ciekawa rzecz. Niemal sama z siebie wyłania się grupa aktywnych wolontariuszy. Zaczynają budować regularną scenę. Ktoś organizuje puszkę i spontanicznie zaczynają się sypać datki. Właściciel sklepu z namiotami pożycza ogromny *shamiana*, co daje upragnione schronienie przed palącym słońcem. Ktoś przywozi przenośny generator, ktoś inny nagłośnienie. Grupa miejscowych muzyków i wokalistów dołącza na scenie do Nirmali Ben i powietrze rozbrzmiewa dźwiękami badżanów* i pieśni patriotycznych.

Widok rozśpiewanych, wiwatujących, solidarnych tłumów wlewa w Nirmalę Ben nowe życie. Znajduje nawet siły, by wstać i wygłosić namiętne przemówienie, w którym wzywa do wszczęcia nowej rewolucji, aby oczyścić kraj z korupcji.

– To wy zdemaskujecie Atlas, to wy wymierzycie decydujący cios w tę zmowę korporacji! – woła z zapałem, a tłum odpowiada długo niemilknącym aplauzem.

Potem nie trzeba już wiele czasu, by włączyły się media. Reporterzy, fotografowie i załogi telewizyjnych wiadomo-

---

* Badżany – pieśni o charakterze transowo-medytacyjnym, oparte na typowych dla Indii rytmach i skalach muzycznych.

ści zbiegają się pod Dżantar Mantar niczym rekiny, które poczuły w oceanie świeżą krew.

Skoro tylko wiadomość o głodówce zostaje wyemitowana w porze największej oglądalności, przypływ ludzi zmienia się w powódź. Nirmala Ben zaczyna dominować w eterze, przebijając nawet karnawał, jakim są rozgrywki Pierwszej Ligi krykieta, rozpoczęte dzień wcześniej. Pośpiesznie organizuje się dyskusje panelowe i każdy, kto coś znaczy, prezentuje swoje poglądy na temat głodówki i potępia korupcję jako taką, a firmę Atlas w szczególności.

Kiedy przychodzi niedziela, śnieżna kula protestu zmienia się w lawinę. Dżantar Mantar Road jest od początku do końca zapchana demonstrantami. Powiewają trójkolorowe flagi, ludzie śpiewają i tańczą w rytm bębnów, atmosfera przypomina karnawał. Ponad setka uczestników postanawia dołączyć do głodówki Nirmali Ben, w tym dziewięćdziesięciodwuletni weteran walki o wolność, gotów poświęcić życie, jeśli rząd się nie ugnie. Obcy ludzie padają sobie w objęcia i wykrzykują hasła, obwołujące Nirmalę Ben nowym Gandhim.

Rzeka ludzi napływa nieprzerwanie przez cały dzień. Przyjeżdżają pociągami, autobusami, rowerami albo przychodzą pieszo. Przybywają z odległych wiosek i zapyziałych miasteczek, z eleganckich centrów handlowych i klimatyzowanych biur. Są rolnicy ze stanu Haryana, młodzi bezrobotni z Noida, uczniowie z osiedla dla pracowników rządu RK Puram, gospodynie domowe z Chittaranjan Park, pracownicy mleczarni w Jind, klerycy z medresy w Nangloi, krawcy z Ghaziabad, eunuchowie z Yusuf Sarai i pracownicy biura obsługi klienta z Gurgaon. Trudno sobie wyobrazić bardziej różnorodną, amorficzną grupę, połączoną wyłącznie sprzeciwem wobec kultury łapówkarstwa i protekcji. Wszyscy doświadczyli jej w swoim życiu, od ojca, zmuszonego do „dotacji" na rzecz prywatnej szkoły, aby przyjęto do niej syna, do robotnika budowlanego, który musi przekupić urzędnika, żeby dostać kartkę żywnościową z przydziałem dodatkowego jedzenia, które się mu należy. To spontaniczna koalicja niezadowolonych i wydziedziczonych. Nirmala Ben stała się punktem zbornym ich codziennych rozczarowań i niespełnionych aspiracji, a „zdemaskować Atlasa" – okrzykiem bojowym wyrażającym gniew narodu, który w końcu przemówił.

Patrzę na morze wzniesionych pięści, poruszających się w jednym rytmie, słyszę ryk tysięcy gardeł: „Nirmala Ben *zindabad*!" (Niech żyje Nirmala Ben!) i zwracam się do Karana, który stoi obok mnie w jakimś względnie mniej zatłoczonym zakątku.

– Dziękuję – mówię i ściskam mu dłoń z wdzięcznością. – Wyobrażałeś sobie ten spektakl, kiedy nagrywałeś tę wiadomość?

– Chcesz powiedzieć, że to ja spowodowałem cały ten zamęt? – Patrzy w oszołomieniu na mrowie ludzi, napływających, by choć rzucić okiem na Nirmalę Ben.

Od strony sceny dobiega odgłos bębnów, a potem przeraźliwe okrzyki triumfu.

– O Boże! – woła Karan. – Czyżby tu była Desi Nirvana?

– Tak! Dają koncert gratis, w ramach poparcia dla Nirmali Ben.

– Niedziela w towarzystwie nieumytych mas rodaków, podrygujących w rytm kapeli rockowej, to nie jest najlepsza z rozrywek, jakie mogę sobie wyobrazić. Ale z drugiej strony mogę już nigdy nie mieć takiej szansy – mówi i zaczyna się przedzierać przez kłębiący się tłum. – Chodź, idziemy razem!

– Idź sam – mówię. – Hard rock to nie moja bajka. Poza tym czekam na doktora Motwani z Apollo Hospital. To najdroższy kardiolog w Indiach. I zaproponował, że będzie za darmo monitorować stan zdrowia Nirmali Ben.

Wieści o wciąż narastającym poparciu dla głodówki przygnały pod Dżantar Mantar nawet Jamesa Atlee, angielskiego chłopaka Lauren, specjalistę od marki.

– Muszę się od was czegoś nauczyć – mówi zdumiony. – Udało wam się coś, czego ja nie potrafię. Osobę, która była nikim, zmieniliście w międzynarodową ikonę!

– Z niewielką pomocą Salima Ilyasi – puszczam do niego oko.

– Wygląda na to, że połowa mojego biura przyszła poprzeć protest... Przed chwilą zauważyłem nawet w tłumie syna mojego szefa.

– Syna pańskiego szefa? Ma pan na myśli właściciela Indus Mobile?

– Taak... Karaka juniora. Ma dopiero dziewiętnaście czy dwadzieścia lat, ale niezły z niego numer, mówię pani. Kompletnie odjechany, prawdopodobnie na dragach.

– A co on tu robi?

– Łatwo zgadnąć... Wszyscy zachodzą w głowę, jak ten MMS Salima Ilyasi mógł trafić do sieci.

Dzwonek w mojej głowie dzwoni na alarm. Zaczynam gorączkowo szukać Karana. Znajduję go dopiero po dwudziestu minutach, jak liże ze smakiem loda na patyku, kupionego w budce.

– Też chcesz? – pyta z uśmiechem.

– Wiesz co, przed chwilą spotkałam chłopaka Lauren – informuję go. – Powiedział, że widział w tłumie syna właściciela, Karaka juniora.

– Co? – Twarz mu szarzeje, uśmiech blednie. Ciska loda do kosza na śmieci i zaczyna nerwowo wykręcać ręce. – No to leżę – mamrocze. – Znaczy, że Salim Ilyasi się poskarżył i firma zaczęła śledztwo. Szlag!

– Może syn twojego szefa przyszedł po prostu na protest?

– Nie znasz go. To skurwiel... Jak mu ktoś podpadnie, to nie ma zmiłuj.

– Myślisz, że możesz stracić pracę?

– Zatarłem ślady dosyć starannie. Mam tylko nadzieję, że moi koledzy z biura, którzy wiedzą o mojej umiejętności naśladowania, nie puszczą pary z gęby. E, lepiej spadać. – Odwraca się na pięcie i odchodzi, nie mówiąc nawet „cześć".

Wracam na scenę, gdzie Ma czuwa przy leżącej na wznak Nirmali Ben. Jest coraz słabsza i przeraźliwie chuda. Doktor Motwani po zbadaniu zabronił jej mówienia i jakiegokolwiek wysiłku. Ocenił, że bez jedzenia wytrzyma jeszcze najwyżej dwa dni. „Nawet najbardziej masowe uwielbienie i komplementy nie zastąpią odżywiania się" – powiedział.

Późnym wieczorem rząd wysyła w końcu do Nirmali Ben swojego emisariusza. Jest to niskiego wzrostu wiceminister z resortu gospodarki.

– Robimy, co w naszej mocy, żeby zdemaskować stojących za Atlasem ludzi – mówi. – Ale to skomplikowany proces. Potrzebujemy trochę czasu.

Nirmala Ben wysłuchuje go i podnosi dwa palce.

– Co to znaczy? – pyta urzędnik, zwracając się do Ma, która chcąc nie chcąc, stała się nieoficjalną rzeczniczką Nirmali Ben.

– To znaczy, że daje wam dwa miesiące, czyli sześćdziesiąt dni – odpowiada matka.

– To za mało – potrząsa głową dygnitarz. – Potrzebujemy co najmniej osiem miesięcy do roku.

Nirmala Ben kiwa przecząco dłonią.

– W takim razie proszę iść – przekłada Ma. – Nie ma zgody.

Nadchodzi poniedziałek. Ludzie nie zamierzają się rozchodzić, co sprawia, że ruch na Connaught Place to jeden wielki chaos.

Oprócz wydźwięku politycznego głodówka staje się także zjawiskiem kulturowym. Ze sklepów Khadi Bhandar znikają czapeczki-furażerki w stylu Gandhiego. Białe sari Nirmali Ben zyskuje status ostatniego krzyku mody i pojawia się na wybiegach. Rohit Kalra, bollywoodzki tekściarz, wypuszcza pikantny remiks z frazą: „Moja żoneczka mnie nie pieści, bo o Atlasie wciąż brak wieści", który natychmiast staje się przebojem na YouTube. Grupy obywatelskie w całych Indiach zaczynają organizować ogniska, w których są symbolicznie palone egzemplarze szkolnych atlasów.

We wtorek wieczorem w całym kraju jest już tylko jeden temat: Nirmala Ben. Jej twarz widać wszędzie: w gazetach, w telewizji, na billboardach, koszulkach, czapkach i paznokciach pań. Podobnie jak Amitabha Bachchana* nazywa się czule „Big B", Nirmali Ben szybko nadano ksywkę „Big Ben". Nawet Pryia Capoorr dołącza do powszechnego trendu! Mam trochę złośliwej satysfakcji, gdy widzę ją w Star News, gadającą banały, jak to zawsze podziwiała Nirmalę Ben i że bardzo chętnie dołączyłaby do jej głodówki, gdyby nie fakt, że obecnie przebywa w Stambule, gdzie kręci nowy film.

Porwana zbiorowym zapałem ludowej rewolucji, najnowszy raport doktora Motwaniego odbieram jak grom z jasnego nieba. Około północy kardiolog oznajmia posępnie, że zdrowie Nirmali Ben znacząco się pogorszyło i może nawet umrzeć, o ile nie zostanie natychmiast wzięta pod kroplówkę.

Jak było do przewidzenia, Nirmala Ben odmawia przerwania głodówki lub pójścia na kroplówkę.

– Skoro mój syn oddał życie za ojczyznę, mogę to zrobić i ja – mówi z trudem, walcząc o każdy oddech. W mieście,

---

* Aktor filmowy, ur. 1942 (przyp. tłum.).

gdzie życie może się skończyć zbyt gwałtownie i zbyt anonimowo, by je zapamiętano, spektakl publicznego męczeństwa ma dla niej niebezpieczny powab.

Wieść o grożącej Nirmali Ben śmierci rozchodzi się lotem błyskawicy. Ruch, który dotąd był w pełni pokojowy, nabiera gwałtowności. Gniewne tłumy podpalają autobusy i rządowe samochody. W całym kraju protestujący ścierają się z policją. Partie opozycyjne wzywają do strajku powszechnego.

W obliczu coraz bardziej wrogiego elektoratu, czując ogólny nastrój, rząd próbuje przejąć inicjatywę: sam minister gospodarki wręcza Nirmali Ben pisemne zapewnienie, że sprawa Atlasa zostanie zbadana, a jego rzeczywista tożsamość ujawniona w ciągu sześćdziesięciu dni.

– To nie kapitulacja – oświadcza zgromadzonym reporterom. – To pragmatyzm, bazujący na jasnym rozeznaniu, na czym polega interes narodu.

W środę o godzinie 12.01, pod okiem kamer, które przekazują to na żywo, Nirmala Ben kończy głodówkę, biorąc z rąk jakiejś uczennicy szklankę soku. W całym kraju rozlega się okrzyk triumfu.

Natychmiast zostaje przewieziona do szpitala Apollo, za nią zaś ciągnie legion wiernych adeptów i niewielki oddział lekarzy. Zadanie zakończenia protestu i odwiezienia do domu jej osobistych rzeczy pozostawiono mnie i Ma.

Tego wieczoru, porządkując w mieszkaniu Nirmali jej manatki, otwieram zniszczoną walizkę – tę, którą miała ze sobą pod Dżantar Mantar. Jest w niej prześcieradło, z którego zrobiła baner, i kilka prostych sari, spod nich jednak wyziera mnóstwo innych rzeczy: chustki do nosa, łyżeczki, talerzyki, szklanki, bransolety, przepaski na włosy, zapalniczki i długopisy. Jest nawet lekarski stetoskop i męski zegarek marki Tytan. Zdecydowanie nie są to jej rzeczy.

Pozostaje mi tylko pokręcić głową na to odkrycie. Oznacza ono, że głodówka nie wyleczyła jej z kleptomanii. Big Ben stała się nową narodową ikoną, stare nawyki zachowała jednak niezmienione.

Kiedy w czwartek wieczorem wzywa mnie Acharya, niemal tego oczekuję.

– Ma to coś wspólnego z głodówką Nirmali Ben, prawda? – wypalam, ledwie Revathi wprowadza mnie do jego prywatnego gabinetu.

– A jakże. Przeszła pani z sukcesem piątą próbę – próbę zaradności, wykazując, że potrafi pani rozwiązywać problemy. Aby sprawić, że głodówka Nirmali Ben odniesie sukces, umiejętnie wkroczyła pani nawet na grząski teren masowej polityki. To niezwykłe osiągnięcie.

– Bynajmniej nie było to łatwe.

– Właśnie o to chodzi. Zaradność to umiejętność działania skutecznego i pomysłowego, zwłaszcza w sytuacjach trudnych. Dyrektor generalny to przede wszystkim mistrz strategii. Szachista, który panuje nad wszystkimi ruchami przeciwnika. Lider, który jest zaradny, potrafi osiągać cele nawet wtedy, gdy sprawy idą źle, a sytuacja wygląda beznadziejnie. Potrafi działać w najbardziej niesprzyjających warunkach. Nigdy się nie poddaje. Jeśli mur jest za wysoki, żeby go przeskoczyć, znajduje sposób na jego obejście.

– Wszystko, co zrobiłam, zrobiłam dla Nirmali Ben. Po prostu nie mogłam pozwolić, żeby umarła.

– Była pani nawet na tyle przenikliwa, by wiedzieć, że Nirmala Ben kanalizuje ogólny gniew na korupcję w jej widzialny symbol – Atlasa. I sprawiła pani, że ludzie uwierzyli, iż to, co robi Nirmala Ben, warte jest poparcia. Tej samej strategii, którą wykorzystała pani dziś, aby zmienić nikomu nieznaną gandhystkę w narodową bohaterkę, użyje pani jutro, aby przekształcić produkt w markę. To będzie pani najcenniejsza tajemnica biznesu, kiedy zostanie pani dyrektorką naczelną Grupy ABC.

– Cóż, chyba po prostu miałam szczęście – uśmiecham się.

– Szczęście nie ma z tym nic wspólnego. Zdołała pani nawet przekonać Salima Ilyasi, żeby poparł głodówkę Nirmali Ben! Dostałem od niego wiadomość głosową na mój telefon. Jak, na Boga, się to pani udało?

– Tajemnica firmy. Nie ośmielę się jej wyjawić!

Od trzech dni Karan mnie unika. Ilekroć go widzę, ma zaaferowaną minę studenta, który kuje do ostatniego egzaminu i nie ma chwili do stracenia. Kiedy więc wpada tego wieczoru do ogrodu, nie wiem, czego się spodziewać.

Zaczynam od tego, że opowiadam mu o moim spotkaniu z Acharyą.

– Pięć odhaczone, dwa przed tobą, co? – zauważa.

– Słuchaj, oboje dobrze wiemy, że Acharya robi mnie w bambuko. Mam taką samą szansę na prowadzenie firmy wartej dziesięć miliardów dolarów, co na zdobycie tytułu Miss Świata.

– Co do Miss Świata bym polemizował, ale nie w tym rzecz. Rzecz w tym, że musisz być zawsze o krok do przodu przed Acharyą.

– A co z tobą? Firma nadal prowadzi śledztwo w sprawie MMS-a Salima Ilyasi?

– To była w grafiku pana Swapana Karaka, właściciela Indusa, pozycja numer jeden – odpowiada grobowo.

– Wyśledził, że to ty? – pytam z bijącym sercem.

– Wymknąłem się! – Szczerzy zęby w uśmiechu. – Karak nie ma pojęcia, że to moja robota. Doszedł do wniosku, że ten MMS to był „społecznie użyteczny dowcip", zorganizowany przez grupę sprytnych hakerów.

Oddycham z ulgą.

– Nnnno! A tak niewiele brakowało... Nie masz pojęcia, jaka się czułam winna przez ostatnie cztery dni.

Klepie mnie lekko po plecach.

– Mogę sobie wyobrazić. Właśnie dlatego strasznie mnie kusiło, żeby wysłać ci innego MMS-a, tym razem nagranego głosem Aamira Khana z *3 Idiots*.

– Te trzy słowa?

– Tak jest: nie ma spraawy.

PRÓBA SZÓSTA
150 gramów poświęcenia

Na osiedlu LIG, jak wszędzie wśród hinduskiej klasy średniej, istnieje skomplikowana sieć relacji, więzi, zobowiązań i wzajemnych przysług. Każdy zna kogoś, kto zna kogoś innego. Na przykład pan Gupta spod numeru A-49 ma znajomego specjalistę od komputerów, który obsługuje wszystkich mieszkańców w zakresie technologii informacyjnej. Pan J.P. Aggarwal, z B-27, załatwia wszystko, co jest związane ze sprzętem komputerowym. Pani Lalita, z C-18, ma niezwykły talent do wyławiania okazji, zwłaszcza jeśli chodzi o ubrania. Nirmala Ben, z B-25, jest (jako że awansowała na narodową przywódczynię) starszą siostrą wszystkich i każdego. A doktor Dheeraj Mittal, z D-58, funkcjonuje jako tutejszy osiedlowy lekarz.

Co trzy miesiące korzystamy z naszej znajomości z doktorem Mittalem, żeby zrobić Ma badania na oddziale 17 szpitala miejskiego, gdzie doktor Mittal pracuje jako nefrolog. Spokojnie mógłby sobie pozwolić na mieszkanie w wypasionym apartamentowcu, ale woli osiedle LIG ze względu na wygodę. Swoim fordem fiesta dociera do szpitala w niespełna dziesięć minut.

Moje stosunki ze szpitalami przypominają sytuację bitej żony, która wciąż wraca do swego znęcającego się nad nią męża. Nienawidzę ich. Wizyta w państwowym szpitalu wystarczy, żeby z osoby wierzącej stać się ateistą. Tyle tam bólu i cierpienia, że nieuchronnie nasuwa się pytanie: jak miłosierny Bóg może do tego dopuścić? A jednak nie mogę się bez nich obejść. Szpitale to łodzie, które przewożą cierpiące dusze przez rzekę ludzkiej choroby. Dają kwartalny certyfikat pewności, że wszystko jest dobrze z Ma i ze światem.

Teraz stało się to już rutyną. Wiozę Ma do szpitala w niedzielę rano. Pobierają jej krew i mocz. Jest badana pod kątem niedoboru witaminy B_{12}, poziomu żelaza oraz anemii. Robią jej prześwietlenie klatki piersiowej i sprawdzają stan wzroku. Potem wkracza sam doktor Mittal, uzbrojony w wyniki badania morfologii, poziomu cukru na czczo i po posiłku, poziomu kreatyniny i moczu na posiew. Robi nam wykład na temat znaczenia diety bezcukrowej oraz regularnego przyjmowania leków, po czym wypisuje recepty: glibenklamid na cukrzycę, salbutamol wziewny na astmę, diclofenac na artretyzm i telmisartan 40 mg na nadciśnienie.

– Wszystko z mamą w porządku – mówi do mnie na zakończenie i unosi kciuk. – Proszę z nią przyjechać za trzy miesiące.

Trzymiesięczny termin upłynął na początku kwietnia, wtedy jednak byłyśmy zajęte historyczną głodówką Nirmali Ben. Ale w najbliższą niedzielę po jej zakończeniu stawiam się z Ma w szpitalu.

Jest bezchmurny, słoneczny dzień, w szpitalu jest jednak szaro i ponuro. Większość świetlówek wyłączono i jedynie słoneczny blask, wlewający się przez dwa przeciwległe okna, rozświetla recepcję. Zblakłe ściany nadają wnętrzu aurę zaniedbania; znać, że to miejsce czasy świetności ma za sobą. W powietrzu czuć potem. Młoda matka w niebieskim sari przykucnęła w kącie i szlocha. Przed okienkiem rejestracyjnym stoi długa kolejka. Tym, co nie mają pozycji albo znajomości, samo uzyskanie karty szpitalnej zajmuje trzy godziny.

Kiedy idę korytarzem na oddział nefrologii, moje nozdrza atakuje kwaśna, chemiczna woń szpitala. Przyspieszam kroku. Poczekalnia przed gabinetem doktora Mittala na trzecim piętrze jest tak samo zatłoczona. Większość to wiekowi pacjenci z chorobami chronicznymi, przycupnięci na twardych plastikowych krzesełkach. Niektórzy rzucają Ma zaciekawione spojrzenia, być może usiłując sobie przypomnieć, skąd ją znają. Ci, którym się to uda, rozpoznają ją jako kobietę, którą w przekazach telewizyjnych z głodówki widać było u boku Nirmali Ben.

Pielęgniarka jak zwykle pozwala nam ominąć kolejkę i w dziesięć minut później znajdujemy się przed obliczem doktora Mittala. Niski, po czterdziestce, ze swoją potarganą ciemną czupryną i okularami bez oprawek ma lekko zaniedbany wygląd roztargnionego profesora. Nadrabia to jednak z nawiązką miłym sposobem bycia i głęboką wiedzą medyczną. Tchnie kompetencją i budzi zaufanie.

– Witam, Maa-ji – mówi na dzień dobry. – Podobno niezła się z pani zrobiła celebrytka dzięki Nirmali Ben.

– Nirmala Ben ma szczęście – stwierdza Ma cierpko. – Nie musi w kółko jeździć do szpitala.

– Gdyby tylko potrafiła pani utrzymać stałą wagę, też by pani mogła zaoszczędzić sobie tych kontroli. Ale za każdym razem, kiedy panią widzę, waży pani nieco mniej.

– Co ja poradzę? – wzdycha Ma. – Nirmala Ben jest zdrowa i mocna nawet po dwóch tygodniach głodówki. A ja jem trzy razy na dzień i nie mogę przytyć choć odrobinę...

Doktor Mittal spogląda na mnie.

– Czy zdaje pani sobie sprawę, że z powodu hipoglikemii dwa miesiące temu Maa-ji straciła przytomność?

– Nic mi nie mówiła, panie doktorze. Dowiedziałam się o tym w tej chwili.

– Właśnie dlatego musimy ją tym razem przebadać dokładniej – mówi doktor Mittal i zaczyna coś skrobać na karteczce.

Zleca serię nowych testów: Hba1C, fruktozamina, 1.5-anhydroglucitol, mikroalbumina, CMP, BUN, cystatyna C, peptyd C. To pierwszy znak ostrzegawczy, że ta kontrola nie jest prowadzona zgodnie ze zwykłym scenariuszem.

Badania zajmują cały dzień, a na wyniki trzeba czekać tydzień. Jak zwykle idą wprost do doktora Mittala. Zawsze było dla mnie dziwne, że wyniki pokazuje się najpierw lekarzowi, tak jakby nie można było powierzyć pacjentowi informacji na temat jego własnego organizmu.

To właśnie stanowi o mistyce zawodów medycznych. Lekarze mają coś wspólnego z mechanikami samochodowymi. I jedni, i drudzy pracują niejako pod maską i nie ma sposobu, żebyśmy się dowiedzieli, co się dzieje wewnątrz ludzkiego ciała czy w samochodowym silniku. Samochód w nienagannym stanie może nagle stanąć, i podobnie nasze ciała mogą nas zdradzić na tysiąc sposobów. Kiedy więc w niedzielę dwudziestego czwartego kwietnia doktor Mittal wzywa mnie do szpitala, wchodzę do jego gabinetu z drżeniem, niczym kiepska uczennica po szkolne świadectwo.

– Wszystko dobrze z Ma, panie doktorze? – pytam, zaledwie zdążyłam usiąść naprzeciw niego.

Jego posępna twarz sprawia, że czuję gwałtowny ucisk w piersi.

– Zawsze uważałem, że powinienem być w pełni szczery wobec pacjentów – zaczyna. – I dlatego...

– Błagam, niech pan nie mówi, że to rak! – przerywam mu gwałtownie.

– Nie, to nie rak.

– Dzięki Bogu – oddycham z ulgą.

– Na razie nie ma jeszcze za co dziękować. Pani matka cierpi na mocznicę, co jest prawie tak samo groźne.

– Mocznica? A co to jest?

– Inaczej przewlekła niewydolność nerek. Cukrzyca i nadciśnienie to najczęstsze przyczyny mocznicy, a pani matka ma jedno i drugie. To choroby, które uszkadzają naczynia krwionośne, a te z kolei upośledzają zdolność nerek do filtrowania krwi i regulowania płynów w organizmie. W stadium końcowym, które stwierdzam u pani matki, nerki wykazują mniej niż piętnaście procent swojej zwykłej wydolności.

Jestem w szoku.

– Ale... ale przecież ona dobrze wygląda! To musi być jakaś pomyłka.

– Mam przed sobą wyniki badań, a one nie kłamią. – Bierze wydruk i czyta: – Hemoglobina sześć gramów, cukier na czczo osiemdziesiąt, po posiłku sto dziesięć, kreatynina siedem przecinek pięć miligrama, białko w moczu na trzy plusy i cukier także na trzy plusy. – Zdejmuje okulary i skrobie się w brew. – Jeśli to nie są wskaźniki schyłkowego stadium niewydolności nerek, to co to jest?

– Ale jak to możliwe, że odkrywamy to dopiero teraz?

– Niewydolność nerek to cichy zabójca, działa podstępnie przez wiele lat bez żadnych oznak ani objawów, które pacjent może rozpoznać. Wykryta późno, jak w przypadku pani matki, może się okazać śmiertelna.

Śmiertelna. Dreszcz mnie przechodzi.

– Jedyny sposob leczenia mocznicy to dializy i transplantacja – ciągnie doktor Mittal. – Na stałe dializowanie matki nie będzie pani mogła sobie pozwolić. Ma więc pani tylko jedno wyjście.

– Jakie?

– Przeszczep. Pani matka potrzebuje nowej nerki, i to szybko.

– A ile będzie kosztować nowa nerka?

– Nic.

– Nic? Jak to?

– Bo to musi być pani nerka. Albo siostry.

– Ja… Nie rozumiem.

– Zgodnie z Ustawą o transplantacji organów ludzkich z roku dziewięćdziesiątego czwartego, tylko żyjąca, spokrewniona osoba może być dawcą organów dla pacjenta. Oznacza to: ojciec, matka, syn, córka, brat i siostra.

– Można być dawcą krwi… Ale jak żywy człowiek może być dawcą organów, takich jak nerka?

– To się nazywa: przeszczep nerki pochodzącej od żywego dawcy. Widzi pani, w przypadku nerki mamy tę korzyść, że jest organem podwójnym. Mamy dwie nerki. Druga jest *de facto* zbyteczna, bo nie służy żadnemu użytecznemu celowi. Jest więc możliwe usunięcie nerki żywej osobie. Człowiek w miarę zdrowy może funkcjonować zupełnie dobrze z jedną nerką. Chodzi tylko o to, czy pani i Neha jesteście na to gotowe.

Ze zwieszoną głową wpatruję się w podłogę i robię, co mogę, żeby nie zwymiotować.

– Co mamy w związku z tym zrobić?

– Trzeba, żebyście przyszły obie na badanie krwi. Jeśli to możliwe, jeszcze dzisiaj. Korzystną okolicznością jest to, że wasza matka ma grupę krwi AB Rh+, czyli jest uniwersalnym biorcą. Muszę tylko sprawdzić antygeny zgodności tkankowej i zrobić próbę krzyżową, żeby ustalić ostateczną zgodność między dawcą a biorcą.

– A jeśli obie z Nehą okażemy się niezgodne?

– Będziemy się martwić później. – Uśmiecha się do mnie ciepło, ale to ani trochę nie poprawia mojego nastroju.

– Dziękuję, panie doktorze – mówię ochrypłym, nienaturalnym głosem i wychodzę z gabinetu.

W poczekalni wisi wypłowiały plakat, przedstawiający system moczowy człowieka. Nigdy mu się nie przyglądałam, dziś jednak przyciąga mnie jak magnes. Studiuję uważnie dwa ciemne organy w kształcie fasoli, rozmieszczone symetrycznie po obu stronach kręgosłupa, tuż poniżej żeber, tak jakby to były współrzędne jakiegoś dawno temu zakopanego skarbu. Wyglądają na niewielkie, nie większe niż zaciśnięta pięść. Obie pokryte siatką tkanki włóknistej, nerwów i naczyń krwionośnych. Z obu wychodzą moczowody prowadzące do pęcherza moczowego. Dla mnie lewa i prawa wyglądają identycznie. Nic na wykresie nie wskazuje, że jedna z nich jest zbędna.

Kiedy docieram do domu, w głowie mi się kręci od najgorszych możliwych scenariuszy. Ma jak zwykle jest w kuchni, szykuje lunch. Nawet nie pyta mnie o wyniki badań. Nauczyła się wierzyć, że śmierć jest nieunikniona i kiedy przyjdzie czas, żadne antybiotyki jej nie powstrzymają. Ma jeszcze tylko jedno życzenie, jedną nadzieję, dzięki której się trzyma.

– Czekam tylko, żeby moje córki wyszły za mąż i ułożyły sobie życie – mówiła niezliczoną ilość razy do Nirmali Ben. – Potem mogę umrzeć w spokoju.

Neha jak zwykle zajmuje się sobą. Kiedy wchodzę do pokoju, mizdrzy się przed lustrem, naśladując kultową pozę Priyi Capoorr z *Love in Bangkok*.

– *Didi*, postanowiłam zgłosić się do wyborów Miss Indii – informuje mnie. – Głos może mieć swoje wzloty i upadki, ale piękna twarz jest poza dyskusją. Jak by nie było, „róża jest różą, jest różą, jest różą"*, no nie?

– Czy ty nie możesz choć raz pomyśleć o czymś innym niż konkursy piękności i modelingu? – besztam ją. – Doktor Mittal dostał wyniki Ma i mówi, że ma schyłkowe stadium niewydolności nerek. Potrzebna jest jej nowa nerka.

– Nowa nerka? A gdzie ją mamy kupić? Na bazarze?

---

* Słynne zdanie Gertrudy Stein.

– Neha, to nie kawał. Nerki nie można kupić, można ją tylko oddać. Doktor Mittal mówi, żebyśmy sobie zrobiły badania krwi, aby sprawdzić, czy któraś z nas może być dawcą dla Ma.

Neha cofa się jak uderzona w twarz.

– Oddać nerkę? Czyś ty oszalała, *didi*? Nie oddam mojej nerki, nie ma mowy!

– W porządku. W takim razie idź powiedz Ma, że niedługo umrze.

W końcu udaje mi się ją zawstydzić na tyle, że idzie ze mną do szpitala na badania. Mijamy recepcję i kierujemy się wprost do laboratorium na pierwszym piętrze.

Laboratoryjna pielęgniarka to kobieta w średnim wieku, o kwaśnej minie, w wykrochmalonym na sztywno białym uniformie. Dostała już od doktora Mittala odpowiednie instrukcje. Z chłodnym profesjonalizmem lokalizuje mi żyłę w zgięciu łokcia i już ma wbić igłę, gdy dzwoni moja komórka. To Czerwony Krzyż przypomina o Światowym Dniu Krwiodawstwa, który przypada czternastego lipca.

– Znowu nam brakuje grupy bombajskiej – mówi pracownik Centrum Krwiodawstwa. – Może mogłaby pani przyjechać na cokwartalne oddanie krwi? Możemy nawet przysłać po panią samochód.

Że też akurat w tej chwili!

– Przykro mi – odpowiadam. – Jestem teraz w szpitalu, mam właśnie oddać krew mojej matce. Tym razem nie mogę państwu pomóc.

Pielęgniarka marszczy z dezaprobatą brwi i wkłuwa mi się w żyłę. Już tyle razy oddawałam krew w przeszłości, ale teraz jest jakoś inaczej. Ciemna, szkarłatna ciecz wypełnia powoli strzykawkę, a ja czuję, jak wypełnia mnie bezimienny lęk, zmiennokształtny potwór, który przybiera postać moich najgorszych obaw. Krew zostanie wkrótce zbadana, a wtedy zdradzi swoje sekrety, ujawni antygeny i prze-ciwciała. A w głębi duszy wiem, że to jedyny test, którego z radością bym nie zdała.

Neha nigdy dotąd nie miała pobieranej krwi i kiedy przychodzi jej kolej, jest zdenerwowana i spięta. Zagryza dolną wargę, zaciska dłonie i odwraca wzrok od strzykawki. Gdy igła przebija skórę, zaczyna dyszeć i skarży się, że jej słabo i kręci jej się w głowie.

– Nie bądź taką księżniczką – karci ją pielęgniarka i kontynuuje zabieg. Neha znosi go z zaciśniętymi zębami, piorunując pielęgniarkę wzrokiem, a po zakończeniu na-tychmiast wymiotuje.

Po pobraniu krwi musimy czekać trzy godziny na wy-niki. Nie jest to łatwe. Wreszcie doktor Mittal wzywa nas do gabinetu.

– Mam dobrą wiadomość – zwraca się do mnie. – Test HLA wykazał idealną zgodność tkankową, sześć na sześć, w przypadku Nehy i połowiczną zgodność, trzy na sześć, w przy-padku pani, co także jest dobrym wynikiem, bo częściowy odrzut można zwalczyć za pomocą leków immunosupre-syjnych. A próba krzyżowa w obu przypadkach jest nega-tywna.

– Negatywna? – Neha, która dotąd kurczowo ściskała oparcie krzesła, nagle je puszcza, a po jej twarzy przemyka ślad ulgi. – To znaczy, że nasze grupy krwi nie zgadzają się z grupą Ma, tak?

– Przeciwnie, oznacza to pełną zgodność. W tym ba-daniu mieszamy białe krwinki dawcy z krwią biorcy. Jeśli białe krwinki są atakowane i giną, wówczas wynik testu jest pozytywny i oznacza, że system immunologiczny biorcy nie może zaakceptować przeszczepionego organu. Jeśli jednak wynik próby krzyżowej jest negatywny, wówczas antygeny dawcy są indentyczne z antygenami biorcy. Zarówno pani krew, jak i Sapny jest zgodna z krwią Maa-ji i obie możecie oddać jej nerkę. Teraz zależy to od was, siostry – zdecydujcie, która kocha matkę bardziej.

Patrzymy z Nehą na siebie i odwracamy wzrok. Powaga sytuacji i złowroga atmosfera szpitala sprawiają, że powietrze robi się ciężkie, przytłaczające.

Doktor Mittal wyczuwa napięcie między nami.

– Wiem, że to niełatwa decyzja. Właśnie dlatego chcę, żebyście to starannie przemyślały. Przyjdźcie ponownie za siedemdziesiąt dwie godziny. To całe trzy dni.

Wracamy do domu w milczeniu, nie wiedząc, co mówić ani co teraz robić. To dla nas obu całkiem nowe wyzwanie, z jakim nigdy dotąd nie miałyśmy do czynienia. Jedyna sprawa, co do której w pełni się zgadzamy, to że nie wolno nam się wygadać przed Ma.

Tej nocy leżę w ciemności i słyszę, jak Neha rzuca się i przewraca w swoim łóżku. Wiem, że myśli o tym samym, co ja. Cała nasza dziecięca miłość i troska zostały w końcu sprowadzone do tego dziwnego dylematu: co jest dla ciebie ważniejsze, własna nerka czy własna matka?

Nie życzę żadnej córce, żeby była zmuszona odpowiedzieć sobie na to pytanie. Bo ma ono potencjał szczucia siostry przeciwko siostrze, wydobywa na jaw ukrytą na dnie duszy słabość. Każda obawa, każda wątpliwość, każda słabostka i wybieg dopadają mnie na drodze niezdecydowania. Każde egoistyczne pragnienie wypuszcza kiełki w ogrodzie mojego strachu.

Zaczynam poszukiwać wiadomości na temat PNN i transplantacji nerki. Dowiaduję się, że nerka dorosłego człowieka mierzy dziesięć do dwunastu centymetrów długości, zawiera milion nefronów i waży w przybliżeniu sto pięćdziesiąt gramów. Przeczesuję Internet, szukając inspiracji ze strony ludzi, którzy oddali nerkę tym, których kochali, i nadal są zdrowi i szczęśliwi.

Neha odwrotnie – spędza czas na szukaniu argumentów przeciwko oddaniu nerki. Kiedy Ma położy się spać, prowadzi ze mną szeptem rozmowy.

– Oddać komuś nerkę to coś innego, niż oddać przyjacielowi swojego iPoda – mówi. – To poważna operacja chirurgiczna i wiąże się z nią długofalowe ryzyko. Po operacji możesz zapomnieć o uprawianiu sportu czy innej aktywności fizycznej. A poza tym nie przemawia do mnie argument, że druga nerka jest zbędna. Jakby nie daj Boże coś mi się stało, powiedzmy, wypadek czy poważna choroba... druga nerka może się bardzo przydać.

Jest w tym jakaś racja. Z moich poszukiwań wynika, że ludzie o jednej nerce w późniejszym życiu miewają problemy zdrowotne. Niektórzy cierpią na nadciśnienie, inni na stan zwany proteinurią, co oznacza nadmiar białka w moczu, a trzecią kategorię stanowią ci, u których występuje zmniejszony wskaźnik przesączania kłębuszkowego, co znaczy mniej więcej tyle, że pojedyncza nerka jest mniej skuteczna, jeśli chodzi o usuwanie odpadów przemiany materii z krwiobiegu.

– I wiedząc to wszystko, nadal uważasz, że powinnyśmy w to iść? – pyta Neha.

– Nie mamy wyboru – odpowiadam. – Jeśli Ma nie dostanie nowej nerki, umrze. Miłość wymaga poświęcenia. Więzy krwi kosztują.

– Więc ty to zrób – mówi bezceremonialnie, jak to ona. – Ja muszę jakoś wyglądać na regionalnych wyborach Miss Indii. Nie mogę być blada i sprawiać wrażenia chorej... A poza tym jesteś najstarsza w rodzinie.

Neha już nieraz mnie zraniła; teraz wbija mi nóż w plecy. Czuję, jak przekręca się we mnie sztylet zdrady, i budzi to mój gwałtowny sprzeciw.

– Dlaczego? A co takiego wy zrobiliście dla mnie? – wybucham. – Gdzie jest powiedziane, że najstarszy ma zawsze cierpieć za pozostałych? Zrezygnowałam z marzeń, rzuciłam studia, a teraz jeszcze mnie zmuszasz, żebym to ja się okaleczyła?

Choć raz Neha zapomina języka w ustach. Bezwiednie cofa się o krok z okrągłymi z zaskoczenia oczami. Po czym z jej ust wyrywa się szloch i pada przede mną na kolana.

– Przebacz mi, *didi* – płacze. – Cofam to, co powiedziałam. Po tym wszystkim, co dla mnie zrobiłaś... Jak ja mogłam być taka niewdzięczna? Niewarta jestem nazywać się twoją siostrą!

To wystarczy, żebym i ja się rozpłakała. Podnoszę ją.

– Jesteśmy w tym razem, ty głupia – mamroczę.

Obejmujemy się ciasno, dwie wystraszone istoty, desperacko próbujące zebrać odwagę, by zrobić to, co trzeba, a co jest takie trudne.

Kiedy instynkt moralny i dziecięca miłość kolidują z pierwotnym instynktem samozachowawczym, pierwszą ofiarą jest podejmowanie decyzji. Próbujemy oddalić to, co nieuchronne, zanurzając się w przyziemną rutynę codzienności. Ja z nabożnym przejęciem chodzę do pracy, Neha na uczelnię. W nocy, zamknięte w jednej sypialni, prawie się do siebie nie odzywamy, dławione tym samym lękiem.

Od czterdziestu ośmiu godzin stoimy w martwym punkcie, spięte niepewnością, targane niezdecydowaniem, niczym jury, które nie potrafi uzgodnić werdyktu.

To Neha proponuje trzeciego ranka sposób wyjścia z impasu.

– Rzućmy monetą, jak w krykiecie. Rewers to ja, awers – ty. Okej?

Kiwam głową. Może to najuczciwszy sposób. Czasem dobrze jest pozostawić ważne życiowe decyzje czystemu, zimnemu przypadkowi.

Neha grzebie w szufladzie z ubraniami i wyjmuje starą monetę jednorupiową o startej przez czas powierzchni. Stajemy pośrodku pokoju jak rywale przed pojedynkiem, których los za chwilę się rozstrzygnie. Neha pokazuje mi obie strony, żebym się upewniła, że moneta nie jest fałszywa, i bez dalszych ceregieli podrzuca ją do góry. Choć stara i zniszczona, łapie padający z okna słoneczny blask. Neha chwyta ją fachowo w locie i przykrywa wolną dłonią.

– Decyzja zapadła. Drugiego razu nie będzie, tak? – pyta drżącym głosem.

– Tak. Awers czy rewers, Bóg zdecyduje, nie my. Załatwmy to z honorem.

Neha kiwa głową.

– Powtarzam: rewers to ja, awers to ty.

– No to pokaż. – Z trudem przełykam ślinę. – Poznajmy nasz los.

Powoli, bardzo powoli, tak jak powoli odsłania się intryga w mydlanej operze, Neha usuwa przykrywającą monetę dłoń. W słonecznym świetle błyszczą głowy trzech lwów z naszego narodowego godła.

Szok odbija się na twarzy Nehy. Z jej gardła wyrywa się szloch. Równie szybko jednak się opanowuje, wykazując to samo zdecydowanie, co w Mumbaju.

– Czyli ja. W porządku. Z chęcią oddam moją nerkę Ma.

W końcu zamknęłyśmy sprawę, ale wcale nie czuję się z tym dobrze. Czuję się nędznie. Chciałabym uściskać siostrę i powiedzieć: nie, nie zrobisz tego! To ja spełnię swój obowiązek jako starsza. Ale z gardła wydobywa mi się tylko zduszone:

– Przykro mi. Miałaś pecha.

Wkrótce jesteśmy już w drodze do szpitala na umówione spotkanie z doktorem Mittalem. Dziś, w dzień powszedni, szpital jest mniej zatłoczony. Zapach krwi i środków antyseptycznych jest jednak ten sam i jak zawsze budzi we mnie odruch wymiotny.

Kiedy wchodzimy na podest trzeciego piętra, zachodzi nam drogę smagły, ciemnoskóry mężczyzna. Rozpoznaję go: to Tilak Radż, pracujący w szpitalu jako salowy. Jego syn Radżu uczęszcza do mojej niedzielnej szkółki angielskiego.

– Proszę pani, możemy zamienić parę słów? – pyta szeptem i ciągnie nas w ustronny kąt.

– Tak? – mówię ostrożnie.

– Słyszałem, że pani matka potrzebuje nowej nerki.

– To prawda. A skąd pan wie?

– Słyszałem, jak doktor Mittal mówił do dyżurnej pielęgniarki. To jak pani załatwi tę nerkę?

– Neha oddaje jej swoją.

– No, no – kręci głową. – Taka ładna, młoda dziewczyna. Chce pani zniszczyć jej przyszłość? Po oddaniu nerki zwiędnie jak podcięty kwiat. Niech mnie pani posłucha i tego nie robi.

– Więc, co mamy robić? Nie możemy sobie pozwolić na stałe dializy.

– Jest inny sposób. – Puszcza oko.

– Jaki, jaki? – Neha omal nie ściska go za ramię.

– Możecie kupić nerkę.

– Kupić? Ale to nielegalne – zauważam. – Ustawa o transplantacji na to nie pozwala.

– Będzie się pani przejmować prawem, kiedy chodzi o przyszłość pani siostry? Pani potrzebuje nerki, ja mogę ją załatwić, i to nieprzyzwoicie tanio.

– To znaczy za ile? – pyta Neha.

– Dowiecie się, jak pójdziecie pod ten adres. – Wyjmuje z górnej kieszeni kartkę i podaje mi. Są na niej namiary na doktora J.K. Natha, nefrologa pracującego w Instytucie Nerki, prywatnym szpitalu położonym w Rohini w sektorze 15.

– Czy to nie jest przypadkiem szpital, którego właścicielem jest poseł z naszego okręgu, Anwar Noorani? – Przypominam sobie polityka z farbowaną czupryną i długimi bokobrodami, którego spotkałam kiedyś w metrze.

– Właśnie. – Tilak Radż kiwa głową. – *Sahib* poseł bardzo pomaga ludziom. To on mi załatwił tu pracę. Pani matce też pomoże. Jego szpital specjalizuje się w przeszczepach nerki.

– A co z kosztami?

– Proszę powiedzieć doktorowi Nathowi, że to ja panie przysłałem. Potraktuje was ulgowo. – Tilak Radż uśmiecha się znacząco i bezgłośnie schodzi po schodach.

– Nie wiedziałam, że Tilak Radż robi tu za naganiacza dla nielegalnego nerkowego biznesu – zdumiewam się na głos, patrząc na jego oddalające się plecy.

– Nie obchodzi mnie, czy to legalne, czy nie, *didi* – mówi Neha. – Chciałabym się spotkać z doktorem Nathem.

– Uważam, że to byłby błąd. Powinnyśmy najpierw porozmawiać z doktorem Mittalem.

– Bo to moja nerka, a nie twoja, tak? – wybucha. I w tym niekontrolowanym momencie spada jej maska dzielności. Osuwa się na podłogę i cały jej powstrzymywany lęk i napięcie przeradzają się w niepowstrzymany szloch.

Strasznie mi jej żal, a zarazem świta mi nadzieja. Może zdarzy się cud?

– Nie pójdę dziś do pracy – mówię. – Chodź, idziemy do doktora Natha.

Wychodzimy ze szpitala i łapiemy autorikszę do sektora 15. Trzydzieści rupii i piętnaście minut później jesteśmy przy bramie Instytutu Nerki.

Z zewnątrz, ze swoją szklaną fasadą, szpital wygląda jak biurowiec. Wnętrze przypomina hotelowe lobby: marmur, kamień, nieskazitelna czystość.

W holu recepcyjnym wszystko działa ze sprawnością obozu wojskowego. Z zaskoczeniem widzę w kolejce do rejestracji paru obcokrajowców.

– Dzień dobry, czym mogę paniom służyć? – pyta z uśmiechem młoda, ładna recepcjonistka.

– Chciałybyśmy się zobaczyć z doktorem J.K. Nathem – mówię.

– Czy są panie zapisane?

– Nie. Czy może nas pani zapisać teraz?

Doktor Nath przyjmuje nas po godzinie. To łysy, nieduży człowieczek po pięćdziesiątce o mięsistej, gładko wygolonej twarzy i żółtych zębach. Choć w lekarskim mundurku, ma w sobie coś, co przypomina mi Keemti Lala, tamtego podobnego do łasicy urzędnika w dzielnicowym biurze sędziego pokoju. Wita nas miłym uśmiechem, ale pożądliwy błysk w oczach budzi moją ostrożność.

– Skierował nas do pana Tilak Radż z państwowego szpitala w sektorze 17 – zaczynam z wahaniem.

– Rozumiem – kiwa akceptująco głową. – To znaczy, że panie potrzebują nerki. Czy to dla niej? – wskazuje kciukiem Nehę.

– Nie, dla naszej matki. Choruje na mocznicę.

– A więc trafiły panie we właściwe miejsce. Załatwię matce wymianę nerki, potrzebuję tylko znać jej wyniki badania krwi.

– Od zmarłego dawcy?

– Nie, od żyjącego. To wielkie osiągnięcie gospodarki rynkowej dwudziestego pierwszego wieku. Może pani kupić nerkę równie łatwo jak samochód. Wszystko jest kwestią podaży i popytu.

– Ale czy to nie jest nielegalne? Mówiono mi, że dawcami nerki mogą być tylko bliscy krewni.

– Najwyraźniej nie przeczytała pani ustawy z roku dziewięćdziesiątego czwartego w całości. Zawiera ona klauzulę dopuszczającą donację ze względów altruistycznych, w ramach której nawet osoba niespokrewniona może oddać nerkę, jeśli czuje się emocjonalnie związana z biorcą.

– Ale my nie znamy nikogo takiego.

– Proszę pozostawić to mnie. Znajdę dawcę i wszystko będzie w pełni legalne. Zdziwi się pani, jak prędko można wytworzyć relację emocjonalną, jeśli do równania wprowadzimy pieniądze.

– To na ile musiałybyśmy się przygotować?

– W naszej placówce pobieramy stałą opłatę w wysokości kilkuset tysięcy rupii za całość zabiegu przeszczepu nerki. Wliczone są w to każdorazowo wszystkie ewentualne koszty dodatkowe.

– Sześćset tysięcy? To przekracza nasze możliwości.

Przeciąga dłonią po łysej czaszce.

– W takim razie muszą panie pójść gdzie indziej. Proszę wziąć pod uwagę, że co roku sto pięćdziesiąt tysięcy Hindusów potrzebuje nowej nerki, ale dawców można znaleźć tylko trzy tysiące pięciuset. To dlatego jest to trochę drogie. Mamy wystarczająco dużo pacjentów, zarówno z Indii, jak z zagranicy, którzy chętnie zapłacą tę cenę. Sześć lakhów to śmieszna suma. To mniej niż piętnaście tysięcy dolarów. W Ameryce zapłaciłaby pani za transplantację nerki ponad dziesięć razy więcej.

Jest jasne, że mamy do czynienia raczej ze sprytnym biznesmenem niż z lekarzem z zasadami. I nie ma mowy, żebyśmy mogły sobie pozwolić na jego fantastyczne ceny.

– Idziemy – ciągnę Nehę za ramię. – Nie ma sensu tracić tutaj czasu. Doktor Mittal na pewno na nas czeka.

– Nie, *didi* – Neha zdecydowanie kręci głową. – Cokolwiek się stanie, nie mam zamiaru wracać do szpitala państwowego.

Myśl, która nią nagle owładnęła, jest tak szalona, że odbiera mi głos. Chce kupić nerkę i już, koszty niech trafi szlag...

Teraz ona przejmuje negocjacje.

– Jestem studentką. Czy może mi pan dać jakąś studencką zniżkę? – pyta, uśmiechając się do doktora Natha zarazem błagalnie i prowokująco.

Doktor momentalnie ulega jej czarowi.

– W porządku, tylko dla pani obniżam cenę o sto tysięcy. Pięćset tysięcy – co pani na to?

Neha wydyma wargi.

– To nadal o wiele za drogo.

W milczeniu obserwuję, jak targuje się z lekarzem niczym rasowa handlarka. Wreszcie nefrolog wyrzuca w górę ręce.

– Myśli pani, że co to jest, sklep spożywczy? Moje ostatnie słowo: dwieście tysięcy, i to tylko dlatego, że mi was żal. Bierzecie albo do widzenia.

– Bierzemy – mówi szybko Neha.

Nachylam się do jej ucha.

– Skąd my, do licha, weźmiemy tyle pieniędzy? – pytam wściekłym szeptem. – Nawet Ma nie ma już więcej biżuterii.

– Zostaw to mnie – mówi z przekonaniem i wstaje, żeby uścisnąć dłoń doktora Natha. – Dziękujemy, panie doktorze. Najpóźniej za tydzień będzie pan miał pieniądze.

– Wobec tego zacznijmy od razu procedury wstępne. Proszę przyjść jutro z matką na badanie krwi.

Kiedy wychodzimy ze szpitala, Neha natychmiast wznosi oczy do nieba. Ja też spoglądam w górę. Po błękitnym przestworzu płyną obłoki... Nie wiem, co widzi w nich Neha, ale ja nie dostrzegam żadnego sygnału, który zwiastowałby cud.

Wyjawia swoją strategię dopiero w drodze do domu.

– Mam znajomych, którzy są potwornie bogaci, i to wielu. Pożyczą mi te pieniądze. Dwieście tysięcy to dla nich tyle, co splunąć. Pewnie na żarcie dla swojego pudla więcej wydają na miesiąc.

Mam ochotę zapytać, gdzie byli ci znajomi, kiedy potrzebowały pieniędzy na mieszkanie, ale się rozmyślam. Kim ja jestem, żeby ją osądzać? W końcu chodzi o jej nerkę, nie moją. W sumie to może te pieniądze wyżebrać, pożyczyć albo ukraść, wszystko mi jedno.

Kiedy wysiadamy z autorikszy przed bramą osiedla, na podwórku stoi wielki tłum. Od Dhimana Singha dowiaduję się, że pani Nirmala Mukherjee Shah, najsłynniejsza z mieszkańców naszego domu, wyprowadza się ze swojego B-25 i przenosi do Gandhi Niketan, gminnego centrum praktykowania gandhyjskich wartości, usytuowanego w ekskluzywnej dzielnicy West End w południowej części Delhi.

Ta przeprowadzka nie jest dla mnie niespodzianką. Nirmala Ben nie jest już zwykłą, skromnie żyjącą gandhystką, jaką znałam wcześniej. Nabrała cech nieźle sytuowanego guru. Włosy ma teraz nienagannie ufryzowane, zwyczajne klapki zastąpiły dizajnerskie sandały i nawet jej markowe sari wygląda na bielsze. Zawsze otacza ją teraz czeladka wiernych adeptów, fanów i pochlebców. Choć mieszka o troje drzwi od nas, jej sława stworzyła między nami dystans, przepaść zbyt głęboką, aby można ją było łatwo przeskoczyć.

– *Arrey*, Sapna *beti!* – woła na mój widok. – Jak się masz? – Obejmuje mnie ciepło.

– Dobrze. Ale dlaczego wyprowadza się pani z naszego osiedla?

– *Shoo karoon*? Co robić? – wzdycha. – Nie chciałam stąd iść, ale moi towarzysze upierają się, że to mieszkanie jest za małe na moje codzienne spotkania.

– Będzie mi pani brakowało – mówię szczerze.

– *Arrey*, nie wyjeżdżam przecież z miasta, tylko o parę kilometrów stąd. Możecie przyjechać do mnie z Sus-

heelą, ile razy będziecie miały ochotę na domowe smako-
łyki.

Patrzę, jak wsiada na tylne siedzenie lśniącego hun-
daya sonaty i mam uczucie, że widzę ją bezpośrednio po
raz ostatni. Odtąd będę ją oglądać tylko na stronach gazet
i telewizyjnym ekranie.

Przynajmniej wykorzystuje swoją świeżo zyskaną pozycję gwiazdy do tego, by inspirować ludzi i prowokować
pozytywne zmiany... Jej kampania przeciwko przekupstwu
na wysokich szczeblach władzy trwa i nabiera rozpędu. Codziennie są doniesienia, że pętla wokół Atlas Investment się
zaciska. Śledczy z ramienia rządu twierdzą, że są w posiadaniu ważnych dowodów pochodzących z wyspy Mauritius,
co budzi falę domysłów, że już niedługo nazwiska osób
stojących za Atlasem zostaną ujawnione.

W mieszkaniu zastajemy Ma cicho płaczącą przy stole. Jest
niepocieszona po wyjeździe Nirmali Ben.

– Odeszła najlepsza przyjaciółka, jaką miałam na osiedlu – lamentuje. – Och, żebym tak mogła zabrać się już z tego
świata...

– Nigdzie się nie zabierzesz – mówię do niej surowo.

– O co tu chodzi? – Rozkłada ręce. – Moje córki nic mi
nie mówią. Traktują mnie jak dziecko, spiskują za moimi
plecami...

Spoglądam znacząco na Nehę. Matka ma jeden ze swoich
okresowych napadów depresji, kiedy to wszędzie wietrzy
zmowę.

– A co takiego przed tobą ukrywamy ? – prowokuję ją.

– Wiem, że coś z Nehą knujecie. Czy to ma coś wspólnego z wynikami badań? Powiedzcie mi przynajmniej, co
powiedział doktor Mittal. Ile czasu mi jeszcze zostało?

Czuję, że nadszedł czas, żeby jej o wszystkim powiedzieć.

– Doktor Mittal powiedział, że chorujesz na chorobę, która nazywa się mocznica, w której nerki działają mniej skutecznie. To dlatego czułaś się zmęczona, nie miałaś apetytu, dokuczały ci kurcze mięśni. Potrzebna ci jest nowa nerka. I załatwiamy ci ją.

– Jak? Oddając mi własną? – Ma przykrywa usta dłonią, zdjęta przerażeniem. – O, niech lepiej Bóg sprawi, że umrę na miejscu, niż miałabym zaszkodzić swoim dzieciom! Zadaniem matki jest dawać, a nie brać!

– To nie będzie nasza nerka – zapewniam ją. – To będzie nerka innego dawcy.

– Okradać kogoś z nerki, żebym ja miała? Po co? Nikt nie wie, ile mu czasu zostało w tym życiu. Może mój czas już blisko? – mówi jak zmęczona życiem staruszka. – Nie ma sensu tracić pieniędzy na operacje i lekarstwa dla mnie.

Matki mają tę niesamowitą umiejętność, że potrafią dziecko w jednej chwili upokorzyć. Przez całe życie nigdy nie myśleliśmy o Ma inaczej niż w połączeniu z kuchnią. Ponieważ była prostą gospodynią, która skończyła tylko osiem klas i nie znała Camusa, komputerów ani nie umiała mówić po angielsku, nigdy nie traktowaliśmy jej poważnie, nigdy nie staraliśmy się jej zrozumieć. Alka była z nią najbliżej. Tata traktował ją z wyższością, a my z Nehą nieświadomie go naśladowałyśmy. Sprowadziłyśmy Ma do roli tła, kogoś, kto dba o dom i podtrzymuje tradycje religijne oraz sieć rodzinnych relacji z dalekimi ciotkami i jeszcze dalszymi kuzynami, gdy my zmagamy się ze znacznie ważniejszymi sprawami, jak równania kwadratowe czy Hamlet. Nawet po śmierci taty nigdy nam nie przyszło do głowy, żeby się zainteresować, jak ona sobie radzi. Może czuła się samotna albo przytłoczona trywialnymi sprawami codzienności? Zrezygnowała ze wszystkich własnych potrzeb i pragnień na rzecz innych. A teraz, kiedy zagrożone jest jej życie, także i to życie gotowa jest poświęcić dla naszego dobra...

Rzucam się ku matce i chwytam ją w objęcia. Poczucie winy narasta we mnie niczym płacz bez łez.

– Masz dopiero czterdzieści siedem lat! Twój czas jeszcze nie nadszedł i nie nadejdzie w najbliższym czasie. Spełniłaś swoje zadanie jako matka, a teraz my spełnimy nasz obowiązek jako córki.

– Nie my, tylko ja – prostuje Neha. – To ja załatwiam Ma wymianę nerki w najlepszym szpitalu nefrologicznym w mieście.

Patrzę na nią zdumiona. Nie chodzi nawet o to, co powiedziała, tylko jak to powiedziała: zarazem drwiąco i z wyższością.

– Ale to musi dużo kosztować... – ubolewa Ma.

– Nie potrzebujesz się martwić o pieniądze, dopóki ja tu jestem, żeby o ciebie zadbać – Neha wbija mi kolejną szpilę.

– Moja kochana córeczka! – Ma ociera oczy i przygarnia Nehę do piersi.

Czuję się odsunięta, wyłączona z tej rodzinnej sceny, jak nieproszony gość na przyjęciu. Neha nieoczekiwanie zachowuje się jak dorosła i trudno mi się z tym uporać. Ale cóż, sama do tego doprowadziłam. Abdykując z odpowiedzialności z tytułu starszeństwa, zaniedbując obowiązek córki, pozwoliłam siostrze, by zajęła jako uzurpatorka moje miejsce. A teraz mnie odcięła, uczyniła pariasem we własnym domu.

Kładę się do łóżka z poturbowanym ego i uwierającym sumieniem. Można kupić nerkę za pieniądze, ale nie można kupić szacunku siostry.

Nazajutrz, gdy wyjaśniam klientowi wyjątkowe cechy Sony BX420, serii telewizorów LED, dzwoni do mnie doktor Mittal.

– Co się stało? Zdawało mi się, że miałyście przyjść do mnie wczoraj z Nehą. – W jego głosie słychać irytację.

– Plan się zmienił – informuję go. – Rozważamy możliwość otrzymania nerki w ramach kategorii: donacja altruistyczna.

W słuchawce zapada cisza. Wreszcie doktor pyta:

– A kto jest tym altruistycznym dawcą?

– Nasz znajomy – kłamię.

– W takim razie proszę go przyprowadzić. Muszę go zbadać. To konieczne, żebyśmy przeprowadzili transplantację w ciągu najbliższych pięciu–siedmiu dni. Stan waszej matki jest naprawdę poważny. Każdego dnia po trochu umiera.

– Rozumiem, panie doktorze – kończę szybko rozmowę. Jestem wyczerpana i wstrząśnięta.

Po tym wszystkim trudno mi się skupić na pracy i w rezultacie zarabiam na reprymendę menedżera, który i tak już był zły o moją wczorajszą nieuzgodnioną wcześniej nieobecność.

Mijają dwa dni. Jedyne, co zdołała zebrać Neha, to dziesięć tysięcy. Najwyraźniej jej kumple nie są tak hojni, jak myślała... Mimo to nie zamierza uznać porażki.

– Niektórzy moi znajomi wyjechali z miasta. Czekam, aż wrócą. Będę miała całą sumę, możesz być pewna.

Jedyna dobra wiadomość pochodzi od doktora Natha.

– Sukces! – egzaltuje się, dzwoniąc do Nehy. – Znalazłem wspaniałą dawczynię dla waszej matki. Młodziutka, zdrowa dziewczyna, i wszystkie jej parametry idealnie pasują do parametrów mamy. No to kiedy przyjdziecie zapłacić? Chcielibyśmy całość sumy, w gotówce.

– Niedługo, panie doktorze – zapewnia go Neha. – Pracuję nad tym.

Poniedziałek drugiego maja rozpoczyna się od wiadomości o śmierci Osamy bin Ladena. Ze zdumieniem dowiadujemy się, że został zabity w strzelaninie z amerykańskimi komandosami gdzieś w głębi Pakistanu.

Ta nowina nie jest jednak tak ekscytująca, jak wiadomość, którą przynosi wieczorem Neha.

– Udało się, *didi*! Mam dwieście patyków!

– Naprawdę?

Bierze swoją torbę, podróbkę Gucciego.

– Ta-damm! – woła triumfalnie, naśladując fanfary, i kładzie na łóżku dwa grube pliki banknotów tysiącrupiowych. – W każdym jest po sto tysięcy.

– Jestem z ciebie dumna. – Klepię ją po ramieniu. – To kim jest ta wspaniałomyślna osoba?

– Nie mogę ci podać jego nazwiska.

– Jego? Czyli że to mężczyzna?

Neha nagle robi się ostrożna.

– Słuchaj, chcesz jeść mango czy liczyć mangowce? Ważne, że mamy pieniądze, a nie to, jak je zdobyłam czy kto mi je dał.

– Masz rację – ustępuję. – Ważne jest, że mamy na operację Ma.

Tego wieczoru kładę się spać spokojna. Osama bin Laden nie żyje. A Ma będzie żyć.

Kiedy nazajutrz o dziesiątej rano, ubrana w biały *salvar kameez*, wchodzę do gabinetu doktora Natha, śmierdzi w nim jakimiś okropnymi perfumami.

Nefrolog wita mnie z bezwstydnym entuzjazmem nastolatka na pierwszej randce.

– A gdzie pani siostra? – pyta, wpatrując się z nadzieją w drzwi.

– Neha ma egzaminy. Nie będzie już przychodzić do szpitala – odpowiadam, niemal bezwiednie poprawiając szal na piersi.

– O. – Doktor Nath usiłuje ukryć rozczarowanie, przyjmując postawę oficjalną i rzeczową. – Zarezerwowałem salę operacyjną na pojutrze. Powinna pani przywieźć matkę jutro, tak żebyśmy mogli monitorować jej stan.

– Tak zrobię.

– Ma pani gotówkę?

– Tak, równe dwieście tysięcy. – Otwieram torebkę, żeby wyjąć pliki banknotów.

– Chwileczkę – powstrzymuje mnie. – Ja się nie zajmuję pieniędzmi. Musi pani je wpłacić u kasjera na dole i przynieść mi pokwitowanie.

– Mam prośbę.

– Tak?

– Chciałabym poznać dawczynię, żeby jej osobiście podziękować. Może pan to zorganizować?

– Proszę pani... W takich sprawach lepiej jest nie wiedzieć zbyt wiele. Kierujemy się podobnymi zasadami, jak przy anonimowej adopcji.

– Z dawczynią po operacji będzie wszystko dobrze, tak, panie doktorze?

– Oczywiście że tak. Zdrowi ludzie mogą bez problemu żyć z jedną nerką.

– Proszę mi przynajmniej podać jej nazwisko.

– Co pani z tego przyjdzie? Ale skoro tak pani zależy, proszę: Sita Devi, jak żona Pana Ramy w *Ramajanie*. Zadowolona? A teraz niech pani idzie i przyniesie mi pokwitowanie od kasjera.

Wychodzę z gabinetu i jadę windą na parter. Okienko kasowe mieści się po przeciwnej stronie niż recepcja. Właśnie załatwiłam wpłatę i mam odejść, kiedy od strony recepcji dobiegają mnie przypominające kłótnię odgłosy.

– Powiedziałem ci już, żebyś tu nie przychodziła! Nie jesteś w stanie tego zrozumieć? – syczy ochryple jakiś męski głos.

– Co robić, *sahibie*? Potrzebuję natychmiast pieniędzy. Mój syn jest bardzo chory – skamle w odpowiedzi błagalny głos kobiecy. Samej kobiety nie widzę, bo zasłania mi ją kolumna.

– Dostaniesz pieniądze jutro, po operacji. Ale ostrzegam cię, Sita, jeśli twoja noga jeszcze raz tu postanie, kończymy z tobą współpracę. A wtedy nie miej do mnie pretensji, jeśli twoja rodzina umrze z głodu... A teraz wracaj do kliniki.

Sita... Nadstawiam ucha i niemal instynktownie zwracam głowę w stronę recepcji.

Przechylam się, żeby widzieć zza kolumny... Spodziewam się, że zobaczę zdrową, młodą dziewczynę, ale petentka, która odwraca się od kontuaru, to kobieta w średnim wieku w zniszczonym zielonym sari. Ma zapadłe oczy, wynędzniałą twarz, spierzchnięte usta i wygląda jak szkielet. Pod bluzką widać żebra, skórę ma wysuszoną jak stary pergamin, włosy tłuste i w nieładzie. Idąc, powłóczy nogami, tak jakby cierpiała na długofalowe efekty poważnej operacji. W szpanerskim wnętrzu tej placówki wygląda równie nie na miejscu, jak mięsne danie w wegetariańskim posiłku dżinisty.

Nie, mówię sobie. To nie ona jest dawczynią nerki dla Ma. Coś mnie jednak w tej kobiecie intryguje, jak opowieść, którą koniecznie trzeba przeczytać. Chowam kwit do portmonetki i ruszam jej śladem. Kobieta, powłócząc nogami, wychodzi przez obrotowe drzwi i idzie na przystanek autobusowy obok szpitala. Po dziesięciu minutach podjeżdża autobus miejski do Gurgaon. Kobieta wsiada. Po sekundzie wahania wskakuję i ja i zajmuję miejsce naprzeciw niej.

Z tak bliskiej odległości mogę się jej przyjrzeć dokładniej. Z tyłu wystaje jej bandaż, a na rękach ma ślady ukłuć po kroplówkach. Tym bardziej mam ochotę do niej zagadać, ale w autobusie pełnym ludzi praktycznie mnie nie zauważa. Od czasu do czasu przesuwa kciukiem po dolnej powiece, ocierając łzy.

Autobus jedzie nieznaną mi trasą, zatłoczoną Outer Ring Road. Gdziekolwiek spojrzę, widzę ludzi, samochody i jeszcze więcej ludzi. Patrzę na rojne, gorączkowo kłębiące się ulice i doznaję dziwnego uczucia. Jakże rozległe jest miasto, a mimo to – jakże samotne... Nikt nie ma dla nikogo czasu. Naszym życiem steruje zegar, wszyscy tkwimy w pułapce jego tykania, uczestniczymy w wyścigu szczurów, którego nie widać końca. Być może nie różnimy się od samochodów – każdy w swojej skorupie, każdy podróżujący oddzielnie, gnający na złamanie karku autostradą prowadzącą donikąd...

Pogrążona we własnych myślach, nie zauważam upływu czasu. Jesteśmy już w Gurgaon i moja zdobycz podniosła się z miejsca, szykując się do wyjścia.

Autobus zatrzymuje się przed szpanerskim pasażem handlowym, pełnym dizajnerskich marek i stylowych kawiarń. Przez szklaną fasadę miga mi rozległa część gastronomiczna na drugim piętrze, rojąca się od pracowników biur obsługi klientów i japiszonów ze stołecznych suburbiów, chłonących hipsterskie klimaty. To centrum handlowe jest godłem Gurgaonu, miasta nuworysza, pełnego lśniących biurowców, multipleksów i luksusowych osiedli mieszkaniowych. Mówi się, że przypomina raczej Dallas niż Delhi. Może dlatego że stało się ulubioną siedzibą wielu międzynarodowych spółek.

Sita spogląda tęsknie na centrum, zahipnotyzowana neonowymi obrazkami, oferującymi pizzę i pieczone kurczaki. Po czym, ze zrezygnowaną miną człowieka, który zaakceptował miejsce, jakie mu w życiu przypadło, odwraca się i przechodzi na drugą stronę ulicy.

Idę w ślad za nią, starając się, by mnie nie zauważyła. Mijamy parę przecznic, w końcu Sita skręca w boczną uliczkę i oto znajduję się w pełnej zieleni dzielnicy willowej. Duże, rozległe domy, brukowane dróżki, niewielu przechodniów... Po rojnym, rozgorączkowanym centrum handlowym jest to azyl samotności, senny spokój księżyca, przerywany tylko cichym furkotem klimatyzatorów, okazjonalnym przejazdem nielicznych aut i słabym pomrukiem jazzu, napływającym skądś z otwartego okna.

Sita zatrzymuje się przed skromnym dwupiętrowym domem, białym z zielonymi okiennicami. Na ścianie, na drewnianej tabliczce widnieje numer 3734. Nazwiska lokatora brak. Kolejną intrygującą rzeczą jest to, że dom jest strzeżony przez ochroniarza w mundurze.

Sita mówi coś do strażnika i ten przepuszcza ją przez metalową bramę. Zastanawiam się, co dalej, gdy wtem z przeciwnej strony ulicy nadchodzi ktoś ewidentnie znajomy. Jest to nikt inny, tylko Tilak Radż, salowy z państwowego szpitala, prowadzący jakiegoś mężczyznę. Wyszmelcowane, pokryte pyłem ubranie świadczy, że to najprawdopodobniej robotnik pracujący za dniówkę. Chowam się za drzewem, czekając, aż Tilak Radż przejdzie, ale on także zmierza do domu o numerze 3734. Zamienia parę słów ze strażnikiem i wchodzi z towarzyszem do środka.

Moja ciekawość osiąga szczyty. Muszę, po prostu muszę ustalić, co się w tym domu dzieje! Zbieram odwagę i podchodzę do ochroniarza.

– O co chodzi? – Patrzy na mnie podejrzliwie.

– Mam się tu spotkać z Tilakiem Radżem – mówię, ściskając nerwowo torebkę. – Powiedział, że będzie na mnie czekać.

– Tak, właśnie przyszedł. – Ochroniarz kiwa głową i odsuwa metalową zasuwę bramy.

Wchodzę przez otwarte drzwi do pomieszczenia, które wygląda jak poczekalnia. Robotnik siedzi na plastikowym krześle, a obok dwóch innych mężczyzn i Sita. Tilaka Radża ani śladu.

Przechodzę z poczekalni na korytarz. Wnętrze domu jest dość rozległe: na parterze obejmuje co najmniej dwa inne pokoje.

Zaglądam do pierwszego. Na żelaznym łóżku leży mężczyzna z podłączoną kroplówką.

– Strasznie boli, siostro – jęczy, biorąc mnie za pielęgniarkę.

Podchodzę bliżej. Tabliczka na łóżku informuje, że nazywa się Mohammad Idris. Wynika z niej, że ma dwadzieścia dziewięć lat, ale z rzadką siwiejącą szczeciną brody i zapadłymi policzkami wygląda, jakby miał o dziesięć więcej.

– Proszę spojrzeć, siostro, o, tu boli, tu – mamrocze, podnosząc koszulę. Cofam się, zszokowana. Z boku ma okropną, nierówno obrzękłą ranę, najeżoną czarnymi nićmi chirurgicznego szwu. Wygląda, jakby ześcibolił ją byle jak wyjątkowo bezduszny chirurg.

– Jakbym wiedział, że to będzie tak bolało, to dwa razy bym się zastanowił, zanimbym się zgodził na sprzedaż nerki – mówi i chwyta go atak kaszlu.

Przechodzę do następnego pokoju i zastaję tam kobietę w podobnej sytuacji. Sunita, lat trzydzieści osiem, jest cała oplątana przewodami kroplówek. Ciemna skóra ciasno opina kości policzkowe, ciemne kręgi otaczają wpadnięte oczy. Też ma cięcie w tym miejscu, co Idris. Z rany nadal sączy się płyn, choć poszarpane, nierówne brzegi zostały ściągnięte chirurgicznym szwem.

W przeciwieństwie do Idrisa nie żałuje, że poddała się operacji.

– Doktor-*babu* powiedział, że druga nerka jest do niczego niepotrzebna, zajmuje tylko miejsce. To czemu mam nie zarobić na niej trochę pieniędzy?

– Ile pani dostała? – pytam.

– Obiecali mi trzydzieści tysięcy, ale dali tylko dwadzieścia. No, ale i tak wystarczy na pół roku życia.

Czyli oboje sprzedali nerki, a teraz są po operacji i czekają na powrót do zdrowia. Ale kto przeprowadził zabieg i gdzie?

Tajemnica zostaje rozwiązana, kiedy idę na piętro. Przez wahadłowe drzwi wchodzę do holu. Po jednej stronie jest toaleta, a po drugiej – metalowe drzwi z dwoma okrągłymi otworami. Tuż nad drzwiami miga czerwone światło. Zaglądam przez wizjer i zamieram. Bo oto przed moimi oczami rozgrywa się scena jak z filmowego horroru... Na stole operacyjnym leży pacjent, otoczony przez lekarzy w maskach i zielonych chirurgicznych mundurkach oraz techników w laboratoryjnych kitlach. Są tu butle z tlenem, wszelakie anestezjologiczne oprzyrządowanie, różne przybory, jakich nigdy dotąd nie widziałam. Instrumenty chirurgiczne porządnie ułożono na stołach, a półki pełne są rozmaitych operacyjnych utensyliów. A więc mam przed oczami scenę operacji... Ale powietrze w środku dalekie jest od antyseptyczności. Śmierdzi desperacją i wykorzystywaniem.

Wszystko staje się jasne. To nerkowy czarny rynek, który doprowadził do zjawiska „turystyki transplantacyjnej". Doktor Nath skłania biednych, pozbawionych innych możliwości zarobku ludzi do sprzedaży własnej nerki, a potem oferuje uzyskane w ten sposób organy bogatym Hindusom i medycznym turystom z zagranicy, którzy gotowi są wyłożyć za przeszczep ciężką kasę. Pobieranie nerek od dawców odbywa się w tym budynku. Poseł do parlamentu Anwar Noorani stanowi ostatnie ogniwo łańcucha – dostarcza politycznej osłony dla tego nikczemnego geszeftu.

Nie wiem, co mierzi mnie bardziej: te cyniczne żniwa ludzkich organów czy moja własna próba znalezienia żywego dawcy. Tę niepozorną z wyglądu – nazwijmy to – klinikę dzieli od wypasionego Instytutu Nerki trzydzieści kilometrów, ale przepaść pomiędzy dawcami a biorcami jest o wiele większa. W Mirza Metal Works wykorzystywano niewolniczą pracę dzieci, ale to miejsce jest gorsze: to śmiertelny potrzask, zastawiony na ludzi wykluczonych.

Bliska mdłości, odwracam się od drzwi sali operacyjnej, by odejść, i niemal zderzam się z Tilakiem Radżem. Na mój widok oczy robią mu się okrągłe z zaskoczenia.

– Co pani tu robi?

– Przyszłam się spotkać z dawczynią nerki dla mojej matki. Teraz zdałam sobie sprawę, że to błąd. Nie powinnam była tu przychodzić.

– To prawda. Kto chce się delektować smakiem mięsa, nie powinien odwiedzać rzeźni – zauważa, szczerząc zęby. Ten mroczny uśmiech budzi we mnie odrazę. Uświadamiam sobie, że i Tilak Radż jest częścią tego nielegalnego biznesu, nie tylko doktor Nath.

– Tak czy owak, Sita będzie dziś operowana – ciągnie, towarzysząc mi w dół po schodach. – Jutro nerka dla pani matki będzie gotowa do przeszczepu.

– Już jej nie chcę.

– Co pani mówi? – Tilakowi Radżowi opada szczęka. – Nie chce pani nerki od Sity? – Mówi dostatecznie głośno, by usłyszeli to wszyscy w poczekalni.

– Nie. Nie mogę zabrać jej nerki. Szczęście jednego człowieka nie może być zbudowane na nieszczęściu innego.

Sita podrywa się z krzesła i rzuca się ku mnie.

– Co pani powiedziała? – pyta z maniakalnym błyskiem w oczach.

– Nie chcę pani nerki – powtarzam. – Przyjęcie jej byłoby grzechem.

– Nieeee! – Sita wydaje przeraźliwy krzyk. – Mój syn umrze! Obiecali mi trzydzieści tysięcy! Skąd ja wezmę tyle pieniędzy? Oddałam już wątrobę... Nerka to wszystko, co mi zostało do oddania! Proszę, niech pani weźmie!

– Przykro mi, nie.

– Przykro? – Sita nagle przykuca w półprzysiadzie i zaczyna mnie okrążać jak drapieżnik ofiarę. – Myślicie sobie, wy bogacze, że wystarczy powiedzieć „przykro mi" i już?

Zabiję cię, *kutiya, saali**. – I rzuca się na mnie z pazurami jak opętana.

Zaskoczona atakiem, przewracam się do tyłu, niemal wpadając na krzesło. Sita, z furią na twarzy, przygważdża mnie do podłogi i zaczyna bić pięściami po ramionach i głowie. Usiłuję się bronić, zrzucić ją z siebie, ale bezskutecznie. Jej potrzeba jest większa niż moja, więc i moc wściekłości odpowiednio większa.

Na pomoc przychodzi mi Tilak Radż, który odciąga Sitę ode mnie.

– Oszalałaś? – Łapie ją za gardło i wymierza policzek. Jeden, drugi.

Sita, jak skarcone dziecko, patrzy na mnie ponuro spode łba, ciężko dysząc przez nos.

– Mogę panią o coś spytać? – zwraca się do mnie Tilak Radż. Kiwam głową.

– Czemu nie chce pani nerki od Sity? Zapewniam, że jest idealnie zdrowa, sto procent gwarancji.

– Nie chodzi o zdrowie, tylko o moralność. Byłam słaba i dlatego szukałam łatwego wyjścia. Ale zdałam sobie sprawę, że jeśli chcę mieć czyste sumienie, to nie ma drogi na skróty.

– To dla mnie za mądre. – Tilak Radż macha ręką. – Niech mi pani powie zwyczajnie i po prostu: załatwiła sobie pani nerkę w innej klinice?

– Skąd. Absolutnie nie.

– No to może weźmie pani od niego? – Klepie po ramieniu mężczyznę, z którym przyszedł. – To Gyasuddin, malarz pokojowy. – Ściska mu biceps. – Pani zobaczy, jaki zdrowy.

– Nie, od niego też nie chcę.

– Przeszkadza pani, że to mahometanin? Na nerce nie jest napisane, że miał ją muzułmanin czy hinduista. Nerka jest tego, kto za nią płaci.

---

* *Kutiya, saali* (hind.) – ty suko.

– Nie rozumie pan – mówię z odcieniem irytacji. – Nie chcę żadnej nerki, od nikogo.

– To skąd weźmie pani nerkę dla matki?

– Od siebie samej.

– Co? Odda jej pani własną nerkę?

– Tak. – Od początku miałam przed oczami tę odpowiedź. Nie miałam tylko odwagi, by ją przyjąć.

Sita wznosi oczy do nieba.

– Powiedział pan, że oszalałam – mówi ze złym uśmieszkiem do Tilaka Radża – ale ta kobieta to dopiero upadła na głowę. *Ab mera kya hoga?* I co teraz będzie ze mną?

– Skoro ona nie chce twojej nerki, to zechce ktoś inny – pociesza ją Tilak Radż. – Tylko będziesz musiała jeszcze troszkę zaczekać.

– Nie mogę czekać – uderza w lament. – Mój Babloo umrze, jak nie dostanie do jutra pomocy! Och, Babloo, Babloo, Babloo! – Bije się pięścią w pierś, jak matka, która już straciła syna.

– A co się dzieje z Babloo? – pytam Tilaka Radża.

– Ma leu-ke-mię – odpowiada za niego Sita. – Białaczkę. Prywatny szpital żąda dziesięć tysięcy za jego leczenie. Skąd ja wezmę tyle pieniędzy? Kto mi da?

– Ja – mówię cicho.

Tilak Radż gwałtownie zwraca ku mnie głowę.

– Niech pani nie igra z uczuciami biednych ludzi! Ich niedobre życzenia przeważnie się spełniają.

Otwieram torebkę i wyjmuję kopertę z moją kwietniową pensją, którą dostałam trzy dni temu. Odliczam dziesięć tysięcy, zwijam banknoty w rulon i podaję Sicie.

Patrzy na mnie z niedowierzaniem i nie rusza się, jak ostrożny kot, który boi się tknąć mleko z nieznanej miski. W końcu nadzieja bierze górę. Porywa rulon i zaczyna przeliczać banknoty, śliniąc od czasu do czasu kciuk.

– Tak, dziesięć tysięcy. – Wydaje zdumione stęknięcie. – Naprawdę chce mi pani dać te wszystkie pieniądze?

– Tak. – Próbuję się uśmiechnąć, ale wychodzi mi tylko grymas. Usiłuję powstrzymać łzy. Jestem w świecie wykluczonych, dla których zagrożenie, niedostatek i nędza to codzienność. Dla tych ludzi nerka to nie organ, tylko zasób, który można spieniężyć, aby nakarmić rodzinę czy uratować chore dziecko. I nawet te dziesięć tysięcy to kropla wody na wyschłej, spopielałej pustyni.

– To cud! – wykrzykuje piskliwie Sita, znowu z błyskiem szaleństwa w oczach. – Cud się dzisiaj stał!

Mam ochotę jej powiedzieć, iż większym cudem jest to, że się obudziłam, wyłoniłam z trującej mgły, która spowijała mnie przez ostatni tydzień.

Spogląda na mnie z niepewną, ostrożną wdzięcznością, jakby się obawiała, że mogę jeszcze zmienić zdanie. A potem szybkim ruchem chowa pieniądze za pazuchę i pędem, jak człowiek, który ucieka przed pożarem, rzuca się do wyjścia.

– Pani też już powinna iść. – Tilak Radż kręci głową, wyraźnie zawiedziony. – Skąd się tacy biorą? Żeby tak mnie orżnąć z prowizji... – mruczy pod nosem, popychając mnie w stronę wyjścia. Wiem, że ma na myśli mnie, nie Sitę.

Wychodzę z kliniki z wysoko podniesioną głową i lżejszymi ramionami. Jakie to radosne, wyzwalające – być wolną od przygniatającego ciężaru poczucia winy! Jakie olśniewające wydaje się życie, kiedy należysz do tych, co uzdrawiają, a nie do tych, co krzywdzą!

Wracam do Instytutu Nerki miejskim autobusem, tą samą linią, którą przyjechałam, i kieruję się wprost do okienka kasowego.

– Zmieniłam decyzję co do przeszczepu. Chciałabym wycofać pieniądze.

Kasjer natychmiast wzywa doktora Natha, który zaprasza mnie do gabinetu.

– O co chodzi? Dałem pani najlepsze możliwe warunki umowy. Wszystko jest już przygotowane do transplantacji.

– Nie chcę brać nerki od Sity. Właśnie się z nią spotkałam.

– Spotkała się pani z nią? Gdzie?

– Wracam z kliniki w Gurgaon.

– Była pani w klinice w Gurgaon? – Ściąga brwi, zasępiony. – Proszę chwilę zaczekać – mówi i wychodzi z gabinetu. Przez małą szybkę w drzwiach widzę, że do kogoś dzwoni.

W chwilę później w gabinecie pojawia się poseł Anwar Noorani.

– W czym problem? – pyta z lekko protekcjonalnym uśmiechem.

– Nie ma żadnego problemu. Zmieniłam decyzję co do transplantacji i chcę odzyskać wpłacone pieniądze.

– Może mi pani pokazać kwit?

Pokazuję. Poseł sprawdza kwit, po czym wkłada go do górnej kieszonki kamizelki *khadi*.

– A dlaczego konkretnie nie chce pani, żebyśmy przeprowadzili transplantację? Mamy najlepsze wyposażenie w całym Delhi.

– Zorientowałam się, że to, co robicie, to gangsterstwo. Wydzieracie organy biednym. To podłość.

– Jesteśmy tylko dostarczycielami usług dla potrzebujących, takich jak pani – mówi chmurnie. – Tak czy inaczej, za późno na zwrot pieniędzy, niezależnie od tego, czy transplantacja będzie przeprowadzona, czy nie.

– Żartuje pan!

– Nie, nie żartuję. Proszę mi powiedzieć, który sklep w Delhi zwróci pani pieniądze, co? Jesteśmy także firmą, która musi zarabiać. Skoro zawarła pani umowę, nie może się pani tak po prostu z niej wycofać, nie ponosząc konsekwencji.

– Jeśli nie zwrócicie mi pieniędzy, złożę skargę.

– A my zaprzeczymy, że kiedykolwiek je od pani otrzymaliśmy. Bo faktycznie, nie otrzymaliśmy ich, prawda? – Wymienia spojrzenie z doktorem Nathem, po czym wyjmuje kwit z kieszonki i na moich przerażonych oczach drze go na kawałeczki.

– Nie może pan tego zrobić. Idę natychmiast na policję!

– Proszę uprzejmie. Jak pani myśli, komu prędzej uwierzą: szanowanemu politykowi czy sprzedawczyni ze sklepu? Więc dobrze pani radzę, proszę przyjść z matką i załatwimy wszystko po przyjacielsku.

Za gładkim uśmiechem wyczuwam w jego słowach zimną pogróżkę. Narysował na piasku linię i prowokuje mnie, żebym ją przekroczyła na własne ryzyko.

– Zastanowię się – mówię i opuszczam gabinet, wzburzona i pełna niesmaku. Zostałam jawnie, z zimną krwią oszukana.

Po wyjściu ze szpitala wyjmuję komórkę i wykonuję dwa telefony. Pierwszy – do doktora Mittala.

– Przepraszam, panie doktorze, że pana zwodziłam. Nie było żadnego przyjaciela, który chciał oddać własną nerkę. Dawcą będę ja. Kiedy może pan przeprowadzić transplantację?

– Już pojutrze – odpowiada, wyraźnie zadowolony z takiego obrotu sprawy.

Drugi telefon jest do Shalini Grover, reporterki śledczej z telewizji Sunlight.

– Mam temat dla ciebie – zaczynam.

Zegar ścienny wskazuje czwartą po południu. Mam na sobie standartowy ubiór szpitalny – bezkształtną niebieską koszulę. Za chwilę mają mnie przewieźć na salę operacyjną. Doktor Mittal krząta się wokół przygotowań, zadaje pytania pielęgniarkom, sprawdzając, czy wszystko jest na miejscu przed wizytą anestezjologa, który ma mnie uśpić.

– Zanim się pani obejrzy, będzie po wszystkim – mówi i klepie mnie delikatnie po ramieniu. – Dzielna dziewczyna, naprawdę.

Nie czuję lęku ani obawy, jedynie głęboką, spotęgowaną świadomość, że żyję. Że mam cel. Ma dostaje życie na nowo. A ja dostaję na nowo szacunek, odnawiając moje listy uwierzytelniające jako najstarszej w rodzinie.

Jest też przy mnie Neha. Pogodziła się z utratą dwustu tysięcy, ale wciąż nie może się pogodzić z myślą, że będę dawczynią.

– Dlaczego ty koniecznie musisz być męczennicą? – płacze, ściskając mnie za rękę.

– Nie jestem męczennicą. Jestem po prostu starszą córką.

– Chciałabym mieć taką odwagę jak ty...

– Doktor Mittal zapewnił mnie, że operacja jest absolutnie bezpieczna. Potraktuj to jak usunięcie stu pięćdziesięciu gramów zbędnego ciała.

– Karan też chciał przyjść, ale doktor Mittal mu nie pozwolił. Na oddział intensywnej terapii może wejść tylko rodzina.

– A jak Ma? – pytam, starając się, by zabrzmiało to swobodnie. Mam nadzieję, że Neha nie zauważyła moich rumieńców na wspomnienie o Karanie. Nie widziałam go już ponad tydzień i cierpię na ostry niedobór witaminy K.

– Wciąż pieje peany na twoją cześć – mówi Neha. Ma omal nie naraziła całego planu na fiasko, kategorycznie odmawiając przyjęcia ode mnie nerki. Doktor Mittal powiedział, że niemal kopała i gryzła, kiedy przywieziono ją do szpitala. Kosztowało go wiele wysiłku, aby ją przekonać do medycznego cudu transplantacji organów.

– Pora iść – przypomina łagodnie doktor Mittal, zwracając się do Nehy. Siostra spogląda na mnie melancholijnie, klepie pocieszycielskim gestem w ramię, wstaje i szybko wychodzi.

Minutę później wchodzi anestezjolog w białym kitlu, ze zwisającym z szyi stetoskopem. Ma chłopięcy wygląd, gęstą smolistą czuprynę i zeza.

Bierze mnie za rękę, czuję ukłucie. Przez chwilę pływam na pograniczu świadomości, jak przez mgłę rejestrując dźwięki w pokoju, krzątanie się koło mnie pielęgniarek, antyseptyczną woń szpitala, aż wreszcie ogarnia mnie błoga nieważkość i zapadam w syntetyczny sen.

Kiedy się budzę, w powietrzu wciąż czuć ostrą szpitalną woń środków antyseptycznych, ale drętwota ciała ustąpiła. W zamian czuję lekkie łaskotanie skóry, tak jakby chodziły po mnie mrówki. Otwieram półprzytomne po narkozie oczy: nad moim łóżkiem pochyla się jakiś mężczyzna w bieli. Pierwszą myślą jest, że to doktor Mittal, ale gdy wzrok mi się wyostrza, wydaję lekki okrzyk zdumienia. No tak, poznaję ten orli nos i bujną białą grzywę... To przemysłowiec Vinay Mohan Acharya, w nieskazitelnie białej jedwabnej *kurta pyjama*, z białym paszminowym szalem na ramionach. Choć ubrany jest identycznie jak tamtego dnia, gdy poznałam go w świątyni Hanumana, wygląda inaczej. Twarz ma szczuplejszą i bledszą, oczy zapadłe, a cała sylwetka wydaje się chudsza, tak jakby stracił trochę ciała.

– Gratulacje – mówi z uśmiechem, siadając na krześle obok łóżka. – Właśnie zaliczyła pani z sukcesem szóstą próbę.

Jęk mi się wyrywa. Przeklinam dzień, w którym przyjęłam jego ofertę... Moje życie zmieniło się od tej chwili w jeden nieprzerwany egzamin: z jednej strony testuje mnie Bóg, z drugiej – Acharya.

– To był test na umiejętność podejmowania decyzji – ciągnie. – Dyrektor musi być gotów do podejmowania decyzji nawet w sytuacji złożoności czy niepewności. Musi dokonywać trudnych wyborów, a potem żyć ze skutkami tych wyborów. Pani wykazała tę zdolność, podejmując śmiałą decyzję o oddaniu nerki. Był to ruch nie tylko odważny, ale także słuszny. Nie ma nic bardziej bezinteresownego i pozbawionego egoizmu, niż być żywym dawcą organu.

– Ale skąd pan wie, że zostałam dawczynią nerki?

– Dzięki doktorowi Mittalowi. Pracuje teraz dla mnie.

– Pracuje dla pana? – Nieoczekiwany zwrot w rozmowie podrywa mnie do pozycji siedzącej. Rozglądam się za pielęgniarką, ale w pokoju nie ma ani jednej. – A co... co z moją operacją? Wszystko dobrze?

– Nie było żadnej operacji. Obie pani nerki są nietknięte.

Momentalnie sięgam ręką do boku i próbuję wymacać pokrywający szwy opatrunek, ale palce natrafiają wyłącznie na gładkie ciało. Nie ma żadnego cięcia!

– To co będzie z Ma? Skąd weźmiemy dla niej nerkę do przeszczepu?

– Z pani matką jest wszystko w porządku. Nie potrzebowała przeszczepu, bo nie choruje na nerki.

Robi mi się słabo. Znowu czerń zaczyna ogarniać mój mózg...

– Więc to wszystko było...

– Zorganizowane. Dziwię się, że wcześniej pani na to nie wpadła.

– Od kiedy? – pytam słabo.

– Od dnia, kiedy stryj Dinesh zagroził wam eksmisją. To ja go poprosiłem, żeby to zrobił. Czy to nie zdumiewające, co ludzie są gotowi zrobić dla pieniędzy?

Marszczę w pomieszaniu czoło.

– I ja też zorganizowałem kradzież torebki w Connaught Place. Tej, w której były bransolety pani matki.

– Nie! – wyrywa mi się okrzyk. – Nie wierzę! Pan to wszystko zmyśla!

– W takim razie może zechce pani spojrzeć na to – mówi i wyjmuje z kieszeni dwa komplety złotych bransolet.

W świetle żarówki lśni wyraziście ich wyrafinowany ornament. Nie muszę ich dotykać, by wiedzieć, że to bransolety Ma.

– To jakieś szaleństwo! Dlaczego miałby pan robić to wszystko?

– Bo bardzo mi zależało, żeby wzięła pani udział w moich siedmiu próbach. Chciałem mieć pewność, że jest pani dość silna, żeby przetrwać w bezwzględnym świecie biznesu.

– Znaczy, że wszystkie te próby były z góry zaplanowane?

– Nic nie było z góry zaplanowane. Jedyne, co zrobiłem, to stworzenie warunków, w których mogły się ujawnić pani naturalne instynkty. Proszę wziąć na przykład pierwszą próbę. Moje zadanie polegało wyłącznie na doprowadzeniu do tego, by przyjechała pani do Chandangarh, tego gniazda honorowych zabójstw. Kiedy dowiedzieliśmy się o Babli i Sunilu, dość łatwo było nakłonić Kuldipa Singha, żeby zrobił zakupy na posag w waszym sklepie.

– A gdyby Babli nie dała mi tego listu?

– To znalazłbym inny sposób, żeby się pani zaangażowała. Od września mam rozlokowany w Chandangarh pięcioosobowy zespół ludzi. Choć muszę powiedzieć, że zaskoczyła pani wszystkich, stając tak śmiało do walki z *khap panchayatem*.

– A druga próba? Czy i wizytę Priyi Capoorr w naszym salonie też pan zorganizował?

– Cóż, jest przecież aktorką do wynajęcia, tak czy nie? Niemniej musiałem użyć całej mojej perswazyjnej mocy, żeby się zgodziła podrzucić pani zaręczynowy pierścionek. Chciała wykorzystać tanią podróbkę. Ten jeden tydzień, zanim pani zwróciła pierścionek, był dla niej piekłem. Skarżyła mi się każdego dnia, przekonana, że już nigdy go nie odzyska.

– Skoro udało się panu skłonić Priyę Capoorr do podrzucenia pierścionka, to zorganizowanie fabryki zamków i zatrudnienie w niej dzieci musiało być dziecinnie łatwe?

– Nie, w tej fabryce nie maczałem palców. Wolałbym raczej umrzeć, niż wykorzystywać niewinne dzieci! Ale tak, to Rana dał znać pani przyjaciółce Lauren Lockwood o firmie Mirza Metal Works.

– A ci dranie, co mi grozili, to byli ludzie Mirzy czy pańscy?

– Ja ich wynająłem – przyznaje wstydliwie. – Ale ich zadaniem było tylko panią nastraszyć. Nie zrobiliby pani krzywdy.

– Rozumiem, że grożenie gwałtem w Parku Japońskim nie podpada pod pańską definicję krzywdy?

– Gwałtem? W Parku Japońskim? O czym pani mówi?

– Proszę nie udawać, że pan nie wie! To samo zrobił pan z Nehą.

– Nie mam nic wspólnego z pani siostrą. Załatwiłem jej tylko udział w tym konkursie, a potem – w drużynie Raojiego. Wszyscy w tym biznesie wiedzieli, że Raoji ma słabość do kobiet, ale nikt nie miał pojęcia, że udaje ślepotę.

– Wie pan, że Raojiemu niemal się udało zgwałcić Nehę?

– Uratowała ją pani w samą porę. Przyznaję jednak, że czasem trudno jest uniknąć ubocznych szkód.

– A gdyby Nirmala Ben umarła, to także byłaby szkoda uboczna, tak?

– Ach, Nirmala Ben... Muszę powiedzieć, że gandhystka stanowiła szczególne wyzwanie. Moja rola ograniczyła się do zasiania w jej głowie tego pomysłu, wie pani, łagodnego potrząśnięcia światem. Cała reszta po prostu sama się pięknie ułożyła. – Zaciera ręce i uśmiecha się szeroko. – Musi pani przyznać, że moje próby nie wyrządziły nikomu żadnej realnej szkody.

Jak lekko mówi o tych sześciu próbach... Zaciskam zęby. Co za naiwny dzieciak ze mnie! Tkwiłam w świecie złudzeń, gdy tymczasem wszystko to był pic na wodę. Byłam kukiełką na sznurkach, tańczącą tak, jak sobie życzył Acharya!

Ogarnia mnie zimna, mordercza wściekłość.

– Za kogo pan się ma? Za Boga?

– Nie mogę się uważać za Boga – mówi. – Ale, tak jak Bóg, stworzyłem pani świat, po czym zostawiłem w nim panią, żeby sobie pani radziła. Zaplanowałem proces, a nie wyniki. To pani je stworzyła własną wolną wolą.

– Jest pan szaleńcem. Wie pan o tym, prawda?

– Nie jestem szaleńcem. Jestem tylko inny.

– Karan miał rację. Nie powinnam była się zgodzić na udział w pańskim odjechanym projekcie.

– O, a więc rozmawiała pani o naszej umowie z kimś trzecim? – Marszczy z dezaprobatą brwi. – Wie pani, że warunki kontraktu na to nie pozwalały?

– Do diabła z panem i pańskim kontraktem! Nie chcę pana więcej oglądać. Pan jest nienormalny, trzeba pana zamknąć w psychiatryku!

– Spodziewałem się takiej reakcji. Ale proszę mi wierzyć, że wszystko, co zrobiłem, było konieczne.

– Do czego? Do pańskich sadystycznych fantazji?

– Do tego, żeby zyskała pani praktykę. Prawdziwy egzamin na dyrektora to próba tego, jak sobie radzi w sytuacji kryzysu. Taka próba ujawnia, z jakiego materiału jest sporządzony. Stworzyłem pani sześć sytuacji kryzysowych i ze wszystkich wyszła pani zwycięsko. Dzięki tym sześciu testom nauczyła się pani przez pięć miesięcy więcej, niż nauczyłaby się pani na studiach marketingowych w Harwardzie przez pięć lat. A kiedy przejdzie pani z wynikiem pozytywnym siódmy test, będzie pani gotowa do zarządzania Grupą ABC.

– Nie mam zamiaru brać więcej udziału w żadnych testach. Wypisuję się z tego, i to już!

– Przykro mi. Zgodnie z umową nie może pani odejść przed terminem. Może pani nie zdać testu, ale odejść – nie.

I dlaczego miałaby pani odchodzić – teraz, gdy zarządzanie firmą o wartości dziesięciu miliardów dolarów ma pani na wyciągnięcie ręki?

– Na litość boską, proszę mi przestać wciskać ten kit! Od początku wpuszcza mnie pan w maliny!

– Jest pani niesprawiedliwa. Jedyną osobą, która wpuszcza panią w maliny, jest Karan Kant, pani tak zwany chłopak.

Ostro zwracam ku niemu głowę.

– A co pan przez to rozumie?

– Proszę spojrzeć na to – mówi i wyjmuje beżową kopertę. Otwiera ją i na kolana wypada mi sześć dużych kolorowych zdjęć. Patrzę na nie i czuję w piersi narastający ucisk.

Mówi się, że nie sposób rozpoznać moment, w którym zaczyna się miłość, ale zawsze wiemy, kiedy miłość się kończy. Moja miłość do Karana zakończyła się w piątek szóstego maja o szóstej trzydzieści pięć po południu.

Nic, co powiedziałby czy zrobił Acharya, nie podważyłoby mojej wiary w Karana, ale aparat fotograficzny nie kłamie. Pół tuzina zatrzymanych w kadrze ujęć na mojej kołdrze to ohydna dokumentacja dwulicowości i zdrady. Przedstawiają obejmującą się parę, a otoczenie to ewidentnie sypialnia naszego mieszkania w Rohini. Zdjęcia wyglądają na robione w ciągu dnia, teleobiektywem, każde kolejne ujęcie z coraz mniejszej odległości. Serce we mnie zamiera, gdy biorę do ręki kolejne, i pęka ostatecznie na widok ostatniego: zbliżenia połączonych pocałunkiem ust mojej siostry i mojego najbliższego przyjaciela.

Opadam na łóżko, skomląc jak ranne zwierzę.

– Proszę je zabrać, proszę je zabrać! Nie mogę na nie patrzeć!

– Tajemniczy jest ten Karan – mówi Acharya, zbierając zdjęcia i chowając je z powrotem do koperty. – Coś z nim jest nie tak. Zbił na kwaśne jabłko detektywa, który śledził go na moje zlecenie.

Prawie nie słyszę, co mówi. Mój umysł gorączkowo usiłuje sobie poradzić z szokiem tego odkrycia. Czemu jest tak, że to najbliżsi ranią nas najmocniej? Czemu ze wszystkich ludzi na świecie Karan musiał wybrać właśnie Nehę? Oszustwo Acharyi to drobnostka w porównaniu z potworną zdradą Karana i ohydną nielojalnością Nehy.

Acharya kładzie mi rękę na ramieniu. Nie uchylam się. Potrzebny mi jest kojący balsam ludzkiego dotyku, życzliwych słów.

– Przepraszam, że nie byłem z panią do końca szczery – mówi Acharya. – Ale musi mi pani uwierzyć, gdy mówię, że tylko krok dzieli panią od spełnienia wszystkich pani marzeń.

– Proszę... – Patrzę mu w oczy, usiłując odgadnąć jego myśli. – Niech pan nie gra ze mną więcej w żadne gierki. Czy to kolejna z pańskich prób?

– Próba przyjdzie później. Siódma i ostatnia.

– Dlaczego? Dlaczego? – jęczę błagalnie, niczym zgoniony lis pod koniec polowania. – Niech mi pan powie: dlaczego wybrał pan na królika doświadczalnego właśnie mnie? Mógł pan wybrać dowolną osobę w swojej firmie, w mieście... Są miliony ludzi, którzy mają lepsze kwalifikacje, żeby poprowadzić pański biznes!

– Kwalifikacje się nie liczą. Liczy się postawa. Jestem pod wrażeniem pani oddania, ofiarności i gotowości do uczenia się. Dotąd szło pani znakomicie. Dowiodła pani, że ma zdolności przywódcze, jest etyczna, odważna, przezorna, zaradna i potrafi podejmować decyzje. Teraz powinna się pani przygotować do testu końcowego.

Ze znużeniem kręcę głową.

– Nie mam siły poddawać się kolejnemu testowi. Proszę, niech mnie pan zwolni z umowy.

Zrywa się z krzesła, idzie do tylnych drzwi i otwiera je na oścież. Izolatka, w której leżę, jest połączona z salą ogólną i mój nos natychmiast atakują wonie choroby i środków odkażających. Patrzę na rozległe pomieszczenie, zapełnione łóżkami i ciałami ludzi. Słychać jęki chorych i płacz jakiegoś głodnego dziecka.

– Czy tak właśnie chce pani spędzić resztę życia? – Wyciąga rękę i wskazuje rzekę niedoli i cierpienia u mojego progu. – Wśród głodnych, biednych, upośledzonych?

– To żaden wstyd być biednym – mówię wyzywająco.

– Niechże mi pani oszczędzi tego współodczuwania z przegranymi tego świata – drwi. – Co innego chcieć im pomóc, ale chcieć stać się jednym z nich? Jestem gotów dać pani stanowisko skrajnie odległe od ułomnej przeciętności mas. Jeśli jednak wystarcza pani żyć jak oni i umrzeć jak oni, niech będzie i tak. Proszę tylko pamiętać, są trzy rzeczy, które nie czekają – czas, śmierć i okazja. Jeśli przegapi pani tę okazję, nigdy więcej się nie pojawi. Decyzja należy do pani.

Zamykam oczy, niezdolna znieść jego drwiące spojrzenie.

– Nawet jeśli założyć, że się zgodzę – mówię po długiej chwili – to jak mam wyjaśnić matce i siostrze fakt, że nie oddałam Ma nerki?

– Tym się zajmie doktor Mittal. Moja jedyna prośba, to żeby utrzymałą pani naszą umowę w tajemnicy, dopóki nie przejdzie pani pomyślnie ostatniej próby. A więc zgadza się pani, tak?

Przyszedł moment podjęcia decyzji; nie mogę się od niej dłużej uchylać. Myślę o pustyni, jaką stało się moje życie. Nie mam na co czekać, nie mam nikogo, komu mogłabym ufać, nie mam pracy, która dawałaby mi zadowolenie. Przyszłość, jaką przed sobą widzę, jest pozbawiona wszelkiej barwy, wszelkiej przyjemności. Znowu jestem przegrana... A człowiek przegrany nie ma nic do stracenia.

– Okej – mówię z westchnieniem. – Zgoda. A teraz proszę mi powiedzieć, czego będzie dotyczyć ostatnia próba?

Acharya kręci głową.

– Nie mogę pani o tym z góry powiedzieć. To by było oszustwo. Jedyne, co mogę zdradzić, to że będzie najtrudniejsza ze wszystkich.

– Proszę mi przynajmniej powiedzieć, czego mam się spodziewać.

Namyśla się nad odpowiedzią.

– Niespodziewanego.

Formalności wypisu trwają niespełna godzinę. Doktor Mittal wzywa Nehę do gabinetu i sprzedaje jej jakiś kit o nowym cudownym leku o nazwie ImmunoglobulinaX.

– Pojawił się na rynku akurat wczoraj. Skoro można pomóc mamie paroma pigułkami, to po co robić przeszczep, nie sądzi pani?

Nie ma nawet odwagi, żeby się ze mną zobaczyć. Kiedy wraz z Ma opuszczam szpital, przemyka się pod drzwiami. Przynajmniej jest na tyle uczciwy, żeby czuć się winnym za to, co mi zrobił na żądanie Acharyi.

Neha za to nie ma żadnych wyrzutów sumienia. Kiedy pojawiamy się z powrotem w domu, puszcza się w tan.

– To się nazywa zjeść ciastko i mieć je nadal! – wykrzykuje radośnie. – Uratowałyśmy twoją nerkę i uratowałyśmy Ma. Niech żyje ImmunoglobulinaX!

Przygważdżam ją stalowym spojrzeniem.

– Może chciałabyś mi coś powiedzieć?

– Niby co? – Nie ucieka wzrokiem, patrzy wprost na mnie bez cienia wstydu. Jestem zdumiona jej cynizmem.

Trudno mi wytrzymać z nią w jednym pokoju. Odwracam się do okna i krzywię się na wspomnienie, jak całowała się w tym miejscu z Karanem. Nawet powietrze wydaje się tu skażone odorem nieuczciwości i sekretów.

– Nic – mówię z wymuszonym, ironicznym uśmiechem.

Z Karanem jest jeszcze bardziej niezręcznie. Zdrajca *par exellence*, on też nie wykazuje śladu poczucia winy. Zaczynam go maksymalnie unikać. Z wieczornymi wizytami w ogrodzie całkiem skończyłam.

Bez siostry, z którą mogłabym porozmawiać, bez przyjaciela, do którego mogłabym się zwrócić, ogarnia mnie ciężka chmura melancholii. Jest w tym i gniew, i zawód, ale przede wszystkim – brak jakiejkolwiek radości. Prześladuje mnie to uczucie niczym cień.

Moją jedyną ucieczką staje się praca. Koncentracja na zajęciach sprzedawczyni działa na mnie jak terapia, zarabiam nawet na pochwałę Madana. W dzień zasuwam w salonie wystawowym, a w nocy fantazjuję o worku złota, który obiecał mi Acharya. Wygląda na to, że to jedyne światełko w ciemnym tunelu, jakim stało się moje życie. Dotąd jego próby były dla mnie abstrakcją. Teraz, gdy pozostała mi tylko jedna, czuję przypływ adrenaliny na myśl o czekającej mnie nagrodzie. Realnej, dotykalnej. Dziesięć miliardów dolarów! Na samą myśl o takich pieniądzach dostaję gęsiej skórki. Po raz pierwszy czuję, że los mi sprzyja. Do tego stopnia, że któregoś dnia, wracając z pracy, pod wpływem impulsu kupuję od ulicznego sprzedawcy za dziewięćdziesiąt pięć rupii książkę o biznesie. Autorem jest amerykański ekspert od zarządzania nazwiskiem Steven Katzenberg, a tytuł brzmi: *Jak zostać dyrektorem: pięćdziesiąt sposobów na to, aby dotrzeć na szczyt i tam pozostać.*

PRÓBA SIÓDMA
Kwaśny deszcz

„**Pierwszy sekret, który pozwoli wam zostać dyrektorem**, to świadomość, że nie ma żadnych sekretów prowadzących do sukcesu. Zawsze jest to rezultat ciężkiej pracy, koncentracji, starannego planowania i wytrwałości. Sukces to nie loteria, lecz system. W tej książce poznacie pięćdziesiąt sekretów, zaczerpniętych z wielu godzin rozmów z największymi światowymi szefami firm, dzięki którym będziecie mogli wprowadzić ten system we własnym życiu i dotrzeć na szczyt".

Mamy dziś w salonie słaby ruch i zabijam czas, chłonąc mądrości pana Katzenberga, specjalisty od zarządzania.

– Od kiedy to czytujesz poradniki biznesowe? – Prachi klepie książkę, którą trzymam w ręce.

– To chyba lepiej, niż łapać muchy, nie?

– Zamierzasz studiować zarządzanie czy co? – Przygląda mi się podejrzliwie.

– W moim wieku? – wzdycham i próbuję zmienić temat: – A co u ciebie? Jakieś nowe awanse ze strony naszego wspólnego przyjaciela Radży Gulatiego?

– Był tu wczoraj ten płaz – mówi Prachi – i obiecał mi podwyżkę. W tym roku finansowym firma osiągnęła rekordowe zyski.

– No, to mam nadzieję, że i ja dostanę.

– Słuchaj, a Neelam pisała do ciebie?

307

Już mam zapytać: jaka Neelam? – gdy zdaję sobie sprawę, że chodzi o naszą byłą koleżankę z pracy. Od jej ślubu upłynęły niespełna trzy miesiące. Co z oczu, to i z myśli... Zdumiewające, że dzieje się to tak szybko.

– Nie. A czemu pytasz?

– Bo wczoraj dostałam od niej list. Ze Szwecji.

– I co pisze? Zadowolona z małżeństwa?

– Zadowolona? Jest nieprzytomna z radości! Mieszka w rezydencji, gdzie jest pięć sypialń! W Sztokholmie. Mówi, że to najczystsze miasto na świecie. Jeździ jaguarem. A jej mąż zarabia równowartość sześciuset tysięcy rupii na miesiąc! Możesz to sobie wyobrazić? Sześćset patyków miesięcznie! To tak jakby dwadzieścia dziennie...

– No to fajnie.

– Wciąż mam nadzieję, że któregoś dnia pojawi się w sklepie jakiś przystojny, wysoki milioner i zawróci mi w głowie – mówi marząco. – Czasem czuję się jak w pułapce. Czy już do końca życia mam sprzedawać ludziom gadżety? A ty nie chciałabyś być bogata?

Wyobrażam sobie jej szok, gdybym powiedziała, że mało brakuje, żebym została szefową firmy wartej dziesięć miliardów dolców... Nie mówię jednak, tylko podsuwam starą kliszę:

– Miłości nie kupi się za pieniądze.

– A kto powiedział, że ja chcę miłości? – drwi Prachi. – Chcę mieć torebkę Bottega Veneta, którą widziałam w galerii Emporio.

W przyległej alejce jeden z chłopaków, Madhavan, bawi się przerzucaniem kanałów w telewizorze dotykowym LG, podłączonym do talerza satelity. Wtem na ekranie miga mi Shalini Grover.

– Stop, stop, stop! – wrzeszczę. Madhavan, wystraszony, o mało nie upuszcza pilota.

Shalini jest oczywiście na kanale Sunlight. Stoi przed niepozornym budynkiem z zielonymi okiennicami.

– Wracając do naszego tematu dnia, oto dom numer 3734, gdzie prowadzono ów niesławny handel nerkami. – W efekcie szybko po sobie następujących wydarzeń jednego dnia doktor J.K. Nath – a może raczej powinniśmy go nazywać: doktor Nerka? – został zaaresztowany przez delhijską policję. Jest odpowiedzialny za nielegalne usunięcie nerki u ponad pięciuset osób, w większości ludzi biednych. Instytut Nerki, gdzie przeszczepiano je bogatym pacjentom, został zamknięty, wydano też sądowy nakaz aresztowania Anwara Nooraniego, który stał na czele tego przestępczego procederu. – Robi pauzę, po czym wymierza palec wskazujący w kamerę. – Proszę pamiętać, widzieli to państwo po raz pierwszy w telewizji Sunlight, która odsłania prawdę – uporczywie, konsekwentnie, wytrwale.

Nie mogę się oprzeć, żeby podczas przerwy na lunch nie zadzwonić do Shalini.

– Gratulacje za ten sensacyjny materiał! Ale czemu zajęło ci to tak dużo czasu?

– Po tym, jak powiedziałaś mi o tej klinice, musiałam przeprowadzić tajne śledztwo, włączając w to wywiady z dwoma tuzinami innych ofiar. Troszkę to trwało, ale teraz ci kanciarze już się nie wykręcą. Złapano ich dosłownie na gorącym uczynku.

– Ten cały poseł oszukał mnie na dwieście tysięcy. Mam nadzieję, że posiedzi w kryminale chociaż ze dwadzieścia lat.

– Jeszcze go nie złapali. Bądź ostrożna, Sapna, proszę! Wie, że dostałam cynk od ciebie, może być niebezpieczny.

– Spoko. On ma swojego doktora Nerkę, a ja – doktora Mirchi.

– Doktora Mirchi? Co to za jeden?

– Jak to, nie znasz doktora Mirchi? To najlepszy przyjaciel dziewczyny, znany także jako pieprzowy spray!

Kiedy wracam z lunchu, natykam się przy tylnych drzwiach na Radżę Gulatiego. We fioletowej, niedopiętej na piersi jedwabnej koszuli i obcisłych spodniach wygląda jak błazeński prostak. Zagradza mi wejście ręką.

– Przepuść mnie – mówię zimno.

– Czemu wciąż mnie unikasz, Lodowa Dziewico? – uśmiecha się obleśnie. – Nawet lód latem się topi.

– Ale debil pozostaje debilem przez wszystkie pory roku.

– Do kogo tak mówisz, suko? – Łapie mnie za nadgarstek, momentalnie rozjuszony niczym temperamentna operowa diwa.

– Nie waż się mnie dotykać! – Próbuję uwolnić rękę.

– Najpierw powiedz: przepraszam.

– Ty skurwielu! – Odwracam się na pięcie i daję mu w twarz. Zaskoczony, puszcza mój nadgarstek. Usta ma szeroko otwarte ze zdumienia i szoku.

– Zapłacisz mi za to, suko – syczy. Odsuwam go na bok i wchodzę do sklepu.

Tuż przed końcem pracy wzywa mnie do swego kantorka Madan.

– Robimy kolejną inwentaryzację – mówi, nie patrząc mi w oczy. – Będziesz potrzebna w niedzielę.

– Dwunastego lipca, tak? To rocznica śmierci mojego ojca. Nie mogę.

– A kim ty jesteś, jak ci się wydaje? – podnosi na mnie głos. – Królową, która może decydować, kiedy przyjść, a kiedy nie? Dość mam twoich urodzin i rocznic śmierci! Jeśli nie przyjdziesz do pracy w niedzielę, to do widzenia, możesz się pożegnać z firmą.

Wciąż cała buzuję po incydencie z Radżą, a tu jeszcze i ten despota pokazuje mi swoją przewagę! Dość tego.

– Do diabła z panem i pańskim sklepem! Sama odchodzę, i to w tej chwili!

– Krzyżyk na drogę! A na dodatek unikniemy płacenia ci za okres wypowiedzenia – mówi, usiłując ukryć ślad triumfu w głosie.

Prawdziwą wartość danej posady ujawnia czas, potrzebny, aby z nią skończyć. W moją zainwestowałam tak mało, że aby wynieść się z Gulati & Sons, wystarcza mi dwadzieścia minut. Większość personelu cieszy się z mojego odejścia. Teraz oni mogą aspirować do pozycji Sprzedawcy Numer Jeden... Jedynie Prachi jest naprawdę zmartwiona.

– Nie powinnaś była w ten sposób reagować – mówi. – Jak chcesz, mogę porozmawiać z Madanem, wyprostować to jakoś...

– Skończyłam z firmą Gulati & Sons. Nie martw się, znajdę pracę szybciej niż Radża Gulati butelkę.

Kiedy w środę ósmego lipca za kwadrans ósma wychodzę z salonu wystawowego po raz ostatni, jestem spokojna i opanowana. Nigdy nie czułam się tak lekko i swobodnie jak w tej chwili. Niczym zwolniony z więzienia skazaniec. Bo tym właśnie stała się dla mnie firma Gulati & Sons – więzieniem dla umysłu. Nienawidziłam codziennego dojazdu do pracy, tłoku i poszturchiwania w metrze, zgiełku Connaught Place, nieznośnych, uciążliwych klientów, trudnego do wytrzymania szefa, apatycznych współpracowników... Żałosny, niekończący się codzienny młyn. Dobrze, że z nim skończyłam.

W metrze wyjmuję książkę Stevena Katzenberga i otwieram na chybił trafił. Natrafiam na cytat z przemysłowca Rama Mohammada Thomasa:

„Więcej wiedzy wyniosłem z życia niż z książek. Nauczyło mnie ono, że do tego, abyśmy byli na tym świecie szczęśliwi, potrzebujemy trzech rzeczy: osoby, którą kochamy, pracy, którą lubimy, i marzenia, dla którego żyjemy".

Rozważam te mądre słowa. Zgodnie z tym kryterium prawdopodobnie nigdy nie będę naprawdę szczęśliwa. Nie mam nikogo do kochania, nie mam pracy, która byłaby kotwicą, ale mam marzenie, dla którego żyję: aby stanąć na czele Grupy ABC.

Staje się to obecnie namiętnością mego życia. Co noc, leżąc w łóżku, śnię o kuszącej obietnicy pięciocyfrowego uposażenia.

Acharya nie odzywa się od ponad miesiąca. Może wciąż wymyśla siódmą próbę? Siódma Próba... I gdy myślę o tym, nagle dopada mnie przekonanie, że już się mogła zacząć! Acharya powiedział, że będzie najtrudniejsza ze wszystkich. A jeśli to on wyreżyserował tę konfrontację z Radżą Gulatim, przygotował dla mnie kolejny kryzys?

Zimny pot występuje mi na czoło. Czy postąpiłam właściwie, odchodząc z pracy w takim stylu? Stawka jest tak wysoka, że pomyłka byłaby teraz katastrofą.

Zdesperowana, sięgam po podręcznik Katzenberga. Szybko go przerzucam i znajduję rozdział 27. Tytuł brzmi: „Sekret numer 25: jak radzić sobie z kryzysem".

Kiedy wracam do domu, Neha kroczy dumnie po pokoju, postukuje obcasami szpilek i wygina biodra niczym modelka na wybiegu.

– Co jej się stało? – zwracam się do Ma.

– Nie mówiła ci? – Ma podaje mi jakąś kopertę. – Dzisiaj przyszło.

W kopercie jest list od mumbajskiej agencji Nova Talent Management, która proponuje mojej siostrze pracę modelki.

– Wiesz, co to znaczy, *didi*, prawda? – Neha w przesadnie czułym geście rzuca mi się na szyję. – To znaczy, że w końcu znalazłam prawdziwe powołanie! Zobaczysz, jaka teraz będę sławna!

– Jesteś pewna, że to przyzwoita, renomowana agencja? – pytam, odplątując z szyi jej ramiona.

– Jedna z najlepszych. Mają nawet umowę z Ford Models z Nowego Jorku. Mówią, że mogę wyjść na wybieg już za miesiąc, na Delhi Couture Week – egzaltuje się. – I uważają, że mam ogromne szanse również na wyborach Miss Indii!

Nie mogę powściągnąć smutku, który, czuję to, wkrada mi się na twarz. Ja właśnie straciłam pracę, a Neha ustrzeliła taki imponujący kontrakt! Ostatnio relacja między mną a siostrą to gra o sumie zerowej: każdemu niepowodzeniu, jakie mnie spotyka, towarzyszy stosowny przypływ fortuny u Nehy.

– A co z twoimi studiami? – pytam chłodno.

– A kto by się martwił o dyplom! – rzuca beztrosko Neha. – Jak zostanę modelką, to zawsze mogę dokończyć studia korespondencyjnie.

Po kolacji wracam do rozdziału dwudziestego siódmego, ale Neha nadal nie pozwala mi się skupić. Krąży wokół mnie jak kot, starając się przyciągnąć moją uwagę. Wreszcie nie wytrzymuję.

– No, co tam znowu? – pytam poirytowana.

Neha nawija loczek na palec. W oczach ma błysk impertynencji.

– Dlaczego przestałaś chodzić do ogrodu?

– A co? Wieczorny spacer to jakiś obowiązek?

– Karan mówi, że zaczęłaś się zachowywać wobec niego bardzo chłodno.

– Nie obchodzi mnie, co mówi Karan.

– Prosił, żebym ci powiedziała, że się wyprowadza.

– Krzyżyk na drogę.

– Naprawdę jesteś niewdzięczna.

– Niewdzięczna? Masz czelność nazywać mnie niewdzięczną po tym, co robiłaś z Karanem?

Neha nieruchomieje.

– Co konkretnie masz na myśli, *didi*?

– Nie udawaj, że o niczym nie wiesz! – Sarkazm w moim głosie zmienia się w gniew.

– Naprawdę nie rozumiem, do czego pijesz – mówi Neha, wciąż udając niewiniątko.

Cała moja stłumiona dotąd gorycz eksploduje.

– Zadajesz się z Karanem za moimi plecami! Oboje robicie mnie w konia!

Neha patrzy na mnie okrągłymi ze zdumienia oczami. Jej szok wygląda na dość autentyczny, po chwili jednak ustępuje miejsca postawie bojowej.

– Musisz to wytłumaczyć dokładniej, *didi* – rzuca klasycznym tekstem złoczyńcy przyłapanego przez policjanta na gorącym uczynku.

– Widziałam zdjęcia was obojga, robione w tym pokoju.

– Zdjęcia? Jakie zdjęcia?

– Skończ z tym udawaniem! Całowałaś się z Karanem, o tu, przy oknie, czy nie?

– Ach, to... – Neha spuszcza wzrok, a na jej twarzy pojawia się w końcu ślad skruchy. – Przyznaję, nie powinnam była tego robić. Ale nie przywiązuj do tego takiej wagi. Nie jestem zakochana w Karanie ani nic z tych rzeczy. Jest zarezerwowany wyłącznie dla ciebie. Po prostu byłam mu taka wdzięczna, że zrobiłam to odruchowo. To zwykłe podziękowanie, nic więcej.

– Podziękowanie? Za co?

– Nie powinnam ci tego mówić, ale to Karan pożyczył mi te dwieście tysięcy na transplantację.

– Co?

– Tak, to prawda. Wszyscy moi znajomi mnie zawiedli. W rozpaczy zwróciłam się o pomoc do Karana. Zachował się fantastycznie. Najpierw poszedł do doktora Natha i zoferował własną nerkę dla Ma, ale jego próba krzyżowa wypadła pozytywnie. A potem biedak posprzedawał różne swoje rzeczy i wziął pożyczkę w pracy, i tak udało się zebrać całą sumę. Chciałam ci powiedzieć, ale mi zabronił. Nigdy nie zdołamy spłacić mu tego długu... Mówię ci, *didi*, jesteś najszczęśliwszym człowiekiem na świecie, że masz takiego...

Nie czekam, aż dokończy. Wybiegam z mieszkania i pędzę na trzecie piętro. Tak mi wstyd! Nienawidzę siebie samej. Tak strasznie skrzywdziłam Karana... Nigdy nie zdołam tego naprawić!

Stukam do mieszkania B-35 jak podróżny osaczony przez burzę, szukający na noc jakiegoś schronienia. Drzwi nie otwierają się tak długo, że niemal tracę nadzieję. Serce mi zamiera na myśl, że Karan już wyjechał – na zawsze...

Już mam się odwrócić i odejść w najczarniejszej rozpaczy, gdy klamka się porusza i przez uchylone drzwi wygląda Karan.

– Tak? – Z rękami na biodrach, patrzy na mnie nieufnie, jak nieznajomy na widok nieznajomego.

– Przyszłam cię poprosić o wybaczenie.

– Za co?

– Za to, że traktowałam cię jak śmiecia... po tym wszystkim, co dla nas zrobiłeś. Neha mi o wszystkim powiedziała.

Patrzy na mnie w osądzającym milczeniu. Wstrzymuję oddech i czekam. Spodziewam się wybuchu słusznego gniewu, gdy wtem Karan wyciąga prawą dłoń w proszalnym geście.

Gapię się na niego, kompletnie pogubiona.

– Zbawienie jest za darmo, *balika**, ale ofiarowanie stu rupii może pomóc – intonuje z powagą guru na kanale Aastha**. Po czym wybucha śmiechem i otwiera szeroko ramiona, jak niedosiężna forteca otwierająca dla mnie swe podwoje.

Ten śmiech to balsam dla mojego serca. Wpadam w jego stęsknione objęcia. Już sam dotyk tej męskiej piersi napełnia

---

* Młoda, niezamężna dziewczyna.
** Kanał telewizyjny poświęcony sprawom duchowym, nadający w Indiach, Wlk. Brytanii, USA i Kanadzie (przyp. tłum.).

mnie taką radością, że zapominam o wszystkim innym. Z oczu płyną mi łzy, a wraz z nimi spływa ból, wstyd, lodowe kostki poczucia winy, przymarzłe do zadziorów duszy.

Karan mi przebaczył. Wszystko będzie dobrze pomiędzy nami. Nic poza tym dla mnie się nie liczy.

Później, wieczorem, mamy dłuższe spotkanie w ogrodzie. Opowiadam mu o wszystkim, co zaszło pomiędzy mną a Acharyą.

– Boże! – Słucha mnie z rosnącym zdumieniem. – Więc to wszystko było ukartowane, tak jak od początku podejrzewałem!

– Tak – przyznaję z zakłopotanym uśmiechem. – Byłam bohaterką prywatnej opery mydlanej, napisanej i wyreżyserowanej przez Acharyę.

– Ten facet wart jest, żeby go zastrzelić! Inwigilował ciebie i całą twoją rodzinę... Próbował nawet i mnie dać detektywa, ale przyłapałem sukinsyna, jak za mną chodzi, i stłukłem tak, że więcej się nie odważył.

– Acharya wspominał mi o tym. Ale tak czy owak, to się niedługo skończy. Czuję, że siódma, końcowa próba już się zaczęła.

Karan ściąga brwi w wyrazie zaskoczenia.

– Chcesz mi powiedzieć, że po tym wszystkim nie powiedziałaś Acharyi: dość? Nadal bierzesz udział w tej gierce?

– Skoro już dotarłam tak blisko mety, czemu nie wytrwać do końca?

– Jak możesz? – Uderza rozpostartą dłonią w ławkę, wzburzony. – Wciąż wierzysz, że ten psychol naprawdę chce cię postawić na czele firmy?

– Słuchaj, to nie psychol. To stary człowiek, który rozpaczliwie szuka następcy. I czuje, że mam odpowiednie cechy, żeby poprowadzić tę firmę.

– To szaleniec!

– Ale niegroźny. Wierzy w określone wartości.

– W takim razie to ty oszalałaś. – Patrzy na mnie wrogo. – Nie wiedziałem, że aż tak zależy ci na kasie.

– Nie! – zaprzeczam z mocą, zaskoczona własną gwałtownością. – Nie samym chlebem człowiek żyje. Zwykłe życie potrzebuje czasem błysku niezwykłości. Potrzebujemy zachwytu, zadziwienia, nadziei! Nawet jeśli oferta Acharyi pozostanie tylko ułudą, to cieszę się, że mi ją przedstawił.

– Może masz rację... – mówi powoli. – Wszyscy potrzebujemy w życiu czegoś ekstra. Tak czy owak, to twoje życie i sama najlepiej wiesz, co robić. Po prostu zależy mi, żebyś była szczęśliwa.

Nasze oczy się spotykają. Ogarnia mnie dziwne wrażenie. Czuję, że świta między nami jakieś cieplejsze porozumienie, nowa relacja, wyprażona w tyglu cierpienia i pojednania.

Może to pełnia księżyca, może coś w powietrzu, jakiś chłodny powiew, który niczym bibuła wyssał z niego wszelką wilgoć, ale nagle czuję przemożne, nieodparte pragnienie, żeby go pocałować. Choć dzieli nas na ławce ze trzydzieści centymetrów, czuję żar jego ciała, który budzi we mnie taki sam żar, pragnienie tak potężne, że to niemal namiętność. Dłonie mi się pocą, oddech staje się krótki, urywany.

Karan chyba czuje te gorączkowe sygnały wysyłane przez moje ciało, bo nagle zmienia temat.

– Czy Neha ci mówiła, że się wyprowadzam z osiedla?

– Tak – kiwam głową. – To prawda?

– Nie cała. Wyprowadzam się nie tylko z osiedla: wyjeżdżam z kraju.

– Wyjeżdżasz z kraju? Ale... dlaczego?

– W Indiach nie brakuje ambicji, Sapna – mówi, patrząc przed siebie w przestrzeń. – Czego brakuje, to możliwości ich realizacji. Dlatego postanowiłem wyjechać do kraju możliwości – Ameryki.

– Ameryki? Tak nagle? – Czuję się jak ktoś, kto zderzył się twarzą ze ścianą.

– Znajomy z Kalifornii zadzwonił do mnie ni stąd, ni zowąd z propozycją fantastycznej pracy. To zbyt dobra okazja, żeby ją przegapić.

– Popełniasz błąd. Cały świat przyjeżdża do Indii, a ty chcesz jechać w przeciwną stronę?

Karan śmieje się gorzko.

– Pozwól, że ci coś powiem, Sapna. W tym kraju nie ma miejsca dla ludzi takich jak my. Tylko bardzo bogaci i bardzo biedni potrafią przetrwać w Indiach. Resztą nikt się nie przejmuje. Nie jesteśmy potrzebni nawet w czasie głosowania.

Czuję, jak na moim sercu zaciskają się lodowate pazury. W duchu krzyczę: „Nie wyjeżdżaj! Kocham cię! Nie mogę żyć bez ciebie!" Ale z moich ust wychodzi tylko:

– A kiedy konkretnie wyjeżdżasz?

– Jutro. Mam już wizę. Samolot mam o ósmej czterdzieści pięć. – Urywa i bierze głęboki oddech. – Teraz, kiedy wyjeżdżam, chcę ci coś powiedzieć.

Ze spojrzenia jego brązowych, marzycielskich oczu, z ruchu jabłka Adama, gdy przełyka ślinę, wnioskuję, że będzie to coś szczególnego. Czuję, że się rumienię. Nasze zaloty osiągnęły moment szczytowy: wreszcie Karan jest gotów, by otworzyć czarną skrzynkę, odsłonić przede mną prawdziwe uczucia. Wrze we mnie milion emocji. Czekam, że powie te dwa magiczne słowa, za którymi od tak dawna tęsknię...

Porusza wargami, ale dwa słowa, które padają z jego ust, są całkiem inne niż te, na które czekałam:

– Jestem gejem.

Już mam szturchnąć go w żebra, że taki z niego jajcarz, ale powstrzymuje mnie wyraz udręki na jego twarzy. To instynktowne potwierdzenie, że mówi prawdę, i widzę, ile mu to przysparza cierpienia.

W pewnym sensie tłumaczy to wszystko: jego dziwny opór przed wejściem ze mną w poważną relację, to, że nie odpowiedział pocałunkiem na mój pocałunek, jego otoczony tajemnicą styl życia, decyzję wyjazdu z Indii. A jednak jest to tak nieoczekiwane, że kręci mi się w głowie.

Nie mam nic przeciwko gejom. To najmilsi ludzie na świecie, cudownie uprzejmi, troskliwi, wrażliwi, lojalni i pozbawieni egoizmu. A jednak to, że Karan okazał się gejem, wydaje mi się jakimś okrutnym żartem. Zaciskam zęby. Co za niesprawiedliwość... To nie jest oburzenie bigotki, tylko zawód odrzuconej kochanki, która nie potrafi pogodzić się z rzeczywistością.

– Mam nadzieję, że nadal będziemy przyjaciółmi – mamrocze Karan pokornie, ze wstydem, i jakby kuli się w sobie. Wygląda tak krucho, że obawiam się, iż jedno niewłaściwe słowo może go dobić. Strasznie mu współczuję.

– Oczywiście, że zawsze będziesz moim przyjacielem, moim najlepszym przyjacielem – mówię i ściskam go mocno. Ale nawet pocieszając go, czuję między nami jakiś nowy dystans. Tak jakby ziemia się rozstąpiła, a my znaleźliśmy się na przeciwległych brzegach rozpadliny. Karan nie jest już mój, nie jest już mój... Ta myśl rozbrzmiewa mi w głowie uporczywie niczym mantra. A może nigdy nie był?

Milczenie między nami wydłuża się, staje się niezręczne.

– Cóż, to życzę ci szczęścia na nowej drodze – mówię z wymuszonym uśmiechem. Po czym odwracam się i wracam do mieszkania.

Wchodzę do sypialni i chowam twarz w poduszkę, tłumiąc łkanie, które grozi pochłonięciem przez otchłań smutku. Karan był obecny w każdym moim marzeniu... i nagle wszystkie te marzenia zostały zburzone, zmielone na pył. Odzyskałam Karana tylko po to, by go stracić na zawsze.

Karan wyjeżdża na lotnisko o szóstej rano. Patrzę z balkonu, jak targa do bramy podniszczoną walizkę, ubrany w biały T-shirt z logo Indusa i wytarte dżinsy. Dhiman Singh, osiedlowy strażnik, wezwał już dla niego autorikszę. Karan, nie oglądając się ani razu, wsiada na tylne siedzenie. Ale gdy autoriksza już ma ruszać, wychyla się i zadziera głowę, szukając wzrokiem balkonu na drugim piętrze. Widzi mnie, unosi z wahaniem rękę w geście pozdrowienia i usprawiedliwienia zarazem, po czym cofa się w głąb pojazdu. Autoriksza rusza w stronę jezdni.

Stoję i śledzę ją wzrokiem, dopóki nie rozmywa się w mglistej dali. Tak samo, jak śledziłam odjazd Nirmali Ben przed miesiącem. Przyjaciele opuszczają mnie jeden po drugim, wyjeżdżając w poszukiwaniu zieleńszych pastwisk...

Tato zawsze mówił, że w życiu chodzi o to, żeby umieć odpuścić i iść dalej. Ale ja nie mogę tak po prostu wymazać Karana z mojego życia, jak wymazuje się błąd na papierze. Ilekroć przechodzę obok jego mieszkania, powracają wspomnienia. Solidny mosiężny zamek na jego drzwiach drwi ze mnie, jest jak chluśnięcie w twarz brudną wodą.

Nawet pogoda sprzysięgła się przeciwko mnie: nieznośny skwar zmienił się w nieznośną duchotę. Chociaż od monsunu dzieli nas miesiąc, powietrze jest parne, niosące obietnicę deszczu. Wilgoć wisi w atmosferze jak ogromny, nadęty balon, który nie zamierza się unieść i odlecieć.

Bez pracy, bez Karana, wypełnia mnie gryząca pustka. Rozpaczliwa potrzeba, by wypełnić tę nagłą próżnię w życiu, popycha mnie w stronę Nehy. Jej entuzjazm wobec czekającej ją kariery modelki jest zaraźliwy. To ten błysk, którego potrzebuję, żeby uchronić się przez spadaniem w głąb króliczej norki wspomnień i żalu. Postanawiam oddać się całym sercem czekającej ją karierze. Cały dzień przeglądamy magazyny na temat mody i gwiazd Bollywood, planując

jej stroje i makijaż. Ale makijaż to dla Nehy za mało, chce
całkowitej zmiany wizerunku. A zacznie od zmiany ucze-
sania.

– *Didi*, włosy są dla modelki bardzo ważne – oświadcza. – Musisz mnie zabrać do najlepszego salonu w mieście.

– Przecież niedaleko naszego osiedla też jest salon –
proponuję. – Sweety Beauty Parlour. Mogę go z czystym
sumieniem polecić.

– Bądź poważna! – Neha się wykrzywia. – Potrzebuję
profesjonalnego fryzjera, a nie przydrożnego golibrody.

Tak więc w sobotę jedenastego lipca, o czwartej po południu, znajdujemy się w nowo otworzonym w śródmieściu
centrum handlowym, City Centre Mall, w sektorze 10.
Mam na sobie biały *churidar* i haftowaną *kurta**. Neha jak
zwykle włożyła dżinsy, a do tego różową koszulkę z Hello
Kitty.

Centrum roi się od weekendowych zakupowiczów,
wydających kasę na dizajnerskie marki. Dziś jest dzień wyprzedaży i w większości sklepów można kupować z dzie-
sięcioprocentowym upustem.

City Centre Mall to nie jest miejsce, gdzie zwykle chodzę
na zakupy. Ceny są tu dość powalające. Ale Neha uparła się,
że zrobi sobie fryzurę tylko i wyłącznie w salonie Naved
Habib Hair, mieszczącym się na drugim piętrze.

Salon wygląda imponująco: współczesny wystrój, modne
dekoracje, ale wystarczy, że rzucam okiem na ceny, i omal
się nie dławię. Strzyżenie wraz z suszeniem i modelowa-
niem kosztuje tysiąc pięćset rupii!!! A ja się czeszę w Sweety
Beauty Parlour za sto siedemdziesiąt pięć... Ale nie żałuję
tej wybulonej kasy. Neha dostała fantastyczną szansę i musi
być wyekwipowana najlepiej, jak się da.

---

* Churidar i kurta – tunika i spodnie, inna odmiana *salvar kameez*.

Moja siostra robi sobie najdroższą fryzurę w mieście, a ja przeglądam od niechcenia w luksusowej drogerii przybory do makijażu. Cienie do powiek L'Oreal, szminka Revlon, tusz do rzęs Max Factor... Ceny są takie, że zaczyna mnie przerażać wizja zakupów kosmetycznych Nehy. Moja gotówka szybko topnieje. Powinnam jak najprędzej podreperować nadszarpnięte finanse i znaleźć nową pracę!

O piątej Neha jest wolna. Muszę przyznać, że stylista zrobił dobrą robotę. W nowej, modnej fryzurze – zaczesana na bok grzywka plus lekkie cieniowanie, podkreślające owal twarzy i śliczne oczy – Neha wygląda bardzo efektownie. Kiedy wychodzimy z centrum, faceci pożerają ją wzrokiem. W ich oczach już teraz jest modelką.

Momentalnie osacza nas stado rikszarzy.

– Pani jedzie ze mną, pani jedzie ze mną! – krzyczą na wyścigi. Bez wahania wybieram podstarzałego mężczyznę w kamizelce i *lungi**. Spalone słońcem ciało lśni od potu.

– Zawiezie nas pan na osiedle LIG w sektorze jedenastym?

– Będzie kosztowało trzydzieści rupii, *memsahib*** – mówi, ocierając szmatą czoło.

– *Arrey*, myśli pan, że jesteśmy cudzoziemkami? – strofuję go. – W tę stronę przyjechałyśmy za dwadzieścia!

– Daj spokój, *didi* – ucisza mnie Neha i ładuje się do środka. Po chwili zastanowienia wsiadam i ja. Nie ma sensu skąpić na dziesięciu rupiach, skoro właśnie przepuściłyśmy piętnaście setek na fryzurę.

Jest sobota, ruch na ulicach umiarkowany, więc bez problemu suniemy w stronę sektora 11. Kiedy skręcamy w Rammurti Passi Marg, dobiega mnie z tyłu warkot motocykla. Po chwili pojazd zrównuje się z nami. Jedzie nim

---

* Kawałek materiału zamotany wokół bioder, sięgający kostek; w przeciwieństwie do *dhoti* jest zszyty na kształt spódnicy.
** Połączenie słów madam i sahib; w kolonialnych Indiach zwracano się tak do Brytyjek, obecnie – do kobiet bogatych i eleganckich.

dwóch młodzieńców w obcisłych dżinsach, obaj w kaskach z opuszczoną na twarz przyciemnioną szybką. Wyglądają jak chuligani, oddający się swemu ulubionemu zajęciu: ocenianiu dziewczyn. Prowadzący podjeżdża do rikszy tak blisko, że niemal ociera się o Nehę. Już mam na niego krzyknąć, gdy dodaje gazu i nas wyprzedza. Ostry powiew rzuca mi w twarz włosy Nehy, a motocyklista zwycięsko unosi zaciśniętą pięść. Drwi sobie z nas...

– Sukinsyny! – mruczę pod nosem.

Parę minut później, gdy jesteśmy przy kompleksie handlowym Metro Walk, znowu słyszę z tyłu zbliżający się warkot. Oglądam się: jedzie za nami tych samych dwóch motocyklistów. Zbliżają się, basowy pomruk silnika narasta.

Coś złowróżbnego jest w tym nękaniu, czuję to... Zanim jednak mam czas wyjąć pieprzowy spray, motor zrównuje się z nami.

Kątem oka widzę, jak siedzący z tyłu odkręca trzymaną w ręce butelkę. Dzwon w mojej głowie uderza na alarm.

– Neha! Uważaj! – krzyczę, i w tejże chwili ulicznik chlusta jej w twarz ciemnym oleistym płynem. Powietrze rozdziera przeraźliwy pisk Nehy.

Motocykl błyskawicznie odjeżdża. Neha wije się na siedzeniu.

– Parzy, *didi*, parzy! – krzyczy rozdzierająco. – Zrób coś, na Boga! Ratuj mnie! – I dopiero teraz sobie uświadamiam, że została oblana kwasem.

Zwija się konwulsyjnie. Kwas spływa jej po włosach, twarzy, sączy się do ust! Próbuje się obetrzeć, i po palcach spływa na ramiona...

Tulę ją do siebie, kompletnie bezradna. Nic nie mogę zrobić, żeby powstrzymać stopniową ruinę jej twarzy. Włosy się palą, skóra topi się jak wosk. Boże, jak ją musi boleć!

– Karetka! Wezwij karetkę! – drę się na rikszarza, który stoi jak słup soli, sparaliżowany przez strach.

Szczęśliwym zbiegiem okoliczności przychodzi nam na ratunek policyjna furgonetka. Błyskawicznie przewozi nas z Nehą do państwowego szpitala Shastri w sektorze 5.

Trzy godziny później wciąż jestem w szpitalu. Trwa niespokojne czuwanie przed salą operacyjną, gdzie chirurdzy walczą o uratowanie mojej siostry.

Na sali Neha waha się pomiędzy życiem a śmiercią; na zewnątrz my z Ma wahamy się pomiędzy zgrozą a histerią.

– Czym zasłużyłyśmy sobie na takie nieszczęście, Iszwar? – pyta Ma swoich bogów, wpatrując się w sufit. Po chwili wybucha rozpaczliwym łkaniem. – Dlaczego Bóg nie zabrał mnie, a nie oszczędził mojej ślicznej jak kwiat, młodziutkiej córki? – szlocha, ściskając mnie za ramię.

Nie mam na to odpowiedzi. Przepełnia mnie furia i pragnienie odwetu. Chcę wyjść, odszukać tych złoczyńców i zrobić to samo, co oni zrobili mojej siostrze. W wyobraźni wydłubuję im oczy, odrywam uszy, miażdżę nosy, obcinam jeden po drugim palce, a gdy błagają mnie o litość, rozwalam im głowy kamieniem.

Ach, gdyby był przy mnie Karan... On jeden mógłby mnie uratować przed grożącym mi pochłonięciem przez otchłań nienawiści. Ale Karan jest o milion kilometrów stąd i nie ma sposobu, żeby się z nim skontaktować.

Atak na Nehę stał się przedmiotem policyjnego śledztwa, do którego przydzielono apodyktycznego podispektora S.P. Bhatię z komendy w Rohini. Głowa pęka mi z bólu od nieustannego przesłuchiwania.

– Czy rozpoznała pani tych dwóch młodych na motocyklu?

– Nie. Byli w kaskach z osłoną, więc nie widziałam ich twarzy.

– Czy jest ktoś, kto chciałby się za coś zemścić na pani siostrze?

– Nie wiem. Tylko psychopata i szaleniec mógł coś takiego zrobić.

– Zna pani w Delhi jakiegoś psychopatę albo szaleńca?

– Nie. A pan?

– Czy pani siostra ma chłopaka?

– Może. Nie wiem dokładnie.

– Jak pani sądzi, czy może to być robota jej byłego chłopaka?

– Nie wiem.

– Wygląda na to, że niewiele pani wie o własnej siostrze.

– Może i nie wiem.

Pociera z namysłem podbródek.

– Czy możliwe jest, że to pani miała być ofiarą ataku, a nie siostra?

Pytanie mnie zaskakuje.

– Ja? Dlaczego ktoś miałby chcieć zrobić mi krzywdę?

– To ja panią o to pytam. Ma pani w szafie jakieś trupy?

– Nie, skąd.

– Niech pani nie będzie taka pewna. Każdy ma coś wstydliwego do ukrycia. Każdy człowiek jest potencjalnym przestępcą, a linia graniczna pomiędzy równowagą a szaleństwem jest bardzo cienka.

– Wiem – kiwam głową. – Właśnie na niej stoję. Jeśli nie znajdzie pan człowieka, który to zrobił, oszaleję.

– Całe miasto oszalało – wzdycha. – Zwolennicy posła Anwara Nooraniego wszczęli dziś po południu rozruchy na rynku w sektorze siódmym. Protestują przeciwko jego aresztowaniu.

– Boże! – wykrzykuję. W jednej chwili powraca wspomnienie rozmowy z Shalini Grover. Anwar Noorani to niebezpieczny człowiek, przestrzegała mnie... Atak na Nehę idealnie pasuje do jego mściwej natury i niestabilnego temperamentu.

Chwytam podinspektora za ramię.

– To robota Nooraniego – mówię z przekonaniem, zrodzonym z kobiecego instynktu

– Ale przecież on siedzi za kratkami w Tihar.

– Babloo Tiwari siedział za kratkami w Tihar, a nie przeszkodziło mu to w prowadzeniu całego tego biznesu z kidnapingiem i wyłudzaniem okupu. Niech pan natychmiast idzie i przesłucha Nooraniego! Jestem pewna, że to on zorganizował napad na Nehę. W odwecie za to, że przyczyniłam się do ujawnienia jego nerkowego biznesu.

Podinspektor Bhatia słucha mnie cierpliwie, ale jego spojrzenie sugeruje, że jest przekonany, iż traci czas. Wreszcie zatrzaskuje notebooka i zwraca się do Ma:

– Będę chciał przesłuchać młodszą córkę, jeśli odzyska świadomość.

Ma wpatruje się w niego, zszokowana, i znowu wybucha płaczem.

– Kiedy odzyska świadomość, chciałem powiedzieć – poprawia się pośpiesznie podinspektor.

W szpitalu Shastri specjalistą od oparzeń jest doktor Atul Bansal, łagodny czterdziestoparolatek w okularach. Ma w sobie znużony stoicyzm skazańca z celi śmierci. Nie dziwię mu się. Ze wszystkich szpitalnych oddziałów sala poparzeń jest najbardziej przerażająca, nieustannie przesiąknięta tragedią. O każdej porze dnia przybywają ofiary poważnych poparzeń. Przyczyny są różne – wybuch gazu, kwas, elektryczność – ale efekt jest ten sam: potwornie zniekształcone twarze, odsłonięte, zwisające fragmenty mięśni, skóra w bąblach i ranach. Rozbrzmiewające po korytarzu krzyki i jęki poparzonych to dość, aby człowiek modlił się o czasową głuchotę.

– Neha ma wielkie szczęście – mówi doktor Bansal, odprowadzając nas z Ma na oddział intensywnej terapii, gdzie przeniesiono Nehę po operacji. – Tylko czterdzieści procent skóry ma oparzone, głównie z prawej strony twarzy, szyi i klatki piersiowej. Spokojnie mogła stracić oczy i uszy.

Z naprzeciwka nadjeżdża łóżko z pacjentem. Zerkam na jego twarz i natychmiast odwracam wzrok, przerażona. To mężczyzna w średnim wieku, mniej więcej pięćdziesięcioletni. Na twarzy w ogóle nie ma skóry i w rezultacie jest ona nie tyle zdeformowana, co bezkształtna. Tak jakby mięśnie, kości i tkanka wciąż jeszcze były w trakcie rozwoju, wypracowywały wzajemną przeplatankę krwi, włókien, nerwów i naczyń, nadającą strukturze siłę i witalność. Ale ten proces wydaje się przerwany, zanim zdołała się uformować ostatnia warstwa, i w rezultacie widać masę nagiego mięsa o szczególnym purpurowym odcieniu. Tam, gdzie zostały resztki skóry, utworzyły się przejrzyste pęcherze, tak jakby włożono temu człowiekowi głowę do wrzątku i twarz mu zakipiała.

– Niepiękny widok, co? – zauważa rzeczowo doktor Bansal. Nic dziwnego – on takie rzeczy ogląda na co dzień.

– Kto mu to zrobił?

– Żona. Byli małżeństwem trzydzieści lat.

Unoszę brwi, zdumiona.

– Wiem, musi to być dla pani zaskoczenie. Osiemdziesiąt procent trafiających tu ofiar to kobiety. Typowe sytuacje wymuszania posagu większego, niż ustalono przy zawieraniu małżeństwa. Ten przypadek to wyjątek. Człowiek znęcał się nad żoną przez całe lata, codziennie ją bił. Wczoraj zemściła się na nim. Kiedy spał, wylała mu na twarz kwas siarkowy. Oszpeciła go i oślepiła do końca życia.

Mogę się tylko domyślać, co musiała przeżywać kobieta, skoro zdecydowała się podjąć tak straszliwy i nieodwołalny krok.

– Co z nią teraz będzie?

– Pewnie spędzi resztę życia w więzieniu – mówi doktor Bansal, klucząc pomiędzy grupkami pacjentów, krewnymi i pielęgniarkami. Oddział intensywnej terapii przypomina scenę po bitwie z jakiegoś wojennego filmu: wszędzie pełno pokiereszowanych, okaleczonych ciał w różnych stadiach naprawy. Łóżko Nehy znajduje się na samym końcu sali, tuż przy białej ścianie, której spękania przypominają pajęczą sieć. Małe, kwadratowe okno wychodzi na główny dziedziniec szpitala.

Podchodzę ze ściśniętym gardłem. Twarz mojej siostry spowijają bandaże, tak że widać tylko oczy. Biorę ją za rękę i delikatnie ściskam. Neha natychmiast cofa dłoń, jak od trędowatej, i chwyta rękę Ma. Jeszcze ostrzejszy ból ściska mi serce.

W zachowaniu Nehy wobec mnie jest chłód graniczący z wrogością. Być może wydaje jej się, że nie zrobiłam dość, żeby ją ochronić. Albo że to, co się stało, to w jakimś sensie moja wina...

Odwołuję doktora Bansala na bok.

– Czego mamy się spodziewać, kiedy zdejmą jej bandaże? – pytam.

– Twarzy na zawsze pokrytej bliznami. To będzie bolesne przeżycie, zarówno dla niej, jak i dla pani.

Ciężki szloch wyrywa mi się z piersi. Doktor Bansal krzywi się ze współczuciem.

– Neha, którą pani znała, odeszła na zawsze. Im wcześniej pani to zaakceptuje, tym lepiej.

– Czy nie można jakoś przywrócić jej dawnej twarzy?

– Oczywiście, że można. Ale potrzebne są całe lata operacji plastycznych i rekonstrukcyjnych. I będzie to panią kosztować setki tysięcy rupii.

– Zdobędę te pieniądze – mówię z gorączkową determinacją. Wyjmuję telefon, wychodzę na korytarz i wybieram numer Acharyi.

Odbiera niemal natychmiast.

– Czy to troszkę nie za późno, Sapno, żeby do mnie dzwonić?

– Nigdy pana o nic nie prosiłam – przechodzę od razu do rzeczy – ale dziś potrzebuję pańskiej pomocy. Potrzebne mi są pieniądze na operację plastyczną dla mojej siostry Nehy.

– Co się stało?

– Ktoś ją oblał kwasem. Jest w szpitalu, walczy o życie.

– Css, css – cmoka. – Coś takiego... Jakież to smutne. Czy już aresztowano chłopaków, którzy to zrobili?

– Chłopaków? – Urywam zaskoczona. – A skąd pan wie, kto to zrobił? I że było ich więcej niż jeden? Nic o tym nie mówiłam!

Acharya dłuższą chwilę milczy.

– Po prostu... po prostu tak pomyślałem, że to musiała być więcej niż jedna osoba.

– Boże! Czyli że to pan zorganizował ten napad! – Niczym piorun uderza we mnie ta świadomość. – Czy to był kolejny pański obłąkany test?

– Chwileczkę, proszę nie wyciągać pochop...

– Jak pan mógł?! – wrzeszczę, odruchowo zaciskając pięści. – Jest pan szaleńcem! Przekroczył pan wszelkie granice!

– Nie mam pojęcia, o czym pani mówi.

– Niech pan nie kłamie! To pan zorganizował ten atak, tak?

– Oczywiście, że nie ja. Ale owszem, powiedziałem pani, że ostatnia próba będzie najcięższa.

– Dlaczego musiał pan to zrobić mojej siostrze?!

– Nie ja. Bóg. Czy nie mówiłem też pani, że mogą być pewne... no, koszty uboczne?

– Zmasakrowanie komuś twarzy nazywa pan kosztem ubocznym?!

– Japończycy mają takie powiedzenie: *shikata ga nai*, co oznacza: nic na to nie można poradzić. Trudności trzeba przetrzymać.

Jego pretensjonalne moralizowanie tym bardziej mnie rozwścieca. O czym tu więcej mówić? Wszystkie złudzenia, jakimi żyłam od pięciu miesięcy, roztrzaskały się na pył. Karan miał od początku rację... Acharya to nieobliczalny sadysta, a ja byłam patentowaną idiotką, godząc się na rolę pionka w jego szatańskim planie!

Ślepa z nienawiści wbiegam z powrotem na salę. Zalewa mnie fala pierwotnej, nieopanowanej wściekłości i gniewu. Ręce mnie świerzbią, żeby złapać Acharyę za gardło i ścisnąć, aż oczy wyszłyby mu z oczodołów.

– Jest pan potworem! Zabiję pana! – wrzeszczę do telefonu. Inni obecni na sali odwiedzający gwałtownie podnoszą na mnie wzrok. Pielęgniarka marszczy brwi.

– Proszę o ciszę – przypomina, przykładając palec do ust.

– Niepotrzebnie się pani denerwuje – mówi Acharya. – Może przyjechałaby pani do willi Prarthana? Wszystko pani wytłumaczę.

– Przyjeżdżam, i to już. Czekaj na mnie, ty sukinsynu. – Wciskam „zakończ" i wybiegam z sali.

Na dworze pogoda krańcowo się zmieniła. Parny upał ustąpił miejsca ulewie. Nietypowa o tej porze roku, jest więc tym bardziej niepokojąca. Czarne jak smoła niebo przecina wielki błękitny nóż błyskawicy. W chwilę później złowieszczy huk pioruna wstrząsa zadaszonym przystankiem po przeciwnej stronie ulicy. Bez parasola przemakam w jednej chwili do nitki, ale to nieważne. Nieważne jest i to, że od lunchu nie miałam w ustach ani kęsa. Nic się nie liczy, wyłącznie moje pragnienie zemsty.

Dopiero po dziesięciu minutach udaje mi się znaleźć autorikszę. Podaję rikszarzowi adres Acharyi w Vasant Vihar.

– Będzie panią kosztowało dwieście rupii – mówi obojętnie, podwajając normalną stawkę.

– Dam panu trzysta. Tylko proszę mnie tam zawieźć jak najszybciej.

Jedziemy w ulewnym deszczu i porywistym wichrze. Przez całe czterdzieści pięć minut jazdy zachowuję kamienne milczenie. W głowie mam wyłącznie potworny pisk Nehy, w ramionach trwa pamięć jej wijącego się z bólu ciała. Bandaże spowijające jej twarz powiewają mi przed oczami, blokując dostęp wszelkiej innej myśli. Mój świat został porwany na strzępy i nie da się go złożyć na powrót w całość. A teraz jadę, żeby zakończyć świat Acharyi, rzucić mu w twarz moje oskarżenie z samego dna piekła...

Autoriksza zbliża się do działki numer 133-C. Serce silniej mi bije. Zaciskam i otwieram dłonie.

Przed imponującą bramą willi Prarthana zatrzymuje mnie dwóch typów ze słuchawkami z mikrofonem.

– Pani jest Sapna Sinha? – pyta jeden i świeci mi latarką w twarz.

– Tak – odpowiadam.

Machnięciem kieruje mnie w stronę budki strażniczej, gdzie dwóch umundurowanych ochroniarzy zaczyna się ze sobą spierać.

– *Jaane de na*. Niech idzie – mówi jeden. – Szef uprzedził, że mamy się jej spodziewać.

– Nie – protestuje drugi. – Nikogo nie wolno wpuścić bez dwukrotnego porozumienia z szefem. – Bierze słuchawkę bramofonu i wciska guzik. – Panie szefie, przyszła panna Sapna Sinha.

– Dawaj ją – słyszę mrukliwy głos Acharyi. Ochroniarz kiwa głową i podaje mi parasol.

Rzucam mu gniewne spojrzenie.

– Uważa pan, że mam iść w tym deszczu piechotą? Nie mogę podjechać do rezydencji autorikszą?

– Przykro mi, proszę pani, ale autoriksze mają zakaz wjazdu na teren posiadłości. Pan Acharya dał nam ścisłe instrukcje w tej sprawie. Musi pani iść piechotą. Zajmie to pani najwyżej pięć minut.

– Proszę tu poczekać – zwracam się do rikszarza, kręcąc głową na tę śmieszną zasadę. – To nie potrwa długo.

Patrzy na niebo. Nie ma żadnych oznak, by deszcz miał słabnąć. Rzuca okiem na wyludnioną ulicę. Wątpliwe, by znalazł się teraz jakiś nowy klient.

– Nie ma sprawy – mówi, wkładając do ust świeży *paan*. – Doliczę pani kolejne sto rupii za postój.

Rozkładam parasol i ruszam długim, krętym podjazdem. Wiatr się wzmaga, jego gwizd w przystrzyżonych żywopłotach brzmi jak jakaś upiorna kołysanka. Deszcz bębni o parasol i spływa strumieniami z czarnego winylu. Brnę w stronę domu, w butach mi chlupie, a mokry *churidar* przywiera do ciała jak druga skóra.

W połowie drogi ścieżka skręca w prawo, a za zakrętem drogę zagradzają mi dwa złe z wyglądu psy. Na mój widok wydają głuchy pomruk. To dobermany, oczy świecą im w ciemności niczym latarki, czarna gładka sierść połyskuje jak wilgotna skała. Choć są uwiązane do drzewa, obchodzę je najdalej, jak się da, przeciwległą krawędzią ścieżki. Kolejny błysk pioruna rozdziera niebo, rezydencja świeci przez chwilę na czarnym tle niczym fotograficzny negatyw, kolejny poryw wichru niemal wywraca parasol na drugą stronę.

Dotarcie do ganku i schronienie się pod jego dachem odczuwam jak gigantyczne zwycięstwo. Składam parasol, otrząsam mokre włosy i naciskam dzwonek.

Czekam blisko dwie minuty, ale nikt nie otwiera. Dzwonię jeszcze raz. Cisza. Dopiero wtedy spostrzegam, że drzwi są niedomknięte. Popycham je i wchodzę. Natrafiam na dizajnerską wycieraczkę z powitalnym napisem i niemal odruchowo wycieram tenisówki z nadmiaru wilgoci.

– Panie Acharya? – wołam. Odpowiada mi wyłącznie echo własnego głosu, odbite od marmurowych ścian foyer.

Ta dziwna cisza zaczyna być niepokojąca. Kiedy byłam tu ostatnio, w domu roiło się od służących. Dziś przypomina nawiedzony przez duchy zamek. Idę przez rozległe, puste pokoje, wyglądające tajemniczo i złowrogo. Cienie na ścianach zdają się śledzić każdy mój ruch, namawiać się szeptem w odpowiedzi na odgłos poskrzypywania gumowych podeszew na deskach podłogi. Mijam bawialnię, jadalnię, wchodzę do gabinetu... Też pusty. Uchylam drzwi do przyległej sypialni i zaglądam do środka.

Słaby reflektorek rzuca mdłe światło na portret ojca Acharyi. Reszta pokoju pogrążona jest w kompletnej ciemności.

Pokój jest w zasadzie taki sam jak ostatnio. To samo mahoniowe łóżko z fioletową pościelą, to samo lustro w czarnej onyksowej ramie i stolik pod ścianą, zastawiony rodzinnymi fotografiami. Jedyna różnica to wielki 65-calowy telewizor Sony, zainstalowany na ścianie naprzeciw łóżka.

– Panie Acharya! Gdzie pan jest? – wołam. Wzbiera we mnie zniecierpliwienie i złość. Najwyraźniej celowo mnie unika! Łazienka to najbardziej prawdopodobne miejsce, gdzie mogę go znaleźć. Idę w stronę solidnych dębowych drzwi w przeciwległej ścianie, gdy wtem słyszę pod butami jakiś mlaszczący odgłos. Pochylam się i natychmiast cofam, przerażona. Wdepnęłam w jakąś czerwoną kałużę... Z miejsca staje się jasne, że to krew, rozlana po podłodze jak plama oleju. Całe podeszwy mam we krwi!

Skąd wypływa?! Gorączkowo patrzę po podłodze, szukając źródła. Ślad prowadzi wokół łóżka i kończy się czymś, co sprawia, że zamieram. Na podłodze po drugiej stronie łóżka leży na podłodze jakieś ciało... Wygląda na to, że to mężczyzna w białej jedwabnej *kurta pyjama*. Z miejsca, gdzie stoję, nie widzę twarzy, ale ewidentnie nie żyje: z brzucha, niczym świeczka na urodzinowym torcie, sterczy mu nóż o drewnianej rączce.

Krzyk wzbiera mi w gardle i zamiera. Pierwszy raz w życiu jestem świadkiem morderstwa. Czuję falę mdłości, zginam się wpół i o mało nie wyrzyguję żołądka. Błyska mi w głowie scenariusz, odmalowany kiedyś przez Karana: późnym wieczorem Acharya wzywa mnie do siebie do domu. Nie zastaję go tam, lecz znajduję zwłoki – i morderstwo zostaje przypisane mnie. W wersji Karana miało to być ciało żony Acharyi; tu i teraz mam przed sobą zwłoki mężczyzny. Patrzę na nie i czuję, jak ulatnia się i moja odwaga, i zaintrygowanie. Wiem, że wpadłam w pułapkę, którą zastawił na mnie Acharya. Lada moment wpadną tu ochroniarze, spuszczą psy... Widzę w wyobraźni, jak rzucają się na mnie i ostrymi zębami wyrywają mi kawały ciała, i włosy stają mi dęba. Nie, nie mogą mnie nakryć na miejscu zbrodni! Muszę udawać, że niczego nie widziałam, i jak najszybciej stąd uciec.

Bez namysłu ściągam tenisówki i wymykam się z sypialni. Ostrożnie idę własnym śladem do drzwi, wychodzę, obuwam się, po czym otwieram parasol i możliwie normalnym krokiem ruszam z powrotem do bramy.

Niemal podskakuję na odgłos głuchego warkotu. Ach tak, psy... Na mój widok zaczynają mnie wściekle obszczekiwać, tak jakby jakiś szósty zmysł już im powiedział, że w willi jest morderca. Przekradam się koło nich z duszą na ramieniu. Napięcie sięga zenitu.

Wreszcie jestem za zakrętem i psy tracą mnie z oczu. Staram się uspokoić i wyrównać oddech: zbliżam się do budki strażniczej.

– Szybko poszło – zauważa ochroniarz, kiedy zwracam mu parasolkę.

– Tak – mówię ze słabym uśmiechem. Wsiadam do czekającej autorikszy i szturcham drzemiącego za kierownicą rikszarza.

– Z powrotem do Rohini. Szybko.

Ten patrzy na mnie bacznie.

– Wszystko w porządku? Wygląda pani, jakby zobaczyła ducha.

– Proszę nie gadać, tylko jechać – rzucam przez zaciśnięte zęby.

Wzrusza obojętnie ramionami, spluwa sokiem *paanu* i zapala silnik. Ten odmawia posłuszeństwa. Moje i tak już napięte nerwy napinają się jeszcze bardziej. Ręce mam zimne i wilgotne, serce wali mi gwałtownie, w żołądku przewraca mi się jak w betoniarce. W końcu silnik z rykiem odpala, ale nie potrafię się dłużej powstrzymać. Odjeżdżamy raptem o jakieś pięćdziesiąt metrów i wymiotuję na tylne siedzenie.

Jasne światła szpitala są jak upragnione schronienie przed światem koszmaru, z którego uciekłam. Nawet zmasakrowane twarze na sali oparzeń wydają się lepsze niż ciało zamordowanego w Prarthanie mężczyzny.

Choć jest już po północy, Ma wciąż tkwi przy łóżku Nehy.

– Dokąd tak nagle poszłaś? – pyta.

– Do chirurga plastycznego na konsultację – kłamię jak z nut.

– I co powiedział? Da się odtworzyć twarz Nehy?

– Tak, ale nie będzie nas na to stać.

Ma odwraca się. Spodziewała się tego.

– Pomówię z Nirmalą Ben. Może będzie mogła nam pomóc zebrać pieniądze…

– Może wrócisz do domu? – Kładę jej rękę na ramieniu. – Ja tu zostanę z Nehą.

– Moim domem stały się teraz szpitale – odpowiada. – To ty jedź do mieszkania i odpocznij.

Wyglądam przez okno. Deszcz ustał, ale powietrze jest wciąż naładowane elektrycznością. Straszliwa chmura morderstwa wisi nad miastem jak całun.

Siadam na wolnym krześle przy łóżku Nehy. Zamykam oczy i próbuję uporządkować myśli, wprowadzić jakiś ład w ten zamęt, który mam w głowie. Acharya wynajął dwóch młodziaków, żeby oblali Nehę kwasem. Potem załatwił kogoś w swojej rezydencji i postarał się, żeby przypisać morderstwo mnie, ale udało mi się w porę wywinąć. Niemniej policja będzie zmuszona mnie przesłuchać. Jestem zdecydowana o wszystkim im powiedzieć. Opowiem o perwersji tych siedmiu prób, ujawnię przed światem prawdziwą twarz Vinaya Mohana Acharyi. O pewnych rzeczach jednak nie powiem. Na przykład o tym, że byłam w sypialni Acharyi i widziałam zwłoki.

Idę do łazienki i sprawdzam ubranie. Nie ma na nim żadnych krwawych śladów. Zdejmuję tenisówki i spłukuję je starannie pod kranem, usuwając z podeszew wszelkie pozostałości krwi. Potem wracam na krzesło i próbuję zasnąć, ale wciąż, niczym w gorączce, majaczą mi w głowie tamte zwłoki. Zwiduje mi się nóż, dynda mi przed oczami, tuż-tuż, ale dosięgnąć go nie sposób... Nie sposób spać, nie sposób odpocząć, nie sposób udawać, że nic się nie stało.

W końcu wyczerpanie i głód biorą górę i około czwartej nad ranem zapadam w niespokojną drzemkę – tylko po to, by po półgodzinie obudziło mnie szturchnięcie policyjną pałką.

– Pani Sapna Sinha? – zwraca się do mnie funkcjonariusz. Za nim widzę z pół tuzina innych umundurowanych policjantów.

Potwierdzam kiwnięciem głowy, wciąż jeszcze oczadziała od snu. Ma natychmiast się prostuje; instynkt macierzyński wyraźnie dał już jej znać, że dzieje się coś niedobrego.

– Jest pani aresztowana – mówi policjant.

– Za co?

– Za zamordowanie Vinaya Mohana Acharyi.

Momentalnie trzeźwieję.

– Chyba pan żartuje.

336

– Czy pani zdaniem to żart? – Pokazuje mi nakaz aresztowania z moim nazwiskiem.

– To musi być jakaś po...

Ma nawet nie daje mi dokończyć zdania. Wydaje skowyt bólu i mdleje.

Areszt to bez wątpienia najbardziej druzgocące doświadczenie w życiu. Rozszczepia twój świat na pół, na czas przed i po aresztowaniu. Nieoczekiwanie człowiek zostaje wyjęty z dotychczasowej codzienności, rozłączony z rodziną i przyjaciółmi, i ciśnięty w skrajnie obcą rzeczywistość.

Przewożą mnie na komendę Vasant Vihar, gdzie zostaje mi postawiony zarzut morderstwa. Biorą mi odciski palców, materiał do badań DNA i robią policyjne zdjęcia. Przeszukują moje mieszkanie i zabierają komputer wraz z osobistym dziennikiem. Ubranie, które miałam wczoraj na sobie, buty i komórka zostają skonfiskowane. Przewożą mnie do magistratu, który odmawia zwolnienia za kaucją i odsyła na siedem dni do policyjnego aresztu.

Teraz jestem zdana na łaskę i niełaskę zastępcy komisarza I.Q. Khana. Wysoki, schludny, o wyrazistych rysach i starannie przystrzyżonym wąsiku, zupełnie nie przypomina policjanta. Ma w sobie z jednej strony coś z żołnierza, z drugiej – ogładę i wdzięk starego arystokraty.

Jako bezpośredni dozór przydzielono mi policjantkę nazwiskiem Pushpa Thanvi. Z nadwagą, biuściasta, o brzydkiej cerze i głosie kaczki chorującej na zapalenie krtani, jest ze mną złączona niczym syjamska siostra. Śledzi mnie wzrokiem jak jastrząb i ma irytujący zwyczaj szturchania mnie, kiedy chce zwrócić moją uwagę.

Jeszcze bardziej męczące jest nieruchome spojrzenie wicekomisarza Khana, kiedy siedzę naprzeciw niego. Wyczerpanie poprzedniej nocy w połączeniu z całą tą krzątaniną od samego rana wyssały ze mnie wszelkie siły. Jedyna myśl, jaką mam w głowie, to że to jakiś koszmarny sen, z którego się niedługo obudzę.

Spotykamy się z wicekomisarzem w jego gabinecie. Pomieszczenie jest obszerne i posępne, a ciężkie aksamitne zasłony potęgują wrażenie duszności. Ściany zdobią oprawione w ramki zdjęcia Gandhiego, Nehru i Subhasa Czandry Bosego oraz motywacyjne cytaty z Einsteina i Khalila Gibrana. Telewizor Philips LCD na ścianie jest wyłączony, ale wiszący obok ścienny zegar pracowicie odlicza sekundy pozostałe do trzeciej pięćdziesiąt pięć po południu.

– Czy jest pani gotowa się przyznać? – pyta, patrząc mi w oczy.

Odwracam wzrok. Usycham pod tą bezlitosną, czujną obserwacją.

– Nie mam do czego się przyznać.

– Czy była pani wczoraj wieczorem w domu pana Acharyi, czy nawet temu pani zaprzecza?

– Owszem, byłam, ale go nie zabiłam. Mówiąc dokładniej, nawet się z nim nie widziałam. Dzwoniłam dość długo, ale nikt nie otwierał. Wobec tego wróciłam do szpitala.

– Więc nie znalazła pani w sypialni jego zwłok?

– Nie. Nie wchodziłam do sypialni. Prawdę mówiąc, nadal nie wierzę, że on nie żyje.

– W takim razie proszę spojrzeć na to zdjęcie – mówi i przesuwa ku mnie po blacie lśniącą odbitkę.

Jest to oficjalne zdjęcie zamordowanego, zrobione przez policyjnego fotografa. Widać na nim woskowo bladą twarz, okoloną srebrną grzywą włosów. Tak, rzeczywiście wygląda, że to Vinay Mohan Acharya. Leży w kałuży krwi, ubrany w białą jedwabną *kurta pyjama*. Oczy ma otwarte, ale widać, że nie żyje. Na twarzy zastygł grymas bólu, z zakrwawionej piersi sterczy rękojeść noża.

Wstrząsa mną mimowolny dreszcz. Choć widziałam zwłoki na własne oczy, nie mogę pozbyć się wrażenia nierealności tej śmierci, tak jakbym wciąż się spodziewała, że lada chwila Acharya wkroczy na posterunek i oświadczy: „Oblała pani siódmy test!"

Jedyne, czego nie czuję, to smutek. Acharya popełnił straszną zbrodnię i zasłużył na śmierć. Ale kto go zabił i dlaczego? Trzeba dopiero rozwiązać tę zagadkę.

Przesuwam zdjęcie z powrotem w stronę wicekomisarza Khana.

– Kto odkrył zwłoki?

– Doktor Kabir Seth, osobisty lekarz pana Acharyi. Przez cały zeszły tydzień Acharya był w szpitalu Tata Memorial w Mumbaju. Wrócił do Delhi zaledwie wczoraj. Wieczorem zadzwonił do doktora Setha. Skarżył się na złe samopoczucie i poprosił o przyjazd. Kiedy tuż przed północą doktor Seth dotarł do willi, zastał pana Acharyę leżącego na podłodze w kałuży krwi. Natychmiast zawiadomił ochronę przy bramie, co powinna była zrobić pani, jeśli to nie pani zamordowała pana Acharyę.

– Dlaczego sądzi pan, że to ja go zamordowałam?

– Spójrzmy na fakty. Co najmniej dwadzieścia osób w szpitalu Shastri słyszało o godzinie dwudziestej drugiej zero zero, jak krzyczy pani do telefonu, grożąc panu Acharyi, że go zabije. Przybyła pani do jego domu w ulewnym deszczu o dwudziestej drugiej pięćdziesiąt osiem. Strażnik przy bramie osobiście rozmawiał z panem Acharyą przez bramofon i otrzymał od niego polecenie, żeby panią wpuścić.

– Tak, ja też go słyszałam.

– A więc sama pani potwierdza, że o dwudziestej trzeciej zero zero żył. Lekarz sądowy określił czas zgonu jako nie wcześniej niż dwudziesta druga zero zero i nie później niż dwudziesta trzecia piętnaście. Skoro o dwudziestej trzeciej zero zero pan Acharya żył, oznacza to, że został zamordowany pomiędzy dwudziestą trzecią zero zero a dwudziestą trzecią piętnaście. W tym okresie była w domu tylko pani. A więc tylko pani mogła zabić pana Acharyę.

– Skad pan wie, że tylko ja byłam w domu? Faktyczny morderca musiał się schować w środku.

– Prarthana to forteca. Nawet ptak nie wleci tam bez pozwolenia. W sobotę jedenastego lipca na teren posiadłości weszło tylko dwoje odwiedzających. Jeden to Rana, prawa ręka Acharyi. Przybył o dziewiętnastej trzydzieści, spędził z panem Acharyą godzinę i wyszedł o dwudziestej trzydzieści pięć. Drugą osobą była pani. – Urywa i sprawdza notatki, po czym podejmuje: – Pan Acharya wrócił z Mumbaju o dziesiątej zero zero i od tej pory nie wychodził z domu przez cały dzień. Lunch zjadł jak zwykle o trzynastej trzydzieści, a kolację o dziewiętnastej zero zero. Następnie odprawił na noc całą służbę, mówiąc, żeby mu pod żadnym pozorem nie przeszkadzano. O dwudziestej trzydzieści wszyscy służący opuścili dom. Rana wyszedł pięć minut później, o dwudziestej trzydzieści pięć. Od tej chwili aż do pani przybycia nikt do domu nie wchodził. Ochrona przy bramie jest tego absolutnie pewna. Co oznacza, że kiedy weszła pani do willi Prarthana, jedynymi osobami w domu byliście wy dwoje: pani i pan Acharya. Dziesięć minut później on nie żył, a pani uciekała autorikszą z miejsca przestępstwa. – Urywa i znowu przygważdża mnie wzrokiem. – A zatem, dlaczego zabiła pani pana Acharyę? Z tego, co wiem, był miłym, życzliwym człowiekiem. Fontanną dobroczynności.

– Był potworem – syczę przez zaciśnięte zęby. – Nic pan o nim nie wie. Zniszczył życie Nehy, a teraz zniszczył także i moje. A wszystko przez te odjechane siedem prób...

– Jakie siedem prób?

Biorę głęboki oddech.

– Wszystko zaczęło się od tego, że któregoś dnia, zimą tego roku, zaczepił mnie w świątyni Hanumana...

Mówiąc nieprzerwanie przez ponad godzinę, opowiadam mu wszystko: od tamtego pamiętnego spotkania w Connaught Place aż do napadu na Nehę.

Wicekomisarz Khan słucha mnie z niezwykłą uwagą, robiąc notatki. Kiedy kończę, robi głęboki wydech, pociera z namysłem nasadę nosa i cytuje zwrotkę wiersza w urdu:

– *Katl bhi hue hain hum aur kasoorwar bhi hum the/ /Apne hi katil se ishq me giraftar bhi hum the*' (Jestem zarówno zamordowany, jak i winny zbrodni/Moja wina: kochałem własnego mordercę).

– Acharya nie był we mnie zakochany, a ja nie byłam zakochana w nim – poprawiam go.

– Zobaczymy – mówi. W tej chwili do gabinetu wchodzi podinspektor i zgrabnie salutuje.

– *Jai Hind**, sir. Pełno mediów zebrało się przed posterunkiem. Co mam im powiedzieć?

Wicekomisarz Khan wzdycha ze zniecierpliwieniem.

– Powiedz, że zaraz do nich wyjdę. – Wstaje z krzesła. – Pilnuj jej – zwraca się do Pushpy Thanvi i długim krokiem wychodzi z gabinetu.

Teraz, gdy jesteśmy tylko we dwie, na twarzy Pushpy pojawia się uśmieszek zadowolenia. Podchodzi do okna, rozchyla ciężkie zasłony i wygląda na zewnątrz.

– Wszyscy są – chichocze.

– Jacy wszyscy?

– Aaj Tak, Zee News, Star, IBN-7, NDTV, Sunlight, ITN... Wygląda na to, że w końcu spełni się moje marzenie, żeby mnie pokazali w telewizji. – Wyjmuje lusterko z puderniczką i szybko sprawdza zęby.

---

* *Jai Hind* (hind.) – niech zwyciężą Indie – polityczne hasło i rodzaj pozdrowienia.

Wicekomisarza Khana nie ma ponad godzinę. Kiedy wraca, jego język ciała jest zupełnie inny.

– Mam nadzieję, że rozumnie wykorzystała pani tę przerwę i zdecydowała się pokajać – mówi, stojąc nade mną i patrząc na mnie bacznie.

Siedzę, wpatrując się w zadumie w cementową posadzkę, i wyskubuję nitki z mojego błękitnego kostiumu *salvar*. Khan uśmiecha się jakoś smutno i cytuje kolejną zwrotkę w urdu: *Voh kaun hain jinhen tauba ki mil gai fursat/ /Hamein gunaah bhi karne ko zindagi kam hai* (Kim są ci szczęściarze, którym dostępny jest luksus pokajania/Ja nie mam nawet czasu, żeby popełnić grzech). Po czym siada i z werwą podejmuje:

– Właśnie zlokalizowaliśmy testament pana Acharyi.

– I?

– I cały swój osobisty majątek przeznaczył na cele dobroczynne. Tak że jeśli spodziewała się pani, że odziedziczy po nim fortunę, to przykro mi.

– Acharya był przeciwko kulturze dziedziczenia. Obiecał mi tylko, że zostanę szefową jego firmy, a nie spadkobierczynią.

– Obawiam się, że mam dla pani więcej złych wiadomości.

– Co tam znowu?

– Śledczy potwierdzili właśnie, że krew na pani butach odpowiada cechom krwi Acharyi. Postarała się pani, aby spłukać krew z butów, ale przeoczyła pani, że odrobina pozostała w szparze pomiędzy podeszwą a płótnem. Odnaleźliśmy ją.

Moje serce gwałtownie przyspiesza, krew uderza mi do głowy. Już mam coś powiedzieć, ale Khan podnosi rękę.

– Chwileczkę. Jest jeszcze gorzej. Śledczy potwierdzili także, że odciski palców na nożu, którym zamordowano pana Acharyę, odpowiadają pani odciskom.

– To absolutnie niemożliwe! W ogóle nie dotykałam noża!

– Może to odświeży pani pamięć. – Bierze do ręki narzędzie mordu w plastikowej torebce. Teraz, gdy widzę je z bliska, wydaje mi się dziwnie znajome. Dostrzegam na rączce napis „KK Thermoware"... i błysk rozpoznania uderza we mnie niczym cios w żołądek. Tak, to ten nóż, który kupiłam od małego ulicznego sprzedawcy tamtego wieczoru, kiedy trzech wyrostków zaatakowało mnie koło Parku Japońskiego...

– To jest to, co w języku technicznym nazywa się: sprawa oczywista. – Wicekomisarz Khan zatrzaskuje wieko notebooka. – Niech więc pani oszczędzi sobie długiego przesłuchiwania i podpisze przyznanie się do winy. – Patrzy na mnie z nadzieją.

Kręcę głową.

– Nie zamordowałam Acharyi. Ale mam pomysł, kto mógł to zrobić.

– Cóż, posłuchajmy.

– Rana. Tylko on miał dostęp do tego noża z moimi odciskami palców.

– To znaczy?

– Nie widzi pan? W ramach trzeciej próby Acharya zorganizował na mnie napad, wtedy wieczorem, koło Parku Japońskiego. Chuligani zabrali mój nóż i musieli go zwrócić Acharyi albo Ranie. I tego właśnie noża użyto obecnie do zamordowania Acharyi. Co oznacza, że mógł to zrobić tylko Rana.

– Ale Rana opuścił willę Prarthana o dwudziestej trzydzieści pięć i nie wrócił aż do północy.

Rozważam tę komplikację, gdy nagle uderza mnie inna myśl.

– A jeśli to nie morderstwo, tylko samobójstwo?

Patrzy na mnie bacznie.

– Postanowiła pani przyjąć linię niepoczytalności?

– A jeśli to samobójstwo? – powtarzam. – Pamięta pan siódmą próbę? Acharya powiedział, że będzie najtrudniejsza ze wszystkich. No więc jest.

– To, co pani mówi, nie ma sensu.

– Ale proszę posłuchać! To Acharya zorganizował na mnie ten napad, żeby móc zachować nóż z moimi odciskami. Potem w związku z atakiem na Nehę zwabił mnie do siebie do domu. Kiedy się zbliżałam, przebił się tym nożem, żeby skierować podejrzenie na mnie. To bez wątpienia największy kryzys w moim życiu. A zatem i ostatnia próba. CBDO*.

– Może pani opowiadać te fantastyczne teoryjki swojemu obrońcy z urzędu. – Wicekomisarz Khan wybucha śmiechem i robi gest w stronę policjantki, sygnalizując, że przesłuchanie na razie zakończone. – Proszę ją odprowadzić do celi kobiecej.

– *Jai Hind*, sir-ji. – Pushpa salutuje od niechcenia Khanowi i trąca mnie w czoło. – *Chalo*. Idziemy.

Prowadzi mnie korytarzem. Mijamy celę męską, gdzie za okratowanymi drzwiami siedzi paru nieogolonych, zaniedbanych facetów. Przyglądają mi się ospale, na moment wyrwani ze stanu apatycznej obojętności. Zatykam nos: bijący od nich niczym kadzidło smród alkoholu jest nie do wytrzymania.

Cela żeńska, szczęśliwie pusta, jest na drugim końcu korytarza. Pushpa przekręca klucz, otwiera ciężkie żelazne drzwi, czeka, aż wejdę, po czym zatrzaskuje je z taką siłą, że metaliczne echo rozbrzmiewa mi w uszach niczym grzmot. Stoję przez chwilę nieruchomo, wpatruję się w mętne światło wpadające przez kratę drzwi i powstrzymując łzy, usiłuję się oswoić z faktem, że w końcu stałam się więźniarką.

Na papierze areszt policyjny oznacza, że podejrzany jest czasowo, do momentu rozprawy, przetrzymywany na

_____

* Co było do okazania – formuła stosowana na zakończenie dowodu, najczęściej matematycznego (przyp. tłum.).

komendzie pod nadzorem policji. W praktyce oznacza to, że jest więźniem, zamkniętym w śmierdzącej, dusznej celi, pełnej wyziewów ludzkiej niedoli. Ściany celi kobiecej pokrywa pleśń, graffiti i narosły przez lata brud. Podłoga to goły beton. Nie ma okna, nie ma słonecznego światła, więc nawet w środku dnia jest tu ciemno i ponuro. Łóżko to grudłowaty, zawszony bawełniany materac. Co gorsza, miejsce ustronne nie jest oddzielone od reszty celi... Za niską ścianką znajduje się toaleta w stylu hinduskim, z dziurą w podłodze, bez papieru toaletowego, bez bieżącej wody, nawet bez kubka! Bije stamtąd zastarzała woń ekskrementów i moczu poprzednich użytkowników. A blaszane wiadro w kącie jest naprawdę upaprane fekaliami... Smród jest tak przemożny, że niemal go smakuję.

Zniosłam mężnie udrękę aresztowania i przesłuchania, ale nie zniosę siedzenia w tej potwornej, cuchnącej celi. Na myśl o tym mam ochotę umrzeć. Wiem, że jeśli zostanę w tym piekle dłużej niż dwadzieścia cztery godziny, zwariuję.

Ponure ściany napierają na mnie, odbierają dech... Nie wytrzymam! Rzucam się do drzwi i łapię za żelazne pręty.

– Pomocy! – wrzeszczę jak obłąkana pacjentka szpitala psychiatrycznego. – Zabierzcie mnie stąd, na Boga! Proszę, zabierzcie!

– *Kya hai?* – Pushpa Thanvi pojawia się natychmiast. – Co się dzieje? Co to za rozróba?

– Nie wytrzymam tutaj... Nie mogę!

– A czego się spodziewałaś? Sheratona?

– Ja... ja muszę do toalety.

– To czego nie idziesz? O, tam masz, za sobą.

– Nie mogę tutaj... Niech mnie pani zabierze chociaż do normalnej toalety, proszę!

– Nie – oświadcza z niezłomnością sędziego wydającego wyrok. – Ten, kto siedzi w celi, korzysta z toalety w celi.

Zaczynam płakać.

– Błagam panią... – szlocham. – Niech mi pani okaże wyrozumiałość! O nic więcej nie będę prosić...

Moje błagalne krzyki słyszy wicekomisarz Khan. Słyszę jego długi krok, gdy nadchodzi korytarzem. Patrzy na moją zalaną łzami twarz i w milczeniu, ze zrozumieniem kiwa głową.

– Dobrze, w ramach wyjątku pozwalam pani skorzystać z toalety dla funkcjonariuszek. Pushpa – zwraca się do policjantki – proszę ją zaprowadzić, ale cały czas trzymać pod kluczem.

– Tak jest sir-ji – mówi sztywno Pushpa, wyraźnie niezadowolona, że uchylono jej decyzję.

Prowadzi mnie wzdłuż prostokątnego dziedzińca z rosnącym pośrodku wielkim drzewem gujawy. Dziedziniec otacza szereg pomieszczeń. Odczytuję drewniane tabliczki na drzwiach: „Koszary", „Sala komputerowa", „Pokój przesłuchań", „Pokój śledczych", „Studio łączności", „Przechowywanie danych"...

Damska toaleta znajduje się na północno-zachodnim krańcu podwórka, na tyłach budynku, naprzeciw „Pokoju wypoczynku dla kobiet", gdzie pięć policjantek siedzi wokół stołu i ogląda serial w telewizji. Pushpa otwiera toaletę kluczem i brutalnie wpycha mnie do środka.

– Jak skończysz, to walnij pięścią w drzwi. Będę naprzeciwko oglądać z koleżankami *Ladies Special*.

Słyszę przekręcany na zewnątrz klucz i wszystko się we mnie skręca ze wstydu i poczucia degradacji. W co się zmieniło moje życie? Nawet żeby zrobić siusiu, muszę błagać o pozwolenie...

Siadam na pękniętej desce, zamykam oczy i próbuję sobie wyobrazić, że jestem gdzie indziej. Słoneczne niedzielne popołudnie, po błękitnym niebie płyną pierzaste obłoki. Porosłe sosnami zbocza gór w oddali lekko dymią mgłą. Leżę pod dębem, zwinięta w kłębek, z tomikiem wierszy w ręce. Z tyłu, za mną, Ma i tato, siedząc w wiklinowych fotelach, rozmawiają o czymś ze śmiechem. Alka i Neha wyciągnęły się na trawie i opalają się. Nie ma tu strachu, nie ma smutku, nie ma policji. Zapadam się w ten dawno utracony świat... Wyrywa mnie z niego dopiero walenie w drzwi i ochrypły głos Pushpy Thanvi:

– *Arrey*, co ty, kupę robisz czy szykujesz się na przyjęcie? Siedzisz już pół godziny!

Kiedy wracam do sali, czeka na mnie niespodzianka: pojemnik z jedzeniem. W środku jest cała uczta: kebaby *galouti* i ryż *biryani* z kurczakiem. Pushpa wyjawia, że kolacja została przyniesiona z domu wicekomisarza Khana.

– Coś ty mu zadała, że taki hojny dla ciebie? – pyta uszczypliwie.

Miły gest wicekomisarza Khana sprawia, że łzy mi napływają do oczu, a cela staje się o włos bardziej znośna. Mimo to spędzam noc wsparta o ścianę, bojąc się zaryzykować położenia na zawszonym materacu.

Nazajutrz przychodzi nowy dzień, a z nim nadzwyczaj pożądany gość, Ma. Spotykamy się w pokoju widzeń pod czujnym okiem Pushpy.

– Jak ci tu jest, *beti*? – pyta Ma z taką troską, że nie mam sumienia powiedzieć jej prawdy.

– Dobrze, Ma. Wszystko jest w porządku. A jak się ma Neha?

– Wraca do zdrowia. Pozdrawia cię.

Oczy wzbierają mi łzami i nawet nie wiem kiedy, a już rzewnie płaczę, wyszlochując z siebie całe zło. Ma przytula mnie do piersi i głaszcze po głowie w milczeniu, czule, z miłością. Trwamy tak przez dziesięć minut, w uścisku, połączone telepatyczną więzią, która nie wymaga ani słów, ani żadnych dodatkowych gestów. Czuję, że coś z niej przechodzi we mnie, wsparcie, pewność, że nie jestem sama, uzdrawiająca duchowa energia, która wypija ze mnie ból, napięcie i obawę.

Tego ranka po raz pierwszy zaczynam rozumieć głębię więzi pomiędzy matką a córką, jej intensywność, jej niezniszczalność, a nade wszystko – jej zbawczą, uzdrawiającą moc.

Tuż przed południem pokazuje się też w końcu mój obrońca z urzędu. Pan Trilok Chand to nieduży, chuderlawy mężczyzna w źle leżącym czarnym płaszczu, wzbudzający tyleż zaufania, co zrobiona w domu podpaska.

– Widziałem pani akta – mówi konspiracyjnym szeptem – i nie wygląda to dobrze.

– Dla mnie czy dla policji? – zmuszona jestem zapytać.

– Dla pani. Dowody przeciwko pani są dosyć mocne. Krew zamordowanego na butach, odciski palców na nożu, którego użyto jako narzędzia mordu. Kłamstwo wobec policji, że nie wchodziła pani do domu. Miała pani motyw, środki i okazję, trzy rzeczy niezbędne, żeby dostać wyrok za morderstwo.

– Mówi pan raczej jak oskarżyciel z urzędu, a nie mój obrońca.

– Pani nie jest potrzebny obrońca – mówi, oblizując spierzchnięte wargi. – Pani jest potrzebny nieuczciwy sędzia.

Najbardziej zaskakujący rozwój wypadków przynosi popołudnie. O trzeciej wicekomisarz Khan wzywa mnie do swojego gabinetu, gdzie jednym okiem kontroluje telefon na biurku, a drugim śledzi ekran telewizora LCD, nastawionego na kanał Sunlight. Widać na nim Shalini Grover przed gmachem Kyoko Chambers, który otaczają wozy policyjne.

– To bez wątpienia największe wydarzenie roku – mówi zdyszana do mikrofonu. – Dwa dni po sensacyjnym morderstwie przemysłowca Vinaya Mohana Acharyi, podczas przeszukiwania przez policję ekskluzywnej siedziby centrali Grupy ABC z intencją znalezienia jakichś dodatkowych wskazówek, które mogłyby wyjaśnić tę makabryczną zbrodnię, odkryto coś całkowicie nieoczekiwanego. W zamkniętym sejfie pana Acharyi, który trzymał w swoim prywatnym gabinecie, śledczy natknęli się na plik tajnych dokumentów, wobec których fakty ujawnione przez WikiLeaks sprawiają wrażenie młodzieńczego wybryku. – Następuje cięcie kadru, by pokazać fragment wywiadu z branżowym detektywem: – Nadal analizujemy wszystkie zabezpieczone w sejfie dane, ale wstępna analiza sugeruje, że istnieją powiązania pomiędzy Acharyą a Atlas Investment.

– Nie! – wyrywa mi się.

– Tak – przerywa mi Shalini. – Sunlight może oświadczyć z całkowitą pewnością, że Vinay Mohan Acharya został ujawniony jako mózg stojący za poczynaniami Atlas Investment, nieuchwytnej firmy-przykrywki, obecnej w dosłownie każdej aferze, których świadkami byliśmy ostatnio.

Wicekomisarz Khan bierze pilota i wyłącza telewizor.

– Niesamowite, co? – zwraca się do mnie. – Ten człowiek przeznacza cały swój majątek na dobroczynność, po czym odkrywamy, że ten majątek został zdobyty w sposób nielegalny. Acharya chciał uchodzić za wzorzec prawości, a tak naprawdę był największym oszustem, jakiego kiedykolwiek spłodził ten kraj. – I momentalnie kojarzy mu się kolejny dwuwiersz: „O, prawy mężu, jakże cię wielbiłem/A okazałeś się większym grzesznikiem ode mnie".

– Czy będzie to miało jakiś wpływ na mój przypadek?

– Morderstwo to morderstwo – zauważa sucho. – Czy zabiła pani gangstera, czy zakonnicę, kara pozostaje ta sama.

– Co w takim razie stanie się teraz z firmą Acharyi?

– Nie wiem. Może nawet pójść do likwidacji, jeśli władze podatkowe nałożą gigantyczną karę na nielegalne dochody Acharyi. Albo rada postanowi sprzedać firmę innemu konsorcjum. Słyszałem, że Ajay Krishna Acharya, brat bliźniak pana Acharyi, pali się do zakupu Grupy ABC. Pewnie mu się uda.

– To będzie skrajna parodia! Acharya nie cierpiał brata. Nawet podzielił się ze mną przypuszczeniem, że to AK jest mózgiem Atlasa. – Podnoszę oczy na wicekomisarza Khana z nagłym uczuciem, że brak mi tchu. Wiem... – No oczywiście! To AK sprzątnął brata, żeby przejąć jego firmę.

Wicekomisarz Khan powoli kręci głową.

– Sprawdzałem już tę możliwość. Wieczór, kiedy został zamordowany Acharya, AK spędził w hotelu Grand Regency.

– A co robił w Regency?

– Przemawiał na konferencji na temat opieki zdrowotnej w obecności tysiąca delegatów. Nie ma mowy, żeby mógł zamordować Acharyę.

– A ja wciąż czuję, że to Rana jest kluczem do całej sprawy. Nie sądzi pan, że pora go przesłuchać?

– Już go wezwałem. Będzie za pięć minut.

Wchodząc do gabinetu wicekomisarza Khana, Rana wygląda jakby inaczej, niż kiedy go widziałam ostatnio. Może chodzi o to, że ma na sobie koszulkę polo, spodnie khaki i eleganckie półbuty, co nadaje mu rys człowieka, który osiągnął łatwy sukces.

– Mam nadzieję, że cię szlag trafi – szepcze wściekle, siadając obok mnie.

Wicekomisarz Khan traktuje go z szorstką biegłością zaprawionego w bojach śledczego.

– Jaki był charakter pana relacji z panem Acharyą?

350

– Byłem jego asystentem. Może mnie pan uważać za kogoś w rodzaju zaufanego sekretarza.

– A zatem to prawda, że pan Acharya wybrał pannę Sapnę Sinhę jako kandydatkę na dyrektora generalnego Grupy Przedsiębiorstw ABC?

Rana krzywi się.

– To był błąd. Mówiłem o tym szefowi.

– Co sprawiło, że pan Acharya wybrał pannę Sinhę?

– Nie mam pojęcia. Szef nie o wszystkim mi mówił. Osobiście przypuszczam, że z jakiejś przyczyny go pociągała. Właśnie dlatego we wrześniu zeszłego roku potajemnie kupił Gulati & Sons.

– Ale to było, zanim się jeszcze poznaliśmy! – przerywam zdumiona.

– Proszę kontynuować – naciska wicekomisarz Khan. – A zatem pan Acharya nabył firmę, w której pracowała panna Sapna. Potem się z nią spotkał i powiedział jej, że chce, aby została dyrektorem naczelnym jego firmy, pod warunkiem że przejdzie z pozytywnym skutkiem siedem prób, tak?

Rana kiwa głową.

– A pan pomagał panu Acharyi w przeprowadzeniu tych siedmiu prób?

– Nie siedmiu. Tylko sześciu.

– Jak pan to rozumie?

– Pan Acharya czuł się ostatnio źle i nie miał czasu, aby wymyślić siódmy test.

– To kłamstwo! – wtrącam się znowu.

– *Sahibie* wicekomisarzu, może pan porozmawiać z doktorem Chitnisem ze szpitala Tata Memorial w Mumbaju – mówi spokojnie Rana. – Pokaże panu medyczną dokumentację pana Acharyi, która wykaże, że szef cierpiał na raka trzustki w stadium terminalnym. Niedługo umarłby i tak. Ale ta kobieta – przerywa, by rzucić mi spojrzenie pełne nieskrywanej nienawiści – po prostu nie mogła wytrzymać.

– Zmyśla – oświadczam kategorycznie.

Wicekomisarz Khan karci mnie spojrzeniem i wraca do przesłuchania:

– Czy zdawał pan sobie sprawę, że pan Acharya był mózgiem Atlasu?

– Nie miałem najlżejszego pojęcia. Był to dla mnie ogromny szok.

– Ale był pan jego najbardziej zaufanym asystentem. Jak to możliwe, że nie dopuścił pana do swoich tajnych kont bankowych?

– Podejrzewam, że są także inne rzeczy, do których mnie nie dopuszczał. Ale coś panu powiem: pan Acharya był człowiekiem uczciwym, a nie potworem, jakiego robią z niego media.

Podziwiam aktorstwo Rany. Wciąż nosi maskę służalczej uprzejmości, wciąż udaje oddanego, lojalnego asystenta.

– Czy mogę spytać, kiedy widział pan pana Acharyę żywego po raz ostatni?

– Wychodząc w niedzielę z willi Prarthana, tuż po ósmej trzydzieści wieczorem.

– A gdzie pan poszedł po opuszczeniu rezydencji pana Acharyi?

– Do siebie do domu.

– A gdzie pan mieszka?

– Na osiedlu Vasant Kundż, sektor C-1, mieszkanie 4245.

– Czy pozostał pan w domu przez całą noc?

– Nie. O dziesiątej trzydzieści poszedłem do baru Podczerwień, w galerii handlowej Basant Lok.

– I jak długo pan tam pozostał?

– Do północy, kiedy dostałem telefon od ochrony willi Prarthana z informacją, że szefa zamordowano.

– Co pan wtedy zrobił?

– Natychmiast udałem się do rezydencji pana Acharyi, gdzie spotkałem doktora Setha. Minutę później przybyła policja.

Przesłuchanie ciągnie się jeszcze przez piętnaście minut, ale zmierza donikąd. Moja niecierpliwość rośnie.

– Jeżeli to nie Acharya zorganizował napad na Nehę, to kto? – pytam, gniewnie świdrując Ranę oczami.

– Skąd mam wiedzieć? – odpowiada. – To policja powinna to ustalić.

– I chcielibyśmy – mówi wicekomisarz Khan.

Wieczorem odwiedza mnie Lauren w towarzystwie wysokiego, ciemnowłosego wyrostka.

– Pamiętasz go? – pyta.

Patrzę na chłopaka... No tak!

– Guddu, prawda? Specjalista od zamków!

Uśmiecha się wstydliwie.

– Tak, proszę pani. Pracowałem u Mirzy, dopókiście mnie z panią Lauren stamtąd nie wyciągnęły.

– A co robisz teraz?

– Uczę się obsługi komputera w fundacji.

– Głowa do góry – mówi Lauren. – „Gdyby nie było zimy, wiosna nie byłaby tak błoga; gdybyśmy nie zaznali czasem przeciwności, powodzenie nie byłoby tak radosne” – cytuje poetkę Annę Bradstreet.

Moje przygnębienie jest tak wielkie, że w odpowiedzi jestem w stanie zacytować wyłącznie „Balladę o więzieniu w Reading” Oskara Wilde'a: „To tylko wiemy, my, więźniowie/Że mur jest mocny jak strach/Że każdy dzień jest niczym rok/O bardzo długich dniach”.

O szóstej po południu wicekomisarz Khan znowu wzywa mnie do gabinetu. Siadam naprzeciw niego, a on nie spuszcza ze mnie poważnego spojrzenia.

– Nie wygląda to dobrze dla pani. Właśnie rozmawiałem z doktorem Chitnisem ze szpitala Tata Memorial w Mumbaju. Potwierdził to, co powiedział nam Rana. Pan Acharya rzeczywiście chorował na raka trzustki z przerzutami. Pacjenci cierpiący na tę postać raka z reguły żyją trzy do pięciu miesięcy. Stan pana Acharyi pogorszył się ostatnio do tego stopnia, że doktor Chitnis oznajmił mu, że ma przed sobą zaledwie dwa tygodnie życia.

Otwieram szeroko oczy.

– Acharya nigdy nie wspomniał mi choćby słowem, że ma raka!

– Widziałem także materiał zarejestrowany przez kamery w barze Podczerwień. Rana istotnie był tam od dwudziestej drugiej pięćdziesiąt pięć do dwudziestej trzeciej pięćdziesiąt pięć, co oznacza, że ma murowane alibi.

– W takim razie jakoś zmanipulował nagrania kamer. Jestem pewna, że był w rezydencji Acharyi, kiedy tam przyszłam. Zabił Acharyę, po czym udało mu się uciec, zmyliwszy straż przy bramie.

– Ale dlaczego Rana miałby zabić swojego szefa?

– Z elementarnego powodu: nienawiści. Rana nienawidził Acharyi, bo nie wybrał go na stanowisko dyrektora. I nienawidził mnie, bo to ja zostałam wybrana. Zabił więc Acharyę i wrobił w morderstwo mnie, piekąc dwie pieczenie przy jednym ogniu.

– A gdyby zdała pani siódmy test? Jak pani myśli, czy Acharya naprawdę mianowałby panią naczelną dyrektorką?

– Nie wiem. – Zagryzam wargi.

– Myślę, że wykorzystał panią jako kozła ofiarnego. To na pani konto poszłaby cała ta historia z Atlasem.

– Taak... – Kiwam powoli głową. – Był o wiele bardziej pokrętny, niż na to wyglądał.

Wicekomisarz Khan składa palce w daszek i patrzy mi w oczy.

– Czy teraz jest pani gotowa, aby się przyznać?

Oddaję mu spojrzenie.

– Naprawdę pan wierzy, że to ja zamordowałam Acharyę? Naprawdę to aż tak proste?

Robi długi wydech.

– Morderstwo nigdy nie jest proste. Ale musimy bazować na faktach. A fakty są przeciwko pani. Tak czy inaczej, przestaję się zajmować tą sprawą. Stała się zbyt poważna jak na komendę policji. Przejmuje ją Wydział Zabójstw. Od tej chwili to oni będą panią przesłuchiwać.

Pierwsze spotkanie z Wydziałem Zabójstw mam o ósmej wieczorem.

– Wzywają cię do Pokoju Przesłuchań – oznajmia Pushpa swoją prymitywną dykcją. Po plecach przebiega mi nerwowy dreszcz. Wyobrażam sobie mroczne piwniczne pomieszczenie ze zwisającą nad stołem lampą, a wokół stołu, poza kręgiem światła, siedzi kilku ponurych mężczyzn o twarzach przesłoniętych obłokami papierosowego dymu.

W rzeczywistości pokój przesłuchań okazuje się jasno oświetlonym pomieszczeniem, sprawiającym wrażenie przytulnej klasy szkolnej. Jest tu drewniany stół, solidne metalowe krzesła i nawet tablica. Jednak siedzący przy stole trzej mężczyźni w ogóle nie przypominają nauczycieli. Ubrani w identyczne, banalne komplety safari, wyglądają na to, czym są: pozbawionymi własnych twarzy rządowymi detektywami.

Każą mi usiąść na samotnym krześle po przeciwnej stronie stołu, dając jasny sygnał, że jest to układ typu ja – oni, jedna na trzech.

Zaczyna się przesłuchanie. Z początku są grzeczni, zadają mi standardowe pytania o rodzinę, pracę w Gulati & Sons i moje stosunki z Acharyą. Stopniowo ton przesłuchania się zmienia. Pytania stają się ostre, sugerujące i jawnie napastliwe. „Czy miała pani stosunki seksualne z Acharyą?", „Ile razy wzywał panią do sypialni?", „Czy wiedziała pani o związku pomiędzy Acharyą a Atlasem?"

Przez trzy godziny śledczy z Wydziału Zabójstw przypiekają mnie bez litości, próbując zastraszyć i skłonić do przyznania się, że zabiłam Acharyę. Kiedy twardo obstaję przy swoim, podnoszą na mnie głos, krzyczą i grożą.

– Powiesimy panią za to morderstwo, jeśli się pani nie przyzna!

– To mnie powieście – mówię wyzywająco. – Ale nie przyznam się do przestępstwa, którego nie popełniłam.

Być uwikłaną w policyjne śledztwo, to jak wejść na ruchome piaski. Choćby się człowiek nie wiem jak starał wyswobodzić, w rezultacie zapada się coraz głębiej i głębiej. Krok po kroku śledczy Wydziału Zabójstw gromadzą dowody przeciwko mnie, łączą wszystkie punkty i budują z tego przekonujący akt oskarżenia. Z tego co mogę się zorientować, rekonstrukcja zdarzeń wygląda w oczach policji następująco: byłam kochanką Acharyi, miałam z nim romans; Acharya obiecał mi, że stanę na czele jego firmy, pod warunkiem że przejdę z sukcesem siedem prób; po sześciu zaliczonych próbach zrobiłam się niecierpliwa, nie mogłam się doczekać, kiedy wreszcie położę rękę na jego majątku; równolegle zdarzył się kompletnie niepowiązany wypadek, oblanie Nehy kwasem; przekonana, że to robota Acharyi, pojechałam z nożem do jego rezydencji, żeby go zaszantażować; Acharya odrzucił moje żądania, a ja w przystępie wściekłości zaatakowałam go nożem i zamordowałam.

Muszę przyznać, że ta hipoteza wygląda całkiem wiarygodnie. Pod koniec trzeciej rundy ostrego przesłuchania sama niemal jestem gotowa w to uwierzyć. Może naprawdę zabiłam Acharyę, a to przeżycie było tak traumatyczne, że

zamknęłam jego wspomnienie głęboko w sobie i wyrzuci-
łam klucz?

W ramach swojej strategii ludzie z Wydziału Zabójstw
próbują stosować wobec mnie wszelkie możliwe gierki.
Pozbawiają mnie snu i jedzenia. Zostają wydane instrukcje,
aby traktować mnie jak szczególnie niebezpieczną krymina-
listkę. Każdej nocy stoi teraz przed moją celą strażnik-męż-
czyzna, tak jakbym była jakimś Houdinim, który potrafi się
wydostać nawet z zamkniętej na klucz, pozbawionej okna
celi.

Zainteresowanie mediów moim przypadkiem nie wykazuje żadnych oznak słabnięcia.

Przed posterunkiem w Vasant Vihar parkuje więcej
wozów telewizji niż przed rezydencją premiera. Moje aresz-
towanie jest tematem numer jeden w całych Indiach; nawet opery mydlane w telewizji mają mniejszą oglądalność.
Znany reżyser ogłasza swój plan nakręcenia o mnie filmu
biograficznego. „Wszystkie soczyste skandale obracają się
wokół pieniędzy, morderstwa i seksu" – powiedział. „A kiedy, jak w przypadku Sapny Sinhy, obecne są wszystkie
trzy elementy, wówczas mamy gotowy superhit wszech
czasów!"

Piątego dnia mojego aresztu odwiedza mnie Nirmala Ben.
Wiadomość o jej rychłej wizycie wywołuje poruszenie na
posterunku.

– Nawet Big Ben znasz? – pyta mnie z nabożnym zdumieniem Pushpa Thanvi, patrząc na mnie ze świeżo naby-
tym respektem.

Gandhystka przybywa o pierwszej po południu, ale nie
kierują jej wprost do mnie. Najpierw zostaje podjęta filiżanką
herbaty w gabinecie wicekomisarza Khana. Następnie wicekomisarz oprowadza ją po posterunku. Nirmala Ben zagląda
do rozmaitych pomieszczeń wokół dziedzińca, pozuje do

zdjęć, nawet daje autografy. – Big Ben, Big Ben! – słyszę zewsząd okrzyki, wiwaty, śmiech. Moje zniecierpliwienie osiąga punkt szczytowy, gdy wreszcie pani Nirmala Mukherjee Shah wchodzi do pokoju odwiedzin, który na tę okazję został wysprzątany i przybrany bukietami kwiatów.

Ubrana jest ze swobodną elegancją w proste białe sari. Za nią wlewa się niczym tsunami zwarty tłum fotoreporterów i kamerzystów. Potykają się o przewody, potrącają nawzajem w desperackim usiłowaniu, by dorwać jakiś soczysty kawałek. Niecodziennie trafia im się szansa, by zarejestrować spotkanie pomiędzy najsłynniejszą bojowniczką antykorupcyjną w kraju a najsłynniejszą aresztantką.

Pushpa mizdrzy się obok mnie, gdy ze wszystkich stron błyskają flesze wymierzonych w moją twarz aparatów. Reporterzy napierają coraz bliżej, mikrofony w wyciągniętych rękach są jak sztylety. Zasłaniam twarz dłońmi. Ach, uciec gdzieś przed tym ostrym światłem, przed podniesionymi głosami, przed wszystkimi tymi ludźmi, którzy chcą zrobić widowisko z mojego nieszczęścia!

Wicekomisarz Khan usiłuje nakłonić dziennikarzy i ekipy telewizyjne, by po zrobieniu zdjęć wyszli, ale nikt go nie słucha. Dopiero Nirmali Ben udaje się przywrócić elementarny porządek.

– *Dekhiye**, to jest wizyta prywatna – mówi, złożywszy dłonie. – Proszę mi pozwolić porozmawiać z moją chrzestną córką bez świadków, a potem wyjdę i spotkam się z wami na zewnątrz. Zgoda?

Całkiem jakby jakiś magik przeprowadził akt zbiorowej hipnozy. Hordy natychmiast się cofają, pozostawiając Nirmalę Ben tylko ze mną, wicekomisarzem Khanem i Pushpą.

---

* *Dekhiye* (hind.) – słuchajcie.

Nirmala Ben patrzy mi głęboko w oczy, bada je i znajduje prawdę, której szuka. Jak dobry lekarz, któremu wystarczy zbadać puls pacjenta, by wiedzieć, co mu dolega, rozpoznaje, co przeżywam, rozumie moją udrękę.

– Bądź dzielna, moja kochana – mówi. – Pamiętaj, dzielność nie jest cechą ciała, lecz duszy. – Ogarnia mnie ramionami i przytula.

Przywieram do niej ciasno, szukając tego samego zdroju współczucia i zrozumienia, które znalazłam w Ma. I choć staram się jak mogę, żeby nie płakać, smutek i rozpacz, jakie mam w sobie, wzbierają, przelewają się... i zaczynam szlochać jak zagubione dziecko. Nirmala Ben delikatnie, kojąco gładzi mnie po włosach.

– Nie martw się, wszystko się wyjaśni... Susheeli też powiedziałam, że zrobię dla Nehy, co tylko będę mogła.

Dwadzieścia minut później Nirmala Ben zaczyna się zbierać do wyjścia.

– Kończ dzień modlitwą, tak żebyś miała spokojną noc, wolną od snów i koszmarów – przekazuje mi na pożegnanie radę, ściskając oburącz moją dłoń. Czuję w niej coś metalowego i odruchowo zaciskam. Nirmala Ben skłania głowę w geście *namaste* i wychodzi.

– Co za niezwykła kobieta – zauważa wicekomisarz Khan, odprowadzając mnie z powrotem do celi.

– Mam z nią zdjęcie, sir – promienieje Pushpa, zarabiając karcącego marsa ze strony szefa.

Otwieram dłoń. Leży w niej kluczyk.

Nirmala Ben odeszła, pozostawiając po sobie zagadkę. Co to za kluczyk, co się nim otwiera, dlaczego mi go dała?

Obracam go w rękach. Zwykły klucz z nierdzewnej stali, nic szczególnego. Z tych, którymi otwiera się szafy i szafki. Ale w celi nie ma żadnych szafek ani szaf. To pewnie znowu objaw kleptomanii Nirmali Ben... Wsuwam klucz do kieszeni *kameez*.

Tego dnia po południu przychodzi lekarz, żeby mnie zbadać. Nieustanne przesłuchiwanie przez Wydział Zabójstw odbiło się na moim zdrowiu, zarówno fizycznym, jak psychicznym. Strach, przygnębienie, bezradność i brak nadziei zagnieździły mi się w żołądku na stałe. Nieuchronnie ma to wpływ i na jelita i owocuje tak strasznymi atakami biegunki, że ku irytacji Pushpy muszę biegać do toalety nawet o najdziwniejszych godzinach nocy.

Jest po północy, ale sen się mnie nie ima. Choć niepokój i przygnębienie dręczą mnie każdego dnia, dziś czuję się szczególnie przybita. Mówi się o przeniesieniu mnie do więzienia Tihar, gdzie przetrzymywani są wyłącznie najwięksi zbrodniarze. Perspektywa spędzenia całego życia za kratkami rozciąga się przede mną niczym syberyjska zima, jałowa, pusta i beznadziejna.

Wciąż pokładam nadzieję w wicekomisarzu Khanie, ale zredukowano go do roli bezradnego obserwatora. Śledczy z Wydziału Zabójstw są prawem sami dla siebie i nic ich nie powstrzyma przed oskarżeniem mnie o morderstwo. Czuję, że zamykają się za mną wszystkie drzwi.

— Teraz już tylko cud może panią uratować – mówi mój obrońca. Ale wygląda na to, że nawet bogini Durga mnie opuściła... Moja wiara się chwieje.

Zagubiona w myślach, prawie nie słyszę, że drzwi celi się otwierają. To Pushpa Thanvi, jak zwykle skrzywiona.

— Dość mam tych twoich znajomych...

— Jak to? – pytam. – Co się stało?

— Teraz znowu jest telefon do ciebie.

— Skąd?

— Z Kochi.

— Z Kochi? Ale ja nikogo nie znam w stanie Kerala!

— No to powiedz temu nocnemu Markowi, żeby nie zawracał ludziom głowy o takiej nieludzkiej godzinie – mówi i prowadzi mnie do Pokoju Sprawozdań, gdzie wokół starego telefonu z tarczą obrotową, jak psy wokół kości, garbi się trzech funkcjonariuszy.

Podnoszę słuchawkę.

– Halo?

– To ty, Sapna? – chrypi głos w słuchawce, zniekształcony przez odległość. A jednak rozpoznałabym go nawet z odległości miliona lat świetlnych!

– Karan? – pytam z radosnym zdumieniem. – Skąd dzwonisz?

– Z Coachella w Kalifornii.

Dźwięk jego głosu działa na moją duszę jak balsam. W jednej chwili przerzuca most nad dzielącą nas przepaścią czasu i odległości.

– Przykro mi – ciągnie. – Dopiero teraz dotarły do mnie nowiny na temat Acharyi i ciebie. Zbieram fundusze, żeby przylecieć do Delhi najszybciej, jak się da.

– Nie zawracaj sobie głowy. Masz ważniejsze sprawy...

– Nic nie jest dla mnie ważniejsze niż ty – przerywa. – Właśnie podjąłem tu nową pracę, ale może poczekać. Najpierw muszę cię wyciągnąć z tego bagna.

– Nic nie jesteś w stanie zrobić, Karan.

– Już coś robię, będąc tutaj. Moi znajomi z Indusa przekazują mi szczegóły ostatnich rozmów Rany. Zgadnij, z kim rozmawia codziennie od dnia śmierci Acharyi?

– Z kim?

– Z Ajayem Krishną Acharyą. Jestem przekonany, że morderstwo Acharyi to spisek uknuty przez Ranę i AK. AK wygląda i mówi dokładnie tak, jak brat. A jeśli to on był tamtego wieczoru w willi Prarthana?

– Boże! – szepczę. – Nigdy nie przyszła mi do głowy taka możliwość.

– Zdemaskuję całą tę konspirację. Tylko poczekaj, Sapna. Niedługo przyjadę... – I kolejne trzaski zagłuszają połączenie.

Wracam do mojej klatki z nową odwagą i nowym przypływem nadziei. Gej czy nie gej, daleko czy blisko, Karan nadal jest moją opoką. Mając go u boku, może uda mi się udowodnić moją niewinność.

I w tej samej chwili ogarnia mnie nagłe, nieodparte poczucie, że muszę wziąć sprawy we własne ręce, wyjść z tego dławiącego zamknięcia.

Przez dwie godziny chodzę tam i z powrotem po celi, próbując wymyślić plan ucieczki, gdy wtem znowu czuję rewolucję w żołądku. Brzuch przebiega fala tak dotkliwych skurczów, że płaczę z bólu. Czołgam się do drzwi i wołam do drzemiącego na krześle strażnika:

– Muszę iść do toalety! Proszę zawołać Pushpę...

Pięć minut później pojawia się Pushpa, trąc zaspane oczy.

– Nawet wiedźma by już spała o tej porze – mamrocze gniewnie, otwierając drzwi celi. – Och, jak ty mnie męczysz...

Na dziedzińcu jest pusto i głucho jak w grobowcu. Z paru pomieszczeń dochodzi chrapanie. Pushpa ze stęknięciem wpycha mnie do damskiej toalety.

– Ja tylko parę minut... – tłumaczę się niewyraźnie.

– Jak dla mnie, to możesz tu gnić i całą noc – mówi, grzebiąc w kieszeni w poszukiwaniu klucza do toalety. Jej irytacja rośnie. – Gdzie on jest, do diabła? – mruczy, wkładając rękę do kieszeni spodni. – Sarla już swój zgubiła... Jakiś skurwiel kradnie nam tu klucze, czy co?

Wreszcie znajduje klucz w kieszeni na piersi.

– Jest! – woła triumfalnie, podnosząc go w dwóch palcach niczym jakiś pradawny element kultury materialnej, znaleziony w archeologicznym wykopalisku. Wpatruję się w niego jak zahipnotyzowana.

– Teraz sraj, ile chcesz. Daję ci pół godziny. Ale żebyś mi nie zawracała więcej głowy tej nocy, jasne? – Patrzy, jakby chciała mnie zabić wzrokiem, zatrzaskuje drzwi i przekręca klucz z zewnątrz.

Wkładam rękę do kieszeni i wyjmuję kluczyk, który dała mi Nirmala Ben. Wygląda identycznie jak Pushpy.

W nagłym błysku rozpoznania pojmuję, do czego służy. To klucz do damskiej toalety. Na posterunku jest pięć strażniczek i każda z nich ma własny klucz. Nirmala Ben musiała go gwizdnąć jednej z nich.

Zaczynam się trząść w obliczu możliwości, które nagle się przede mną otworzyły. Dysponuję kluczem nie tylko do toalety – do wolności... Szalony pomysł świta mi w głowie i w jednej chwili bierze mnie we władanie. Wszelkie wątpliwości i obawy idą precz. Czekam, dopóki nie ucichną kroki Pushpy, po czym liczę do dwustu. Wkładam klucz do zamka... Pasuje idealnie. Szybko odmawiam modlitwę i najdelikatniej jak się da – przekręcam. Odgłos, który słyszę, to najmilszy dźwięk, jaki może usłyszeć więzień: kliknięcie otwierającego się zamka.

Ukradkiem wychodzę z toalety, zamykam ją na powrót i szybko rozglądam się wokół. Pushpy Thanvi ani śladu, z pokoju wypoczynku dla kobiet nie dochodzi żaden szmer. Na wymarłym nocnym dziedzińcu panuje cisza jak makiem siał.

Ostrożnie, na palcach wchodzę na korytarz od strony zachodniej. Właśnie mijam studio łączności, kiedy słyszę za sobą trzaśnięcie drzwi. Z przerażenia niemal tracę równowagę. Jakoś udaje mi się opanować na tyle, żeby przykucnąć za kolumną. Ostrożnie wyglądam... Z pokoju śledczych wychodzi mężczyzna, ubrany tylko w kamizelkę i spodenki w paski. Przez chwilę stoi, półprzytomny ze snu, po czym wydaje głośne pierdnięcie i drapiąc się po owłosionym tyłku, skręca w lewo. Niewątpliwie idzie do męskiej toalety.

Ledwie zdążyłam się otrząsnąć z szoku, gdy inny dźwięk napływa korytarzem. Jest to ciche tuk... tuk... tuk..., jakby ktoś postukiwał kijem o podłogę. Może to być tylko nocny strażnik, który robi obchód... Zamieram niczym przyłapany na gorącym uczynku złodziej, pewna, że mnie zauważył. O cudzie! Przystaje, spotkawszy zapewne tamtego w bieliźnie. Dobiegają mnie stłumione odgłosy rozmowy, po czym, ubawieni czymś, wybuchają śmiechem. To moja jedyna szansa! Rzucam się przez wpółotwarte drzwi do pokoju śledczych.

Przykucam w półmroku i czekam, aż strażnik przejdzie. Nadchodzi leniwym, powolnym krokiem człowieka, który ma przed sobą ogrom czasu. W miarę jak kroki stają się coraz bliższe, pot występuje mi na czoło i ścieka skroniami... Staje! Niemal przed moimi drzwiami. Wstrzymuję dech... Pod sufitem chodzi na pełnej szybkości wentylator, ale słyszę jedynie głuchy łomot własnej krwi w żyłach. Strażnik odchrząkuje i spluwa, po czym podejmuje marsz. Mija moje drzwi i oddala się korytarzem. Skrzyp jego butów na kamiennej posadzce przypomina zgrzyt zardzewiałych zawiasów.

Ulga spływa na mnie niczym blask porannego słońca. Do tej chwili mój wzrok zdążył się już przyzwyczaić do panującego w pomieszczeniu mroku. Dostrzegam stół, łóżko i szafkę nocną, a na niej przykryty dzbanek z wodą. Najwyraźniej ten pokój służy jednemu z podinspektorów za sypialnię... Już mam się wymknąć, gdy moją uwagę zwracają dwa przedmioty. Jeden to mundur, który wisi na przytwierdzonym do ściany wieszaku, drugi – leżąca na stole skórzana kabura.

W głowie błyska mi kolejny śmiały pomysł. Znowu słyszę w uszach pulsowanie własnej krwi... Wspinam się na palce i sięgam do wieszaka.

Gdy wychodzę z pokoju śledczych, wyglądam jak ktoś, kto idzie na bal przebierańców. Koszula jest na mnie o dwa numery za duża. Zbyt długie spodnie zbierają się nad kostkami w obwarzanki niczym opadające pończochy. Mówię sobie jednak, że lepiej wyglądać jak dżoker niż jak zbiegła aresztantka.

Idę korytarzem do końca, sprawdzając wzrokiem każde drzwi, ale zamiast skręcić w stronę kobiecej celi, ryzykując spotkanie ze strażnikiem, skręcam w prawo, gdzie łączą się z dziedzińcem frontowe biura. Pokój wicekomisarza Khana jest zamknięty, ale w pokoju sprawozdawczym grupa funkcjonariuszy na nocnej zmianie gra w karty. Tak są pogrążeni w grze, że prawie mnie nie widzą, kiedy przechodzę koło otwartego okna i zmierzam w stronę zewnętrznej bramy.

– Hej, Pushpa! – woła jeden. – Dalej ci nie daje spać ta *chhori*? – Odpowiada mu głośny rechot towarzyszy.

Idę ku bramie. Każdy nerw w moim ciele jest jak ściśnięta sprężyna, gotowa momentalnie się rozprężyć. Lada moment ktoś rozpozna, że mam na sobie źle leżący męski mundur, włożony na damski *salwar kameez*, i podniesie alarm. Lada moment zawyje syrena, lada moment ktoś mnie chwyci od tyłu... Ale nic się nie dzieje. Bez przeszkód wychodzę przez żelazną bramę na zewnątrz.

Komenda policji jest o rzut kamieniem od kompleksu Priya w Vasant Vihar, słynącego z nocnych barów i restauracji, i tam właśnie zmierzam. Od czasu do czasu szczypię się w ramię, aby się upewnić, że to nie halucynacja. Trudno uwierzyć, ale jestem wolna! Mój los jest teraz w moich rękach.

Nawet o tej późnej porze kompleks tętni życiem. Imprezowicze wciąż łażą od pubu do pubu, na jezdni wciąż jest ruch. Z autorikszy wysiada jakaś młoda para i natychmiast zajmuję jej miejsce.

– Proszę mnie zawieźć do Vasant Kundż, sektor C, szybko – polecam kierowcy.

– Płatne z góry. Sto pięćdziesiąt – rzuca, nie fatygując się nawet, żeby rzucić okiem na klienta.

– Od kiedy to kierowcy biorą za kurs z góry? – warczę na niego.

Odwraca głowę. Widzę ciemną twarz ze śladami po ospie. Dopiero teraz zauważa mój mundur i całe jego zachowanie momentalnie się zmienia.

– Przepraszam panią. Zapłaci pani zgodnie z licznikiem – mówi potulnie i włącza cyfrowy odczyt. Uśmiecham się z satysfakcją. Dostąpiłam najrzadszego z triumfów: udało mi się pokazać rikszarzowi, gdzie jest jego miejsce.

Właśnie wjeżdżamy na Nelson Mandela Marg, gdy rozlega się policyjna syrena, rozdzierając niczym wrzask nocną ciszę. Rikszarz się ożywia.

– Całkiem jakby uciekł jakiś przestępca – zauważa.

– Tak – kiwam z powagą głową. – Na to wygląda. Ciekawe, kto to może być...

Nelson Mandela Marg jest pusta i wyludniona. Ta ośmiopasmowa arteria łączy Vasant Vihar z Vasant Kundż. Mieści się przy niej pięciogwiazdkowy hotel, kilka prestiżowych uczelni i dwa największe centra handlowe w Delhi. Ale słynie także z tego, że po zmroku jest to jeden z najniebezpieczniejszych obszarów w stolicy na skutek słabego patrolowania, niedostatecznego oświetlenia i gęstej zieleni przy równoczesnym braku po obu stronach strefy mieszkalnej, co akurat bardzo mi pasuje.

Pierwszy sygnał kłopotów pojawia się, gdy jesteśmy w części, która biegnie grzbietem wzgórza koło Uniwersytetu Jawaharlala Nehru. Widzę w oddali metalowe zapory w poprzek drogi: punkt kontrolny... Jak porażenie prądem przebiega mnie spazm strachu. Nie sądziłam, że wiadomość o mojej ucieczce roześlą do wszystkich posterunków w mieście tak szybko!

– Stop! Stop! Stop! – wrzeszczę i szarpię rikszarza za kołnierz. – Wysiadam tutaj!

– Tutaj? – pyta zdumiony. – Przecież tu na cztery mile wokół nic nie ma.

– Widzi pan to? – Wskazuję na opuszczoną blaszaną budę na poboczu, służącą kiedyś zapewne jako herbaciarnia. – Wysłano mnie, żebym sprawdziła to miejsce.

– Jak pani sobie życzy. – Wzrusza ramionami i zatrzymuje silnik. – Pięćdziesiąt dwie rupie – mówi, odczytując paragon: opłata podstawowa plus dwadzieścia pięć procent taryfy nocnej.

Wychodzę z autorikszy i przeszukuję kieszenie munduru w nadziei znalezienia jakichś pieniędzy, ale nic z tego.

– Chce pan brać pieniądze od funkcjonariuszki na służbie? – mówię, starając się naśladować szorstki ton i butę ludzi policji.

– Gdzie jest powiedziane, że policja nie płaci za przejazd? – stawia się kierowca. – Miesiąc temu jakiś inspektor próbował takiego samego numeru. Nasz związek poszedł prosto do głównego komisarza i zagroził natychmiastowym strajkiem.

– Nie mogę ci dać pieniędzy – mówię, kręcąc głową. – Ale mogę ci dać kulkę w łeb. – Równocześnie wyciągam z kieszeni spodni rewolwer i z teatralną klasą czarnego charakteru z bollywoodzkiego filmu wymierzam w jego twarz.

Oczy rozszerzają mu się ze strachu. Błyska w nich nagłe rozpoznanie.

– *Arrey baap re**! To pani jest ta dziewczyna, co ją widziałem w telewizji, ta morderczyni!

Rewolwer jest ciężki i niewygodny w mojej dłoni, gdy wymachuję mu nim przed nosem.

– Tak. I bez skrupułów zabiję także i ciebie.

– Nie... nie! Proszę mi darować życie! Mam żonę i trzy córki... Zginą beze mnie!

---

* *Baap re* (hind.) – odpowiednik: o Boże! (*baap* – ojciec).

– W takim razie natychmiast się stąd zabieraj. Wracaj w tę samą stronę, skąd przyjechaliśmy. I żebyś nie pisnął nikomu ani słowa!

– Nie pisnę, obiecuję... już jadę, już jadę... – Trzęsąc się, zapala silnik, zawraca i rusza w stronę Vasant Vihar, ostro dodając gazu.

Odprowadzam auto wzrokiem, dopóki nie staje się odległą plamką, i ruszam w stronę blaszaka. Osuwam się za nim na ziemię. Całe ciało boli mnie ze zmęczenia i bezsenności. Potrzebuję choć odrobiny odpoczynku, chwilki czasu, żeby przemyśleć następny ruch. Poniżej ciemnieje zwarty, niedostępny gąszcz lasu. To odnoga prastarego pasma górskiego Arawali, znana jako Grań Południowo-Centralna.

Siedzę niespełna dziesięć minut, gdy wtem powietrze zaczyna wibrować od zawodzenia policyjnych syren. Wyglądam zza blaszaka... Od strony Vasant Vihar nadjeżdża z pół tuzina wozów policyjnych z błyskającymi niczym u UFO górnymi światłami. Odwracam się – i widzę tyleż samo pojazdów zbliżających się od strony Vasant Kundż! Wygląda na to, że wszystkie zmierzają w stronę blaszaka...

Kierowca autorikszy wypaplał. Jedzie po mnie policja. Teraz pozostawanie przy drodze odpada, wybieram więc jedyne możliwe schronienie: las.

Patrzę w dół, na opadające stromym wąwozem zbocze. Najeżone urwistymi skałami, wygląda niebezpiecznie, ale rozpaczliwa sytuacja wymaga rozpaczliwych środków. Podwijam kradzione spodnie i zaczynam się ostrożnie spuszczać w dół. Cierniste krzewy rozdzierają mi łydki, do butów wpadają kamyki i piach, ostre kamienie kaleczą kolana i dłonie, ale schodzę, schodzę, powoli, z rozwagą... gdy wtem tracę grunt pod nogami i spadam na łeb na szyję po skalistym zboczu. Kaleczę o skalny występ kolano, przeszywa mnie ostry ból... Po czym walę głową w głaz i na chwilę tracę przytomność.

Kiedy wracam do siebie, leżę na ziemi z rozrzuconym kończynami jak szmaciana lalka. W ustach mam piach, we włosach liście. Z jękiem podnoszę się i rozglądam po otoczeniu.

Wokół śmigają w górę drzewa, tworzące nade mną gęsty baldachim. W dole skaliste piargi porasta istna dżungla ciernistych krzewów, głogu i jeżyn. Pierwotny las wibruje odgłosami życia jego nocnych mieszkańców. Pohukuje sowa, cykają owady. Z lewej strony coś ześlizguje się po pniu. Wzdrygam się przerażona; miejmy nadzieję, że to nie wąż...

I wtedy słyszę coś, od czego krew ścina mi się w żyłach: podniecone szczekanie psów, dobiegające skądś z góry. Wspieram się o gruby pień drzewa, zadzieram głowę... Niebo przebija świetlny promień. A więc policja nie przyjechała sama: mają ze sobą reflektory i psy gończe.

Jak zabłąkana kula, po raz pierwszy uderza we mnie świadomość, co to znaczy być ściganym przez prawo. W głowie błyska mi wspomnienie tamtych rozwścieczonych dobermanów w rezydencji Acharyi i rzucam się do ucieczki.

Zwisające gałęzie chłoszczą mnie po twarzy, cierniste pędy pętają nogi niczym drut kolczasty, skórzaste liście smagają policzki jak tysiące igieł... Przedzieram się na oślep przez dzicz, nie wiem dokąd, z jedną tylko myślą w głowie: uciec przed psami.

Parę razy padam i wstaję, koszulę mam podartą, twarz i ramiona pokaleczone i w siniakach, ale nie ustaję w szaleńczym biegu. Pot mnie oblewa, mięśnie sztywnieją, oddech przypomina łkanie, serce bije jak oszalałe, ale nie zwalniam. Jedyne, czego jestem świadoma, to cierpka woń roślinności, trzaskanie gałązek pod stopami i szelest poruszającego liśćmi wiatru. To więcej niż panika, więcej niż instynkt, to czysta, naga wola. Gdzieś w głowie mam głos, który gna mnie naprzód, każe ignorować żądania ciała co do snu, pożywienia i wody i tylko biec, biec, biec... To bieg po wolność, i nic nie zdoła mnie powstrzymać.

Po trzech godzinach nieprzerwanego biegu ciemność zaczyna rzednąć, i tak samo gęstwina wokół mnie. Pierwsze promienie świtu niczym piki przebijają liściasty baldachim i rozpraszają mrok. Odzywają się ptaki, skądś z bliska dobiega cichy plusk strumienia. Ale w tle tych dźwięków daje się słyszeć inny, niezgodny z nimi: hałas przebiegającej w pobliżu trasy komunikacyjnej.

Idę za tym odgłosem jeszcze sto metrów i nagle przystaję. Doszłam do krańca lasu i wychodzę na otwartą przestrzeń. W miejsce leśnej zieleni mam przed sobą rozległy piaszczysty dół. Sterczą z niego potężne betonowe słupy, niewątpliwie pod budowę kolejnego pięciogwiazdkowego hotelu czy eleganckiego centrum handlowego. Powoli, lecz nieustępliwie zielone płuca Delhi są składane w ofierze na ołtarzu komercyjnego budownictwa.

W oddali dostrzegam zarysy jakiegoś kompleksu budowlanego, który wieńczy lśniąca kopuła. Wygląda bardzo znajomo. Wysilam pamięć... Tak, widziałam ją na centrum handlowym DLF Emporio. Co oznacza, że dotarłam do Vasant Kundż.

Ten fragment miasta znam dosyć dobrze, głównie dlatego, że przez jakiś czas tato uczył tu w Ryan International School, w sektorze C.

Ten zarys na horyzoncie jest jak tajemniczy magnes, wciągający mnie w głąb. W żyłach wciąż pulsuje mi adrenalina. Nogi mam tak zdrętwiałe, że nawet nie czują bólu i zmęczenia.

Zrzucam policyjny mundur, teraz w strzępach, i wciskam go w głąb betonowej rury. Ważę w dłoni rewolwer i chowam go do wewnętrznej kieszeni spodni. Wygładzam

salwar kameez, ocieram twarz i przeczesuję dłońmi włosy.
Po czym biorę głęboki oddech i zaczynam biec raz jeszcze,
ostatni. Zmierzam w stronę drogi, w stronę sektora C-1,
w stronę Rany.

Sektor C to pierwszy sektor, gdy dociera się do Vasant Kundż
od strony Vasant Vihar, a enklawa 1 leży tuż przy trasie
dojazdowej. Zgiełk uliczny na Abdul Gaffar Khan Marg to
krzepiący znak, że wiadomość o mojej ucieczce jeszcze nie
zakłóciła rytmu dnia.

Kiedy podchodzę do bramy, osiedle dopiero się budzi.
Młody z wyglądu ochroniarz przygląda mi się podejrzliwie.

– *Nayi aayi kya?* Jesteś tu nowa? – pyta niedbałym,
bezceremonialnym tonem, tak jakby zwracał się do kogoś
o niższym statusie.

W pierwszej chwili go nie rozumiem. Po czym mi świta:
on myśli, że jestem nową służącą.

Nie mam mu tego za złe. Jestem nijaka, pozbawiona
wyrazistych rysów. Nie ma w mojej twarzy nic, co by
zwracało uwagę. Do tego zakurzone włosy, brudne ubranie... Nic dziwnego, że wziął mnie za służącą. Mogę być
Belą czy Champą, Phoolmati czy Dharamwati, czy jak tam
jeszcze nazywają się te tysiące dziewczyn, które przewijają
się każdego dnia przez domy i ulice Delhi.

– Tak – kiwam gorliwie głową. – Dziś zaczynam. Na
tym osiedlu.

– U kogo?

– U *sahiba* Rany, mieszkanie 4245.

– Ale u niego już zdaje się pracuje Putli, tak?

– Wczoraj wyjechała do siebie na wieś – improwizuję. –
Dlatego ja tu jestem. Będę pracować zamiast Putli, dopóki
nie wróci.

– Aha, czyli że jesteś tymczasowa. Załatwiłaś sobie
policyjną weryfikację?

– Nie. A co to takiego?

– Spytaj *babu* Ranę. To taki obowiązkowy warunek, wprowadzony przez Stowarzyszenie Mieszkańców dla wszystkich pomocy domowych.

– Znaczy, że nie mogę pracować, dopóki tego nie załatwię?

– Jasne, że możesz. Musimy sobie pomagać, nie? – Przymruża oko, uchyla bramę i machnięciem ręki zagania mnie do środka. – Ale, ale, nie powiedziałaś, jak się nazywasz.

– A tak... Pinky.

– Dobra. To do zobaczenia, Pinky.

Wchodzę na teren osiedla i rozglądam się. Mieszkania parterowe mają wypielęgnowane ogródki i równo przystrzyżone żywopłoty. Na dachach połyskują talerze anten i zbiorniki na wodę. Niemal we wszystkich oknach widać zieleń doniczkowych roślin i wiszące koszyki, z których kipią kaskady kwiatów. W cieniu parkują eleganckie terenówki i sedany. Enklawa C-1 ma wysublimowany blask powodzenia podmiejskiej klasy średniej.

Mieszkanie Rany mieści się w pierwszym budynku na lewo, przyległym do granicznego muru. Wchodzę na pierwsze piętro, czując, jak zaciska mi się w piersi węzeł napięcia. Powoli, niepostrzeżenie wyjmuję z wewnętrznej kieszeni rewolwer. Trzymając go w prawej ręce, naciskam guzik mieszkania 4245 i czekam.

Wyobrażam sobie szok na twarzy Rany, kiedy otworzy drzwi i stanie oko w oko z lufą rewolweru... Wepchnę go do środka, każę uklęknąć i zmuszę, żeby opowiedział całą tę nikczemną historię, jak w zmowie z AK zamordował Acharyę i postarał się, żeby winę przypisano mnie. A potem zadzwonię do wicekomisarza Khana, żeby nagrał przyznanie się Rany do winy i położył kres temu koszmarowi, który prześladuje mnie od momentu aresztowania.

Oczywiście istnieje możliwość, że sprawy nie pójdą zgodnie z planem. Rana może się postawić, nie wierząc, że byłabym w stanie go zastrzelić. Jakże by się mylił! Rewolwer w moich rękach nie jest już obcy i nieporęczny, jest śmiercionośny. I pewna jestem, że pociągnę za spust, jeśli będę musiała. Podejrzana o morderstwo nie ma nic do stracenia.

Mija prawie pięć minut i nikt nie otwiera. Naciskam klamkę: zamknięte na klucz. Przyciskam dzwonek raz za razem, ale Rana nie odpowiada. Po dziesięciu minutach bezowocnego dzwonienia dochodzę do wniosku, że mojej ofiary nie ma w mieszkaniu. Serce mi zamiera, gdy uświadamiam sobie, że Rana pewnie wyjechał z Delhi, dał drapaka... Tej jednej możliwości po prostu nie brałam pod uwagę.

Odwracam się, zdeprymowana i przybita, gdy wtem kątem oka coś rejestruję. Błysk błękitu, gdzieś na głównej ulicy. Wyglądam na Abdul Gaffar Khan Marg... Pomiędzy falami wczesnoporannego ruchu coraz to pojawia się na moment i znika zwarta grupka biegaczy w dresach i adidasach, zmierzających w stronę sektora C. To właśnie tam mignęło mi coś niebieskiego... Ale już go nie ma. Nie, jest! Jeden z biegaczy, poruszający się z płynną gracją, ma na sobie ciemnoniebieski dres Reeboka. Odprowadzam go wzrokiem i zaczynają mnie mrowić dłonie. To Rana!

Przygnębienie znika, a jego miejsce zajmuje ponura satysfakcja cierpliwego myśliwego, który w końcu zoczył swoją ofiarę. Tak, jest Bóg na niebie i sprawiedliwości w końcu stanie się zadość.

Grupka znajduje się teraz niemal naprzeciw bramy numer 4, po przeciwnej stronie jezdni. Widzę, jak Rana odłącza się od reszty biegaczy i macha im na pożegnanie. Tamci biegną dalej. Rana przykuca na skraju drogi, jak zmęczony biegacz łapiący dech, i czeka na przerwę w ruchu, żeby przejść na drugą stronę. Teraz się prostuje i wyjmuje z kieszeni komórkę. Przykłada ją do ucha, jakby odbierał telefon, i zaczyna przechodzić. Wtem nie wiadomo skąd na jezdni pojawia się lekki samochód dostawczy, pędzący z niebezpieczną szybkością. Rana zbyt jest zaabsorbowany rozmową, żeby zobaczyć wóz i zrobić w porę unik. Słyszę głuchy odgłos uderzenia... Telefon wylatuje Ranie z ręki, ciało jak z katapulty wylatuje w powietrze i ze straszliwym trzaskiem pada na chodnik. Ciężarówka nadal pędzi jezdnią. Nie słyszę pisku hamulców, przeciwnie, kierowca wyraźnie dodał gazu, by jak najszybciej umknąć.

Wszystko to wydarza się tak szybko, że mogę tylko bezradnie patrzeć, zdjęta niemą zgrozą. Momentalnie jednak mózg zaczyna mi wysyłać pilne wiadomości: jeśli Rana umiera, to umiera też ostatnia szansa, by udowodnić moją niewinność!

– Nieeeee! – wrzeszczę i rzucam się na oślep po schodach.

Wybiegam przez bramę i ryzykując życie, wbiegam na jezdnię. Udaje mi się jakoś dotrzeć na drugą stronę. Kiedy dopadam Rany, jeszcze żyje, ale ledwie-ledwie. Chodnik jest zbryzgany jego krwią, a prawa strona twarzy to masa krwawego mięsa i wypływającej tkanki mózgowej. Telefon leży roztrzaskany w pobliżu. Przyklękam obok na chodniku i biorę jego głowę na podołek.

– Rana... Rana! – szepczę nagląco. – To ja, Sapna.

– Sapna? – powtarza ochrypłym szeptem i kaszle, wypluwając krew. Oddycha płytko, spazmatycznie, puls na szyi bije nierówno. Wiem, że zostało mu niewiele czasu.

– Co się stało? Kto ci to zrobił?

– Hi... mnie... oszukał... – bełkocze nieskładnie.

– Kto? Powiedz mi, powiedz! – usiłuję wydobyć z niego wyznanie.

– Przepraszam – udaje mu się wychrypieć. W jego oczach, gdy na mnie patrzy, jest zrozumienie i smutek. Jeszcze raz kaszle i oczy zaczynają mu uciekać. Puls zwalnia i zatrzymuje się.

Do tego czasu zebrał się już wokół tłum gapiów.

– *Arrey*, wezwać karetkę, szybko! – woła ktoś.

– Nie ma potrzeby – mówi inny. – *Khatam ho gaya*. On nie żyje.

– To pani mąż? – pyta mnie kolejna osoba.

Potrząsam głową.

– Nie... Po prostu go znałam.

O dziwo, na Abdul Gaffar Khan Marg trwa normalny ruch uliczny, tak jakby nic się nie stało. Śmierć Rany to po prostu kolejna pozycja w statystyce wypadków drogowych. Anonimowa śmierć w niebezpiecznym mieście.

Ale policja musi sporządzić notatkę na ten temat. Wkrótce przez tłum przebija się dźwięk policyjnej syreny. Pora się ulotnić. Wstaję – i spostrzegam, że mój *salvar kameez* jest cały poplamiony krwią. Nawet na tenisówkach mam ślady wydzielin Rany...

– Muszę iść – mówię, szukając przejścia w zwartym kręgu gapiów.

– Boże święty! To przecież Sapna Sinha! Dziewczyna, która zamordowała Vinaya Mohana Acharyę! – wystrzela ni stąd, ni zowąd przenikliwy krzyk. Widzowie, jakby wstrząśnięci nagłym dreszczem, cofają się.

Zamieram jak posąg, zdrętwiała z przerażenia. Uciekaj! – bije na alarm dzwon w mojej głowie. Uciekaj natychmiast! Rzucam się w tłum głową naprzód, niczym byk na arenie, i siłą przedzieram się przez pierścień gapiów. Nie myśląc o kierunku, biegnę na oślep przez jezdnię i o włos unikam potrącenia przez autobus.

– Łapcie ją! – drze się jakiś mężczyzna.

I wtedy przypominam sobie, że mam broń. Wyszarpuję ją z wewnętrznej kieszeni, wymierzam i błyskawicznie obracam się od lewa do prawa.

– Następny, który się do mnie zbliży, dostanie kulkę w łeb! – ostrzegam. Na widok rewolweru prześladowcy rozpraszają się jak stado gołębi.

Tak jestem zaabsorbowana kontrolowaniem ich uciecz-ki, że nie zauważam mężczyzny, który zakradł się od tyłu z kijem do krykieta. Kiedy robię pełny obrót, jest za późno. Klnąc, trafia mnie kijem w żołądek i wybija mi z płuc powietrze. Walę się na chodnik. Rewolwer wypada mi z ręki i ląduje w rowie.

Jakoś udaje mi się pozbierać i znowu, utykając, rzucam się do ucieczki, choć mnie mdli i kręci mi się w głowie. Facet z kijem próbuje zaatakować mnie z boku. Z rozpędu walę w niego z byka całym ciałem i posyłam do tego samego rowu.

W tłumie zdążył się tymczasem obudzić pierwotny instynkt łowiecki. Kilkunastu mężczyzn puszcza się za mną w pogoń. Uciekam na oślep, mijam małe schludne domki, budkę Mother Dairy*... Nie oglądam się, ale wiem, że tłum ściga mnie jak cień.

Szybciej! – krzyczy głos w mojej głowie, ale nogi nie mają już siły. Serce o mało mi nie pęknie, mózg grozi wybuchem.

Już mam się osunąć na chodnik, gdy wtem podjeżdża czerwone maruti swift. Otwierają się tylne drzwiczki i kobiecy głos komenderuje:

– Wsiadaj!

Rzucam się na tylne siedzenie z bezmyślnym posłuszeństwem członka religijnej sekty. Samochód gwałtownie skręca od chodnika na jezdnię i nabiera szybkości. Podnoszę głowę: z przedniego siedzenia pasażera ogląda się na mnie kobieta w niebieskim T-shircie. Wygląda jak Shalini Grover z telewizji Sunlight... Kierowcą jest chudy mężczyzna z rozczochraną czupryną, którego nigdy wcześniej nie widziałam.

– Wszystko dobrze, Sapna? – pyta kobieta, a ja słabnę z ulgi. To naprawdę moja znajoma, Shalini.

– Jak... jak mnie znalazłaś?

---

* Państwowa firma mleczarska w Indiach.

– Od dwóch dni chodziłam za Raną krok w krok, w nadziei że znajdę dowód na jego powiązanie z morderstwem
Acharyi. Widziałam, jak przejechała go ta furgonetka. I zaraz
potem zobaczyłam ciebie, jak wymachujesz rewolwerem
i zmykasz niczym P.T. Usha*. A kiedy się okazało, że ta
zgraja chce cię zlinczować, powiedziałam D'Souzie, mojemu
kamerzyście, że musimy zadziałać jako twój pojazd ratunkowy.

– Cześć, jestem D'Souza. – Kierowca unosi rękę i macha
w moją stronę.

Shalini zapala papierosa i proponuje mi dymka. Dopiero wtedy czuję woń nikotyny, wrośniętą w samochodowe
wnętrze niczym tatuaż. Musi odpalać papierosa od papierosa.

– Nie, dziękuję. – Serce wciąż mi wali. Udało mi się
uciec, ale dosłownie w ostatniej chwili.

– Zbiegłaś z aresztu, jak sądzę – mówi po chwili Shalini.
Kiwam lękliwie głową.

– Zawieziesz mnie z powrotem na policję?

– Zwariowałaś? – śmieje się. – Mam lepszy plan dla
mojego najcenniejszego źródła. Zawiozę cię do naszego
domu w Darjagandż.

– Po co? – pytam z goryczą. – Śmierć Rany pogrzebała
wszelkie moje nadzieje.

– Przeciwnie, to dowód, że jesteś tylko pionkiem
w znacznie bardziej złożonej grze. Przejechanie Rany przez
ten samochód wygląda na zaplanowane. To nie był wypadek: to było morderstwo – mówi, puszczając mi w twarz
kółko dymu.

– Ktoś do niego zadzwonił na komórkę tuż przed tym,
jak rąbnęła w niego ta ciężarówka.

– Tak. I mam bardzo dobry pomysł, kto to mógł być.

– Kto? AK?

---

* Znana hinduska lekkoatletka.

377

– Nie. To prawdopodobnie był właściciel Indus Mobile, Swapan Karak.

– Dlaczego tak myślisz?

– Coś było grane pomiędzy Karakiem a Raną. Wczoraj widziałam, jak wszedł do mieszkania Rany i siedział ze dwie godziny.

– Ale jaki interes mógł mieć właściciel Indusa do Rany?

– Właśnie próbuję to ustalić. Wyluzuj teraz i spróbuj trochę pospać – mówi Shalini i włącza muzykę.

Z głośników zaczynają się sączyć łagodne dźwięki *raga khamas** w wykonaniu Pandita Jasraja. Świat chaosu, który mnie otaczał, odpływa i niknie. Po raz pierwszy od ponad dwudziestu czterech godzin przymykam oczy... Muzyka, obecność zaufanej przyjaciółki, płynny ruch samochodu, wszystko to sprawia, że odpływam w jakże upragnioną drzemkę. Budzi mnie nagłe wycie syren.

– Szlag, szlag, szlag! – klnie D'Souza. – Mam trzy policyjne suki na ogonie!

– Ktoś z tłumu musiał podać nasz numer – mruczy Shalini, patrząc we wsteczne lusterko.

– Wrobiłaś mnie w ten bajzel, to teraz mnie z niego wyciągnij! – zawodzi D'Souza.

– Uspokój się! – warczy Shalini i zapala kolejnego papierosa.

Mrugam oczami, próbując zmusić się do przytomności i zorientować w położeniu. Wygląda na to, że jesteśmy w okolicy Bramy Indii i zbliżamy się do czerwonych świateł.

– Co ja mam, do diabła, robić? – jęczy D'Souza.

– Na początek przejedź na czerwonym świetle – mówi spokojnie Shalini.

– Co?

– Jedź!

---

* Klasyczna muzyka hinduska, typowa dla południowych Indii (przyp. tłum.).

D'Souza mija skrzyżowanie na pełnej szybkości. Klaksony trąbią, pojazdy skręcają gwałtownie, ustępując z drogi.

– Teraz to dopiero narobiłaś sobie kłopotów – mówię zmartwiona do Shalini.

– Nie przejmuj się. Powiemy policji, że nas sterroryzowałaś.

Już myślę, że udało nam się zmylić pogoń, gdy rozlegają się kolejne syreny, coraz przenikliwsze.

Porzucając główną ulicę, D'Souza skręca w ustronną uliczkę boczną. Z jedną ręką na klaksonie, kluczy labiryntem niewielkich alejek, niczym niezdecydowany kompas ciągle zmieniając kierunek. Mimo to nie udaje nam się zgubić pojedynczego policyjnego gazika, którego mamy już na ogonie. D'Souza w desperacji przecina trzy pasy ruchu w przeciwnym kierunku i wpada w chaos porannego dojazdowego szczytu na Janpath.

Ten krok okazuje się katastrofalny. Gdy dołączamy do morza samochodów, które utknęły w korku na zewnętrznym pierścieniu wokół Connaught Place, Shalini wie, że dojechanie do bezpiecznego schronienia jest niemożliwe.

– Zatrzymaj samochód – poleca kamerzyście.

D'Souza kiwa głową i gwałtownie zatrzymuje swifta przed kinem Regal.

– Najlepiej będzie, jak tu wysiądziesz i poszukasz jakiejś kryjówki – zwraca się do mnie Shalini. – My jeszcze trochę pojeździmy, dopóki nas policja nie złapie. Przynajmniej zyskasz trochę czasu.

Szybko otwieram drzwiczki i wysiadam. Shalini odruchowo wyciąga rękę i w geście siostrzanej solidarności ściska mi dłoń.

– Walcz, Sapna, nie poddawaj się. A tu masz... – Sięga po brązową skórzaną torbę, która leży u jej stóp. – To mój żelazny zestaw podróżny. Trochę gotówki, zapasowe ubranie, papier toaletowy, latarka, scyzoryk i nawet taśma klejąca.

Chwytam torbę i uśmiecham się słabo. Mam nadzieję, że dostrzeże wdzięczność w moich oczach za tą patyną strachu i niepewności.

– Jak ja ci się za to wszystko odwdzięczę?

– Zwyczajnie. Udzielisz mi zupełnie wyjątkowego wywiadu, kiedy już uda ci się udowodnić swoją niewinność. A teraz idź, idź, idź!

Auto włącza się do ruchu. Przez chwilę stoję nieruchomo jak człowiek w chwilę po wypadku samochodowym, ogłupiały i zdezorientowany. Shalini chce, żebym się ukryła w Connaught Place, ale ja tu nie znam ani jednej kryjówki... Doprawdy, trudno się ukryć w rozgorączkowanym, pulsującym sercu miasta.

Czuję, że zaczyna mnie ogarniać panika. I wtedy mój wzrok pada na fragment chodnika, gdzie uliczny handlarz wyłożył religijne plakaty na sprzedaż. Bogini Durga zaprasza mnie niczym latarnia morska zbłąkany statek w czasie sztormu. I już wiem, że owszem, mam kryjówkę w Connaught Place.

Naciągam *chunni* na głowę, częściowo osłaniając twarz, i włączam się w potok pieszych, zmierzających do biur i sklepów. Skręcam w lewo na Baba Kharak Singh Marg i ruszam do świątyni Hanumana.

Choć to dopiero po dziewiątej, kompleks świątynny już wibruje życiem. Wykonawcy tatuażu i *mendhi**, sprzedawcy bransolet i uliczni astrologowie rozstawili już swoje stragany. Zaczepia mnie stary wróżbita, odczytujący przyszłość z linii na czole za obiecującą kwotę stu jeden rupii.

– Chce pani wiedzieć, co panią czeka w przyszłości? – pyta. Nawet Bóg nie wie, co mnie czeka w przyszłości, mam ochotę mu odpowiedzieć.

---

* Tradycyjny rytualny ornament malowany na dłoniach za pomocą henny; utrzymuje się na skórze przez 2–3 tygodnie (przyp. tłum.).

Zostawiam tenisówki u starej kobiety przy wejściu i wbiegam po schodach po dwa stopnie naraz. W chwilę później stoję przed Durga Ma. Samo spojrzenie na jej boskie oblicze napełnia mnie takim spokojem, że zapominam o całej mojej męce.To musi być jakaś kosmiczna zbieżność: dziś jest piątek, dzień bogini Durgi. Być może przez cały czas mnie wzywała i tak miało być, że jestem tu dzisiaj?

Grupa kobiet w czerwonych sari, obładowanych ofiarami z owoców i kwiatów, usadawia się na marmurowej posadzce i szykuje do słuchania badżanów, które zaczyna śpiewać ich współwyznawczyni w białym sari. Pochylam głowę, tak by nikt nie widział mojej twarzy, i dyskretnie włączam się w krąg,

Pieśni działają jak magia. Wkrótce cała grupa, porwana falą pobożności, kołysze się w takt badżanów, chłonąc prostą prawdę ich przekazu. Czuję, jak spływa na mnie ożywczy, uzdrawiający deszcz niebiańskiej łaski. Nudności i pulsowanie w głowie mijają jak ręką odjął.

Pozostaję w świątyni prawie dziewięć godzin. Do chwili gdy nie jestem już w stanie dłużej ignorować głodu.

Kiedy wychodzę, na miasto opada zmierzch, spowijając je w bladoniebieską mgiełkę. Zapalają się lampy uliczne, rzucające na chodnik złowieszcze cienie. W torbie Shalini znajduję solidną kwotę trzech tysięcy rupii, kupuję więc u ulicznego sprzedawcy talerz *puri-aloo** i łapczywie pochłaniam.

Siedzę na ławce i patrzę na przepływającą obok mnie ludzką falę. Pracownicy banków i urzędów państwowych spieszą do metra, by po kolejnym ciężkim dniu pracy jak najszybciej znaleźć się w domu. Na sąsiedniej ławce żegna się i wciąż nie może rozstać para zakochanych. Podchodzi sprzedawca fletów i zaczyna grać odpowiednio tragiczną

---

* Ziemniaki i pomidory duszone z przyprawami plus smażone na oleju pszenne placki.

piosenkę z filmu *Kal Ho Na Ho**. Melodia oddala hałas, który standardowo towarzyszy godzinie szczytu w Connaught Place – do chwili gdy zagłusza ją wycie syreny policyjnej.

Wkrótce każdy róg ulicy obstawiony jest przez facetów w mundurach, czujnych, zwartych i gotowych. Na skrzyżowaniach stają barykady, by zatrzymywać i sprawdzać samochody. Koło parkingu przed blokiem A jakiś inspektor odpytuje parkingowego i podsuwa mu pod nos zdjęcie. Nie mam wątpliwości, że moje... Oddech mi przyspiesza, dłonie wilgotnieją od potu. Jakaś cząstka mnie chce po prostu położyć temu kres. To życie w ciągłym strachu, to nieustanne ukrywanie się są gorsze od śmierci. Ale nieustępliwość i upór też podnoszą we mnie głowę. Nie mogę się poddać, muszę nadal uciekać, jeśli nie dla siebie samej, to dla Ma i Nehy.

Przez najbliższe dwie godziny kulę się i garbię, krążąc po zatłoczonej hali targowej i rojnych trotuarach. Tuż po dziewiątej wieczorem znajduję się w bloku L w pierścieniu zewnętrznym, przed witryną biura podróży Jain Travel. Mój wzrok pada na letnią ofertę: wycieczki *last minute* do Kedarnath, Badrinath, Almory, Nainital...

Nainital! Sam widok tego słowa budzi tak wiele wspomnień, że niemal łzy stają mi w oczach. Decyzja zostaje podjęta natychmiast.

Kiedy wchodzę, pracownik wieczornej zmiany, znużony, starszy mężczyzna, przerzuca kartki telewizyjnego magazynu. Pytam o bilet do Nainital.

– Osiemset rupii – mówi obojętnym tonem człowieka, który wolałby raczej siedzieć teraz w domu na kanapie i oglądać serial. – Odjazd dziś o dziesiątej trzydzieści, sprzed wejścia. Nie ma zwrotów, nie ma refundacji.

---

* Romantyczny komediodramat hinduski; tytuł oznacza: „Jutro będzie lub nie" (przyp. tłum.).

Kiedy stawiam się w miejscu odjazdu autobusu, stwierdzam, że moi współpodróżni to duża grupa chłopców i dziewcząt z miejscowego college'u, ubranych na luzie w dżinsy i T-shirty, z walizkami i plecakami. Schyliwszy głowę, zajmuję miejsce na samym końcu autobusu i chowam twarz w gazetę.

Kiedy autobus zbliża się do punktu kontrolnego, jestem kłębkiem nerwów. Spocony funkcjonariusz powoli gramoli się do środka... Serce mam w gardle. Policjant obrzuca pobieżnym spojrzeniem młode, roześmiane twarze i znudzonym machnięciem dłoni odprawia nas w drogę.

W efekcie wszystkich tych punktów kontrolnych na Ring Road jest olbrzymi korek i dotarcie na autostradę National Highway 24 zabiera kierowcy dwie godziny. Moja paranoja zmniejsza się dopiero wtedy, gdy opuszczamy granice miasta Delhi.

Reszta podróży mija pod znakiem fałszywie śpiewanych piosenek, pieprznych dowcipów, nieustannego paplania i młodzieńczej hałaśliwości, jak to na studenckiej wycieczce. Przyglądam się im, obserwuję, co robią, ale nie odzywam się ani słowem. I oni też pozostawiają mnie w spokoju. Zbyt mocno tkwią we własnym beztroskim świecie, by mogło do nich dotrzeć, że podróżują z najbardziej poszukiwaną kobietą w Indiach.

Doskonała klimatyzacja, równy, jednostajny szum silnika i łagodne bujanie autobusu zaczynają wkrótce działać jak kołysanka. Zasypiam... Kiedy otwieram oczy, przez szparę w zasłonce przebija słoneczny blask. Wyglądam: płaski, równinny, szary krajobraz ustąpił miejsca bujnej zieleni himalajskiego pogórza. Jak zahipnotyzowana patrzę na odległy łańcuch gór, wyłaniający się z oparów mgły.

Droga jest teraz trudniejsza, wąska, usiana zakrętami-agrafkami. W Haldwani zatrzymujemy się na śniadanie w miejscowym *dhaba**. Jedzenie jest smakowite, a powietrze chłodne, świeże i ożywcze. W knajpce jest także sklepik, gdzie można kupić rozmaite bibeloty. Wybieram sobie ogromne ciemne okulary. Przeglądam się w lustrze i z satysfakcją stwierdzam, że zakrywają mi pół twarzy. Kiedy jednak rzucam przelotnie okiem na ulokowany wysoko na ścianie telewizor, dowiaduję się, że Shalini Grover została aresztowana za pomoc udzieloną ściganej przez prawo i współudział w przestępstwie. Ogarnia mnie fala smutku. Wsiadam do autobusu, zanim ktoś zdąży zauważyć moje przygnębienie.

Pozostałe czterdzieści kilometrów mija mi we mgle łez. O siódmej rano jestem znowu w mieście mego dzieciństwa i wczesnej młodości.

W blasku wczesnego letniego poranka Nainital wygląda jak zatłoczona stacja kolejowa. Chodnikami Mall Road płynie strumień młodych par w podróży poślubnej i hałaśliwych mieszkańców Pendżabu. Po bazarze krążą rowerowe riksze, dzwonkiem sygnalizując prośbę o ustąpienie z drogi.

Jezioro lśni przede mną, rozległe, zachęcające. Leniwe, zmysłowe fale potrącają ścianę Klubu Wioślarskiego, jakby szturchały ją ramieniem. Siedem wzgórz, dumnie, majestatycznie górujących nad tonią, nadaje otoczeniu rys mistycyzmu, jakże kontrastujący z płaską, sfabrykowaną urodą Delhi. Ogarniam spojrzeniem panoramę, jaką mam przed sobą – dzielnice Flats, świątynię Naina Devi, kino Capitol, Thandi Road – i wraca do mnie moje dawne życie.

Ktoś klepie mnie w ramię. Oglądam się, wystraszona, ale okazuje się, że to tylko jakaś rodzina z południowych Indii – ojciec, matka i dwie nieduże córki.

– Przepraszam bardzo – zwraca się do mnie ojciec, w nienagannie białym lnianym ubraniu, z żółtym znakiem

---

* Przydrożna tania knajpka w Indiach.

kasty na czole – czy nie wie pani, jak dojść do pensjonatu Rosy Guest House? – Ma w sobie niepewność i wahanie turysty, obcego w nowym otoczeniu. W ręce ściska uchwyt zniszczonej czarnej walizki.

– Przykro mi – mówię, podsuwając zjeżdżające mi z nosa ciemne okulary. – Też jestem tu nowa.

Odwracam się i mój wzrok przykuwa hotel Grand na przeciwległym brzegu jeziora, po stronie Mallital. To niska budowla w stylu kolonialnym, z długą otwartą werandą. Powoli mój wzrok wędruje w górę, szukając na wznoszącym się za hotelem, osłoniętym niskimi chmurami zboczu pewnego punktu. To tam rozciągały się tereny Akademii Windsor.

Jak popchnięta niewidzialną ręką, zaczynam się wspinać łagodnie wijącą się drogą, wiodącą w stronę szkoły. Mijam tandetne sklepiki z pamiątkami i tanie biura turystyczne, mijam kościół metodystów i college. Kiedy docieram do bramy akademii, dyszę z wysiłku.

Wita mnie brama z kutego żelaza z biało-niebieskim logo szkoły. Szkoła musi być już zamknięta na czas letnich wakacji, bo w bramie nie stoi strażnik. Wchodzę przez furtkę dla pieszych i ruszam w górę brukowaną ścieżką, otoczoną potężnymi himalajskimi cedrami. Na szczycie wzgórza ścieżka się rozwidla: jedna odnoga prowadzi do gabinetu dyrektorki i głównego gmachu, druga – do mieszkań pracowników.

Wybieram tę, która prowadzi w lewo, do tego, co zwykliśmy nazywać kolonią nauczycielską. Jest to kratownica równych szeregów białych domków, które rozdzielają szerokie, brukowane polnym kamieniem ścieżki. Ten skrajny ład i uporządkowanie były dla Alki czymś okropnym. Dla mnie jednak było to niebo, upragnione antidotum na panujące na zewnątrz szaleństwo, wnoszone przez niesfornych turystów.

Osiedle jest dziwnie ciche. W zasięgu wzroku nie ma żywej duszy; mieszkańcy zapewne nadal korzystają z dłuższego weekendowego snu. Mijam ponumerowane domy, automatycznie odczytując znane nazwiska. Numer 12, pan Emmanuel; numer 13, pani Da Costa; numer 14, pan Pant; numer 15, pan Siddiqui; numer 16, pan Edwards... I sama nie wiem kiedy, już stoję przed naszym dawnym domem.

Patrzę na niego w szoku. W ogóle nie wygląda jak dom. Wygląda jak chlew, i to zaniedbany. Wspaniały trawnik, który tak starannie podlewałam, to jedna dżungla chwastów, bujnych traw i przerośniętych krzaków. Ściany pokrywa zielony liszaj grzyba i pleśni. Frontowy ganek, który na Diwali zwykliśmy przyozdabiać girlandami lampek *diyas*, zarzucony jest naniesionymi przez wiatr śmieciami. Komin z ozdobnym gzymsem, wystający z lekko spadzistego dachu niczym wieża, teraz pyszni się ptasim gniazdem...

Złość mnie bierze na obecnych mieszkańców, którzy doprowadzili dom numer 17 do tego żałosnego stanu. To dom, w którym spędziłam dzieciństwo, w którym uczyłam się twardych prawd dorosłości. Wiążą się z nim moje najczulsze wspomnienia: owoców mango Dussehri*, bajek opowiadanych przy kominku, rodzinnego szczęścia, które gościło tutaj, zanim dotknęła nas tragedia.

W miarę jak wpatruję się w dom, te wspomnienia stają się coraz wyrazistsze. Lada moment wyjdzie przez kuchenne drzwi Neha, ćwicząc *ragę*, której uczył ją tamten stary zbzikowany mistrz-ji. Widzę tatę, jak siedząc w wiklinowym fotelu, odkłada gazetę i patrzy na mnie z surową czułością. I Alkę, kochaną, słodką Alkę, jak wybiega zza prastarego dębu w tylnym ogrodzie i woła: *Kamaal ho gaya, didi!*

Każde nostalgiczne wspomnienie niesie z sobą falę niepokojących emocji. W głowie ożywa echo znajomych gło-

---

* Gatunek mango słynący ze słodyczy i delikatności owoców.

sów. Całkiem jakby niektóre włókna w moim ciele wciąż były zrośnięte z tym domem, z tym miastem... Zastanawiam się nad bilansem mojego życia. Co zyskałam, co straciłam, przeprowadzając się do Delhi?

Z zamyślenia wyrywa mnie dźwięk dzwonka. Odwracam się: mały chłopczyk na trójkołowym rowerku dzwoni na mnie, żebym zeszła z drogi. Przygląda mi się z nieskrywaną ciekawością czterolatka.

Uśmiecham się do niego.

– Wiesz może, kto mieszka w tym domu?

– *Bhoot*. Duch – odpowiada lakonicznie.

– Słucham?

– Tu nikt nie mieszka, tylko duch tej dziewczyny, co tu umarła. Nie stój tu długo, bo wyssie z ciebie krew – mówi z przesadną mimiką dziecka, które dzieli się sekretem. – Tak mówi moja mama – dodaje i pomachawszy mi na pożegnanie rączką, odjeżdża.

A więc dom jest pusty... Prawdopodobnie stał pusty przez cały czas, odkąd się wyprowadziliśmy. Śmierć Alki pozostawiła na nim piętno skandalu i samobójstwa. I nikt go teraz nie chce.

Brnę przez chwasty na tyły domu. Taka sama ruina jak od frontu... Na dodatek tylny ogród stał się składowiskiem śmieci sąsiadów. Śmierdzi tu rozkładem i stęchlizną. Przed kuchennymi drzwiami wyrósł stos starych mebli i popsutych urządzeń. Obchodzę przewróconą miskę klozetową i zaglądam przez szybkę w drzwiach. W słabym świetle sączącym się przez zarosłe brudem szkło opuszczona kuchnia wygląda niesamowicie i przypomina statek duchów.

Spostrzegam, że jedna z szybek jest pęknięta. Trącam ją lekko i wypada w kawałkach na podłogę. Sięgam ręką do wnętrza i otwieram drzwi z klamki.

Wchodzę. Mroczne, ponure wnętrze pasuje do mojego nastroju. Nozdrza atakuje woń stęchlizny i wilgoci; kicham.

Ostrożnie idę do jadalni i podnoszę rolety. W smudze światła, która przebija mrok, tańczą drobiny pyłu. Miękkie, rozproszone światło ukazuje pokrywającą wszystko szarą warstwę kurzu. Z wysokiego sufitu niczym stalaktyty zwisają pajęczyny. Drewnianą podłogę pokrywają szczurze bobki. Gdyby nie to, że miejsce jest mi dobrze znane, wyglądałoby naprawdę widmowo, niczym z jakiegoś filmowego horroru.

W miarę jak postępuję w głąb domu, osaczają mnie szepty przeszłości. Każdy pokój, do którego wchodzę, ożywia kolejne wspomnienia. Salon, gdzie zawsze oglądałam telewizję, pogryzając orzeszki; gabinet, gdzie Alka podniosła swój ostatni bunt; sypialnia rodziców z tą małą alkową, którą Ma przekształciła w swoją prywatną świątynię; okno wykuszowe w pokoju Nehy, z którego zwykłyśmy podglądać sąsiadów spod osiemnastki; i wreszcie moja sypialnia, gdzie, wsparta o poduszkę, skrobałam w moim sekretnym pamiętniku, marząc, że kiedyś zostanę pisarką. Jedynym pokojem, do którego nie odważam się wejść, jest sypialnia Alki.

Wszystko wygląda tu teraz inaczej. To już nie jest dom moich marzeń i snów. Rozległy, opustoszały, bez mebli, sprawia wrażenie pustej skorupy, z której uleciała dusza. Nagle czuję się jak człowiek, który wtargnął do obcego domu. Niektórym wspomnieniom, uświadamiam sobie, należy pozwolić, by pozostały wspomnieniami i leżały nietknięte w jakimś ciemnym, odległym zakamarku umysłu. Wyniesienie ich na światło dzienne sprawia, że momentalnie popieleją, zmieniają się w pył.

Sprawdziwszy cały dom, postanawiam wykorzystać go jako chwilowe schronienie. Jego zła sława jako miejsca, w którym straszy, będzie trzymać ciekawskich z daleka. A schronienie się tu na parę dni pozwoli mi podładować baterie, zanim zacznę tropić AK. Najpierw jednak muszę coś zrobić z moim wyglądem.

Zestaw podróżny Shalini jeszcze raz okazuje się jak znalazł, gdyż zawiera nożyczki. Wchodzę do mojej dawnej łazienki i patrzę na własne odbicie w starym pękniętym lustrze, dotąd noszącym ślady mojej pasty do zębów. Na samo wspomnienie tego, jak stałam przed nim każdego ranka, szorując zęby, znowu łzy stają mi w oczach. Wiem, że ten błogi czas nigdy już nie powróci. Ta myśl nieoczekiwanie sprawia, że wzbiera we mnie niewytłumaczalna złość. Co ja takiego zrobiłam, że zasłużyłam sobie na ten los, na życie ściganego zwierzęcia? I z niemal atawistyczną wściekłością atakuję włosy nożyczkami. Ciach! – i obcinam lok.

Każde stłuczone lustro, każde osłonięte okiennicami okno, każda zwisająca z sufitu pajęczyna to dla mnie głos z przeszłości. I z każdym błyskiem wspomnienia płaczę coraz gwałtowniej i chlastam nożyczkami kolejny kosmyk.

W ciągu paru minut moje długie kręcone włosy znikają. Ich miejsce zajmuje krótka, przycięta na wysokości ucha czupryna. Kiedy ustaje płacz, pozbywam się także cuchnącego *salvar kameez* i wkładam obcisłe dżinsy i czarny T-shirt z torby Shalini.

Gdy wkładam słoneczne okulary i staję przed lustrem, spogląda na mnie z niego jakaś obca, modnie ubrana dziewczyna. Ten nowy wygląd jest w jakimś sensie odpowiedni. Bo tym właśnie się stałam: obcą we własnym domu.

Na szczęście z kranów nadal cieknie woda, a w kuchni zostało w butli trochę gazu. Resztę dnia spędzam więc na gruntownym sprzątaniu. Ścieram kurze w mojej sypialni, szoruję łazienkę, usuwam warstwę brudu, która przyrosła niczym mech do kuchennych blatów. Ten przystęp nietypowego dla mnie domatorstwa to właśnie to, czego potrzebuję, żeby zmienić bieg myśli, które stawały się coraz bardziej depresyjne.

Gdy zaczyna się ściemniać, zbieram się na odwagę i decyduję się wyjść poza kampus. Trzymając się cienia, idę do sklepu Thapa's Provision, znajdującego się tuż za bramą.

Właściciel, Thapa, to stary, zasuszony Nepalczyk o krótko przystrzyżonych włosach i uśmiechu, którego efekt psuje zły stan uzębienia. Przygląda mi się mętnymi oczami.

– Nigdy pani tu nie widziałem. Pani to będzie może panna Nancy, nowa nauczycielka biologii?

– Nie – odpowiadam, starając się, żeby mój głos brzmiał neutralnie, swobodnie. – Pani Nisha, z Nagpur.

Przez ponad dziesięć lat u niego kupowałam, a mimo to mnie nie rozpoznał! Odnotowuję to jako małe zwycięstwo i rzucam się w wir zakupów.

Pół godziny później, kiedy wracam ukradkiem pod siedemnastkę, mam zapasów na tydzień. Jest herbata, mleko i cukier, by mieć czym powitać poranek, zapałki i świece, by mieć czym świecić wieczorem, makaron i gotowe dania, by szybko przyrządzić lunch i kolację, i dość przyborów toaletowych, by nie zarosnąć brudem.

Po szybkiej, mało wyszukanej kolacji wychodzę tylnymi drzwiami na zewnątrz. Noc jest chłodna i choć narzuciłam na podkoszulek tunikę, wstrząsa mną lekki dreszcz. Siadam pod dębem i w milczeniu patrzę na jezioro. Pod usianym gwiazdami niebem zmarszczone ciemne wody ożywia kalejdoskop mieniących się wzorów, które tworzą jasne światła Klubu Wioślarskiego w połączeniu z migotliwymi neonami centrum Nainital. Jest to tak piękne, że niemal melancholijne.

Odpływam myślą ku rodzinie i przyjaciołom. Jak ma się Neha? Jak radzi sobie Ma? I tak strasznie chciałabym pogadać z Shalini! A Karan? Mam nadzieję, że jest już w drodze do Indii... Jakie to okropne, być odciętą od ludzi, którzy są dla mnie najważniejsi!

Wreszcie, wyczerpana własnymi myślami, wracam do domu, kładę się na zimnej podłodze mojej dawnej sypialni i odpływam w sen.

W Rohini budziły mnie przeraźliwe klaksony i hurgot przejeżdżających obok osiedla LIG ciężarówek. Na kampusie Akademii Windsor budzi mnie śpiew ptaka. Wyglądam przez okno: na gałęzi sosny przysiadła pleszka w błękitnej czapeczce. W czystym jak kryształ powietrzu wzrok sięga daleko-daleko, aż po odległy horyzont, gdzie postrzępione, okryte śniegiem szczyty rzucają śmiałe wyzwanie rodzącemu się niebu. Nad zboczami wzgórz żeglują delikatne bladoróżowe obłoki, w pierwszym świetle jutrzenki wyglądające jak strzępy cukrowej waty. Łagodny wietrzyk szeleści wśród dzikich słoneczników, jeszcze wilgotnych od iskrzącej się rosy. Czuję się pobłogosławiona, pocieszona przez promienne, spokojne dostojeństwo Nainital. Po szarej, betonowej surowości miasta powrót w góry to powrót do świata miękkości i koloru.

Dostrzegam też zwinięty w rulon egzemplarz dzisiejszej gazety, leżący na ganku domku numer 17. Gazeciarz musiał dostarczyć ją dosyć wcześnie... Nie mogę się oprzeć pokusie. Podkradam się pod ganek sąsiadów i kradnę im gazetę.

Okazuje się, że to pomyłka. W gazecie pełno jest przygnębiających wiadomości na mój temat. Policja nazywa to największą obławą od czasu ataków terrorystycznych z dwudziestego szóstego listopada* i obiecuje dwieście tysięcy nagrody za informację, mogącą prowadzić do mojego aresztowania. Choć nie mam już rewolweru, wciąż pisze się o mnie jako o „uzbrojonej i niebezpiecznej". Podejmuje się próby przypisania mi także odpowiedzialności za śmierć

---

* Seria ataków terrorystycznych, które miały miejsce w Mumbaju w dniach 26–29 listopada 2008 roku (przyp. tłum.).

Rany. Jedyne dobre wiadomości to zawieszenie Pushpy Thanvi w czynnościach służbowych i wypuszczenie Shalini Grover za kaucją.

Ze stron biznesowych dowiaduję się, że rada nadzorcza Grupy ABC zaakceptowała nabycie firmy przez Premier Industries. Zdjęcie ukazuje szeroko uśmiechniętego Ajaya Krishnę Acharyę przed wejściem do Kyoko Chambers. Z każdym mijającym dniem sprawca śmierci Acharyi umacnia swoją pozycję, a ja wciąż jestem zbiegłą podejrzaną!

Wydzieram zdjęcie i zaczynam się nad nim znęcać. Wykłuwam AK oczy, przedzieram usta, siekam twarz na kawałeczki, cały mój strach i frustrację wyładowując na tym kawałku taniego gazetowego papieru.

Czas mija mi pomiędzy nudą a przerażeniem. Godziny czuwania spędzam na paranoidalnym oczekiwaniu policyjnej łapanki. Godziny snu to fantastyczne kłębowisko sennych marzeń, wspomnień i koszmarów. Ukryta w ciemnym, zimnym domu powoli zaczynam dostawać świra... Czyżbym zamieniła jedno więzienie na drugie?

Każdej nocy wymyślam nowy plan zdemaskowania AK, tylko po to, by w świetle dnia zdyskwalifikować go jako chybiony, niepraktyczny lub wręcz głupi. Nie wiem nawet, gdzie AK mieszka. A bez broni, bez partnera i bez elementu zaskoczenia dobranie mu się do skóry jest tak samo niemożliwe, jak wejście na Everest w gumowych klapkach.

Pod koniec czwartego dnia ogarnia mnie paraliżująca apatia. Nie chce mi się jeść, nie chce mi się spać, a nade wszystko nie chce mi się myśleć.

Jedyną moją nadzieją jest teraz Karan. Tylko on może sprawić cud, znaleźć jakieś rozstrzygające dowody, które pozwolą rozwikłać uknutą przez AK zbrodniczą intrygę i przywrócić mi wolność.

Jest ósma wieczorem. Siedzę w pokoju jadalnym. Jedynym źródłem światła jest świeca, przymocowana do podłogi za pomocą stopionego wosku. W jej łagodnej poświacie usiłuję zmobilizować się do walki z AK. Wysilam mózg, żeby wymyślić jakiś nowy plan, jakikolwiek... Staram się jak mogę, ale nic z tego nie wychodzi.

Tak tylko, żeby się rozerwać, wyjmuję gotówkę, jaka mi pozostała, i przeliczam. Po zakupach zostało mi tylko tysiąc czterysta dwadzieścia rupii. Przewracam do góry nogami torbę Shalini, żeby sprawdzić, czy czegoś nie przeoczyłam. Wypada z niej pięciorupiowa moneta i niczym kołpak, który odpadł z samochodowego koła, toczy się po podłodze. Szybko pomyka wzdłuż desek, skręca w prawo, przemierza maleńki hol i znika w szparze pod drzwiami do pokoju Alki.

Z jękiem irytacji wstaję. Wyjmuję świecę z woskowego gniazdka i wychodzę z jadalni.

Przed drzwiami Alki waham się przez chwilę, tak jakby wciąż był tam zły duch, którego nie wolno wypuścić. Wydaje mi się, że z pokoju dochodzą jakieś głosy, szepczące coś w dziwnym, niezrozumiałym języku... Nie, to tylko moja wyobraźnia, zbyt bujna po zaliczeniu tylu filmów o duchach. I wtedy dobiega mnie coś jakby skrobanie czy szelest, jakby ktoś przemieszczał się wewnątrz po podłodze. Przerażona, odskakuję od drzwi.

Przez kilka chwil słyszę tylko własny szybki oddech i gwałtowne łomotanie serca. Zbieram odwagę, by stawić czoło demonom, zarówno imaginacyjnym, jak realnym. Biorę głęboki oddech, usuwam z głowy wszelką myśl... Naciskam klamkę i jednym ruchem otwieram drzwi na oścież. Nieduży szczur z piskiem rzuca się do ucieczki. Żołądek skręca mi się z obrzydzenia.

Wchodzę do pokoju Alki. Szepty stają się coraz głośniejsze. Filująca świeca rzuca na ścianę groteskowe cienie, przez co otoczenie wydaje się jeszcze bardziej niesamowite. Pokój jest kompletnie pusty, ale oczyma wyobraźni widzę drewniane łóżko Alki. Niemal bezwiednie moje oczy wędrują w górę, ku sufitowi, i jak w błysku reflektora, co rozświetla na chwilę ciemną scenę, błyska ku mnie z góry zwisające z wentylatora ciało Alki. Widzę jej twarz, jej zwieszoną na bok głowę, owiniętą wokół szyi żółtą *dupattę*... Ten ponury obraz-wspomnienie jest tak realny, że wyrywa mi się jęk przerażenia.

Mobilizuję całą wolę, jaką mam, żeby usunąć z głowy ten bolesny obraz. Kiedyś kochałam ten pokój, przypominam sobie. Przywołuję wspomnienia słonecznych dni, jakie spędzałam z siostrą w tych czterech ścianach, dowcipów, jakie sobie opowiadałyśmy, wieczorów, gdy mała Alka w piżamce przytulała się do mnie, a ja wymyślałam dla niej na poczekaniu bajki o mądrych królach i złych czarownikach...

Odzyskawszy równowagę umysłu, próbuję całkiem usunąć z niego Alkę. Koncentruję się na tym, co mam do zrobienia: znalezienie monety. Na podłodze jej nie widzę. W dymnym świetle świecy sprawdzam każdy kąt – monety nie ma. Wygląda na to, że zniknęła bez śladu.

Nigdy nie wierzyłam w magię, więc może to oznaczać tylko jedno: że wpadła w szczelinę między deskami podłogi. Przykucam i zaczynam postukiwać w nie palcami, szukając obluzowanej. Troszkę to trwa, w końcu jednak pośrodku pokoju, gdzie zwykle stało łóżko Alki, natrafiam na to, czego szukam. Drewno jest tu jaśniejsze, bardziej zniszczone niż reszta, a jedna z desek wydaje głuchy pogłos.

Próbuję ją wyciągnąć, ale szczelina nie jest dość szeroka, żeby włożyć palce i ją chwycić. Nie rezygnuję. Biorę z torby Shalini nóż i podważam. Sięgam drugą ręką, chwytam uniesioną krawędź, unoszę deskę jeszcze bardziej i wyjmuję.

Zaglądam w puste zagłębienie. Na warstwie kurzu i farfocli połyskuje pięciorupiowa moneta. Pod nią jednak jest coś jeszcze: wąskie kartonowe pudełko.

Wyjmuję je, bardziej zaniepokojona niż zaciekawiona. Stęchła woń łaskocze mnie w nozdrza. Otwieram pudełko drżącymi palcami i znajduję w nim plik listów. Przez moment czuję się winna, jak człowiek przyłapany na podglądaniu czegoś, co miało być prywatne czy ściśle tajne. Ciekawość bierze jednak górę i zaczynam przerzucać listy. Pełne czułych słów i namiętnych wyznań, wszystkie zaczynają się od „Moja najdroższa Alko!", a podpisane są po prostu: Hiren.

Hiren... Coś we mnie porusza to słowo, ale błysnąwszy krótko na krawędzi pamięci, osuwa się z powrotem w ciemność, zanim zdążę złapać trop. Niektóre listy, o zgrozo, wyglądają na pisane krwią, inne zdobią symbole satanistyczne... W jednym natrafiam na straszliwą deklarację: „Jesteś moim światłem w ciemności. Zniszczę każdego, kto stanie na drodze naszej wiekuistej miłości".

Na dnie pod stosikiem listów leży złożona we dwoje urodzinowa kartka, bez wątpienia wręczona z okazji piętnastych urodzin Alki. Otwieram ją. Ze środka wylatuje parę kolorowych zdjęć. Rzucam okiem na jedno... i świat wokół mnie zaczyna wirować, a całe ciało drętwieje.

Są to zdjęcia przystojnego chłopaka, wysokiego i barczystego, ze spadającą na czoło czarną czuryną. Bujne wąsy dopełniają obrazu jurnej męskości. Zdradzają go jedynie oczy... Rozpoznałabym je zawsze i wszędzie.

Nie, to nie może być on! – próbuję przekonać siebie samą. W głębi serca jednak dobrze wiem, że chodzi o niego. Napis na odwrocie jednego ze zdjęć wyjawia mi jego pełne nazwisko: ALKA SINHA+HIREN KARAK=NAJWIĘKSZA MIŁOŚĆ NA ŚWIECIE.

A więc ukochanym Alki był Hiren Karak. W głowie błyskają mi wspomnienia rozmaitych scen i sytuacji, którym towarzyszy rozszalałe piekło sprzecznych uczuć. Shalini mówi o powiązaniach pomiędzy właścicielem Indusa, Swapanem Karakiem, a Raną. Podczas głodówki Nirmali Ben na Dżantar Mantar chłopak Lauren, James, wspomina, że widział wśród uczestników Karaka juniora. I słowa umierającego ojca! Rezonują mi w głowie jak echo w skalnej grocie. Lauren wydawało się, że usłyszała „hiran" – jeleń, ale teraz wiem, że tak naprawdę tato powiedział: Hiren.

Krew ścina mi się w żyłach, atramentowa czerń zaczyna ogarniać świadomość... Muszę wesprzeć się ręką o podłogę, żeby się nie przewrócić.

I w nagłym błysku, niczym śmierć, odsłania się przede mną prawda. Momentalnie wiem, co mam zrobić.

Pakuję listy i zdjęcia do brązowej torby, zbieram pieniądze i po cichu opuszczam dom.

Gdy wychodzę za bramę akademii, ogarnia mnie przemożne poczucie celowości. Nie mam najmniejszej wątpliwości, dlaczego tu jestem, co sprawiło, że się tu znalazłam. To tu, w tym miejscu wszystko się zaczęło, to tu jeden nieszczęsny wypadek pociągnął za sobą łańcuchową reakcję zaplanowanej, bezsensownej destrukcji. I będzie w tym jakaś poetyczna sprawiedliwość, jeśli tu rozpoczną się wypadki, które położą jej kres.

Idę do Centrum Komunikacji Rawat's, które przed epoką telefonów komórkowych pełniło funkcję lokalnego urzędu telekomunikacyjnego, i stwierdzam, że nadal działa. Wchodzę do drewnianej budki, której ściany szpecą niezliczone numery telefonów, i wybieram komórkę Lauren.

Odbiera po piątym dzwonku.

– Lauren, Sapna z tej strony – mówię zniżonym głosem.

– Sapna! To naprawdę... – zaczyna, ale przerywam jej.

– Nie mam czasu, Lauren. Zrób mi tylko przysługę. Powiedz Guddu, żeby jutro o szóstej rano spotkał się ze mną przed osiedlem LIG.

– Do czego ci jest potrzebny Guddu? Skąd dzwonisz?

– Lepiej, żebyś nie wiedziała – mówię i kończę rozmowę.

Płacąc za rozmowę, pytam młodego pracownika centrum:

– Może pan wie, o której odjeżdża nocny autobus do Delhi?

– O dziesiątej – odpowiada. – Jest pani z akademii, *didi*?

Potwierdzam skinieniem głowy.

– Podobno duch tej dziewczyny spod siedemnastki znowu straszy.

– Naprawdę?

– No! Dwa dni temu laborant widział, że w domu miga światełko, jakby świeca. A jedna nauczycielka słyszała dochodzące ze środka jakieś dziwne dźwięki.

– Nie wierzę w duchy – uśmiecham się do niego ze smutkiem. – A nawet gdyby był tam jakiś duch, coś mi mówi, że do jutra go wyegzorcyzmują.

Pora wilgoci.

Monsun południowo-wschodni przyszedł pięć dni wcześniej niż zwykle i zagarnął całe miasto w swoje mokre objęcia. Drobna okresowa mżawka, która zaczęła się, gdy o piątej rano dotarłam z Nainital do Delhi, zmieniła się w nawałnicę. Gniewne ciemne chmury pędzą po szarym nieboskłonie i z hukiem pękają, lejąc potoki na domy, ulice i pola. Jednolitą ścianę deszczu coraz to znaczą poszarpane węże błyskawic.

Stoję przed drzwiami mieszkania B-35. Wejścia broni solidny, ciężki zamek.

– No, dalej – szturcham Guddu. – Mówiłeś, że otworzysz każdy. Zobaczymy, jak ci pójdzie z tym.

Guddu z miejsca bierze się do roboty i zaczyna manipulować kolejnymi kluczami, których solidny pęk przyniósł ze sobą. Rzeczywiście, ślusarz z niego znakomity, bo w niespełna trzy minuty zamek zostaje otwarty. W dowód mojego uznania daję mu pięćset rupii, dosłownie ostatnie pieniądze z pozostawionych mi przez Shalini. Wiem, że nie będą mi już potrzebne. Dotarłam do kresu podróży.

– Możesz iść – mówię do Guddu. – Dalej poradzę sobie sama.

Guddu znika, a ja przekręcam klamkę i wchodzę do mieszkania. Wygląda jak typowa kawalerka: oszczędnie umeblowane, z wielkim telewizorem, konsolą PS3 i od dawna nieużywaną kuchnią. Mijam salon i przechodzę do pierwszej sypialni. Stoi w nim tylko szafa z lustrem, nic więcej. W drugiej sypialni jest ciemno, gdy wchodzę, ale od progu osacza mnie jakaś mdła woń.

Przyciskam kontakt. Niewielkie pomieszczenie zalewa chorobliwie żółte światło gołej żarówki. Rozglądam się... i oczy robią mi się okrągłe. Jestem bliska omdlenia... Pokój to świątynia ku czci Alki. Wszędzie na ścianach wiszą ogromne powiększenia twarzy mojej siostry. W kącie, udrapowany niczym girlanda, rozpięty jest żółty szal. Wygląda jak ta *dupatta*, na której Alka się powiesiła. I wszędzie widać makabryczne obrazy krwi i śmierci, czaszek, węży i satanicznych potworów. Dowód, że jestem w sanktuarium psychopaty.

Najbliższe pół godziny spędzam na przeszukiwaniu pokoju. Odsuwam szuflady, grzebię w szafkach, zaglądam nawet pod materac. Odkrywam mnóstwo gotówki, mnóstwo kokainy i tuzin listów Alki do Hirena.

Zaczynam je czytać – i przenoszę się w przeszłość, w idylliczny świat niewinnej piętnastolatki z gwiazdami w oczach i sercem pełnym marzeń. Coraz to natykam się na wzmiankę o mnie – jak mnie Alka ubóstwia, jak mi bez reszty ufa... Nie jestem w stanie dłużej się opanować. Osuwam się na podłogę, ściskając te ostatnie relikty, jakie zostały po Alce, i łzy, które nie chciały popłynąć w dniu jej śmierci, teraz wylewają się ze mnie falami. Szlocham gwałtownie, opłakując siostrę, która odeszła na zawsze.

Płacz dobrze mi robi. Czuję się oczyszczona od środka, jak gdyby wraz ze łzami spłynął jakiś złośliwy naciek w moim sercu.

Tak się zatracam w tej żałobie, że nawet nie zauważam, jak otwierają się drzwi wejściowe i ktoś po cichu wchodzi do mieszkania. Nagle czuję na plecach chłodny dotyk lufy.

Odwracam się i patrzę na trzymającego broń mężczyznę. Ma na sobie biały dres Adidasa, jest zaniedbany i niechlujny. Włosy mu urosły i znowu są takie jak na tamtych starych zdjęciach, długie i proste. Wąsy także odrosły, gęstsze i nawet o ton ciemniejsze.

– Cześć, Karan – mówię, ocierając oczy. – A może powinnam ci mówić: Hiren?

– Jakiś szósty zmysł mi podpowiedział, że mogłaś wrócić na osiedle... Ale nie spodziewałem się ciebie w moim domu – szepcze z niedowierzaniem. – Myślałem, że zatarłem ślady naprawdę skutecznie.

– Zatarłeś, ale doprowadziła mnie do ciebie pewna pięciorupiowa moneta. Powiedz mi, wyjeżdżałeś w ogóle do Ameryki?

Szczerzy zęby w uśmiechu.

– Nie ruszyłem się z Delhi.

– A ile właściwie masz lat?

– Dwadzieścia. Wystarczająco, żeby wiedzieć, co to znaczy stracić kogoś, kogo się kochało najbardziej ze wszystkich na świecie.

– Ja też straciłam siostrę. Alka była...

– Nie waż się wymawiać jej imienia! – krzyczy piskliwie, z urazą. Nachyla się, łapie mnie za włosy i wykręca tyłem. Boli! Wolną ręką szarpie mi podkoszulek i rozdziera, odsłaniając stanik. – Tylko sprawdzam, czy nie nagrywasz. – Łapie moją torbę, przewraca do góry nogami i wytrząsa. – W porządku. I tu nie ma żadnego sprzętu.

– Nie jestem nasłana przez policję.

– Tak też myślałem. Co oznacza, że nikt nie zna mojej tajemnicy. Tylko ty.

– I co zamierzasz ze mną zrobić? – pytam. Błyskawica rozświetla pokój niczym obserwujące wszystko rozwścieczone oko.

– Zabić cię, rzecz jasna – mówi bezbarwnym tonem, mierząc we mnie z rewolweru. Łoskot gromu wstrząsa ścianami pokoju, okno się otwiera. – Nikt nie usłyszy wystrzału w tej ulewie. No i bez problemu będę mógł zająć się ciałem.

– Zabij mnie, skoro musisz – mówię spokojnie. – Ale czy mógłbyś mi przynajmniej powiedzieć, dlaczego to wszystko zrobiłeś? I choć ten jeden raz mówić prawdę?

– Prawdę, co? – szydzi. – Zawsze byłaś taką cholerną dewotką... Całkiem jak twój ojciec.

– Nie lubiłeś go, prawda?

– Nie lubiłem? To o wiele za łagodne słowo. Nienawidziłem go za to, co zrobił Alce, coście jej wszyscy zrobili!

Wskazuję na żółtą *dupattę* w kącie.

– Jak to się stało, że masz ten szal?

– To była część umowy z Alką – mówi, a w jego głosie pojawia się miękki ton melancholijnego wspomnienia. – Tamtej nocy, kiedy się zabiła, wszedłem przez okno do jej pokoju. Przysięgliśmy sobie, że uciekniemy i weźmiemy ślub w świątyni Arja Samadż. Ten żółty szal to miał być węzeł małżeński, jeden dla niej, jeden dla mnie. Poprosiła mnie tylko o parę godzin, żeby mogła się spakować. Czekałem na dworcu autobusowym, ale Alka nie przyszła. Zanadto kochała swoją rodzinę... rodzinę, która w ogóle nie zasługiwała na jej miłość. Zamiast uciec ze mną, wolała umrzeć. Jej ślubny węzeł zmienił się w pętlę na szyi.

Patrzy na mnie osądzającym wzrokiem prokuratora i podejmuje:

– Zabraliście mi jedyną rzecz, która miała dla mnie w życiu znaczenie... Kiedy umarła Alka, umarłem i ja. Świat pociemniał. Nauka stała się bezcelowa. Rzuciłem szkołę. Miałem tylko jedno pragnienie: zemścić się. – Robi pauzę, żeby nabrać powietrza, i jego ton się zmienia. Znika kochanek w żałobie, a jego miejsce zajmuje porąbany psychol. – Mogłem od ręki zlikwidować całą waszą rodzinę... Ale to by było za łatwe. Chciałem, żebyście cierpieli. Tak jak cierpiałem po śmierci mojej ukochanej.

– Czyli że pojechałeś za nami do Delhi?

– Tak. Najpierw pozbyłem się tego gada Pramoda Sinhy, waszego ojca. To ja go zwabiłem do Jeleniego Parku. Cóż to była za ulga dla mojego serca – patrzeć, jak przejeżdża go ta ciężarówka...

– A Neha? Jak to się stało, że i ją objął twój chory plan?

– Alka nigdy się z nią nie zgadzała. Neha była taka zakochana w samej sobie... Miała obsesję na punkcie własnej urody. Chętnie bym ją przeleciał, ale mną pogardziła. Powiedziała, że pocałunek to wszystko, co mogę od niej dostać. No to musiałem dać jej nauczkę. To ja byłem wtedy na tym motorze i oblałem ją kwasem. – Krzywi się ze wzgardą. – Zasłużyła sobie na to ta suka.

Wiem, że mam przed sobą szatana. Zamęt w mózgu, który ostatnio ucichł, teraz znowu wzbiera, wrze, grozi wykipieniem... Na chwilę mnie zatyka. W niesamowitej ciszy, jaka zapada, jednym dźwiękiem jest szum padającego deszczu.

– Ale największa moja zemsta została zarezerwowana dla tej, co zdradziła Alkę: ciebie – podejmuje. Jego twarz jest groteskową maską gniewu i nienawiści.

– A więc to ty skłoniłeś Acharyę, żeby mi zaproponował te siedem prób?

– Skąd. Nie miałem z tym świrem nic wspólnego. Prawdę mówiąc, dotąd nie mam pojęcia, dlaczego ni stąd, ni zowąd wybrał cię, żebyś stanęła na czele jego firmy.

– Ale z pewnością odegrałeś jakąś rolę w jego śmierci, prawda?

– Jasne. Kiedy mi się nie udało odwieść cię od udziału w jego gierkach, postanowiłem zorganizować parę własnych.

Po drugim teście spotkałem się z Raną i złożyłem mu propozycję nie do odrzucenia.

– To ty zorganizowałeś na mnie ten napad w Parku Japońskim, tak?

– Któż by inny? Potrzebny mi był ten nóż z twoimi odciskami palców.

– A potem użyłeś tego noża, żeby zamordować Acharyę i wrobić w to mnie.

– Bingo! Plan był taki, żeby wsadzić cię do kryminału na co najmniej dwadzieścia lat.

– To może opowiesz mi też, jak to było tej nocy, kiedy zamordowałeś Acharyę.

– Poszło dokładnie tak, jak planowałem. Załatwiwszy ten drobiazg z Nehą, dostałem się do domu Acharyi, ukryty w samochodzie Rany. Pozwoliliśmy mu skończyć kolację, po czym poszliśmy do jego sypialni. Wycelowałem w niego spluwę i kazałem trzymać gębę na kłódkę. Najlepsze ze wszystkiego było to, jak zadzwoniłem do tych durnych służących, udając Acharyę, i pozbyłem się ich na całą noc. W pięć minut później Rana wyszedł, ale ja nadal dotrzymywałem Acharyi towarzystwa z lufą przy głowie. Kiedy zadzwoniłaś do Acharyi ze szpitala, ja odebrałem telefon. Zawsze byłem dobrym imitatorem, a naśladowanie charakterystycznego głosu Acharyi było dziecinnie łatwe.

– Kiedy dokładnie go zabiłeś?

– Natychmiast po twoim telefonie. Z chwilą gdy ruszyłaś do willi Prarthana, podpisałaś na siebie wyrok śmierci. Trzeba było słyszeć, jak ten stary zajob skrzeczał, kiedy go dziabnąłem... Jak wykitował, po prostu zamieniłem nóż na ten z twoimi odciskami palców. A potem już tylko czekałem, aż wpadniesz w pułapkę.

– Czyli że byłeś w willi Prarthana, kiedy przyszłam?

– Ależ naturalnie. To ja odpowiadałem przez bramofon. Zostałem nawet po twoim wyjściu, schowany w garażu.

Rana wrócił tuż po północy i wyjechałem z nim tak, jak przyjechałem, skulony w samochodzie. Musisz przyznać, że to najdoskonalszy plan morderstwa, jaki kiedykolwiek wymyślono.

Milczę, przetwarzając w głowie to, co usłyszałam.

– Jeśli chcesz, mogę ci także opowiedzieć część historii związaną z Atlasem.

– Chyba już wiem. To dla Grupy Indus Atlas był przykrywką, prawda?

– Prawidłowo. Tyle że mój tatuś, Swapan Karak, wyjawił mi ten sekret dużo później. Gdybym wiedział wcześniej, nie zgodziłbym się udawać Salima Ilyasi.

– Nie tylko zabiłeś Acharyę, ale także go wrobiłeś.

– To mój prezent dla tatulka. Ojciec nigdy mnie nie lubił, zawsze wolał mojego starszego brata Birena. Kiedy rzuciłem szkołę, wydziedziczył mnie. Ale kiedy pętla Atlasa zaczęła się mu zaciskać wokół szyi, przyleciał w panice do mnie. I wyciągnąłem go z tego. Wystarczyło poprosić Ranę, żeby włożył tajne bankowe dokumenty ojczulka do sejfu Acharyi. Tak że udało mi się upiec dwie pieczenie przy jednym ogniu.

– A potem załatwiłeś Ranę.

– Ten skunks zrobił się pazerny. Zaczął żądać coraz więcej. No więc zajęliśmy się nim z tatusiem. A teraz zajmę się tobą.

Nie do wiary, że kiedyś tego człowieka kochałam... Jedyne, co czuję teraz, to wszechogarniająca nienawiść. I nie mogę znieść myśli, że ujdzie cało! Rzutem oka ogarniam otoczenie: tuż-tuż, w zasięgu ręki mam szklany przycisk do papieru z logo Indusa. W ręce wciąż ściskam listy Alki. Ciskam mu je w twarz, na moment go zaskakując, a równocześnie chwytam drugą ręką przycisk i rzucam w niego. Celuję w twarz, ale trafiam w pierś. Chwieje się i usiłuje złapać równowagę. Podnoszę się, ale zanim zdołam pewnie stanąć na nogi, Hiren wymierza mi kopniaka. Z jękiem bólu walę się na podłogę. Ból tym bardziej się zwiększa, gdy Hiren przygważdża mnie obcasem.

– Masz jaja, ale nie masz celu – szepcze, obnażając zęby niczym wilk.

– Jeszcze tylko jedno pytanie...

– Koniec z gadaniem – przerywa mi. – Teraz przechodzę do zabijania. – Unosi rewolwer i wymierza mi w twarz.

Przenika mnie wrażenie déjà vu. Zmysły się wyostrzają, podkręcone adrenaliną w obliczu fizycznego zagrożenia. Patrzę w surową, bezkompromisową twarz Hirena, w oczy, w których świeci zimny fanatyzm, i wiem, że nie mogę liczyć na żadną łaskę z jego strony.

Wraz z przykrą świadomością, że poniosłam w mojej misji porażkę, przychodzi myśl dojrzalsza. Sprawiedliwość, zemstę, wymiar kary najlepiej pozostawić bogom karmy. Za chwilę dołączę do Alki i taty i chcę tam iść ze spokojem w sercu. W tej chwili oczyszczam umysł ze wszystkiego, nawet z myśli o Bogu. Pozwalam, by odeszła wszelka uraza, żal, gorycz, niewybaczenie, pozostawiam tylko osad smutku, że nie udało mi się zrobić więcej dla Ma i Nehy.

– Zrób to – mówię. Rozlega się kolejny trzask pioruna.

Hiren jednym ruchem wkłada mi rewolwer do ust. Czuję na wargach zimny, metaliczny smak śmierci. Przynajmniej odbędzie się to szybko.

Scena rozwija się z morderczą wyrazistością złego snu. Przekleństwo wymyka się z ust Hirena, widzę ruch palca na cynglu, rozlega się wystrzał, wzdrygam się... Zamiast jednak osunąć się na ziemię, widzę, jak Hiren, z niedowierzaniem na twarzy, chwieje się i cofa o krok. Ściska lewe ramię, gdzie na bluzie od dresu rozkwita gigantyczny kwiat krwi.

Do pokoju wpada wicekomisarz Khan z rewolwerem w dłoni. Z lufy sączy się dym. Nozdrza wypełnia mi gryząca woń prochu.

– Aresztować go – poleca policjantom, którzy wpadają za nim. A na końcu ukazuje się Shalini Grover.

– Dzięki Bogu, że nic ci się nie stało – mówi, chwytając mnie w objęcia.

Patrzę na nią w oszołomieniu, niczym pacjent w śpiączce, który dopiero co odzyskał przytomność.

– Co to wszystko znaczy? Kto powiadomił wicekomisarza Khana? I co ty tu robisz?

– To długa historia, ale w zasadzie powinnaś podziękować jej. – Podnosi z podłogi brązową torbę. – Moja podróżna torba-pogotowie to także kompletny zestaw szpiegowski, z miniaturową kamerą w zapięciu, mikroskopijnym magnetofonem wszytym w klapę i bezprzewodowym nadajnikiem w dnie. Śledziłam każdy twój ruch. Kiedy zorientowałam się, że wróciłaś z Nainital do Delhi, zaalarmowałam wicekomisarza Khana. Mamy nagrane każde słowo, które wypowiedział Hiren. Z tej kabały się nie wywikła.

W przesiąkłym wilgocią powietrzu rozlega się zawodzenie syren i świergot nadawanych przez radio policyjnych komunikatów. Brnę przez osiedlowy dziedziniec, pełen radiowozów, funkcjonariuszy i ratowników medycznych.

Przed wejściem przystaję i spoglądam w niebo. Deszcz ustał, zaczyna się przejaśniać. Zapowiada się piękny dzień. Po wszystkim, co przeszłam, ta prosta obietnica na nowo budzi w moim sercu coś, czego nie czułam od bardzo dawna. Nadzieję.

Wyrównałam stare rachunki. Przeszłość została w końcu pogrzebana. Nad wschodnim horyzontem świta przyszłość, jeszcze mglista, ale powoli, stopniowo coraz jaśniejsza.

Epilog

Jest mroczny, pochmurny dzień. Co jakiś czas spada przelotny deszcz. Siedzę przy oknie w moim nowym domu w Saket*, sączę kawę i słucham łagodnego postukiwania kropel, które spadają z rosnącego pod murem drzewa gulmoharu. Jest w pełni kwitnienia i jego płomiennoczerwone kwiaty są jak chlaśnięcie kolorem na niespokojnej szarej płaszczyźnie nieba.

Zdecydowałam się na ten dom wyłącznie ze względu na to drzewo. Jest dla mnie pociechą – cieniste, szkarłatne niebo w rozgorączkowanym zakątku miasta.

Trzy miesiące minęły od dramatycznych wypadków lipca. Przez pierwsze parę tygodni media nie dawały mi spokoju. Moje zdjęcie zdobiło okładki magazynów, byłam tematem numer jeden na Twitterze, stanowiłam bazowy element rozmaitych telewizyjnych talk-show.

Jedynym pozytywnym efektem mojej niedawnej popularności jest to, że dostałam wymarzoną pracę: jestem redaktorką w Publicon, małym, ale dosyć popularnym wydawnictwie. Zarabiam nieźle, a co najważniejsze, w końcu robię coś, co daje ujście moim pasjom.

Oprócz redagowania opowieści innych ludzi piszę także swoją własną. Wiodące wydawnictwo w Wielkiej Brytanii

---

* Ekskluzywne osiedle mieszkaniowe w płd. Delhi; nazwa oznacza w sanskrycie: miejsce bliskie nieba (przyp. tłum.).

zamówiło u mnie moją debiutancką książkę, która ma być głównie wspomnieniem tych sześciu burzliwych miesięcy mojego życia.

Moi brytyjscy wydawcy dali mi także wcale niemałą sumę w charakterze zaliczki. Dzięki temu mogłam opłacić pierwsze operacje plastyczne Nehy. Każdy dzień przywraca jej twarzy radość, a lekarze mówią, że niedługo będzie mogła wrócić do dawnego życia.

Ma dołączyła do Nirmali Ben i mieszka teraz wraz z nią w Gandhi Niketan. Odpowiada jej to proste, surowe życie, oparte na wierze i dobroczynności, i już teraz przyniosło spektakularną poprawę stanu jej zdrowia.

Shalini Grover jest na pierwszej stronie dzisiejszej gazety: dostała nagrodę Odważnego Dziennikarstwa. Patrzę na jej zdjęcie i czuję przypływ dumy. Nawet niepotrzebny jej był ten wywiad ze mną... Pierwsza strona zawiera także wiadomość, że prośba o zwolnienie za kaucją Hirena Karaka i jego ojca Swapana została ponownie oddalona. Komisarz Khan (w zeszłym miesiącu dostał awans) twierdzi, że nawet jeśli uda im się uniknąć kary śmierci, to czeka ich co najmniej dwadzieścia lat odsiadki. Grupa Indus (zwana przez media Łupem Atlasa) poszła do likwidacji, a jej aktywa zostały zajęte.

Właśnie odstawiam filiżankę, kiedy odzywa się dzwonek przy drzwiach. Jęk wyrywa mi się z ust. Pewnie jakiś kolejny upierdliwy reporter... Wstaję, z bezwiednym wyrazem twarzy urzędnika pod koniec dnia pracy otwieram drzwi – i cofam się przerażona. Na moim progu stoi duch Vinaya Mohana Acharyi. Ta sama śnieżnobiała jedwabna *kurta pyjama*, ten sam biały paszminowy szal na ramionach, ta sama rubinowa tika na czole... Dokładnie jak tamtego dnia, kiedy spotkaliśmy się po raz pierwszy.

– Nie... nie wierzę – mówię słabym głosem. W głowie kręci mi się gwałtownie, nogi się pode mną uginają... i tylko fakt, że gość w porę wyciąga ramiona, chroni mnie przed bezwładnym osunięciem się na ziemię.

– Przepraszam, że panią wystraszyłem – mówi, pomagając mi utrzymać się na nogach. – Jestem Ajay Krishna Acharya, właściciel Grupy ABC.

– Znaczy AK? Brat pana Vinaya Mohana Acharyi? – pytam słabo. Kiwa głową.

– Mogę wejść?

Siada na wiklinowej sofie. Wciąż mam wrażenie, że spowija mnie mgła nadrealności.

– Wygląda pan inaczej, niż kiedy widziałam pana ostatnio w domu pana Acharyi – zauważam.

– Zmieniłem się – odpowiada. – Śmierć brata sprawiła, że spojrzałem krytycznie na siebie i na moje metody działania w biznesie.

– Rana był pańską wtyczką w Grupie ABC, prawda?

– Tak – wzdycha. – Rana był łajdakiem, gotowym sprzedać duszę każdemu, kto da więcej. Był na mojej liście płac od roku dwa tysiące dziewiątego. Kiedy jednak zgodził się za garść srebrników pomóc Hirenowi w zamordowaniu Vinaya Mohana, coś się we mnie przebudziło. To smutne, ale odkryłem mojego brata dopiero po jego śmierci. I odkryłem też Boga. Będzie pani miło usłyszeć, że właśnie przekazałem dwadzieścia milionów rupii na instytucję charytatywną pani przyjaciółki Lauren.

– A czego chce pan ode mnie?

– Chcę, żeby pani to przeczytała – mówi, podając mi złożony arkusz papieru.

– Co to jest?

– Wiadomość od mojego brata, przeznaczona dla pani. Znalazłem ją dopiero wczoraj, przeszukując stare papiery Vinaya Mohana. Myślę, że powinna się z nią pani zapoznać.

Rozkładam arkusz. List został napisany na beżowym czerpanym papierze z inicjałami Acharyi, płynnym, kaligraficznym pismem. Nosi datę dziesiątego lipca, dzień przed jego śmiercią. Oto, co w nim napisano:

Droga Sapno!
Kiedy będzie pani czytać ten list, nie będzie mnie już na świecie. Guz trzustki upomniał się o mnie trochę wcześniej, niż przypuszczałem.
Piszę do pani z mojego prywatnego pokoju w szpitalu Tata Memorial, czekając na operację. Być może jej nie przeżyję. A nawet jeśli, to lekarze mówią, że mam przed sobą niecałe trzy tygodnie życia. Rak, który najpierw przerzucił się na otaczające trzustkę węzły chłonne, teraz objął także wątrobę i płuca. Nawet w przypadku agresywnej chemioterapii moje szanse przeżycia wynoszą niespełna pięć procent. W tej sytuacji nie zgodziłem się na chemię. Wolę umrzeć z godnością. Jak zawsze mówiła moja córka Maya, to jakość życia się liczy, a nie jego długość.
Wielu rzeczy żałowałem w ciągu ostatnich paru lat, ale najbardziej żal mi tego, że nie byłem w stanie spędzać z panią tyle czasu, ile bym chciał. Przypomina mi pani moją córkę. Kiedy tamtego szarego, zimnego popołudnia, 10 grudnia zeszłego roku, spotkaliśmy się po raz pierwszy, powiedziałem, że dostrzegłem jakąś iskrę w pani oczach, ale to nie jest cała prawda. Ma pani w sobie także coś więcej – szczodrość ducha, którą spotyka się niezwykle rzadko.
Ciekaw jestem, czy data 23 sierpnia ma dla pani jakieś znaczenie. Prawdopodobnie jest to dla pani zwykły dzień, jeden z wielu, dla mnie jednak oznacza ponowne narodziny. Mam jedną z najrzadszych grup krwi, typ bombajski. 23 grudnia zeszłego roku musiałem nagle poddać się operacji. Byłem w stanie krytycznym, potrzebowałem pięciu jednostek krwi, ale żaden z banków krwi w mieście nie dysponował typem bombajskim. Lekarze już niemal położyli na mnie krzyżyk, gdy zgłosiła się pani i oddała swoją.

Tego dnia uratowała mi pani życie. I tego dnia postanowiłem, że stanie pani na czele mojej firmy. Powiedziałem, że jest pani kandydatką numer siedem, ale to nieprawda. Zawsze była pani kandydatką jedyną.

Musiała mnie pani uważać za sadystę bez serca, kiedy postawiłem panią w obliczu tych prób. Ale łatwo jest odziedziczyć stanowisko; znacznie trudniej jest je utrzymać. Chciałem się upewnić, że ma pani cechy niezbędne do tego, aby nie tylko przejąć moją firmę, ale także pchnąć ją naprzód. Co więcej, chciałem, żeby ta wiodąca pozycja nie była darem, lecz zasługą.

Za pośrednictwem tych siedmiu prób nauczyłem panią, czym jest przywództwo, prawość, odwaga, umiejętność przewidywania, przedsiębiorczość i zdolność podejmowania decyzji. Siódmej, niestety, nie zdołałem zorganizować. W tym liście przekazuję więc pani moją ostatnią lekcję.

Jednym z paradoksów sukcesu jest to, że im więcej mamy władzy, tym bardziej tracimy kontrolę. Nawet największa zdolność przewidywania, najbardziej staranne planowanie i największa przedsiębiorczość nie izolują pani całkowicie od kaprysów świata zewnętrznego. Przeszłe dokonania nie są gwarancją przyszłych wyników. Nic nie jest dane na stałe. Dziś może być pani na szczycie, ale zawsze są rywale, którzy mogą strącić panią na dół. A wtedy potrzebna jest pani najistotniejsza dla przywódcy cecha: mądrość.

Wielu sądzi, że mądrość przychodzi z wiekiem, ale to nieprawda. Z wiekiem przychodzą tylko zmarszczki i siwe włosy. Mądrość bierze się z połączenia intuicji z etyką, z dokonywania wyborów i uczenia się na ich podstawie. Ze zdolności do radzenia sobie z porażką i odrzuceniem. Każdy z moich sześciu testów nauczył panią czegoś ważnego. Ale najważniejszą nauką życia jest to, aby ufać własnemu wewnętrznemu głosowi. Znajomość świata to spryt; poznanie siebie samego to mądrość.

A więc, cokolwiek pani robi, proszę pozostać sobą. Zawsze proszę słuchać własnego serca, robić to, co uważa pani za słuszne, i bronić zasad, w które pani wierzy. Wszystko inne przyjdzie w ślad za tym.

Aby pokazać, że stosuję w praktyce to, co głoszę, niniejszym mianuję panią dyrektorem naczelnym Grupy ABC. Pozostawiam moją firmę w rękach osoby, która zasługuje na to najbardziej ze wszystkich: pani.

Od pani zależy teraz ustanowienie przyszłego kierunku firmy i rozwinięcie mojego dziedzictwa. Zawsze będą pani towarzyszyły moje najlepsze myśli i życzenia.

Życzę szczęścia i niech panią Bóg błogosławi.

Żegnam panią czule
Vinay Mohan Acharya

Składam list ze łzami w oczach. Za surową fasadą krył się kochający ojciec i wytrwały, oddany nauczyciel, do ostatniego tchnienia dążący do tego, by dzielić się zdobytą wiedzą. Nawet przekazując ostatnią lekcję zza grobu...

– Dziękuję – mówię i ocieram oczy. – Cieszę się, że mi pan pokazał ten list.

– Przyszedłem nie tylko po to, żeby go pani pokazać. Przyszedłem, aby złożyć pani tę samą propozycję, którą złożyłby pani osobiście mój brat, gdyby go zdradziecko nie zamordowano.

– Przepraszam, ale nie rozumiem.

– Proponuję, żeby została pani dyrektorką naczelną Grupy ABC. Tyle że tym razem nie będzie żadnych prób. Już pani udowodniła swój hart ducha.

Milczę. Za półprzymkniętymi oczami, niczym kronika filmowa, błyskają mi wspomnienia testów Acharyi.

– Jak to brzmi dla pani – dziesięć milionów rocznie?

Dziesięć milionów... Na samą myśl o takich pieniądzach wysycha mi w gardle.

Kiedy jednak ustępuje początkowy szok, oceniam propozycję beznamiętnie. Wszystkie te zera przytłoczyły mi umysł; teraz próbuję posłuchać serca.

Odpowiedź przychodzi natychmiast i wiem, że to jedyna decyzja, jaką mogę podjąć.

– Nie chcę.

Marszczy brwi.

– Słucham?

– Nie chcę być dyrektorka naczelną Grupy ABC. Tak naprawdę nie pasuję do morderczego świata biznesu.

– Myślę, że nie docenia pani siebie – mówi. – Może pani wiele wnieść do firmy.

– Ufam mojemu wewnętrznemu głosowi. Tak jak tego chciał pan Acharya. Wiem, że będę szczęśliwsza jako pisarka po godzinach niż jako biznesowa potentatka.

– Czy nic nie zmieni pani postanowienia?

– Nic – odpowiadam stanowczo.

– Cóż, w takim razie trudno. Szanuję pani życzenie, Sapno. – Robi długi wydech i wstaje.

Patrzę, jak wsiada do swojego bentleya z kierowcą, i nie czuję żadnego ukłucia żalu. Zdałam sobie sprawę, że aby być naprawdę szczęśliwym na tym świecie, potrzeba czegoś więcej niż pieniędzy. To, co mnie podtrzymuje, to miłość i wsparcie rodziny, współodczuwanie przyjaciół, życzliwość obcych i te małe cuda, które Bóg zsyła nam każdego dnia.

Jeden z nich rozgrywa się właśnie przed moimi oczyma. Ciemne chmury nagle pękają i przedziera się przez nie słońce, a po chwili na niebie pojawia się wspaniała tęcza. Jej magiczne barwy, jak ze snu, napełniają mi serce radością i zachwytem. W moim umyśle nie ma śladu wątpliwości. Wiem, kim jestem, wiem, kim chcę być.

Czasem potrzebna jest próba ognia, byśmy przezwyciężyli nasze największe lęki, odkryli, z jakiego materiału zostaliśmy zrobieni. Przeszłam siedem prób, ale przyjdą następne. I będę na nie gotowa. Bo Acharya nauczył mnie czegoś najważniejszego.

Nie wierzę w loterie. Wierzę w siebie. Życie nie zawsze daje nam to, czego pragniemy, ale koniec końców zawsze daje nam to, na co zasługujemy.

Podziękowania

Zaczątkiem tej książki stał się pewien obraz, który przyszedł do mnie, nieproszony, kilka lat temu: obraz starego miliardera, szukającego kogoś w świątyni Hanumana w Connaught Place.

Spróbowałem sobie wyobrazić, skąd się tam wziął i po co, i ziarenko zakiełkowało. Zaczęło wypuszczać coraz to nowe pędy i w konsekwencji doprowadziło mnie do Sapny Sinhy. W ciągu półtora roku, bo tyle czasu zajęło mi nakreślenie jej drogi, Sapna zdążyła się stać czymś więcej niż postacią z książki: zyskała swój własny, pełnoprawny głos, który nauczyłem się szanować i ufać mu.

Miałem to szczęście, że opracowując siedem prób, jakim poddawana jest Sapna, mogłem zwracać się o radę do rodziny i przyjaciół. Ojciec służył mi pomocą w niektórych szczegółowych kwestiach prawnych. Swój istotny twórczy wkład włożyli Sheel Madhur i dr Harjender Chaudhary. Kushal Mital i dr Edmond Ruitenberg użyczyli mi swojej rozległej wiedzy medycznej. Varuna Srivastava była pierwszą czytelniczką fragmentów powieści i jej najgorętszą entuzjastką.

Jeden z wersów cytowanych przez wicekomisarza Khana został napisany przez Markandeya Singha, znanego także jako Shayar Aadin.

Moja żona Aparna chętnie i obszernie przybliżała mi świat kobiecy. Synowie, Aditya i Varun, byli zarazem zajadłymi krytykami i wrażliwymi odbiorcami, dostarczającymi mi cennych informacji zwrotnych.

Książka wiele zyskała dzięki sugestiom moich agentów, Petera i Rosemarie Buckmanów.

Suzanne Baboneau, dyrektor wydawniczy w wydawnictwie Simon & Schuster UK, zasłużyła na mój szacunek i wdzięczność za to, że powitała tę powieść z takim entuzjazmem. Miałem wielkie szczęście, że moją redaktorką był ktoś taki jak Clare Hey. Jej bystre, wnikliwe uwagi bardzo pomogły w wygładzeniu ostatecznej wersji tekstu.

Książka została napisana podczas mojego pobytu na placówce w Osace-Kobe. Wiele mnie nauczyła uprzejmość, uczciwość, wspaniałomyślność i odwaga mieszkańców Japonii. W ich kraju panuje ład i pogoda, które są dla umysłu zarówno źródłem spokoju, jak i twórczej podniety.

I wreszcie – ogromnie dziękuję moim czytelnikom i czytelniczkom. Ich cierpliwość, lojalność i zachęta to paliwo, które napędza mnie jako pisarza.